수능공략 필승학습!
단기간에 끝장내자!

BOOK 1

실전에강한
수능전략

국어
영역 **독서**

천재교육

언제나 만점이고 싶은 친구들 ——————————

Welcome!

숨 돌릴 틈 없이 찾아오는 시험과 평가,
성적과 입시 그리고 미래에 대한 걱정.
중·고등학교에서 보내는 6년이란 시간은
때때로 힘들고, 버겁게 느껴지곤 해요.

그런데 여러분, 그거 아세요?
지금 이 시기가 노력의 대가를
가장 잘 확인할 수 있는 시간이라는 걸요.

안 돼, 못하겠어, 해도 안 될 텐데—
어렵게 생각하지 말아요. 천재교육이 있잖아요.
첫 시작의 두려움을 첫 마무리의 뿌듯함으로 바꿔 줄게요.

펜을 쥐고 이 책을 펼친 순간
여러분 앞에 무한한 가능성의 길이 열렸어요.

우리와 함께 꽃길을 향해 걸어가 볼까요?

#수능공략
#단기간 학습

수능전략
국어 영역

**Chunjae
Makes
Chunjae**

▼

[수능전략] 국어 영역 독서

개발총괄	김덕유
편집개발	고명선, 오혜연, 황준택
디자인총괄	김희정
표지디자인	윤순미, 심지영
내지디자인	박희춘, 한유정
제작	황성진, 조규영
조판	한서기획

발행일	2022년 2월 1일 초판 2022년 2월 1일 1쇄
발행인	(주)천재교육
주소	서울시 금천구 가산로9길 54
신고번호	제2001-000018호
고객센터	1577-0902
교재 내용문의	(02)3282-1716

수능전략
국·어·영·역
독서

BOOK 1

BOOK 1
1주, 2주

BOOK 2
1주, 2주

BOOK 3
정답과 해설

본책인 **BOOK 1**과 **BOOK 2**의 구성은 아래와 같습니다.

주 도입

본격적인 학습에 앞서, 재미있는 만화를
살펴보며 이번 주에 학습할 내용을 확인
해 봅니다.

1일

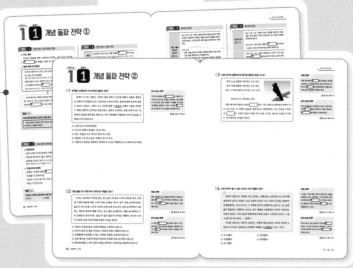

개념 돌파 전략
수능을 대비하기 위해 꼭 알아야 할
핵심 개념을 익힌 뒤, 간단한 문제를 풀며
개념을 잘 이해했는지 확인해 봅니다.

2일, 3일

필수 체크 전략
기출문제에서 선별한 대표 유형 문제와 쌍둥이
문제를 함께 풀며 문제에 접근하는 과정과 해결
전략을 체계적으로 익혀 봅니다.

부록 수능에 꼭 나오는 필수 유형 ZIP

본책에서 다룬 대표 유형과 그 해결 전략을 집중적으로
연습할 수 있도록 권두 부록을 구성했습니다.
부록을 뜯으면 미니북으로 활용할 수 있습니다.

주 마무리 코너

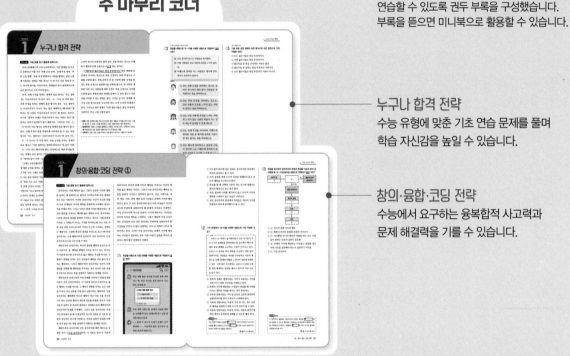

누구나 합격 전략
수능 유형에 맞춘 기초 연습 문제를 풀며
학습 자신감을 높일 수 있습니다.

창의·융합·코딩 전략
수능에서 요구하는 융복합적 사고력과
문제 해결력을 기를 수 있습니다.

권 마무리 코너

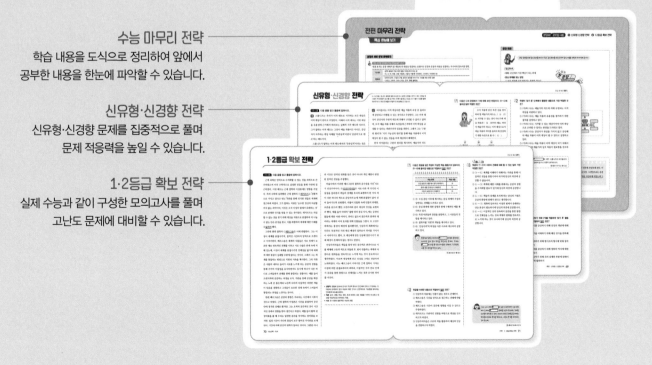

수능 마무리 전략
학습 내용을 도식으로 정리하여 앞에서
공부한 내용을 한눈에 파악할 수 있습니다.

신유형·신경향 전략
신유형·신경향 문제를 집중적으로 풀며
문제 적응력을 높일 수 있습니다.

1·2등급 확보 전략
실제 수능과 같이 구성한 모의고사를 풀며
고난도 문제에 대비할 수 있습니다.

이 책의 차례

BOOK 1

WEEK 1

인문 분야

1일 개념 돌파 전략 ①, ② 008

2일 필수 체크 전략 ①, ② 014

3일 필수 체크 전략 ①, ② 020

🌱 누구나 합격 전략 026

🌱 창의·융합·코딩 전략 ①, ② 030

WEEK 2

사회 분야

1일 개념 돌파 전략 ①, ② 036

2일 필수 체크 전략 ①, ② 042

3일 필수 체크 전략 ①, ② 048

🌱 누구나 합격 전략 054

🌱 창의·융합·코딩 전략 ①, ② 058

🌱 전편 마무리 전략 062

🌱 신유형·신경향 전략 064

🌱 1·2등급 확보 전략 070

파이팅!!

BOOK 2

WEEK 1

과학·기술 분야

1일 개념 돌파 전략 ①, ② ⸺⸺⸺⸺⸺ 006

2일 필수 체크 전략 ①, ② ⸺⸺⸺⸺⸺ 014

3일 필수 체크 전략 ①, ② ⸺⸺⸺⸺⸺ 022

🌱 누구나 합격 전략 ⸺⸺⸺⸺⸺ 030

🌱 창의·융합·코딩 전략 ①, ② ⸺⸺⸺⸺⸺ 034

WEEK 2

예술 분야

1일 개념 돌파 전략 ①, ② ⸺⸺⸺⸺⸺ 040

2일 필수 체크 전략 ①, ② ⸺⸺⸺⸺⸺ 046

3일 필수 체크 전략 ①, ② ⸺⸺⸺⸺⸺ 052

🌱 누구나 합격 전략 ⸺⸺⸺⸺⸺ 058

🌱 창의·융합·코딩 전략 ①, ② ⸺⸺⸺⸺⸺ 062

🌱 후편 마무리 전략 ⸺⸺⸺⸺⸺ 066

🌱 신유형·신경향 전략 ⸺⸺⸺⸺⸺ 068

🌱 1·2등급 확보 전략 ⸺⸺⸺⸺⸺ 074

파이팅!!

WEEK 1 인문 분야

공부할 내용

1. 인문 분야 지문 출제 경향
2. 인문 분야 문제 출제 경향
3. 인문 분야 빈출 어휘 & 개념어
4. 독서의 분야와 방법

개념 돌파 전략 ①

개념 01 인문 분야 지문 출제 경향

○ 주요 제재

인간과 세계에 관한 근원적인 문제나 사상 등을 연구하는 **❶** 을 제재로 다룸. 예 철학, 논리, 역사, 심리 등

○ 출제 경향 및 공략법

- 인간의 생각이나 감정, 심리 현상에 관한 이론과 견해 등을 다룬 글이 출제됨.
  예 감정 노동과 감정 조절 전략, 사상가들이 바라본 인간의 욕망
- 철학가들의 사상, 철학의 역사, 역사가들이 역사적 사실이나 세계를 바라보는 **❷** 등에 관한 글이 출제됨.
  예 토인비의 역사 연구, 삶과 역사의 관계에 따른 역사의 유형

↓

글에 제시된 개념과 관점의 핵심을 파악하는 것이 중요함. 특히 두 가지 이상의 관점이 제시될 경우 관점 간의 공통점과 **❸** 을 비교·대조하며 읽어야 함.

目 ❶ 인문학 ❷ 관점 ❸ 차이점

확인 01

다음 문장에 들어갈 알맞은 말을 골라 ○표를 하시오.

인문 분야의 지문은 주로 인간의 감정이나 생각 등의 (실체적인 / 추상적인) 내용을 다룬다.

개념 02 인문 분야 문제 출제 경향

○ 빈출 문제

- 글에 나타난 특정 관점과 사례를 **❶** 하는 문제
- 지문에 제시되지 않은 새로운 견해를 〈보기〉로 제시하는 문제 예 윗글의 '율곡'과 〈보기〉의 '플라톤'의 견해를 비교하여 이해한 내용으로 가장 적절한 것은?

○ 빈출 문제 공략법

- 견해나 주장에 관한 **❷** 를 구체적 상황에 적용해 추론할 수 있어야 함.
- 지문과 〈보기〉에 나온 여러 견해의 공통점과 차이점을 파악할 수 있어야 함.

目 ❶ 추론 ❷ 정보

확인 02

다음 중 '미루어 생각하여 논함.'을 의미하는 것은?

① 추가 　　② 추론 　　③ 추상

개념 03 인문 분야 빈출 어휘

본질	본디부터 가지고 있는 사물 자체의 **❶** 이나 모습.
	예 인문학의 목표는 인간의 본질에 대한 답을 구하는 것이다.
합일	둘 이상이 합하여 하나가 됨. 또는 그렇게 만듦.
	예 그는 우주와 하나가 되는 합일의 경지를 추구했다.
총체적	있는 것들을 모두 하나로 합치거나 묶은 것.
	예 우리 경제는 지금 총체적 난국에 처해 있다.
역설하다	자기의 뜻을 힘주어 말하다.
	예 그녀는 올바른 역사 교육의 필요성을 역설했다.
지향하다	어떤 목표로 뜻이 쏠리어 향하다.
	예 그는 순수 예술을 지향한다.
기인하다	어떠한 것에 **❷** 을 두다.
	예 무역 적자는 주로 수출 부진에 기인한 것이다.

目 ❶ 성질 ❷ 원인

확인 03

다음 중 밑줄 친 단어와 바꾸어 쓰기에 가장 적절한 것은?

기후 위기의 본질은 지구 온난화이다.

① 입장 　　② 여건 　　③ 근본

개념 04 인문 분야 개념어

관점	사물이나 현상을 관찰할 때, 그 사람이 보고 생각하는 태도나 방향 또는 처지.
	예 경험주의적 관점에서는 그의 사상을 이해할 수 없다.
견해	어떤 사물이나 현상에 대한 자기의 **❶** 이나 생각.
	예 이 문제에 대한 학자들의 견해가 서로 다르다.
연역법	일반적 사실이나 원리를 전제로 하여 개별적인 특수한 사실이나 원리를 결론으로 이끌어 내는 추리 방법. 대표적인 형식으로 삼단 논법이 있음.
	예 논리학에서는 연역법이 자주 활용된다.
귀납법	개별적인 **❷** 사실이나 원리를 전제로 하여 일반적인 사실이나 원리로서의 결론을 이끌어 내는 연구 방법. 특히 인과 관계를 확정하는 데에 사용됨.
	예 귀납법으로 구체적 사실을 분석하여 결론을 이끌어 내었다.

目 ❶ 의견 ❷ 특수한

확인 04

다음 문장에 들어갈 알맞은 말을 골라 ○표를 하시오.

'사람은 죽는다. 소크라테스는 사람이다. 소크라테스는 죽는다.'는 (연역법 / 귀납법)에 해당한다.

개념 **05** 독서의 분야

인문·예술 분야의 글 읽기 **1권** 8쪽 **2권** 40쪽	• 관련 성취 기준: 인문·예술 분야의 글을 읽으며 제재에 담긴 인문학적 세계관, 예술과 삶의 문제를 대하는 인간의 태도, 인간에 대한 성찰 등을 비판적으로 이해한다. • 독해 전략 　– 인문·예술 분야의 제재와 관련된 배경지식을 바탕으로 글을 종합적으로 이해해야 함. 　– 인문·예술 분야의 글은 글쓴이의 주관적인 관점에서 서술되는 경우가 많으므로 비판적인 시각에서 글의 내용에 접근할 수 있어야 함. 　– 고정된 시각보다는 다양한 **❶**　　　에서 글의 내용을 이해할 수 있어야 함.
사회·문화 분야의 글 읽기 **1권** 36쪽	• 관련 성취 기준: 사회·문화 분야의 글을 읽으며 제재에 담긴 사회적 요구와 신념, 사회적 **❷**　　　의 특성, 역사적 인물과 사건의 사회·문화적 맥락 등을 비판적으로 이해한다. • 독해 전략 　– 글에 제시된 사회적 현상의 특성을 이해하며 읽어야 함. 　– 사회·문화 분야의 글에는 사회나 문화 현상에 담긴 사회적 요구 또는 사고방식이 반영되어 있으므로 글에 반영된 사회적 요구와 사고방식이 타당한지 **❸**　　　으로 따져 보며 읽어야 함.
과학·기술 분야의 글 읽기 **2권** 6쪽, 8쪽	• 관련 성취 기준: 과학·기술 분야의 글을 읽으며 제재에 담긴 지식과 정보의 객관성, 논거의 입증 과정과 타당성, 과학적 원리의 응용과 한계 등을 비판적으로 이해한다. • 독해 전략 　– 과학·기술 용어나 개념을 명확하게 이해하고 특정 기술이나 원리를 어떻게 설명하고 있는지 파악하며 읽어야 함. 　– 과학적 지식과 정보 혹은 기술의 원리와 방법을 설명한 그림이나 사진 등 **❹**　　　　의 의미를 글의 내용과 관련지어 읽어야 함. 　– 글에 제시된 원리를 구체적 상황에 적용하고 관련된 한계점 등을 파악하며 읽을 수 있어야 함.

답 ❶ 관점 ❷ 현상 ❸ 비판적 ❹ 시각 자료

확인 05

다음 설명이 맞으면 ○표, 틀리면 ✕표를 하시오.

(1) 사회 분야의 글은 사회에서 벌어지는 다양한 현상을 다루며, 이에 대한 글쓴이의 생각이 반영되어 있다. 　　　(　　)

(2) 과학·기술 분야의 글은 객관적 자료에 근거한 과학적 사실이나 법칙을 분석적으로 제시하는 경우가 많다. 　　　(　　)

개념 **06** 독서의 방법

사실적 읽기 **2권** 7쪽	• 관련 성취 기준: 글에 드러난 정보를 바탕으로 중심 내용, 주제, 글의 구조와 전개 방식 등 사실적 내용을 파악하며 읽는다. • 독해 전략: 글의 중심 내용과 **❶**　　　를 파악하고, 글의 구조와 전개 방식을 살피며 읽어야 함.
추론적 읽기 **2권** 9쪽	• 관련 성취 기준: 글에 직접적으로 드러나 있지 않은 정보를 **❷**　　　하여 글쓴이의 의도나 글의 목적, 숨겨진 주제, 생략된 내용을 찾아내며 읽는다. • 독해 전략: 글쓴이의 의도나 목적을 먼저 추론하여 숨겨진 주제를 파악하고, 글에서 생략된 내용을 추론하며 읽어야 함.
비판적 읽기 **1권** 37쪽	• 관련 성취 기준: 글에 드러난 관점이나 내용, 글에 쓰인 표현 방법, 글쓴이의 숨겨진 의도나 사회·문화적 이념을 비판하며 읽는다. • 독해 전략: 내용의 **❸**　　　과 공정성, 제시된 자료의 신뢰성과 적절성 등을 따져 보며 글을 읽어야 함.
창의적 읽기 **2권** 41쪽	• 관련 성취 기준: 글에서 자신과 사회의 문제를 해결하는 방법이나 글쓴이의 생각에 대한 대안을 찾으며 창의적으로 읽는다. • 독해 전략: 글에 나타난 문제 상황과 해결 방안이 적절한지 따져 보고, 글쓴이가 제시한 문제 상황과 해결 방안이 적절하지 않다고 생각한다면 새로운 시각으로 해결책을 찾아 **❹**　　　을 구성하거나 글쓴이의 생각을 보완하며 읽어야 함.
감상적 읽기	• 관련 성취 기준: 글에서 공감하거나 감동적인 부분을 찾고 이를 바탕으로 글이 주는 즐거움과 깨달음을 수용하며 감상적으로 읽는다. • 독해 전략: 글의 내용 중 공감하거나 감동적인 부분을 다른 사람과 공유하고 비교하며 서로 다른 관점의 다양한 느낌과 해석을 이해할 수 있어야 함.

답 ❶ 주제 ❷ 추리 ❸ 타당성 ❹ 대안

확인 06

다음 독서 방법에 알맞은 독해 전략을 연결하시오.

(1) 비판적 읽기 •　　　　　　　　• ⓐ 공감하거나 깨달음을 얻은 부분을 찾으며 읽음.

(2) 감상적 읽기 •　　　　　　　　• ⓑ 글에 드러난 관점이나 내용의 적절성을 판단하며 읽음.

개념 돌파 전략 ②

01 문맥을 고려할 때 ㉠의 의미로 알맞은 것은?

> 20세기 초 막스 셸러는 이전의 경험 과학이 인간에 대해서 창출한 개별적인 과학적 지식들만으로는 '인간이란 무엇인가'라는 질문에 대해 충분히 답할 수 없다고 보았다. 그래서 그는 인간에 대한 ㉠총체적 이해의 기틀을 마련하기 위해 '철학적 인간학'을 탄생시켰다. 철학적 인간학은 경험 과학적 연구 성과와의 밀접한 관련성을 바탕으로 다른 생명체와 차별화된 인간의 본질을 규명하고자 한 학문이다.

① 이론이나 이치에 합당한

② 자기의 견해나 관점을 기초로 하는

③ 있는 것들을 모두 하나로 합치거나 묶은

④ 내용을 구성 요소들로 자세히 나누어 보는

⑤ 사물이나 현상을 전체적인 면에서가 아니라 개별적으로 포착하여 분석하는

문제 해결 전략

㉠의 앞 문장에서 **❶** 인 과학적 지식만으로 인간의 본질을 규명하는 데 한계를 느껴 인간에 대한 '총체적' 이해를 추구하게 되었음을 설명하고 있다. 이러한 **❷** 을 고려하여 ㉠의 의미를 파악해야 한다.

📋 ❶ 개별적 ❷ 맥락

02 다음 글을 읽기 위한 독서 전략으로 적절한 것은?

> 우리는 일상에서 '약자를 돕는 것은 옳다.'와 같은 도덕적 판단을 한다. 이렇게 구체적 행위에 대한 도덕적 판단 문제를 다루는 것이 규범 윤리학이라면, 옳음의 의미 문제, 도덕적 진리의 존재 문제 등과 같이 규범 윤리학에서 사용하는 개념과 원칙에 대해 다루는 것은 메타 윤리학이다. 메타 윤리학에서 도덕 실재론과 정서주의는 '옳음'과 '옳지 않음'의 의미를 이해하는 방식과 도덕적 진리의 존재 여부에 대해 상반된 주장을 펼친다.

① 인물이 등장하게 된 사회적 배경을 고려하며 읽는다.

② 인간의 삶의 문제를 바라보는 관점에 대해 이해하며 읽는다.

③ 실생활에서 발견할 수 있는 다양한 정책을 비교하며 읽는다.

④ 글에 제시된 사회적 현상의 원인과 문제점 등을 분석하며 읽는다.

⑤ 대상에 대한 논거의 입증 과정을 파악하고 타당성을 판단하며 읽는다.

독해 전략

글에 적합한 독서 방법을 파악하기 위해서는 글의 **❶** 가 무엇인지 파악하고, 글쓴이가 어떤 **❷** 에서 글을 썼는지 살펴봐야 한다.

📋 ❶ 제재 ❷ 관점

문제 해결 전략

이 글은 **❶** 에 대해 다루고 있다. 윤리학은 인문 분야에 해당하는 제재로서 인간의 **❷** 과 밀접한 관련이 있음을 파악해야 한다.

📋 ❶ 윤리학 ❷ 삶

03 다음 빈칸에 공통적으로 들어갈 알맞은 말을 쓰시오.

내가 오늘 관찰한 까마귀는 모두 검다.
내가 어제 관찰한 까마귀는 모두 검다.
내가 그저께 관찰한 까마귀는 모두 검다.
　　　　　　：
따라서 모든 까마귀는 검다.

위의 예시에 적용된 추론은 □□□이다. 이는 현대 논리학에서 연역이 아닌 모든 추론, 즉 전제가 결론을 개연적으로 뒷받침하는 모든 추론을 가리킨다. □□□은 기존의 정보나 관찰 증거 등을 근거로 새로운 사실을 추가하는 지식 확장적 특성을 지닌다.

독해 전략

추론 예시에서 ❶ □□ 에 도달하는 방식을 살펴보고, 빈칸에 들어갈 말과 대조되는 추론으로 ❷ □□ 을 언급하였다는 점을 참고하여 글의 내용을 파악해야 한다.

🔑 ❶ 결론 ❷ 연역

문제 해결 전략

빈칸 문제를 풀기 위해서는 앞이나 뒤에 제시된 ❶ □□ 들을 바탕으로 이를 대표하는 ❷ □□□ 를 추론할 수 있어야 한다.

🔑 ❶ 정보 ❷ 핵심어

04 ⓐ와 바꾸어 쓸 수 있는 단어로 가장 적절한 것은?

실학자 최한기는 세계의 모든 존재는 기(氣)라는 보편적인 요소에 의해 형성되어 있다고 보았다. 모든 존재의 본성인 기는 시간과 공간을 초월하여 영원불변하는 것이 아니고, 그 자체에 선악이 존재하지도 않는다. 기는 끊임없이 활동하고 변화하는 것으로 외부 세계와 소통하면서 선악이 나타난다. 인간의 윤리도 기의 운동과 변화에 합치되면 선하고 도덕적인 것이고, 그렇지 않으면 악이 된다. … (중략) …

이처럼 최한기는 외부의 사물이나 사태에 대한 올바른 추측과 부단한 소통으로 도덕성이 실현되는 공동체의 세계를 ⓐ지향했다고 볼 수 있다.

① 추구했다　　　　　　② 공감했다
③ 저항했다　　　　　　④ 외면했다
⑤ 요구했다

독해 전략

이 글은 '기'에 대한 실학자 최한기의 견해를 설명하고 있다. 최한기는 '기'의 운동과 변화에 합치되면 ❶ □□□ 인 것으로 보았으며, 올바른 추측과 부단한 ❷ □□ 을 강조했음을 알 수 있다.

🔑 ❶ 도덕적 ❷ 소통

문제 해결 전략

바꾸어 쓸 수 있는 단어란 두 단어의 ❶ □□ 관계가 비슷한 유의어에 해당한다. 따라서 선지에 제시된 단어 중 ⓐ의 ❷ □□□ 를 찾아야 한다.

🔑 ❶ 의미 ❷ 유의어

05~06 다음 글을 읽고 물음에 답하시오.

독해 전략

글에 여러 번 등장하는 **❶** 를 바탕으로 글의 **❷** 과 글의 구조, 전개 방식 등을 파악하며 글을 꼼꼼하게 읽어야 한다.

답 ❶ 핵심어 ❷ 중심 내용

랑케는 역사적 사실을 '신(神)의 손가락'에 의해 만들어진 자연계의 사물과 동일시했다. 그는 각 시대나 과거의 개체적 사실들은 그 자체로 완결된 고유의 가치를 지녔으며, 이는 시간의 흐름을 초월해 존재한다고 믿었다. 그래서 역사가가 그것을 마음대로 해석하는 것은 신성한 역사를 오염시키는 것이라 여기고, 과거의 역사적 사실을 있는 그대로 기술하는 것이 역사가의 몫이라고 주장했다. 이를 위해 역사가는 사료에 대한 철저한 고증과 확인을 통해 역사를 인식해야 하며, 목적을 앞세워 역사를 왜곡하지 말아야 한다고 보았다.

05 사실적 읽기의 독서 방법을 적용하여 윗글을 읽은 내용으로 가장 적절한 것은?

① 랑케가 역사를 바라보는 관점을 비판적으로 이해한다.

② 글쓴이가 랑케의 역사 연구 태도와 관련된 글을 쓴 의도를 추론해 본다.

③ 역사를 연구하는 태도에 대한 랑케의 입장에서 중심 내용은 무엇인지 살펴본다.

④ 랑케가 강조하는 역사가의 역사 서술 태도와 관련하여 공감이 되는 내용을 찾아본다.

⑤ 랑케의 역사 연구 태도에 따른 역사 해석을 새로운 시각에서 바라보고, 글의 내용을 독자의 관점에서 재구성해 본다.

06 랑케의 입장에서 '역사가 A'를 비판한 내용으로 가장 적절한 것은?

문제 해결 전략

역사 연구 태도와 관련하여 랑케와 〈보기〉의 '역사가 A'가 각각 어떤 **❶** 을 보이는지 살펴본 후, 랑케의 관점에서 **❷** 한 내용으로 적절한 선택지를 찾아야 한다.

답 ❶ 입장 ❷ 비판

┌ 보기 ┐

역사가 A는 과거에 일시 편입시킨 영토에 대한 지배권 회복을 주장하기 위해 러일 전쟁 전후에 체결된 국제 조약 자료를 선별하는 과정을 거쳤다.

① 자신의 주관을 배제하고 역사적 사료에 지나치게 의존하고 있군.

② 사회의 변화에 따라 역사에서 중요시하는 가치가 달라질 수 있음을 간과하고 있군.

③ 사료를 최대한 많이 수집하여 분석하는 것이 객관적 연구임을 고려하지 못하고 있군.

④ 목적을 앞세워서 역사적 사료를 수집할 경우 역사를 왜곡하게 될 수 있음을 간과하고 있군.

⑤ 자기만의 기준을 만들어 사료가 연구 주제에 부합하는지 검증하는 과정을 거치지 않고 있군.

07~08 다음 글을 읽고 물음에 답하시오.

유비 논증은 두 대상이 몇 가지 점에서 유사하다는 사실이 확인된 상태에서 어떤 대상이 추가적 특성을 갖고 있음이 알려졌을 때 다른 대상도 그 추가적 특성을 가지고 있다고 추론하는 논증이다. 유비 논증은 이미 알고 있는 전제에서 새로운 정보를 결론으로 도출하게 된다는 점에서 유익하기 때문에 일상생활과 과학에서 흔하게 쓰인다. 특히 의학적인 목적에서 포유류를 대상으로 행해지는 ㉠동물 실험이 유효하다는 주장과 그에 대한 비판은 유비 논증을 잘 이해할 수 있게 해 준다.

독해 전략

글의 중심 내용을 파악하며 읽기 위해서는 ❶ ______ 되는 어휘, 즉 핵심어를 확인하고 글의 서두 혹은 마지막 부분에서 핵심어를 어떻게 ❷ ______ 하고 있는지 파악해야 한다.

답 ❶ 반복 ❷ 서술

문제 해결 전략

글의 중심 내용과 세부 내용을 구분하기 위해서는 내용의 ❶ ______ 를 따져 이들 사이의 ❷ ______ 를 파악할 수 있어야 한다.

답 ❶ 중요도 ❷ 관계

07 윗글의 중심 내용으로 가장 적절한 것은?

① 유비 논증의 유형
② 유비 논증의 장단점
③ 유비 논증의 개념과 유용성
④ 유비 논증의 한계점 및 대안
⑤ 유비 논증에 관한 상반된 견해

08 〈보기〉를 바탕으로 ㉠의 입장을 추론한 내용으로 가장 적절한 것은?

보기

실험동물로 많이 쓰이는 포유류가 인간과 비슷한 방식으로 피가 순환하며 허파로 호흡을 한다는 유사성은 실험 결과와 관련 있는 유사성으로 보기 때문에 유비 논증의 개연성이 높다고 주장한다.

① 동물 실험 결과를 인간에게 안전하게 적용할 수 있는 근거가 되겠군.
② 유비 논증에 영향을 줄 수 있는 실험의 변인을 면밀히 살펴봐야겠군.
③ 동물의 장기는 인간의 장기와 기능적인 면에서 차이가 있음을 고려해야겠군.
④ 유비 논증은 동물 실험의 유효성을 뒷받침해 주는 유일한 과학적 근거겠군.
⑤ 동물과 인간 모두 고통을 느낄 수 있다는 점에서 동물 실험의 윤리적 문제를 고려해야겠군.

문제 해결 전략

〈보기〉에서 설명하고 있는 인간과 포유류의 ❶ ______ 이 이 글에서 언급한 동물 실험의 찬성 또는 반대 중 어떤 의견의 ❷ ______ 가 될 수 있는지 생각해야 한다.

답 ❶ 유사성 ❷ 근거

✏️ 다음 글을 읽고 물음에 답하시오.

욕망은 무엇에 부족함을 느껴 이를 탐하는 마음이다. 춘추 전국 시대를 살았던 제자백가들에게 인간의 욕망은 커다란 화두였다. 그들은 권력과 부귀영화를 위해 전쟁을 일삼던 현실 속에서 인간의 욕망을 어떻게 바라볼 것인지, 그것에 어떻게 대처해야 할지를 탐구하였다.

먼저 맹자는 인간의 욕망이 혼란한 현실 문제의 근본 원인이라고 보았다. 욕망이 과도해지면 사람들 사이에서 대립과 투쟁이 생기기 때문이다. 맹자는 인간이 본래 선한 본성을 갖고 태어나지만, 살면서 욕망이 생겨나게 되고, 그 욕망에서 벗어날 수 없다고 하였다. 그래서 그는 욕망은 경계해야 하지만 그 자체를 없앨 수는 없기에, 욕망을 제어하여 선한 본성을 확충하는 것이 필요하다고 보았다. 그가 욕망을 제어하기 위해 강조한 것이 '과욕'과 '호연지기'이다. 과욕은 욕망을 절제하라는 의미로, 마음의 수양을 통해 욕망을 줄여야 한다는 것이다. 호연지기란 지극히 크고 굳센 도덕적 기상으로, 의로운 일을 꾸준히 실천해야만 기를 수 있다는 것이다.

맹자보다 후대의 인물인 순자는 욕망의 불가피성을 인정하면서, 그것이 인간의 본성에서 우러나오는 것이라고 하였다. 인간은 태생적으로 이기적이고 질투와 시기가 심하며 눈과 귀의 욕망에 사로잡혀 있을 뿐만 아니라 만족할 줄도 모른다는 것이다. 또한 개인에게 내재된 도덕적 판단 능력만으로는 욕망을 완전히 제어하기 힘들다고 보았다. 더군다나 이기적 욕망을 그대로 두면 한정된 재화를 두고 인간들끼리 서로 다투어 세상을 어지럽히게 되므로, 왕이 '예(禮)'를 정하여 백성들의 욕망을 조절해야 한다고 생각하였다. 예는 악한 인간성을 교화하고 개조하는 방법이며, 사회를 바로잡기 위한 규범이라 할 수 있다. 그래서 순자는 사람들이 개인적으로 노력하는 동시에 나라에서 교육과 학문을 통해 예를 세워 인위적으로 선(善)이 발현되도록 노력해야 한다고 주장하였다. ㉠이는 맹자의 주장보다 한 단계 더 나아간 금욕주의라 할 수 있다.

이들과 달리 한비자는 권력과 재물, 부귀영화를 바라는 인간의 욕망을 부정적으로 바라보지 않았다. 인간의 본성이 이기적이라고 본 점에서는 순자와 같은 입장이지만, 그와 달리 본성을 교화할 수 없다고 하였다. 오히려 욕망을 추구하는 이기적인 본성이 이익 추구를 위한 동기 부여의 원천이 되고, 부국강병과 부귀영화를 이루는 수단이 된다는 것이다. 그는 세상을 사람들이 이익을 위해 경쟁하는 약육강식의 장으로 여겼기에, 군신 관계를 포함한 모든 인간관계가 충효와 같은 도덕적 관념이 아니라 단순한 이익에 의해 맺어져 있다고 보았다. 따라서 그는 사람들이 자발적으로 선을 행할 것을 기대하기보다는 법을 엄격히 적용하는 것이 필요하다고 강조하였다. 그는 백성들에게 노력하면 부자가 되고, 업적을 쌓으면 벼슬에 올라가 출세를 하며, 잘못을 저지르면 벌을 받고, 공로를 세우면 상을 받도록 해서 특혜와 불로 소득을 감히 생각하지 못하도록 하는 것이 올바른 정치라고 주장하였다.

💡 **이 글의 화제:** 인간의 욕망에 대한 사상가들의 입장

● **이 글의 짜임**

1문단	인간의 ❶___에 대해 탐구했던 제자백가
2문단	맹자의 관점 – '❷___'과 '호연지기'를 통한 욕망 제어의 필요성
3문단	순자의 관점 – '예'를 통한 욕망 제어의 필요성
4문단	한비자의 관점 – 엄격한 ❸___ 적용을 통한 욕망 조절의 필요성

답 ❶ 욕망 ❷ 과욕 ❸ 법

대표 유형 ❶ 사실적 읽기

1 윗글에 대한 설명으로 가장 적절한 것은?

① 욕망에 대한 다양한 입장을 소개하고 그 입장들을 비교하고 있다.

② 욕망의 유형을 제시하고 그것을 일정한 기준에 따라 분류하고 있다.

③ 욕망이 나타나는 사례들을 제시하여 욕망 이론의 타당성을 따지고 있다.

④ 욕망을 보는 상반된 견해를 나열하고 그것의 현대적 의의를 밝히고 있다.

⑤ 욕망을 조절하는 여러 가지 방법을 보여 주고 각각의 장단점을 분석하고 있다.

유형 해결 전략 글에 제시된 정보들이 어떤 **❶** 방식과 구조로 서술되어 있는지 확인하는 유형이야. 이러한 문제를 풀 때에는 각 문단에 제시된 정보를 요약해서 문단 간의 **❷** 를 파악하는 것이 중요해.

답 ❶ 전개 ❷ 관계

대표 유형 ❷ 추론적 읽기

2 ㉠의 이유로 가장 적절한 것은?

① '과욕'과 '호연지기'를 통해 인간의 선한 본성이 확충되기에는 한계가 있기 때문이다.

② '예'는 '과욕'과 '호연지기'보다 인간이 삶 속에서 실천하기 더 어려운 일이기 때문이다.

③ 개인적인 욕망과 사회적인 욕망을 모두 추구하는 것이 인간의 본질임을 파악하였기 때문이다.

④ 욕망 조절을 개인의 수양에만 맡기지 않고, 욕망을 외적 규범으로 제어해야 한다고 보았기 때문이다.

⑤ 무엇을 탐하는 마음이 생기는 것이 불가피함을 직시하고, 이것의 조절이 필요함을 강조하였기 때문이다.

유형 해결 전략 지문에 제시된 **❶** 를 바탕으로 명시되어 있지 않은 새로운 정보를 이끌어 내는 유형이야. 사실적 이해를 기반으로 내용을 파악한 후 새로운 정보를 올바르게 **❷** 해낼 수 있는 논리적 사고력을 기르는 것이 중요해.

답 ❶ 정보 ❷ 추리

1-1 윗글을 이해한 내용으로 적절하지 **않은** 것은?

① 맹자는 욕망을 없앨 수 없으므로 '과욕'과 '호연지기'를 통한 마음의 수양이 필요하다고 보았다.

② 순자는 맹자와 달리 인간은 태생적으로 선하지 않다고 보았으며, 욕망은 타고난 본성이라고 생각했다.

③ 순자는 한비자와 마찬가지로 욕망의 순기능을 인정했지만 '예'를 통해 조절할 필요가 있다고 생각했다.

④ 한비자는 인간의 욕망이 개인뿐만 아니라 국가에 이익을 가져다주는 수단이 된다고 보았다.

⑤ 한비자는 사람들의 자발적인 선을 기대하는 대신 엄격한 법 적용을 통해 욕망을 다스려야 한다고 보았다.

도움말 욕망을 바라보는 사상가들의 **❶** 을 정리하고, 이들의 공통점과 **❷** 을 토대로 선택지의 내용을 확인해 보자.

답 ❶ 관점 ❷ 차이점

2-1 윗글을 읽고 추론한 내용으로 적절하지 **않은** 것은?

① 맹자의 입장에 따르면 탐욕을 보이는 사람에게 외적인 제재를 가하지는 않겠군.

② 맹자의 입장에 따르면 인간은 선한 본성을 갖고 있지만 그 본성을 쉽게 회복할 수 있는 존재로 볼 수는 없겠군.

③ 순자의 입장에 따르면 선하게 행동하는 인간에게도 남을 질투하고 시기하는 본성이 숨겨져 있다고 볼 수 있겠군.

④ 한비자의 입장에 따르면 개인적인 욕망보다 사회적인 욕망을 실현하는 것을 더 가치 있게 판단하겠군.

⑤ 한비자의 입장에 따르면 사람을 사귈 때 아무 조건 없이 순수한 동기만으로 행동한다고 보기는 어렵겠군.

도움말 사상가들이 인간의 **❶** 과 욕망을 바라보는 관점을 파악한 후, 이를 토대로 각 사상가들의 입장에서 제시할 수 있는 생각을 **❷** 해 보자.

답 ❶ 본성 ❷ 추론

[01~04] 다음 글을 읽고 물음에 답하시오.

나폴레옹의 [*]대관식에 참석한 한 정치인이 "나폴레옹의 머리에 왕관이 얹혔다."라는 표현을 했을 때, 대관식에 참여한 누군가는 이를 나폴레옹의 머리 위에 왕관이 올라가는 물리적인 현상 그 자체로 받아들일 수도 있지만, 그 언어 표현을 여러 가지 의미로 판단할 수 있다. 인간은 자연 그대로의 현상이 아니라 언어와 그 의미 등 인위성이 개입된 모든 것들을 ⓐ포괄하는 문화를 형성한다. 이것이 인간과 다른 자연물들의 결정적인 차이이다. 문화의 바탕이 되는 의미라는 것을 정의하는 이론들은 다양하지만, 들뢰즈는 일반적인 의미 이론들과는 다른 새로운 차원으로 의미의 개념을 ⓑ규정한다.

의미의 개념을 규정하는 일반적인 의미 이론들에는 다음과 같은 것들이 있다. [*]실증주의를 바탕으로 하는 ㉠지시 이론에 따르면, 의미는 언어 기호가 특정 대상을 지시할 때 ⓒ성립한다. 앞의 예에서 '나폴레옹', '왕관' 등이 지시하는 외부 대상이 의미인 것이다. [*]현상학을 바탕으로 하는 ㉡현시 이론은 언어를 표현하거나 수용하는 주체가 언어 기호의 지시 대상을 통해 주관적으로 뜻을 만들어 내는데, 이를 의미라고 규정한다. 이에 따르면 "나폴레옹의 머리에 왕관이 얹혔다."라는 언어 표현의 의미는 그 말을 한 정치인의 생각에 따라 결정될 것이다. [*]구조주의를 바탕으로 하는 ㉢기호 작용 이론은 언어 기호들의 구조 속에서 의미가 결정된다고 본다. 언어 기호들의 구조, 즉 문법적 체계가 언어 표현 이전에 이미 존재하고, 이 구조를 형성하는 요소들 사이의 관계에 의해서 의미가 규정된다. 이에 따르면, '왕관이'에서 주격 조사 '이'가 '왕관'을 문장의 주어로 만들어 주기 때문에 '왕관'은 얹히는 주체로 의미가 확정된다.

반면, ㉣들뢰즈의 의미 이론은 앞의 세 이론들이 의미를 문화의 차원을 중심으로 설명하는 것과 달리 자연과 문화의 차원을 포괄하는 좀 더 근원적인 차원에서 의미의 개념을 규정한다. 들뢰즈가 말하는 '의미'를 이해하기 위해서는 그가 규정한 '사건'의 개념을 먼저 이해해야 한다. '사건'이란 인간이 세계에 존재한다는 것을 전제로 자연의 변화와 생성이라는 현상 그 자체에서 발생하는 그 무엇이고, 들뢰즈는 이를 의미라고 ⓓ지칭한다. 들뢰즈는 이 '의미' 그 자체는 규정된 것이 아니지만 '문화적 장(場)'이 의미 규정의 기준이 된다고 말한다. '문화적 장'이란 정치, 역사, 예법 등 인간의 삶에 이미 형성되어 있는 모든 것을 뜻하는데, '사건'으로서의 규정되지 않은 '의미'는 이 '문화적 장'에 ⓔ편입될 때 비로소 규정된 '의미'가 된다.

그렇다면 "나폴레옹의 머리에 왕관이 얹혔다."라는 표현은 들뢰즈에게 어떻게 해석될 수 있을까? 나폴레옹의 머리에 왕관이 얹히면서 생기는 물리적인 현상은 자연의 변화와 생성에 해당한다. 그 현상에서 발생하는 '사건'이자 규정되지 않은 '의미'는, 황제 즉위의 예법과 관련된 '문화적 장'을 기준으로 보면 "나폴레옹이 황제가 되었다."라는 의미로 규정된다. 그리고 유럽 정치라는 '문화적 장'을 기준으로 보면 "유럽의 정치적 질서가 재편되었다."라는 의미로 규정된다.

- [●]**대관식** 유럽에서, 임금이 즉위한 뒤 처음으로 왕관을 써서 왕위에 올랐음을 일반에게 널리 알리는 의식.
- [●]**실증주의** 모든 초월적인 사변(思辨)을 배격하고 관찰이나 실험으로써 검증할 수 있는 지식만을 인정하려는 태도.
- [●]**현상학** 사물을 바라볼 때 각각의 사태에 충실해서 인간의 감정을 이입하는 직관의 도움을 받아, 사물 그 자체의 본질이 드러나게 함.
- [●]**구조주의** 어떤 사회 현상에서 각각의 요소들보다 서로 얽혀서 기능적 연관을 이루는 하나의 얼개를 우위에 두고 파악하려는 사회학·철학의 한 경향.

세부 내용 파악

01 윗글의 내용과 일치하지 <u>않는</u> 것은?

① 인간은 다른 자연물들과 달리 문화를 형성한다.

② 현시 이론에 따르면 언어의 의미는 언어를 수용하는 주체에 따라 달라질 수 있다.

③ 기호 작용 이론은 언어 기호보다 그것을 사용하는 주체의 주관성을 중시한다.

④ 들뢰즈는 '문화적 장'을 기준으로 의미를 규정한다.

⑤ 들뢰즈는 다른 이론들과 달리 자연과 문화를 포괄하여 의미를 규정하려고 하였다.

구체적 사례에 적용

02 '들뢰즈'의 관점에서 〈보기〉를 이해한 내용으로 가장 적절한 것은?

┌ 보기 ┐

콜럼버스는 신대륙을 발견한 개척자이자 원주민을 학살한 정복자로 평가된다. 콜럼버스를 바라보는 문화적 장에 따라 "콜럼버스의 발이 신대륙의 해변에 최초로 닿았다."라는 말의 의미는 다양하게 해석될 수 있다.

① 언어 기호의 문법적 체계가 갖는 중요성을 고려해야 한다.

② 언어 기호의 구조와 이를 형성하는 요소들의 관계를 고려해야 한다.

③ 의미를 해석하는 과정에서 의미 해석의 주체를 신뢰할 필요가 있다.

④ 의미를 규정할 때 자연의 변화적 요소에 지나치게 의존하지 않아야 한다.

⑤ 문화를 바라보는 관점이 다양하다는 점을 고려할 때 의미의 규정도 상대적으로 이루어질 수 있다.

···· 도움말

〈보기〉에서 언급한 **❶**〔   〕 장에 대한 내용을 중심으로 들뢰즈의 **❷**〔   〕 이론을 판단하며 읽어 보자.

탑 ❶ 문화적 **❷** 의미

구체적 상황에 적용 및 추론

03 ㉠~㉣을 바탕으로 〈보기〉를 이해한 내용으로 적절하지 <u>않</u>은 것은?

┌ 보기 ┐

코페르니쿠스의 이론을 연구한 과학자는 "코페르니쿠스의 지동설은 중세의 우주관을 바꾸었다."라고 말하며, 코페르니쿠스의 업적이 근대에 미친 영향을 높이 평가하였다. 당시 코페르니쿠스의 이론은 유럽 사회의 우주 체계에 정면으로 도전한 것이었다.

① ㉠에 따르면, '코페르니쿠스'와 '우주관'이 지시하는 대상을 의미라고 볼 수 있다.

② ㉡에 따르면, 과학자가 한 말의 의미를 규정할 때, 과학자가 코페르니쿠스의 업적을 높이 평가하는 점이 중요하게 고려될 수 있다.

③ ㉢에 따르면, 문장 속에서 '우주관' 뒤에 목적격 조사 '을'이 붙음으로써 '우주관'은 서술의 대상이 되는 말로 의미가 확정된다.

④ ㉣에 따르면, 코페르니쿠스의 지동설 자체가 하나의 사건으로 이미 규정된 의미를 갖고 있다고 볼 수 있다.

⑤ ㉣에 따르면, 코페르니쿠스의 지동설의 의미를 규정하고자 할 때 당시 유럽 사회라는 '문화적 장'이 기준이 될 수 있다.

어휘의 사전적 의미 파악

04 ⓐ~ⓔ의 사전적 의미로 적절하지 <u>않은</u> 것은?

① ⓐ: 일정한 대상이나 현상 따위를 어떤 범위나 한계 안에 모두 끌어 넣다.

② ⓑ: 한번 정한 대로 변경하지 아니하다.

③ ⓒ: 일이나 관계 따위가 제대로 이루어지다.

④ ⓓ: 어떤 대상을 가리켜 이르다.

⑤ ⓔ: 얽히거나 짜여 넣어지다.

···· 도움말

선택지에 제시된 의미를 해당 **❶**〔   〕에 넣었을 때 **❷**〔   〕가 제대로 통하는지 살펴보자.

탑 ❶ 어휘 **❷** 의미

05~08 다음 글을 읽고 물음에 답하시오.

도움이 필요한 할머니를 외면하고 약속 시간을 지키는 것이 옳은가. 아니면 늦더라도 할머니를 돕는 것이 옳은가? 이렇게 대립하는 가치들 중 어떤 가치를 선택해야 하는가의 문제, 즉 도덕적 갈등 문제를 바라보는 다양한 관점이 있다.

먼저 도덕적 원칙주의자는 합리적인 이성을 통해 찾을 수 있는 *선험적인 도덕 법칙이 존재한다고 본다. 그리고 모든 인간은 이를 반드시 따라야 한다고 주장한다. 따라서 도덕적 원칙주의자는 갈등 상황이 생겼을 때 주관적 욕구나 개인이 처한 상황을 고려하지 말고 도덕 법칙에 따라 행동하라고 말한다.

도덕적 원칙주의는 인간의 합리적인 이성을 신뢰하고 이를 통해 윤리적으로 올바른 삶이란 무엇인가를 *규명하려고 했다는 점에서 의의가 있다. 하지만 어느 사회에나 보편적으로 적용되는 선험적인 도덕 법칙이 존재한다면, 도덕적 갈등은 나타나지 않거나 나타나더라도 쉽게 해결이 돼야 하는데 실제로는 그렇지 않다는 점에서 한계가 있다.

도덕적 자유주의자는 도덕적 원칙주의자와 달리 선험적인 도덕 법칙이 존재하지 않는다고 본다. 대신 개인들이 합의를 통해 만든 상위 원리, 곧 법과 같은 현실적인 규범이나 지침을 바탕으로 갈등을 해결해야 한다고 주장한다. 따라서 도덕적 자유주의는 인간의 자율성을 보장하면서 ㉠갈등 상황을 해결할 수 있는 현실적인 방법을 만들어 냈다는 데 의의가 있다. 하지만 누구나 동의할 수 있는 상위 원리를 만들어 내는 것이 항상 가능한 것은 아니며, 구체적인 규범과 지침을 마련하는 과정에서 또 다른 갈등이 발생할 수 있다.

한편 도덕적 다원주의자는 해결 불가능한 도덕적 갈등이 있다고 주장한다. 이는 도덕적 가치의 우선순위를 판단하는 통일된 *지표를 마련하는 것이 어려운 경우가 존재한다고 보기 때문이다. 가령 자유나 평등처럼 가치가 본래 지닌 내재적 속성이 *상충되어 어느 하나를 추구하다 보면 다른 것을 상대적으로 덜 중시할 수밖에 없는 경우도 있으며, 어떤 조건에서는 우선시되는 가치가 다른 조건에서는 그렇지 않은 경우도 있다. 따라서 도덕적 다원주의자는 중재를 통해 타협점을 *모색하는 방식을 제안한다. 가령 정의라는 가치가 중요하더라도 특정 갈등 상황에 따라 배려라는 가치를 선택할 수 있으며, 타협하는 과정에서 기존의 도덕적 가치들 외에 새로운 가치

를 생성할 수도 있다고 본다. 도덕적 다원주의자는 도덕적 갈등 상황에서 어떤 가치가 옳고 그른지 판단하는 것보다 갈등 당사자 간의 인간관계가 훼손되지 않는 것을 중시한다. 이는 갈등 당사자들이 한 공동체 안에서 상호 작용하며 살아가야 하는 구성원들이라고 보기 때문이다.

도덕적 다원주의는 도덕적 갈등을 해결할 수 있는 현실적인 지침을 제공하지 않는다는 비판을 받기도 한다. 하지만 갈등 상황에서 ⓐ따라야 할 단일 기준을 내세우지 않는다는 것은 상황에 따라 문제를 해결할 수 있는 풍부한 *기지와 창조력을 발휘할 수 있는 기회를 제공한다고도 할 수 있다. 이러한 점에서 도덕적 다원주의는 도덕적 갈등을 바라보는 근본적인 인식을 바꾸었다는 의의가 있다.

- **선험적** 경험에 앞서서 인식의 주관적 형식이 인간에게 있다고 주장하는 것. 대상에 관계되지 않고 대상에 대한 인식이 선천적으로 가능함을 밝히려는 인식론적 태도를 말한다.
- **규명하다** 어떤 사실을 자세히 따져서 바로 밝히다.
- **지표** 방향이나 목적, 기준 따위를 나타내는 표지.
- **상충되다** 맞지 아니하고 서로 어긋나게 되다.
- **모색하다** 일이나 사건 따위를 해결할 수 있는 방법이나 실마리를 더듬어 찾다.
- **기지** 경우에 따라 재치 있게 대응하는 지혜.

글의 전개 방식 이해

05 윗글의 전개 방식으로 가장 적절한 것은?

① 사례를 통해 도덕적 갈등이 발생하게 된 원인을 심층적으로 분석하고 있다.

② 도덕적 갈등 문제와 관련하여 낯선 개념을 익숙한 대상에 빗대어 설명하고 있다.

③ 도덕적 갈등 문제를 다루는 다양한 관점을 소개하면서 각각의 의의와 한계를 밝히고 있다.

④ 도덕적 갈등을 바라보는 다양한 관점의 타당성을 분석한 후 각 관점의 우열을 가리고 있다.

⑤ 도덕적 갈등 문제를 다루는 다양한 관점의 한계점을 분석한 후 새로운 대안을 제시하고 있다.

구체적 상황에 적용 및 추론

06 윗글을 바탕으로 〈보기〉에 대해 보인 반응으로 적절하지 않은 것은?

┌─ 보기 ─────────────────────────────┐
인터넷의 익명성을 악용하여 지속적으로 악플을 달아 피해 사례가 발생하자 정부에서는 인터넷 실명제 도입을 추진하고자 하였다. 하지만 일부 시민들은 익명성이 보장되지 않는다면 개인의 표현의 자유가 침해되어 민주주의 발전에 부정적인 영향을 끼칠 수 있다며 반대하고 있다.
└─────────────────────────────────┘

 ① 도덕적 원칙주의자는 개인의 의사 표현 욕구를 우선 고려하여 문제를 해결해야 한다고 생각하겠군.

 ② 도덕적 자유주의자는 법과 같은 장치를 마련하여 문제를 해결하고자 하겠군.

 ③ 도덕적 자유주의자는 정부 단체와 시민들이 합의를 통해 만든 지침을 바탕으로 갈등 상황을 해결하고자 하겠군.

 ④ 도덕적 다원주의자는 인터넷 실명제 도입을 이분법적으로 결정하기보다 타협을 통해 새로운 해결책을 마련하려 하겠군.

 ⑤ 도덕적 다원주의자는 현실적인 규범을 내세우기보다 정부와 시민들의 갈등으로 대립 상황이 악화되는 것을 방지하는 데 중점을 두겠군.

•••• 도움말
도덕적 갈등 문제를 해결하기 위해 각 관점에서 중요하게 생각하는 **❶** 해결 방식을 확인하고, 〈보기〉의 사례에 각 **❷** 을 어떻게 적용할 수 있을지 생각해 보자.
답 ❶ 갈등 ❷ 관점

세부 내용 추론

07 ㉠을 위해 도덕적 자유주의자가 중요하게 생각할 내용으로 가장 적절한 것은?

① 소수의 전문가 집단을 통해 효율적으로 규범을 마련해야 한다.
② 사회의 다수를 차지하는 계층의 입장을 중심으로 규범을 마련해야 한다.
③ 개개인의 이해관계에서 벗어나 공정한 절차를 거쳐 규범을 마련해야 한다.
④ 상황에 따라 규범을 유연하게 적용할 수 있도록 예외 사항을 마련해야 한다.
⑤ 도덕적 규칙을 지키지 않을 경우 엄격한 사회적 제재가 가해질 수 있도록 장치를 마련해야 한다.

•••• 도움말
도덕적 자유주의자가 **❶** 한 갈등 해결 방법을 확인하고 이를 **❷** 하기 위해 필요한 요소가 무엇인지 추론해 보자.
답 ❶ 주장 ❷ 실현

어휘의 문맥적 의미 파악

08 다음 중 밑줄 친 단어의 의미가 ⓐ와 가장 유사한 것은?

① 그는 강을 따라 달리기를 했다.
② 판사는 법에 따라 일을 처리했다.
③ 아무도 어머니의 음식 솜씨를 따를 수 없다.
④ 모든 의원들이 의장을 따라 자리에서 일어섰다.
⑤ 새 사업을 시작하는 데는 많은 어려움이 따르게 될 것이다.

✏️ 다음 글을 읽고 물음에 답하시오.

나비가 되어 자신조차 잊을 만큼 즐겁게 날아다니는 꿈을 꾸다 깨어난 장자는 자신이 나비가 되는 꿈을 꾼 것인지, 나비가 자신이 된 꿈을 꾸고 있는 것인지 의아해한다. 이 호접몽 이야기는 나를 잊은 상태를 묘사함으로써 '물아일체' 사상을 그 결론으로 제시한다. 이 이야기 외에도 『장자』에는 '나를 잊는다'는 구절이 나오는 일화 두 편이 있다.

하나는 장자가 타인의 정원에 넘어 들어갔다는 것도 모른 채, 기이한 새의 뒤를 ㉠홀린 듯 쫓는 이야기이다. 여기서 장자는 바깥 사물에 마음을 통째로 빼앗겨 자신조차 잊어버리는 고도의 ⓐ몰입을 대상에 사로잡혀 끌려다니는 꼴에 불과한 것으로 보았다. 이때 마음은 자신이 원하는 하나의 대상에만 과도하게 집착하여 그 어떤 것도 돌아보지 못한다. 이런 마음은 맹목적 욕망일 뿐이어서 감각적 체험을 있는 그대로 받아들이지 못하고 자신에게 이롭다거나 좋다고 생각하는 것만을 과장하거나 왜곡해서 ㉡받아들이고 그렇지 않은 것들은 ⓑ배격하게 된다.

다른 하나는 "스승님의 마음은 불 꺼진 재와 같습니다."라는 말을 제자에게 들은 '남곽자기'라는 사람이 "나는 나 자신을 잊었다."라고 대답한 이야기이다. 여기서 '나 자신'은 마음을 가리키며, 마음을 잊었다는 것은 불꽃처럼 마음속에 치솟던 ⓒ분별 작용이 사라졌음을 뜻한다. 달리 말해, 이는 텅 빈 마음이 되었다는 말이며 흔히 ˚명경지수의 비유로 표현되는 정적의 상태를 뜻한다. 이런 고요한 마음을 유지해야 천지 만물을 있는 그대로 받아들일 수 있다.

그렇다면 첫째 이야기에서는 온전하게 회복해야 할 '참된 자아'를 잊은 것이고 둘째 이야기에서는 세상을 기웃거리면서 ˚시비를 따지려 드는 '편협한 자아'를 잊은 것이라고 볼 수 있다. 장자는 참된 자아를 잊은 채 대상에 ⓓ탐닉하는 식으로 자아와 세계가 관계를 맺게 되면 그 대상에 꼼짝없이 종속되어 괴로움이 ⓔ증폭된다고 생각한다. 한편 편협한 자아를 잊었다는 것은 편견과 ˚아집의 상태에서 ㉢벗어나 세계와 자유롭게 소통하는 합일의 경지에 도달할 수 있음을 의미한다.

장자는 이 경지를 만물의 상호 의존성으로 설명한다. 그는 자아와 타자가 서로의 존재를 온전히 ˚전제할 때 자신들의 존재가 ㉣드러날 수 있다고 말한다. 예컨대, 내가 편견 없는 눈의 감각으로 꽃을 응시하면 그 꽃으로 인해 나의 존재가 성립되고 나로 인해 그 꽃 또한 존재의 의미를 획득하게 된다는 것이다. 이런 관계가 성립되기 위해서는 ㉰끊임없이 타자를 위해 마음의 공간을 비워 두는 수행이 필요하다. 장자는 이런 수행을 통해서 개체로서의 자아를 ㉤뛰어넘어 세계의 모든 존재와 일체를 이루는 자아에 도달할 수 있다고 주장한다. 장자가 나비가 되어 자신조차 잊은 채 자유롭게 날 수 있었던 것은 나비를 있는 그대로 온전하게 받아들일 수 있었기 때문에 가능했다.

● **명경지수** 맑은 거울과 고요한 물.
● **시비** 옳음과 그름.
● **아집** 자기중심의 좁은 생각에 집착하여 다른 사람의 의견이나 입장을 고려하지 아니하고 자기만을 내세우는 것.
● **전제하다** 어떠한 사물이나 현상을 이루기 위하여 먼저 내세우다.

💡 ● 이 글의 화제: 장자의 물아일체 사상
● 이 글의 짜임

1문단	장자의 '호접몽 이야기'에 나타난 ❶　　　　　사상 소개
2문단	『장자』의 일화 ① – 맹목적 ❷　　　에 빠진 이야기
3문단	『장자』의 일화 ② – 텅 빈 ❸　　　이 된 이야기
4문단	두 가지 일화 속 참된 자아와 ❹　　　　자아의 의미
5문단	'호접몽 이야기'에서 물아일체의 의미

답 ❶ 물아일체 ❷ 욕망 ❸ 마음 ❹ 편협한

대표 유형 ❸ 비판적 읽기

3 〈보기〉에 나타난 순자의 입장에서 윗글의 장자 사상을 비판한 내용으로 적절하지 <u>않은</u> 것은?

> ┌─ 보기 ─────────────────────┐
> 순자는 자연과 인간을 구별하면서 인간 우위의 문명 건설에 중점을 둔다. 그는 인간의 현실 문제를 해결하기 위해 인간과 인간을 둘러싼 세계에 대한 지속적인 학습을 강조한다. 또한 인간은 만물의 변화에 주도적으로 참여하여 만물을 이끌고 길러 주어야 한다고 주장한다. 장자의 말처럼 자연 세계와 온전하게 합일하는 것으로는 인간 사회의 제도적 질서를 세울 수 없다고 본다.
> └──────────────────────────┘

① 마음의 공간을 비우는 수행은 현실 문제 해결에 도움이 되지 않는다.

② 자아를 잊고 만물과 소통하는 것으로는 인간 사회의 제도를 세울 수 없다.

③ 만물과 상호 의존적 관계를 맺는 것은 만물을 이끌고 길러 주는 바탕이 된다.

④ 만물에 대한 분별 작용이 사라지는 것은 인간 우위의 문명 건설에 도움이 되지 않는다.

⑤ 세계의 존재와 일체를 이루는 자아에 도달하는 것으로는 만물의 변화에 주도적으로 참여할 수 없다.

유형 해결 전략 ▶ 순자의 사상을 기준으로 장자의 사상을 비판적으로 ❶ [ ]하는 유형이야. 비판의 기준과 ❷ [ ]이 되는 관점을 먼저 파악하고 비판의 내용이 적절한지 살펴보자.

답 ❶ 분석 ❷ 대상

대표 유형 ❹ 어휘

4 문맥상 ㉠~㉤과 바꿔 쓰기에 적절하지 <u>않은</u> 것은?

① ㉠: 미혹(迷惑)된

② ㉡: 수용(受容)하고

③ ㉢: 탈피(脫皮)하여

④ ㉣: 출현(出現)할

⑤ ㉤: 초월(超越)하여

유형 해결 전략 ▶ 글에 제시된 고유어를 문맥적 ❶ [ ]에 맞게 한자어로 바꿀 수 있는지 평가하는 유형이야. 이러한 문제를 풀 때에는 선택지의 한자어를 문맥에 ❷ [ ]하여 의미가 자연스럽게 연결되는지 판단해야 해.

답 ❶ 의미 ❷ 대입

3-1 ㉮를 비판한 내용으로 가장 적절한 것은?

① 인간의 내적 수양만으로 사회 문제를 해결할 수 있다.

② 모든 인간이 주체적으로 수양을 할 만큼 의지를 갖고 있지 않다.

③ 인위적인 것이 개입되지 않은 자유로운 내적 상태가 전제되어야 한다.

④ 조화로운 세상을 만들기 위해서는 천지 만물을 차별하지 않는 정신도 필요하다.

⑤ 인간이 세상의 중심이라는 생각으로 수행할 경우 온전한 세계의 합일이 불가능하다.

4-1 ⓐ~ⓔ의 사전적 의미로 적절하지 <u>않은</u> 것은?

① ⓐ: 깊이 파고들거나 빠짐.

② ⓑ: 어떤 사상, 의견, 물건 따위를 물리치다.

③ ⓒ: 서로 나뉘어 떨어짐. 또는 그렇게 되게 함.

④ ⓓ: 어떤 일을 몹시 즐겨서 거기에 빠지다.

⑤ ⓔ: 사물의 범위가 늘어나 커지다.

···도움말

선택지에 제시된 어휘의 의미를 ⓐ~ⓔ에 대입하였을 때, ❶ [ ]가 제대로 통하고 ❷ [ ]에 맞는지 확인해 보자.

답 ❶ 의미 ❷ 문맥

01~04 다음 글을 읽고 물음에 답하시오.

고대 그리스 시대의 사람들은 신에 의해 우주가 운행된다고 믿는 결정론적 세계관 속에서 신에 대한 두려움이나, 신이 야기한다고 생각되는 자연재해나 천체 현상 등에 대한 두려움을 떨치지 못했다. 에피쿠로스는 당대의 사람들이 이러한 잘못된 믿음에서 벗어나도록 하는 것이 중요하다고 보았고, 이를 위해 인간이 행복에 이를 수 있도록 자연학을 바탕으로 자신의 사상을 전개하였다.

에피쿠로스는 신의 존재는 인정하나 신의 존재 방식이 인간이 생각하는 것과는 다르다고 보고, 신은 우주들 사이의 중간 세계에 살며 인간사에 개입하지 않는다는 이신론(理神論)적 관점을 주장한다. 그는 불사하는 존재인 신은 최고로 행복한 상태이며, 다른 어떤 것에게도 고통을 주지 않고, 모든 고통은 물론 분노, 호의와 같은 것으로부터 자유롭다고 말한다. 따라서 에피쿠로스는 인간의 세계가 신에 의해 결정되지 않으며, 인간의 행복도 자율적 존재인 인간 자신에 의해 완성된다고 본다.

한편 에피쿠로스는 인간의 영혼도 육체와 마찬가지로 미세한 입자로 구성된다고 본다. 영혼은 육체와 함께 생겨나고 육체와 상호 작용하며 육체가 상처를 입으면 영혼도 고통을 받는다. 더 나아가 육체가 소멸하면 영혼도 함께 소멸하게 되어 인간은 사후(死後)에 신의 심판을 받지 않으므로, 살아 있는 동안 인간은 사후에 심판이 있다고 생각하여 두려워할 필요가 없게 된다. 이러한 생각은 인간으로 하여금 죽음에 대한 모든 두려움에서 ⓐ벗어나게 하는 근거가 된다.

이러한 에피쿠로스의 자연학은 우주와 인간의 세계에 대한 •비결정론적인 이해를 가능하게 한다. 이는 원자의 운동에 관한 에피쿠로스의 설명에서도 명확히 드러난다. 그는 원자들이 수직 낙하 운동이라는 법칙에서 벗어나기도 하여 비스듬히 떨어지고 충돌해서 튕겨 나가는 우연적인 운동을 한다고 본다. 그리고 우주는 이러한 원자들에 의해 이루어졌으므로, 우주 역시 우연의 •산물이라고 본다. 따라서 우주와 인간의 세계에 신의 관여는 없으며, 인간의 삶에서도 신의 섭리는 찾을 수 없다고 한다. 에피쿠로스는 이러한 생각을 인간이 필연성에 얽매이지 않고 자신의 삶을 주체적으로 살아갈 수 있게 하는 자유 의지의 •단초로 삼는다.

에피쿠로스는 이를 토대로 자유로운 삶의 근본을 규명하고 ㉠인생의 궁극적 목표인 행복으로 이끄는 윤리학을 펼쳐 나간다. 결국 그는 인간이 신의 개입과 우주의 필연성, 사후 세계에 대한 두려움에서 벗어날 수 있도록 함으로써, 자신의 삶을 자율적이고 주체적으로 살 수 있는 길을 열어 주었다. 그리고 쾌락주의적 윤리학을 바탕으로 영혼이 안정된 상태에서 행복 실현을 추구할 수 있는 방안을 제시하였다.

- **야기하다** 일이나 사건 따위를 끌어 일으키다.
- **비결정론** 인간의 의지를 비롯하여 모든 자연 현상과 역사 현상은, 합법칙성과 인과성에 의하여 결정되지 아니하고 자신 스스로 결정한다는 이론.
- **산물** 어떤 것에 의하여 생겨나는 사물이나 현상을 비유적으로 이르는 말.
- **단초** 일이나 사건을 풀어 나갈 수 있는 첫머리.

세부 내용 파악
01 윗글의 내용과 일치하지 않는 것은?

① 고대 그리스 시대 사람들은 신에 의해 세상이 움직인다는 믿음을 갖고 있었다.

② 에피쿠로스의 자연학은 우주와 인간 세계에 일어나는 것들을 우연의 산물이라고 보았다.

③ 에피쿠로스는 고통을 회피하지 않고 직면해야 인간이 자율적인 삶을 살 수 있다고 보았다.

④ 에피쿠로스는 신이 인간사에 개입하지 않으며, 인간의 행복에 영향을 주지 않는다고 보았다.

⑤ 에피쿠로스는 인간의 영혼과 육체가 상호 작용을 하며, 생성과 소멸이 함께 이루어진다고 보았다.

내용의 비판적 이해

02 윗글과 〈보기〉를 참고하여 '에피쿠로스'를 비판한 내용으로 적절하지 <u>않은</u> 것은?

> 에피쿠로스는 고통이 부재한 상태를 쾌락으로 보며 쾌락을 추구하는 윤리학을 제시하였다. 고통은 인간을 불행하게 하는 요소이기 때문에 고통을 제거하는 것을 일차 과제로 보았으며, 고통이 사라짐으로써 얻어지는 쾌락을 증진시켜야 한다고 보았다. 또한 최고의 쾌락은 어떠한 욕망도 없는 고요한 상태로, 은둔자적 삶을 강조하며 사회적 활동을 부정적으로 여겼다.

 ① 변화를 추구하는 인간의 욕망조차 부정한다면 인간의 삶이 무료해질 수 있지 않은가?

 ② 인간이 다양한 욕망을 가진 주체적 존재라면, 정신적 쾌락만을 추구하여 행복해질 수 있는가?

 ③ 고통이 수반되는 노력 끝에 인간에게 행복이 찾아온다면 그 고통은 선택할 만한 가치가 있지 않은가?

 ④ 인간은 공동체 집단에 속하는 존재인데 사회적 활동을 거부하고 은둔자적으로 쾌락을 추구하는 것이 의미가 있는가?

 ⑤ 인간이 죽음 자체를 두려워한다면 죽음에 이르는 고통을 제거해야 하는데 사후 세계에 대한 두려움을 제거하는 것만으로 고통을 제거했다고 볼 수 있는가?

····**도** 움말
이 글과 〈보기〉를 통해 에피쿠로스의 윤리학에서 언급한 고통과 **❶** 의 특성을 먼저 이해하고, **❷** 내용의 적절성을 확인해 보자.

답 **❶** 쾌락 **❷** 비판

세부 내용 추론

03 ㉠에 대한 설명으로 가장 적절한 것은?

① 사후 세계에서 행복을 누리고자 하는 인간의 욕망이다.

② 인간이 종교적 세계에 의존하여 마음의 안정을 찾은 상태이다.

③ 인간의 육체와 정신이 탐하는 욕망을 마음껏 누릴 수 있는 상태이다.

④ 신과는 달리 고통으로부터 자유로운 상태를 누릴 수 있는 인간의 특권이다.

⑤ 사후 세계에 대한 두려움을 잊고 인간의 자유 의지로 자신의 삶을 만들어 나가는 것이다.

····**도** 움말
에피쿠로스가 말하는 '행복'은 이 글에서 설명한 이신론적 관점과 **❶** , 윤리학을 통해 이해할 수 있어. 이를 토대로 선택지에서 ㉠의 **❷** 를 찾아보자.

답 **❶** 자연학 **❷** 의미

어휘의 문맥적 의미 파악

04 다음 중 밑줄 친 단어의 의미가 ⓐ와 가장 유사한 것은?

① 도심을 <u>벗어나자</u>, 주변이 고요해졌다.

② 그는 자꾸 주제에서 <u>벗어난</u> 이야기를 한다.

③ 새장을 <u>벗어난</u> 새가 하늘로 날아가 버렸다.

④ 그는 가난에서 <u>벗어나기</u> 위해 열심히 일했다.

⑤ 그는 예의에 <u>벗어난</u> 행동으로 주변 사람들에게 피해를 주었다.

05~08 다음 글을 읽고 물음에 답하시오.

누구나 한번쯤은 경치 좋은 곳에 누워 아무 일도 하지 않는 삶을 꿈꿔 본 적이 있을 것이다. 이러한 상상에는 '일', 즉 '노동'에 대한 우리의 부정적 생각이 깔려 있다. 하지만 역사 속에서 인간은 노동을 통해 개인과 사회를 발전시켜 왔고, 이러한 점에서 노동은 나름의 가치를 지닌다고 볼 수 있다. 그렇다면 철학자들은 이러한 인간의 노동에 어떤 철학적 의미를 부여했을까?

먼저 로크는 노동을 소유의 권리와 관련하여 설명했다. 로크는 신이 인간에게 자연을 공유물로 주면서, 자연을 이용할 수 있도록 이성도 주었다고 주장한다. 그런데 그는 신이 인간에게 공유물로 주지 않은 유일한 것이 신체이기 때문에 각자의 신체에 대해서는 본인만이 배타적 권리를 가진다고 본다. 그리하여 인간이 공유 상태인 어떤 사물에 신체 활동인 노동을 부여하는 것은 공유물에 배타적 소유권을 ⓐ첨가하는 것이 된다. 따라서 모든 개인은 노동을 통해 소유권의 주체가 될 수 있다. 다만 로크는 노동이란 단순히 신체를 사용하는 것이 아니라 삶과 편의에 최대한 도움이 되도록 자연을 이용하는 것을 의미하기 때문에 만약 어떤 개인이 신체를 사용하여 공유물을 인류의 삶에 손해가 되도록 만든 경우, 그것은 소유권을 인정받을 수 없다고 주장했다.

한편 헤겔은 노동을 주체와 객체가 통일되는 과정이며, 인간이 자기의식과 자기 정체성을 ⓑ확보하는 계기라고 주장했다. 또한 인간은 동물과 달리 노동을 통해 자연을 자신에게 맞게 바꾸어 적절한 생활 환경을 마련하며 생명을 ⓒ보전한다고 보았다. 이때 자립성을 지닌 객체는 주체의 노동에 저항하기 마련인데, 객체의 자립성은 인간의 노동에 의해 인간과 무관한 것에서 주체에 알맞게 변화된다. 한편 주체는 노동 과정에서 객체에 내재된 질서나 법칙을 일정 정도 받아들이면서 자신의 욕구나 목적을 객체 속에 ⓓ실현한다. 헤겔은 이처럼 노동을 통해 주체가 자신을 객체 속에 나타내는 것을 자기 대상화라 하였다. 결국 주체와 객체는 노동을 통해 서로 통일되어 가며, 주체는 자기 대상화의 정도만큼 자기의식을 확보한다는 것이다. 그런데 헤겔은 노동 산물이 주체의 소유지만, 여전히 주체와 분리되어 있고, 주체를 완전히 표현하지도 못하기에 노동을 통한 주객 통일에 한계가 있다고 지적했다.

이에 비해 ㉠마르크스는 헤겔의 노동관을 수용하면서도 노동 자체가 한계를 지닌다는 주장에는 동의하지 않았다. 그는 인간은 노동을 통해 자연을 가공하여 자연을 인간의 욕구와 자기실현에 알맞게 만든다고 보았다. 결국 그에게 노동은 객체에 인간적 형식을 부여하기 위해 자연적 소재의 형식을 부정함으로써 주체의 주관적 욕구나 목적을 대상으로 객관화하는 것이다. 이렇게 가공된 대상은 구체적 노동 산물이 되고, 그 결과 인간은 이것을 통해 자신의 능력을 확인하고 자기의식과 정체성을 확보하게 된다. 더 나아가 자신의 능력을 더욱 개발하여 자연의 구속으로부터 벗어나 자유를 획득하면서 자아를 실현하게 되는 것이다. 이러한 관점에서 그는 노동이 가장 현실적인 주객 통일의 방법이자 인간의 자아실현 과정이라 주장한 것이다. 다만 그는 노동을 통한 주객 통일의 한계가 사회적 구조의 한계에서 비롯된다고 분석하며, 노동을 통한 인간의 자아실현을 완성하기 위해서는 사회 구조를 ⓔ변혁해야 한다고 역설했다.

● **자기의식** 외계나 타인과 구별되는 자아로서의 자기에 대한 의식. = 자의식.
● **자기실현** 자아의 본질을 완전히 실현하는 일. = 자아실현.
● **객관화하다** 자기에게 직접 관련되는 사항을 제삼자의 입장에서 보거나 생각하다.

중심 내용 파악

05 윗글에서 다룬 내용이 <u>아닌</u> 것은?

① 노동과 소유권의 관련성

② 노동을 통한 주객 통일의 한계점

③ 자기 대상화를 위한 노동 환경의 조건

④ 인간이 동물과 달리 자연을 다루는 방식

⑤ 노동을 통한 주객 통일의 한계를 극복하기 위한 방안

> **도움말**
>
> 글의 내용을 종합적으로 이해했는지 확인하는 유형이야. 먼저
> ❶ 에 대한 철학자들의 주장과 관련된 핵심어를 파악하고
> 이를 중심으로 각 문단의 ❷ 내용을 정리하면서 선택지의
> 내용과 비교해 보자.
>
> 답 ❶ 노동 ❷ 핵심

세부 내용 추론

06 윗글을 읽고 추론한 내용으로 적절하지 <u>않은</u> 것은?

① 로크는 노동으로 확보한 공유물의 소유권을 인정받을 수 없는 경우도 있다고 보았군.

② 로크는 공유물에 대한 개인의 배타적 소유권을 타인이 함부로 점유할 수 없다고 보았군.

③ 헤겔은 자립성을 지닌 객체가 주체의 노동으로 인해 사라질 수밖에 없다고 보았군.

④ 마르크스와 달리 헤겔은 노동을 통한 주객 통일의 어려움은 외부 요소가 아닌 노동 자체에 있다고 보았군.

⑤ 로크와 헤겔, 마르크스는 모두 자연을 인간이 가공할 수 있는 대상으로 보았군.

관점에 따른 비판적 이해

07 〈보기〉를 바탕으로 ㉠을 평가한 내용으로 가장 적절한 것은?

> ┌ 보기 ┐
>
> 현대 직장인들은 과거와 달리 직장 생활을 하면서 조직보다 개인의 삶이 중요하다고 생각한다. 장시간 반복적인 노동으로 인해 생긴 스트레스를 소소한 여가로 해소하고 이를 통해 자아 정체성을 찾는 과정에서 행복을 느끼는 것이다. 많은 돈을 벌어 성공하기보다 소소하고 일상적인 것에서 행복을 찾는 사람들이 늘어나면서, 기업에서는 자율 출퇴근제 및 탄력 근무제를 시행하는 등 개인의 삶에 대한 만족도를 높일 수 있는 방향으로 바뀌고 있다.

① 개인 혼자만의 능력으로 노동을 통해 자아실현을 할 수 있을지 의문이 드는군.

② 노동을 통한 자아실현을 위해 인간에게 제공해야 할 보상 체계를 간과하고 있군.

③ 인간의 자아실현은 노동 과정에서 타인의 인정을 통해 이루어진다는 점을 간과하고 있군.

④ 인간의 의지가 있더라도 사회적 구조가 바뀌지 않으면 자아실현이 불가능하다는 점을 간과하고 있군.

⑤ 노동 자체가 삶의 목표가 될 수 없을 때, 인간이 다른 대상을 통해 자아를 실현할 수 있다는 점을 간과하고 있군.

> **도움말**
>
> 〈보기〉에 나타난 노동에 대한 ❶ 과 마르크스가 강조하는
> 노동의 목적을 비교하여 〈보기〉의 입장에서 ❷ 이 드는
> 부분을 확인해 보자.
>
> 답 ❶ 관점 ❷ 의문점

어휘의 문맥적 의미 파악

08 문맥상 ⓐ~ⓔ와 바꿔 쓰기에 적절하지 <u>않은</u> 것은?

① ⓐ: 더하는

② ⓑ: 선포하는

③ ⓒ: 유지한다고

④ ⓓ: 이룬다

⑤ ⓔ: 달라지게 해야

01~04 다음 글을 읽고 물음에 답하시오.

아리스토텔레스의 고전 논리학에서는 기본 명제를 네 가지로 분류하고 이를 각각 '전체 긍정 명제', '전체 부정 명제', '부분 긍정 명제', '부분 부정 명제'라고 이름을 붙였다. 삼단 논법에 이용되는 명제는 어떤 것이든 이 네 가지 기본 명제 중 어느 하나의 형식을 가져야 하며, 명제들의 뜻이 분명해지도록 표준 형식으로 고쳐 주어야 한다.

먼저, 전체 긍정을 뜻하는 명제의 표준 형식은 "모든 철학자는 이상주의자다."와 같이 '모든 ~는 ~이다.'로 하면 된다. 전체 부정을 뜻하는 명제의 표준 형식의 경우, "모든 철학자는 이상주의자가 아니다."라는 말은 애매하다. 왜냐하면 "철학자는 한 사람도 이상주의자가 아니다."를 뜻하는 것인지, 아니면 "철학자 중에는 이상주의자가 아닌 사람도 있다."를 뜻하는 것인지 분명하지 않기 때문이다. 그러므로 '모든 ~는 ~가 아니다.'라는 형식은 전체 부정 명제의 표준 형식이 될 수 없다. 전체 부정의 뜻을 분명하게 나타내어 줄 수 있는 표준 형식은 "어느 철학자도 이상주의자가 아니다."와 같이 '어느 ~도 ~가 아니다.'로 하면 된다. 부분 긍정을 뜻하는 명제의 표준 형식은 "어떤 철학자는 염세주의자이다."와 같이 '어떤 ~는 ~이다.'라는 형식이면 된다. 마지막으로, 부분 부정을 뜻하는 명제의 표준 형식은 "어떤 철학자는 도덕주의자가 아니다."에서와 같이 '어떤 ~는 ~가 아니다.'라는 형식이면 된다.

"고래는 포유동물이다."라는 일상 언어의 문장은 모든 고래에 대한 긍정을 뜻하는 것이므로, 이것을 표준 형식의 명제로 고치면 "모든 고래는 포유동물이다."가 된다. 그러나 "칼을 쓰는 자는 칼로 망한다."라는 말은 그 뜻이 분명하지 않다. 이것을 "칼을 쓰는 모든 사람은 칼로 망하는 사람이다."라고 한다면 전체 긍정이 되지만, "칼을 쓰는 어떤 사람은 칼로 망하는 사람이다."라고 한다면 부분 긍정이 된다. 어느 쪽 해석이 옳은가라는 문제는 논리학의 관심 문제가 아니다. 그것을 사실의 서술로 보는 사람은 칼을 쓰는 사람들 중 일부분의 사람만 칼로 망하게 된다는 사실을 긍정하는 것으로 이해하는 것이며, 그 반면 그것을 하나의 교훈적인 말로 받아들이는 사람은

그것이 하나의 보편적인 법칙 같은 것을 뜻하는 것으로 이해하기 때문에 전체 긍정으로 ⓐ읽게 되는 것이다.

㉠"대부분의 젊은이들은 현실 부정적이다."에서 '대부분'은 전체가 아니라는 뜻이므로 부분 긍정이나 부분 부정으로 이해할 수밖에 없다. 전체 중에서 단 한 사람에 대한 긍정을 한 것도 부분 긍정으로 일반화시킬 수밖에 없으며, 한 사람만 제외한 다른 모든 사람들에 대한 긍정도 부분 긍정으로 간주할 수밖에 없다. 부분에 관한 명제들 중에서 그 양의 정도가 다른 것을 나타낼 수 있는 방법은 없다. 이것은 곧 모든 명제를 네 가지 기본 형식으로만 나누어야 하는 고전 논리의 한계점이 된다. 그러므로 위의 명제도 "어떤 젊은이들은 현실 부정적인 사람이다."라고 고칠 수밖에 없다.

- **명제** 어떤 문제에 대한 하나의 논리적 판단 내용과 주장을 언어 또는 기호로 표시한 것. 참과 거짓을 판단할 수 있는 내용이라는 점이 특징이다.
- **염세주의자** 세계나 인생을 불행하고 비참한 것으로 보며, 개혁이나 진보는 불가능하다고 보는 염세주의를 따르거나 주장하는 사람.
- **간주하다** 상태, 모양, 성질 따위가 그와 같다고 보거나 그렇다고 여기다.

01 글의 전개 방식 이해

윗글의 전개 방식으로 가장 적절한 것은?

① 논리학의 명제 형식이 등장하게 된 배경을 제시하고 있다.
② 하나의 사례를 토대로 논리학의 명제 형식의 장단점을 분석하고 있다.
③ 사례를 들어 논리학의 명제 형식의 특징과 한계점을 설명하고 있다.
④ 논리학의 표준 형식이 변화된 과정을 시간의 흐름에 따라 서술하고 있다.
⑤ 전문가의 의견을 인용하여 논리학의 명제 형식이 지닌 유용성을 밝히고 있다.

02 구체적 상황에 적용 및 추론

윗글을 바탕으로 ㉮~㉱를 이해한 내용으로 적절하지 <u>않은</u> 것은?

> ㉮: 모든 동아리 부스는 사람들로 북적였다.
> ㉯: 어떤 사람들은 SNS 사용에 호감을 느끼지 않는다.
> ㉱: 이벤트에 참여한 어느 사람들도 행사에 만족한다고 응답하지 않았다.

 ① ㉮는 전체 긍정을 의미하는 것으로, 동아리 부스마다 예외 없이 사람들로 북적였다는 것을 의미하는군.

 ② ㉯는 부분 부정을 의미하는 것으로, SNS 사용에 호감을 느끼지 않는 사람도 있다는 것을 의미하는군.

 ③ ㉯는 SNS 사용에 호감을 느끼는 사람과 느끼지 않는 사람의 비율이 어느 정도 되는지 짐작할 수 있게 하는군.

 ④ ㉱는 전체 부정을 의미하며, 이벤트에 참여한 사람 중 행사에 만족한 사람이 한 명도 없다는 것을 의미하는군.

 ⑤ ㉱는 행사에 만족한다고 응답한 사람이 있다면 그는 이벤트에 참여하지 않았던 사람임을 짐작할 수 있게 하는군.

03 세부 내용 추론

㉠을 부분 긍정 명제의 표준 형식으로 바꾼 문장으로 가장 적절한 것은?

① 모든 젊은이들은 현실 부정적이다.
② 어떤 젊은이들은 현실 부정적이다.
③ 젊은이들 중 현실 긍정적인 사람은 없다.
④ 젊은이들 중 일부는 현실 부정적인 사람이다.
⑤ 모든 젊은이들은 현실 부정적인 사람이 아니다.

04 어휘의 문맥적 의미 파악

다음 중 밑줄 친 단어의 의미가 ⓐ와 가장 유사한 것은?

① 컴퓨터가 데이터를 <u>읽고</u> 있다.
② 동생이 큰 소리로 한글을 <u>읽는다</u>.
③ 표정을 보고 상대방의 감정을 <u>읽었다</u>.
④ 이 구절은 당시 사회상을 반영하여 <u>읽어야</u> 한다.
⑤ 바둑을 둘 때 상대의 다음 수를 <u>읽는</u> 것이 어렵다.

05~08 다음 글을 읽고 물음에 답하시오.

우리의 삶은 판단과 의사 결정의 연속이다. 아주 사소한 문제부터 매우 중대한 문제까지 판단하고 결정해야 할 것들이 너무 많다. 아침에 집을 나서면서 '오늘은 버스를 탈까, 지하철을 탈까?', '오늘 점심은 분식을 먹을까, 한식을 먹을까?' 등 일상 속에서 수많은 선택을 하게 된다.

그런데 우리가 판단이나 의사 결정을 할 때 주어진 정보가 불확실하며 불완전한 경우가 많다. 또한 시간적 °제약도 무시할 수 없다. 따라서 우리는 정보의 제한과 시간적 제약을 고려한 해답이 필요하다. '편의법'이라고 불리는 이 방법은 불확실한 상황에서 모든 경우를 고려하지 않고 나름대로 편리한 기준에 따라 일부만을 고려하여 문제를 해결하는 방법이다. 그 중에서도 많이 사용되는 것이 대표성 편의법과 가용성 편의법이다.

대표성 편의법은 주로 어떤 사건의 발생 가능성을 판단할 때 사용되는 방법으로, 여러 자료를 ⓐ참작하여 판단하기보다는 그 사건이 속할지도 모르는 범주의 ⓑ전형적인 경우와 유사한 정도에 의해 판단하는 방법이다. 예를 들어 "겸손하고 수줍어하고 정리하기를 좋아하는 특성을 가진 사람이 기자와 도서관 사서 직원 중 어떤 직업을 선택할 가능성이 더 큰가?"라는 질문에 대해 대부분의 사람들은 사서 직원이라고 답하는 경우가 많았다. '하나를 보면 열을 안다.'라는 속담처럼 어떤 사람이나 사건을 판단할 때 한두 가지 대표되는 특성을 기준으로 삼는 방법인 것이다. 그러나 대표성 편의법을 사용하면 (㉠) 성급한 °일반화의 오류를 범하게 된다.

대표성 편의법과 아울러 널리 사용되는 편의법은 기억에 의존하는 수법이다. 가용성 편의법이라 불리는 이 방법은 자신이 경험한 사실을 근거로 가장 쉽게 떠오르는 것이 가장 일반적인 것이라고 판단하는 경향을 말한다. 여기서 가용성이란 가설의 예 혹은 가설 자체가 마음속에 떠오르는 ⓒ용이성의 정도를 말한다. 완전하고 정확한 정보가 없을 때 흔히 기억에서 가장 쉽게 ⓓ인출해 낼 수 있는 정보를 기초로 하여 결정을 내리게 된다는 것이다. 예를 들어, 아는 사람이 교통사고를 당했던 사람은 교통사고 발생률을 실제보다 높게 ⓔ추정하게 된다. 결국 가용성 편의법에 의한 판단 오류는 기억에서

나 실제로 더 쉽게 구해지는 것에 근거해서 판단하는 것이라 할 수 있는데, 고정 관념이나 편견은 이러한 가용성 중심 처리의 문제라 할 수 있다.

편의법은 판단과 의사 결정에 있어서 해답에 빨리 도달하게 하고 그 나름대로 편리한 기준을 제공하므로 제한된 상황에서 현실적으로 만족할 만한 수준의 해답을 찾을 수 있게 해준다. 그러나 오류의 가능성이 있으며 합리적 사고가 이루어지지 않는 경우도 있으므로 선택된 대안이 정말 타당한 것인지 보다 신중한 판단이 요구된다.

● **제약** 조건을 붙여 내용을 제한함. 또는 그 조건.
● **일반화** 개별적인 것이나 특수한 것이 일반적인 것으로 됨. 또는 그렇게 만듦.

---

05 세부 내용 파악

윗글을 이해한 내용으로 적절하지 않은 것은?

① 사람들은 의사 결정 과정에서 정보의 제한과 시간적 제약으로 인한 어려움을 겪는다.

② 대표성 편의법은 한두 가지 대표되는 특성을 고려하여 의사 결정을 내리는 방법이다.

③ 기억에 의존하여 판단을 내리게 되면 고정 관념이나 편견으로 인한 문제가 발생할 수 있다.

④ 가용성 편의법을 활용하면 대표성 편의법을 활용할 때보다 빠르게 의사 결정을 할 수 있다.

⑤ 편의법을 활용하여 의사 결정을 할 때에는 선택한 대안이 타당한지 면밀하게 검토하는 과정이 필요하다.

구체적 상황에 적용

06 윗글의 내용을 바탕으로 ㉮와 ㉯를 평가한 내용으로 가장 적절한 것은?

㉮ 친구들과 ○○ 국가로 여행을 갔던 현욱이는 그곳에서 소지품을 도둑맞았다. 그 후 현욱이는 당시에 함께 여행했던 친구들보다 ○○ 국가는 치안이 불안한 곳이라고 판단하게 되었다.

㉯ 유미는 어떤 사람이 교실을 배경으로 교복을 입고 찍은 사진과 시험공부를 하는 사진을 SNS에 올린 것을 보고, 그 사람은 학생일 확률이 높다고 생각했다.

① ㉮와 ㉯ 모두 개인적인 경험을 근거로 판단했다는 점에서 결론의 객관성을 확보하고 있군.

② ㉮와 ㉯ 모두 기억에서 쉽게 인출할 수 있는 가설을 토대로 판단한 것으로 결론의 타당성이 부족하군.

③ ㉮는 ㉯와 달리 대표성을 지닌 특정 사례들을 수집하여 판단을 내리고 있군.

④ ㉯는 ㉮와 달리 실제 경험적 사례를 토대로 판단한다는 점에서 고정 관념에 사로잡혀 있군.

⑤ ㉯는 사례를 전형적인 범주의 기준으로 판단하여 성급한 일반화의 오류가 나타날 수 있겠군.

세부 내용 추론

07 ㉠에 들어갈 내용으로 알맞은 것은?

① 가설에만 의존하고 빠른 시간에 검증하려는

② 전문가의 권위에만 의존해 결론에 도달하여

③ 정보의 출처를 확인하지 않고 자료를 수집하는

④ 통계 자료만 고려하고 경험적 사례는 무시하는

⑤ 대표성만을 따지고 다른 정보를 고려하지 않게 되어

어휘의 사전적 의미 파악

08 ⓐ~ⓔ의 사전적 의미로 적절하지 <u>않은</u> 것은?

① ⓐ: 이리저리 비추어 보아서 알맞게 고려하다.

② ⓑ: 어떤 부류의 대표적인 특징을 제외하는 것.

③ ⓒ: 어렵지 아니하고 매우 쉬운 성질.

④ ⓓ: 끌어서 빼내다.

⑤ ⓔ: 미루어 생각하여 판정하다.

창의·융합·코딩 전략 ①

01~03 다음 글을 읽고 물음에 답하시오.

공리주의는 어떤 행위의 옳고 그름이 인간의 이익과 행복을 늘리는 데 결과적으로 얼마나 기여하는가에 따라 결정된다고 보는 이론이다. 이러한 공리주의는 인간이 자신과 더불어 다른 존재들의 이익과 행복을 공평하게 고려해야 한다는 것을 전제로 한다. 그리고 인간은 최대 이익과 행복이라는 '최선의 결과'를 가져오는 행위를 옳은 행위로 보며, 공리주의는 이러한 최선의 결과를 본래적 가치라고 여긴다. 이때 본래적 가치란 그 자체로서 지니는 가치를 의미하는데, 이는 다른 어떤 것을 위한 수단으로서의 가치인 도구적 가치와는 상대되는 개념이다. 그런데 최선의 결과를 무엇으로 보느냐에 따라 공리주의는 크게 쾌락주의적 공리주의, 선호 공리주의, 이상 공리주의 등으로 나누어 볼 수 있다.

쾌락주의적 공리주의는 최선의 결과를 쾌락의 증진으로 보는 이론이다. 곧, 쾌락을 본래적 가치로 여기고 있는 것이다. 이 이론에 따르면 도덕적으로 옳은 행위는 자신뿐 아니라, 그 행위가 영향을 미치는 모든 인간들의 쾌락을 가장 많이 증진하는 행위이다. 그러나 쾌락주의적 공리주의는 인간이 어떤 행위를 선택할 때 쾌락만을 추구하는 것이 아니라 다른 것을 추구하기도 한다는 것을 설명하기 어렵다는 한계를 지닌다.

쾌락주의적 공리주의의 이런 한계를 극복하기 위해 등장한 이론이 선호 공리주의이다. 이 이론에 따르면 도덕적으로 옳은 행위는 자신뿐 아니라, 그 행위가 영향을 미치는 모든 사람들 각자가 지닌 선호를 가장 많이 실현시키는 행위이다. 선호 공리주의는 쾌락뿐만 아니라 쾌락이 아닌 다른 것을 추구하기도 하는 인간의 행위가 개인의 선호를 반영한 것이고, 이런 선호의 실현이 곧 최선의 결과라고 설명함으로써 쾌락주의적 공리주의의 한계를 극복했다. 그러나 선호 공리주의는 보편적인 관점에서 볼 때 비정상적인 욕구에 기반을 둔 선호의 실현과 정상적인 욕구에 기반을 둔 선호의 실현이 동일한 비중을 갖지 않는다는 점을 설명하기 어렵다는 한계를 지닌다.

쾌락주의적 공리주의와 선호 공리주의에 대한 대안으로 등장한 것이 ㉠이상 공리주의이다. 이 이론은 앞의 두 이론과 마찬가지로 인간의 최대 이익과 행복을 가져오는 인간의 행위를 옳은 행위로 여긴다. 그러나 이상 공리주의는 쾌락을 유일한 본래적 가치라고 생각하지 않으며, 진실, 아름다움, 정의, 평등, 자유, 생명, 배려 등의 이상들도 본래적 가치에 해당한다고 본다. 또 선호 공리주의와 달리 이런 이상들이 인간의 선호와 무관하게 실현되어야 할 본래적 가치라고 주장한다. 이상 공리주의에 따르면 본래적 가치에 해당하는 이상들은 인간의 이익과 행복을 구성한다. 그렇기 때문에 이상 공리주의는 인간들의 서로 다른 관심과는 무관하게 실현되어야 할 이상들을 인간이 더 많이 실현하는 것이 곧 최대의 이익과 행복이라고 본다. 그러나 이상 공리주의는 본래적 가치에 해당하는 이상들이 갈등하는 경우 어떤 이상의 실현을 최선의 결과라고 봐야 할지 설명하기 어렵다.

---

01 윗글을 바탕으로 다음 대화를 이해한 내용으로 적절하지 않은 것은?

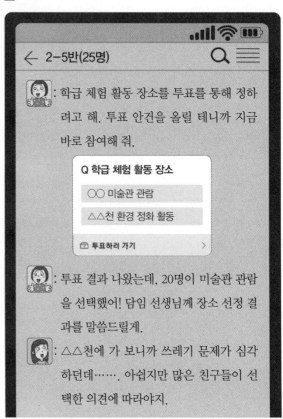

① 다수결의 원리에 따른 결정은 공리주의의 입장에서 최선의 결과라고 볼 수 있다.

② 의사 결정을 통해 소수의 의견을 배제하지 않고 모두의 쾌락을 추구하고자 한다.

③ 투표를 할 때 선택의 기준이 되는 동기에 대해서는 평가의 대상으로 삼고 있지 않다.

④ 투표 결과에 이의를 제기하지 않고 타인의 이익과 행복을 고려하고 있는 모습이 나타난다.

⑤ 선호 공리주의적 관점에서 학생들은 개인의 선호를 반영하여 투표에 참여했다고 볼 수 있다.

02 ㉠의 관점에서 〈보기〉를 이해한 내용으로 가장 적절한 것은?

> ┌ 보기 ┌
> 코로나 19 사태가 장기화되면서 여러 국가들이 주요 도시의 봉쇄령을 연장하였는데, 곳곳에서 백신 반대와 봉쇄 해제를 요구하는 시위가 이어지고 있다. 코로나 19 감염을 막아 생명을 보호하기 위한 방역 정책이지만, 사람들은 자유를 구속당하고 이동의 제한으로 인해 생계에 위협을 느낀다며 강하게 반대하고 있다. 이에 일부 국가에서는 코로나 19 관련 규제를 전면 해제하는 방침을 세우고 있어 또 다른 논란을 낳고 있다.

① 정부의 정책은 생명이라는 가치가 자유라는 가치를 실현시키기 위한 수단임을 전제하고 있다.

② 본래적 가치에 해당하는 이상들이 충돌할 때 사회를 이끄는 정부의 지침을 따르는 것이 최선이다.

③ 자유와 생명이라는 가치 중 인간의 선호와 관련하여 실현되어야 할 것이 무엇인지 고려해야 한다.

④ 자유와 생명이라는 이상적 가치 중 어느 것도 인간의 행복을 실현하기 위한 도구적 가치가 될 수 없다.

⑤ 자유와 생명이라는 이상적 가치는 여론의 분위기에 따라 개인이 유연하게 선택할 수 있도록 해야 한다.

> ···도움말
> 이상 공리주의에서 언급한 ❶ _____ 가치가 무엇인지 〈보기〉의 내용을 통해 살펴보고, 인간의 ❷ _____ 을 위한 이상의 실현과 관련하여 선택지의 내용을 살펴보자.
> 답 ❶ 본래적 ❷ 행복

03 윗글을 참고하여 공리주의의 유형과 특징을 다음과 같이 정리했을 때, ⓐ~ⓔ에 들어갈 내용으로 적절하지 않은 것은?

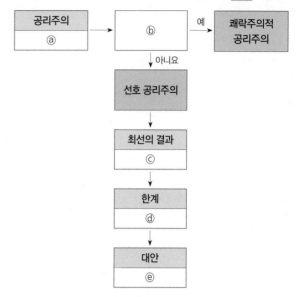

① ⓐ: 인간의 최대 이익과 행복

② ⓑ: 쾌락이 인간의 유일한 본래적 가치인가

③ ⓒ: 자신뿐만 아니라 행위의 영향을 받는 모든 사람들이 원하는 선호의 실현이 중요함.

④ ⓓ: 본래적 가치에 해당하는 이상들이 충돌할 경우 어떤 이상을 실현해야 하는지 설명하기 어려움.

⑤ ⓔ: 이상 공리주의

> ···도움말
> 각 문단에서 설명하는 공리주의의 유형과 특징을 ❶ _____ 하여 정리할 수 있는지 확인하는 유형이야. 각 문단에서 설명한 내용을 간략하게 요약하고 개념들의 ❷ _____ 에 따라 도식에 들어갈 내용을 확인해 보자.
> 답 ❶ 도식화 ❷ 관계

04~06 다음 글을 읽고 물음에 답하시오.

도덕의 문제를 다루는 철학자들은 도덕적 평가가 운에 따라 달라져서는 안 된다고 본다. 이처럼 도덕적 평가는 스스로가 통제할 수 있는 것에 대해서만 이루어져야 한다. 운은 자신의 의지에 따라 통제할 수 없어서, 운에 따라 누구는 도덕적이게 되고 누구는 아니게 되는 일은 공평하지 않기 때문이다.

그런데 ㉠어떤 철학자들은 운에 따라 도덕적 평가가 달라지는 일이 실제로 일어난다고 주장하고, 그런 운을 '도덕적 운'이라고 부른다. 그들에 따르면 세 가지 종류의 도덕적 운이 거론된다. 첫째는 태생적 운이다. 우리의 행위는 성품에 의해 결정되며 이런 성품은 태어날 때 이미 결정되므로, 성품처럼 우리가 통제할 수 없는 요인이 도덕적 평가에 개입되는 불공평한 일이 일어난다는 것이다.

둘째는 상황적 운이다. 똑같은 성품이더라도 어떤 상황에 처하느냐에 따라 그 성품이 발현되기도 하고 안 되기도 한다는 것이다. 가령 남의 것을 탐내는 성품을 똑같이 가졌는데 결핍된 상황에 처한 사람은 그 성품이 발현되는 반면에 풍족한 상황에 처한 사람은 그렇지 않다면, 전자만 비난하는 것은 공평하지 못하다는 것이다. 어떤 상황에 처하느냐는 통제할 수 없는 요인이기 때문이다.

셋째는 우리가 통제할 수 없는 결과에 의해 도덕적 평가가 좌우되는 결과적 운이다. 어떤 화가가 자신의 예술적 이상을 달성하기 위해 가족을 버리고 멀리 떠났다고 해 보자. 이 경우 그가 화가로서 성공했을 때보다 실패했을 때 그의 무책임함을 더 비난하는 것을 '상식'으로 받아들이는 경우가 많다. 그러나 도덕적 운을 인정하는 철학자들은 그가 가족을 버릴 당시에는 예측할 수 없었던 결과에 의해 그의 행위를 달리 평가하는 것 역시 불공평하다고 생각한다.

그들의 주장에 따라 도덕적 운의 존재를 인정하면 불공평한 평가만 할 수 있을 뿐인데, 이는 결국 도덕적 평가 자체가 불가능해짐을 의미한다. ㉡도덕적 평가가 불가능한 대상은 강제나 무지와 같이 스스로가 통제할 수 없는 요인에 의해 결정되는 것에만 국한되어야 한다. 그런데 도덕적 운의 존재를 인정하면 그동안 도덕적 평가의 대상이었던 성품이나 행위에 대해 도덕적 평가를 내릴 수 없는 난점에 직면하게 되는 것이다.

하지만 관점을 바꾸어 도덕적 운의 존재를 부정하고 도덕적 평가가 불가능한 경우를 강제나 무지에 의한 행위에 국한한다면 이와 같은 난점에서 벗어날 수 있다. 도덕적 운의 존재를 부정하기 위해서는 도덕적 운이라고 생각되는 예들이 실제로는 도덕적 운이 아님을 보여 주면 된다. 우선 행위는 성품과는 별개의 것이므로 태생적 운의 존재가 부정된다. 또한 나쁜 상황에서 나쁜 행위를 할 것이라는 추측만으로 어떤 사람을 폄하하는 일은 정당하지 못하므로 상황적 운의 존재도 부정된다. 끝으로 어떤 화가가 결과적으로 성공을 했든 안 했든 무책임함에 대해서는 똑같이 비난받아야 하므로 결과적 운의 존재도 부정된다. 실패한 화가를 더 비난하는 '상식'이 통용되는 것은 화가의 무책임한 행위가 그가 실패했을 때보다 성공했을 때 덜 부각되기 때문이다.

---

04 ㉠에 대한 설명으로 가장 적절한 것은?

① 인간이 운을 통제할 수 있다고 생각했다.

② 같은 성품을 가진 사람이 같은 행위를 한다고 생각했다.

③ 도덕적 평가를 할 때 '상식'을 우선순위에 두어야 한다고 생각했다.

④ 예측할 수 없는 결과에 의해 도덕적 평가가 달라질 수 있음을 인정했다.

⑤ 도덕적 운의 존재로 인해 인간의 행위에 대한 도덕적 평가가 달라질 수 있다고 생각했다.

•••도움말

'도덕적 운'의 존재를 ❶[　　　]하는 입장과 부정하는 입장의 차이를 파악하고, ㉠은 어떤 ❷[　　　]을 보이는지 확인해 보자.

🔳 ❶ 인정 ❷ 입장

05 ⓛ의 관점에 따를 때, ㉮~㉣ 중 '도덕적 평가'의 대상으로 볼 수 있는 것을 모두 고른 것은?

㉮: 거친 성격의 사람이 자신의 성격을 억누르고 주위 사람들을 다정하게 대했다.

㉯: 복잡한 지하철에서 누군가에게 떠밀린 사람이 어쩔 수 없이 앞사람의 발을 밟게 되었다.

㉰: 글을 모르는 어린아이가 중요한 서류를 찢으며 놀았다.

㉣: 풍족한 지역의 한 종교인이 가난한 지역으로 발령을 받자 종교적 신념에 따라 가난한 사람들을 돕는 활동을 했다.

① ㉮, ㉣   ② ㉯, ㉰

③ ㉰, ㉣   ④ ㉮, ㉯, ㉰

⑤ ㉮, ㉯, ㉣

06 윗글의 내용을 다음과 같이 정리했을 때, ⓐ~ⓔ에 들어갈 내용으로 적절하지 <u>않은</u> 것은?

'도덕적 운'의 종류	'도덕적 운'을 인정하는 입장	'도덕적 운'을 인정하지 않는 입장
ⓐ	행위는 성품에 의해 결정되며 성품은 태어날 때 이미 결정됨. ↔	ⓑ
상황적 운	ⓒ ↔	나쁜 상황에서 나쁜 행위를 할 것이라는 추측만으로 어떤 사람을 폄하하는 것은 정당하지 않음.
결과적 운	ⓓ ↔	ⓔ

① ⓐ: 태생적 운

② ⓑ: 행위는 성품과 별개의 것임.

③ ⓒ: 똑같은 성품이라도 어떤 상황에 처하느냐에 따라 성품의 발현 여부가 달라짐.

④ ⓓ: 행위 당시에는 결과를 예측할 수 없음.

⑤ ⓔ: 어떤 행위의 결과, 성공했을 때보다 실패했을 때 더 큰 비난을 받을 수 있음을 감수해야 함.

●●●도움말
글에서 설명한 핵심 내용을 ❶ ▢ 에 적용할 수 있는지 확인하는 문제야. 글에서 설명한 '도덕적 ❷ ▢ '와 관련해서 각 사례들이 어떤 요소에 해당하는지 확인해 보자.
🔲 ❶ 사례 ❷ 평가

●●●도움말
'도덕적 운'에 관한 철학자들의 ❶ ▢ 차이를 토대로 글의 핵심 내용을 도식화하여 이해하는 문제야. 이러한 문제는 글에서 설명한 핵심 개념 간의 ❷ ▢ 를 파악하고, 동일한 대상을 관점에 따라 어떻게 설명하는지 이해할 수 있어야 해.
🔲 ❶ 입장 ❷ 관계

2 사회 분야

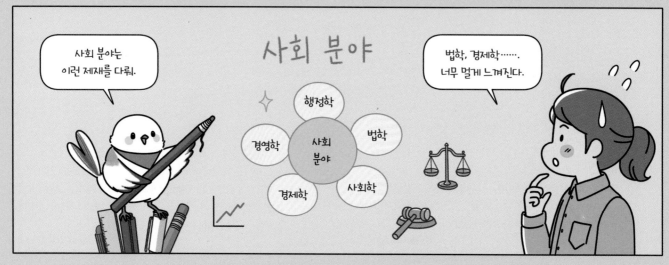

공부할 내용   1. 사회 분야 지문 출제 경향   2. 사회 분야 문제 출제 경향
            3. 사회 분야 빈출 어휘 & 개념어   4. 비판적 읽기

개념 돌파 전략 ①

개념 01 사회 분야 지문 출제 경향

↻ 주요 제재

우리 사회를 구성하는 사람들 사이에서 이루어지는 다양한 사회적 활동, 즉 ❶[ ] 현상을 제재로 다룸.

예 사회학, 경제, 정치, 법률, 언론, 문화, 행정 등

↻ 출제 경향 및 공략법

- 경제 원리, 법률 조항이나 규정, 정치 제도 및 정책 등을 다룬 글이 출제됨. 예 계약의 개념과 법률 효과
- 사회 현상과 그에 관한 이론, 현대 사회의 다양한 문제와 그 ❷[ ] 방안을 다룬 글이 출제됨.
  예 상업 광고에 대한 규제, 현대의 개체화 현상

⬇

전문 용어가 많이 등장하기 때문에 용어의 개념을 정확하게 이해하고, 각 개념들이 어떤 ❸[ ]를 맺고 있는지 파악해야 함. 또한 최근에는 시사성이 강한 글이 출제되고 있으므로 평소에 다양한 글을 읽고 배경지식을 쌓아야 함.

🅐 ❶ 사회 ❷ 해결 ❸ 관계

확인 01

다음 문장에 들어갈 알맞은 말을 골라 ○표를 하시오.

사회 분야의 지문은 주로 사회 현상을 제재로 다루기 때문에 대체로 (시사성 / 추상성)이 강하다.

개념 02 사회 분야 문제 출제 경향

↻ 빈출 문제

- 세부적인 정보를 파악하거나 내용 ❶[ ] 여부를 판단하는 문제 예 BIS 비율에 대한 이해로 가장 적절한 것은?
- 지문에 제시된 관점과 다른 관점에서 비판하는 문제
  예 〈보기〉의 정책 제안에 대한 ⓒ의 비판 내용으로 가장 적절한 것은?

↻ 빈출 문제 공략법

- 문단별 중심 내용을 파악하고, 핵심 개념과 관련된 정보를 선택지와 비교하며 풀어야 함.
- 기준이 되는 ❷[ ]에서 평가 대상이 되는 관점의 주장이나 논거의 문제점을 타당하게 지적했는지 따져 봐야 함.

🅐 ❶ 일치 ❷ 관점

확인 02

다음 중 '어떤 이론이나 논리의 근거'를 의미하는 것은?

① 체계　　　② 요인　　　③ 논거

개념 03 사회 분야 빈출 어휘

통화	유통 수단이나 지불 수단으로서 기능하는 화폐. 예 통화 공급이 늘면 시중에 돈이 많아지면서 물가가 오른다.
금리	빌려준 돈이나 예금 따위에 붙는 이자. 또는 그 비율. 예 은행의 금리가 작년보다 높아졌다.
환율	자기 나라 돈과 다른 나라 돈의 ❶[ ] 비율. 예 경제 불안이 환율에 영향을 미치고 있다.
침체	어떤 현상이나 사물이 진전하지 못하고 제자리에 머무름. 예 경기 침체로 수출이 감소하였다.
규제	규칙이나 규정에 의하여 일정한 한도를 정하거나 정한 한도를 넘지 못하게 막음. 예 각종 규제가 풀려서 은행 대출이 보다 쉬워졌다.
귀속되다	재산이나 영토, 권리 따위가 특정 ❷[ ]에 붙거나 딸리게 되다. 예 상속인이 없는 재산은 국가에 귀속된다.

🅐 ❶ 교환 ❷ 주체

확인 03

다음 중 밑줄 친 단어와 바꾸어 쓰기에 가장 적절한 것은?

경제 성장이 정체된 상태이다.

① 하향　　　② 부흥　　　③ 침체

개념 04 사회 분야 개념어

정의	어떤 대상의 ❶[ ]을 밝혀 그 본질이나 개념을 진술하는 방식. 예 문학은 사상이나 감정을 언어로 표현한 예술이다.
분류	어떤 대상이나 생각을 공통적인 특성을 기준으로 나누어 설명하는 방법. 예 동물은 포유류, 조류, 양서류 등으로 나눌 수 있다.
비교	두 가지 이상의 대상에서 공통점을 찾아 대상의 특성을 밝히는 방법. 예 축구와 야구는 모두 공을 가지고 경기를 한다.
대조	두 가지 이상의 대상에서 ❷[ ]을 찾아 대상의 특성을 밝히는 방법. 예 축구는 공을 발로 차지만, 야구는 공을 손으로 던진다.

🅐 ❶ 뜻 ❷ 차이점

확인 04

다음 문장에 쓰인 설명 방식으로 알맞은 것은?

악기는 연주하는 방법에 따라 현악기, 관악기, 타악기로 나눈다.

① 분류　　　② 비교　　　③ 대조

개념 05 비판적 읽기_개념과 독해법

↻ **개념**

글의 내용이나 구성, 글쓴이의 ❶[　　　], 글에 사용된 자료 등이 적절한지 판단하며 읽는 독서 방법

↻ **독해법**

☑ **비판 준거를 토대로 글의 내용 판단하기**

내용의 타당성	글에 제시된 정보가 객관적 사실에 근거한 것인지, 글쓴이의 관점이나 주장이 논리적으로 타당하고 수용 가능한 것인지 등을 판단함. ➡ 글쓴이가 글에서 제시하고 있는 내용이 옳은가?
내용의 공정성	글쓴이가 글의 내용, 주제 등을 다루는 방법에 있어서 어느 한쪽에 치우치지 않고 ❷[　　　]으로 접근하고 있는지 판단함. ➡ 글쓴이가 한쪽에 치우치지 않고 균형 있게 접근하고 있는가?
자료의 신뢰성	글에 사용된 자료가 객관적 사실과 일치하고 ❸[　　　]가 명확한지, 인용 과정이 바람직한지 판단함. ➡ 자료의 출처가 분명하고 믿을 만한가?
자료의 적절성	글에 사용된 자료가 글의 내용에 적합하며 필요한 위치에 적절한 형태와 수준으로 들어가 있는지 판단함. ➡ 글의 내용에 적절한 자료가 사용되었는가?

↻ **출제 경향**

• 글에 사용된 표현의 적절성 평가하기
• 글쓴이의 주장과 근거의 타당성 평가하기
• 특정 관점에서 내용을 비판적으로 이해하기 ✩
• 글의 내용과 구성에 대한 독자 반응의 적절성 판단하기
• 글쓴이의 가치관과 글의 배경이 되는 사회·문화적 이념 판단하기

답 ❶ 관점 ❷ 균형적 ❸ 출처

확인 05

다음 비판 준거에 알맞은 설명을 연결하시오.

(1) 내용의 타당성 ·
(2) 내용의 공정성 ·
(3) 자료의 적절성 ·

· ⓐ 글의 내용에 적합한 자료가 사용되었는지 확인함.
· ⓑ 대상에 대한 글쓴이의 접근 방식이 한쪽으로 치우치지 않는지 확인함.
· ⓒ 글쓴이의 주장과 근거가 논리적으로 타당한지 확인함.

개념 06 비판적 읽기_문제 풀이 전략

유형 ❶ 관점을 비교·평가하기

글에 제시된 관점을 다른 관점과 ❶[　　　]해 보거나 특정 관점에 비추어 글의 내용을 평가하는 유형

예 총체주의의 입장에서 ⓐ~ⓒ를 평가한 내용으로 적절하지 않은 것은?

>> **문제 풀이 전략**

STEP 1 비판 기준과 대상 확인하기	문제의 발문을 통해 비판의 '기준'이 되는 것과 비판의 '❷[　　　]'이 되는 것을 구분함.
STEP 2 관점 파악하기	지문과 〈보기〉에 제시된 관점의 차이점, 대립되는 점 등을 찾아 두 가지 관점을 비교하고 관점의 핵심을 파악함.
STEP 3 선택지의 적절성 판단하기	비판의 '기준'이 되는 입장에서 비판의 '대상'이 지닌 문제점이나 ❸[　　　]를 정확하게 지적하고 있는지 판단함.

유형 ❷ 반응의 적절성 판단하기

글의 내용과 관련된 구체적인 상황에 대한 ❹[　　　]의 적절성을 묻는 유형

예 윗글을 읽은 독자가 〈보기〉를 접한 후에 보일 수 있는 반응으로 적절하지 않은 것은?

>> **문제 풀이 전략**

STEP 1	문제에서 '무엇'에 대한 반응의 적절성을 묻는지 확인하기
STEP 2	〈보기〉에 제시된 상황 파악하기
STEP 3	지문의 핵심 내용과 〈보기〉의 상황을 종합하여 선택지의 반응이 적절한지 판단하기

답 ❶ 비교 ❷ 대상 ❸ 한계 ❹ 반응

확인 06

다음 설명이 맞으면 ○표, 틀리면 ×표를 하시오.

(1) 반복적으로 사용되는 어휘나 특정 표현에 주목하면 글쓴이의 관점을 효과적으로 파악할 수 있다. (　　)

(2) 반응의 적절성을 판단할 때는 글의 핵심 내용과 발문에 비추어 선택지의 반응이 적절한지 판단해야 한다. (　　)

개념 돌파 전략 ②

01 다음 글의 중심 화제를 쓰시오.

보험은 같은 위험을 보유한 다수인이 위험 공동체를 형성하여 보험료를 납부하고 보험 사고가 발생하면 보험금을 지급받는 제도이다. 보험 상품을 구입한 사람은 장래의 우연한 사고로 인한 경제적 손실에 대비할 수 있다. 보험금 지급은 사고 발생이라는 우연적 조건에 따라 결정된다. 따라서 보험은 조건의 실현 여부에 따라 받을 수 있는 재화나 서비스가 달라지는 조건부 상품이라고 할 수 있다.

문제 해결 전략

중심 화제란 글에서 다루고 있는 **❶** 대상을 일컫는다. 글의 중심 화제를 표현할 때에는 '양궁의 과학적 원리', '한옥의 특징'과 같이 **❷** 형태로 정리해 보는 것이 좋다.

답 ❶ 핵심 **❷** 구절

02 다음 글을 이해한 내용으로 적절하지 않은 것은?

환율이나 주가 등 경제 변수가 단기에 지나치게 상승 또는 하락하는 현상을 오버슈팅(overshooting)이라고 한다. 이러한 오버슈팅은 물가 경직성 또는 금융 시장 변동에 따른 불안 심리 등에 의해 촉발된다.

물가 경직성에 따른 환율의 오버슈팅을 이해하기 위해 통화를 금융 자산의 일종으로 보고 경제 충격에 대해 장기와 단기에 환율이 어떻게 조정되는지 알아보자. 경제에 충격이 발생할 때 물가나 환율은 충격을 흡수하는 조정 과정을 거치게 된다. 물가는 단기에는 장기 계약 및 공공요금 규제 등으로 인해 경직적이지만 장기에는 신축적으로 조정된다. 반면 환율은 단기에서도 신축적인 조정이 가능하다. 이러한 물가와 환율의 조정 속도 차이가 오버슈팅을 초래한다. 물가와 환율이 모두 신축적으로 조정되는 장기에서 환율은 구매력 평가설에 의해 설명되는데, 이에 의하면 장기의 환율은 자국 물가 수준을 외국 물가 수준으로 나눈 비율로 나타나며, 이를 균형 환율로 본다. 가령 국내 통화량이 증가하여 유지될 경우 장기에서는 자국 물가도 높아져 장기의 환율은 상승한다.

① 경제에 충격이 발생하면 물가와 환율 모두 충격을 흡수하는 과정을 거친다.
② 물가와 달리 환율은 경제 충격에 대해 장기에서도 신축적으로 조정이 가능하다.
③ 구매력 평가설에서는 자국과 외국의 물가 수준을 활용해 균형 환율을 설정한다.
④ 물가 경직성이나 금융 시장 변동에 따른 불안감 등으로 인해 오버슈팅이 유발된다.
⑤ 구매력 평가설에 따르면 자국의 통화량 증가는 자국의 물가와 환율에 영향을 끼친다.

독해 전략

1문단에서 오버슈팅의 개념과 오버슈팅이 발생하는 두 가지 **❶** 을 설명하고, 2문단에서는 물가 경직성에 따른 환율의 오버슈팅을 설명하고 있다. 이처럼 문단이 바뀔 때 글의 **❷** 이 어떻게 이어지는지 살펴봐야 한다.

답 ❶ 원인 **❷** 흐름

문제 해결 전략

내용 일치 문제는 특정 문단을 중심으로 출제되는 경우도 있지만 글의 전체적인 내용을 다루는 경우도 있다. 따라서 핵심적인 내용은 아니더라도 **❶** 관계가 잘 드러난 부분, **❷** 이나 전제된 사실을 설명한 부분 등에 표시하면서 읽으면 문제 풀이 시간을 줄일 수 있다.

답 ❶ 인과 **❷** 개념

03~04 다음 글을 읽고 물음에 답하시오.

어떤 경제 주체의 행위가 자신과 ⓐ거래하지 않는 제3자에게 의도하지 않게 이익이나 손해를 주는 것을 '외부성'이라고 한다. 과수원의 과일 생산이 인접한 양봉업자에게 벌꿀 생산과 관련된 이익을 주거나, 공장의 제품 생산이 강물을 오염시켜 주민들에게 피해를 주는 것 등이 대표적인 사례이다. 외부성은 사회 전체로 보면 이익이 극대화되지 않는 ⓑ비효율성을 초래할 수 있다. 개별 경제 주체가 제3자의 이익이나 손해까지 고려하여 행동하지는 않을 것이기 때문이다.

전통적인 경제학은 이러한 비효율성의 해결책이 보조금이나 벌금과 같은 정부의 ⓒ개입이라고 생각한다. 보조금을 받거나 벌금을 내게 되면 제3자에게 주는 이익이나 손해가 더 이상 자신의 이익과 무관하지 않게 되므로, 자신의 이익에 충실한 선택이 사회적으로 바람직한 결과로 이어진다는 것이다. 그러나 전통적인 경제학은 모든 시장 거래와 정부 개입에 시간과 노력, 즉 비용이 든다는 점을 ⓓ간과하고 있다. 외부성은 이익이나 손해에 관한 협상이 너무 어려워 거래가 일어나지 못하는 경우이므로, 보조금이나 벌금뿐만 아니라 협상을 쉽게 해 주는 법과 ⓔ규제도 해결책이 될 수 있다.

독해 전략

사회 지문에는 ❶[　　　　]가 자주 등장하기 때문에 지문에서 다양한 방식으로 개념을 설명한다. 그러므로 낯선 용어가 등장하더라도 당황하지 말고, 글에서 해당 용어의 개념이나 ❷[　　　]을 설명한 부분을 꼼꼼하게 확인하면서 읽어야 한다.

🔒 ❶ 낯선 용어 ❷ 특징

03 윗글의 전개 방식에 대한 설명으로 가장 적절한 것은?

① '외부성'에 대한 인식 변화를 통시적 흐름에 따라 서술하고 있다.
② 전문가의 다양한 견해를 인용하여 '외부성'의 개념을 설명하고 있다.
③ '외부성'의 의미를 사례를 들어 설명하고, 이와 관련된 이론의 한계점을 지적하고 있다.
④ '외부성'과 유사한 개념을 비교하여 설명하고 이를 바탕으로 새로운 이론을 도출하고 있다.
⑤ 역사적 고찰을 통해 '외부성'의 개념을 밝히고, 외부성으로 인한 문제와 그 원인을 규명하고 있다.

문제 해결 전략

글의 ❶[　　　　]을 묻는 경우 글의 전체적인 내용 구성을 올바르게 설명한 선택지가 정답일 확률이 높다. 선택지에서 글에 사용되지 않은 전개 방식을 ❷[　　　]하여 설명하고 있는 것은 아닌지 꼼꼼하게 확인해야 한다.

🔒 ❶ 전개 방식 ❷ 포함

04 문맥을 고려할 때 ⓐ~ⓔ의 의미로 적절하지 않은 것은?

① ⓐ: 물건 따위를 주고받거나 사고팔다.
② ⓑ: 들인 노력에 비하여 얻은 결과가 만족스럽지 못한 특성.
③ ⓒ: 한발 물러나서 어떤 일이 되어 가는 형편을 바라봄.
④ ⓓ: 큰 관심 없이 대강 보아 넘기다.
⑤ ⓔ: 규칙이나 규정에 의하여 일정한 한도를 정하거나 정한 한도를 넘지 못하게 막음.

05~06 다음 글을 읽고 물음에 답하시오.

국가는 자국의 힘이 외부의 군사적 위협을 견제하기에 충분하지 않다고 판단할 때 다른 나라와 동맹을 맺는다. 동맹 결성의 핵심적인 이유는 동맹을 통해서 확보되는 이익이며 이는 동맹 관계 유지의 근간이 된다.

그런데 국가 간의 동맹 관계는 고정되어 있지 않다. 그 이유에 대해 ㉠현실주의자들은 국가는 이기적 존재이며 국제 사회의 유일하고 중요한 행위 주체라고 생각한다. 국제 사회는 국가 이상의 단위에서 작동하는 중앙 정부와 같은 존재가 부재하는 일종의 무정부 상태이므로 개별 국가는 힘의 논리로부터 스스로를 지켜야 한다고 본다. 따라서 각 나라는 군사적 동맹을 통해 세력 균형을 이루어 패권 안정을 취하려 한다. 특정한 패권 국가가 출현하면 그 힘을 견제하기 위한 국가들 간의 동맹이 형성되기도 하고, 그 힘에 편승하는 동맹이 형성되기도 한다. 이렇듯 ⓐ힘의 균형점이 이동함에 따라 세력의 균형을 끊임없이 찾는 과정에서 동맹 관계는 변할 수 있다고 보는 것이다.

독해 전략

사회 분야의 글은 사회적 현상이나 제도 등을 자세히 설명하는 경우가 많으므로 내용 간의 인과성을 잘 살피면서 읽어야 한다. 또한 글에서 특정 ❶   에 대해 상술하는 경우 관점의 ❷   와 특징을 정리하며 읽어야 한다.

답 ❶ 관점 ❷ 전제

05 〈보기〉의 '구성주의자'가 ㉠을 비판한 내용으로 가장 적절한 것은?

> **보기**
>
> 구성주의자들은 국제 사회의 구성원들이 상호 작용을 하여 상호 간 역할과 가치를 형성하면서 국제 사회 환경의 변화를 만들어 낸다고 본다. 동맹은 상호 작용의 변화에 따라 달라질 수 있는데, 타국이나 국제 사회에 대한 인식이 긍정적이고 국제 사회에서의 구성원들의 역할이 가치가 있다고 판단될 때 긍정적인 동맹을 맺을 수 있지만 그렇지 않으면 동맹은 파기될 수 있다고 본 것이다.

① 국제 사회에서 동맹 관계는 계속 변한다는 사실을 간과하고 있다.
② 동맹 관계 변화를 상호 관계가 아닌 힘의 논리로만 설명하고 있다.
③ 상대국에 대한 인식 변화를 통해 무정부 상태와 같은 상황은 극복할 수 있다.
④ 모든 구성원이 서로의 역할이 가치가 없다고 판단할 때만 패권 안정을 취할 수 있다.
⑤ 국제 사회의 구성원들 간의 역할과 가치가 형성되어야만 세력의 균형을 이룰 수 있다.

문제 해결 전략

글과 〈보기〉에 서로 다른 관점이 제시된 경우 두 관점의 결론적인 입장 ❶   만 생각할 것이 아니라, 그러한 입장 차이가 발생하게 된 근본적인 ❷   가 무엇인지 파악해야 한다.

답 ❶ 차이 ❷ 이유

06 ⓐ의 전제로 가장 적절한 것은?
① 국제 사회에서 패권 국가는 바뀔 수 있다.
② 동맹을 통해 얻는 이익은 국가마다 다르다.
③ 모든 국가는 각각 다른 역사와 전통을 가지고 있다.
④ 모든 국가는 외부의 군사 위협을 견제할 힘이 없다.
⑤ 국제 사회는 서로의 역할과 가치를 높여 주기 위해 중앙 정부를 결성한다.

07~08 다음 글을 읽고 물음에 답하시오.

독해 전략

글에 상반된 관점이 제시되는 경우 각 입장의 전제, **❶**　　　, 주장을 구분하여 파악하고 각 관점의 세부 내용을 도형이나 기호로 **❷**　　　있게 표시하며 읽는 것이 좋다.

답 ❶ 근거 ❷ 일관성

　공적 연금 제도는 소득이 있는 국민들을 강제 가입시켜 보험료를 징수한 뒤, 적립된 연금 기금을 국가의 책임으로 운용하다가, 가입자가 은퇴한 후 연금으로 지급하는 방식을 취하고 있다. 우리나라는 공적 연금 제도를 운영하는 과정에서 ㉠사회적 연대를 중시하는 입장과 ㉡경제적 성과를 중시하는 입장이 부딪치고 있다. 전자는 이 제도를 세대 간 소득 재분배의 수단으로 이용해야 한다고 주장한다. 자녀 세대의 보험료로 부모 세대의 연금을 충당하는 것이 이에 해당한다. 하지만 후자는 사회 구성원 일부에게 희생을 강요하는 소득 재분배는 물가 상승을 반영하여 연금의 실질 가치를 보장할 수 있을 때만 허용되어야 한다고 비판한다.

　이 두 입장은 연금 기금의 투자 방향에 관해서도 대립한다. 기존에는 후자의 입장에서 연금 기금을 가입자들이 노후의 소득 보장을 위해 맡긴 신탁 기금으로 보고, 안정된 금융 시장을 통해 대기업에 투자함으로써 수익률을 극대화하려는 태도가 지배적이었다. 그러나 최근 전자의 입장에서 연금 기금을 국민 전체가 사회 발전을 위해 조성한 투자 자금으로 보고, 이를 일자리 창출에 연계된 사회 경제적 분야에 투자해야 한다는 주장이 힘을 얻고 있다. 이는 지금까지 연금 기금을 일종의 신탁 기금으로 규정해 온 관련 법률을 개정하여, 보험료를 낼 소득자 집단을 확충하는 데 이 막대한 돈을 직접 활용하자는 주장이다.

07 윗글을 읽은 학생의 반응으로 적절하지 <u>않은</u> 것은?

① 공적 연금 제도의 운영과 투자는 국가에서 관리하는군.
② 공적 연금 제도는 개인에게 가입 선택권이 주어진 제도가 아니군.
③ 기금을 일자리 창출에 투자하는 것은 소득자 집단을 늘리려는 의도로군.
④ 기금의 성격을 신탁 기금으로 규정하기 위한 필요성이 최근에 제기되었군.
⑤ 기금의 투자 방향이 노후 소득 보장에서 사회 발전을 위한 투자로 변해 가는군.

08 〈보기〉를 바탕으로 ㉡이 ㉠을 비판한 내용으로 가장 적절한 것은?

문제 해결 전략

〈보기〉의 내용이 ㉡의 입장 중 어떤 부분을 **❶**　　　하는 자료로 적절한지, ㉠의 어떤 부분을 **❷**　　　하는 근거로 적절한지 파악해야 한다.

답 ❶ 뒷받침 ❷ 비판

┌─ 보기 ─────────────────────────
　노령화와 출산율 감소로 2059년에는 우리나라의 국민연금이 고갈될 수 있으며, 나이가 어린 세대일수록 연금 수급액이 보험 부담액보다 적어질 가능성이 높다.
└──────────────────────────────

① 연금 가입자의 수가 줄어든다면 젊은 세대의 희생만을 초래하게 될 것입니다.
② 출산율 변화에 대비해 연금을 세대 간 소득 재분배 수단으로 활용해야 합니다.
③ 연금이 고갈되지 않도록 물가 상승을 연금의 실질 가치에 포함하면 안 됩니다.
④ 연금이 고갈될 것이므로 젊은 층의 연금으로 노령층의 연금을 충당해야 합니다.
⑤ 연금 수급자 수가 감소하고 있으므로 세대 간의 소득 격차를 증가시키면 안 됩니다.

필수 체크 전략 ①

✎ 다음 글을 읽고 물음에 답하시오.

산업화에 따라 사회가 분화되고 개인이 공동체적 유대로부터 벗어나게 되는 현상을 '개체화'라고 한다. 울리히 벡과 지그문트 바우만은 현대의 개체화 현상을 ⓐ사회적 위험 문제와 연관시켜 진단한 대표적인 학자들이다.

사실 사회 분화와 개체화는 자본주의적 산업화 이래로 지속된 현상이다. 그런데 20세기 중반 이후부터는 세계화를 계기로 개체화 현상이 과거와는 질적으로 달라진 양상을 보여 주고 있다. 교통과 통신 수단의 발달에 따라 국경을 넘나드는 자본과 노동의 이동이 가속화되었고, 개인에 대한 국가의 통제력도 현저하게 약화되고 있다. 또한 전 세계적인 노동 시장의 유연화 경향에 따라 정규직과 비정규직, 생산직과 사무직 등 다양한 형태로 분절화된 노동자들이 이제는 계급적 연대 속에서 이해관계를 공유하지 못하게 되었다. 핵가족화 추세에 더하여 일인 가구가 급속도로 늘어나는 등 가족의 해체 현상도 많이 나타나고 있다. 벡과 바우만은 개체화의 이러한 가속화*추세에 대해서 인식의 차이를 보이지 않는다.

그런데 현대의 위기와 관련해서 그들이 개체화를 바라보는 시선은 사뭇 다르다. 먼저 벡은 과학 기술의 의도하지 않은 결과로 나타난 현대의 위기가 개체화와는 별개로 진행된 현상이라고 본다. 벡은 핵무기와 원전*누출 사고, 환경 재난 등 예측 불가능한 위험이 현실화될 가능성이 있는데도 삶의 편의와 풍요를 위해 이를 방치함으로써 위험이 체계적이고도 항시적으로 존재하게 된 현대 사회를 ㉠'위험 사회'라고 규정한 바 있다. 현대의 위험은 과거와 달리 국가와 계급을 가리지 않고 파괴적으로 영향을 미친다는 것이 벡의 관점이다. 그런데 벡은 현대인들이 개체화되어 있다는 바로 그 조건 때문에 오히려 전 지구적 위험에 의한 불안에 대응하기 위해 초계급적, 초국가적으로 연대할 가능성이 있다고 보았다. 특히 벡은 그들이 과학 기술의 발전뿐 아니라 그 파괴적 결과까지 인식하여 대안을 모색하는 '성찰적 근대화'의 실천 주체로서 일상생활에서의 요구를 모아 정치적으로 표출하는 등 행동에 나서야 한다고 주장한다.

한편 바우만은 개체화된 개인들이 삶의 불확실성 속에서 생존을 모색하게 된 현대를 ㉡'액체 시대'로 정의하였다. 현대인의 삶과 사회 전체가, 형체는 가변적이고 흐르는 방향은 유동적인 액체와 같아졌다고 보았던 것이다. 그런데 그는 액체 시대라는 개념을 통해 핵 확산이나 환경 재앙 등 예측 불가능한 전 지구적 위험 요인의 항시적 존재만이 아니라 삶의 조건을 불확실하게 만드는 개체화 현상 자체를 위험 요인으로 본다는 점에서 벡과 달랐다. 바우만은 우선 세계화의 흐름 속에서 소수의 특권 계급을 제외한 대다수의 사람들이 무한 경쟁에 내몰리고 빈부 격차에 따라 생존 자체를 위협받는 등 잉여 인간으로 전락하고 있다고 본다. 그러나 그가 더 치명적으로 본 것은 협력의 고리를 찾지 못하게 된 현대인들이 개인 수준에서 위기에 대처해야 하는 상황에 빠져 버렸다는 점이다. 더구나 그는 위험에 대한 공포가 내면화되면 사람들은 극복 의지를 잃고 공포로부터 도피하거나 소극적 자기 방어 행동에 몰두하게 된다고 보았다. 그래서 바우만은 일상생활에서의 정치적 요구를 담은 실천 행위도 개체화의 흐름에 놓여 있기 때문에 현대의 위기에 대한 해결책이 될 수 없다고 판단한다.

● 추세 어떤 현상이 일정한 방향으로 나아가는 경향.
● 누출 액체나 기체 따위가 밖으로 새어 나옴. 또는 그렇게 함.

💡 ● 이 글의 화제: 현대 사회의 개체화 현상
● 이 글의 짜임

1문단	개체화 현상의 개념과 대표 학자인 벡과 바우만
2문단	개체화 현상의 ❶ □□□ 와 두 학자의 공통적 견해
3문단	현대의 위기와 개체화에 대한 ❷ □ 의 견해
4문단	현대의 위기와 개체화에 대한 ❸ □□□ 의 견해

📋 ❶ 가속화 ❷ 벡 ❸ 바우만

대표 유형 **1** 사실적 읽기

1 ⊙과 ⓛ에 대한 이해로 적절하지 <u>않은</u> 것은?

① ⊙은 위험 요소의 성격이 과거와 달라진 현대 사회의 특성을 드러내기 위한 개념이다.

② ⓛ은 현대 사회의 불확실성을 강조하기 위해 물체의 속성에서 유추하여 사회에 적용한 개념이다.

③ ⊙과 ⓛ은 모두 인간관계의 유연한 확장 가능성을 비관적으로 보는 개념이다.

④ ⊙과 ⓛ은 모두 재난의 현실화 가능성이 일상화되어 있다는 점을 전제로 하는 개념이다.

⑤ ⊙과 ⓛ은 모두 위험의 공간적 범위가 전 지구적으로 확장되어 있음을 내포하는 개념이다.

유형 해결 전략 ▶ 지문에서 언급한 정보들을 있는 그대로 이해하는 유형이야. 이러한 문제를 풀 때에는 지문에 제시된 정보를 세밀하게 파악하고 그 내용을 바탕으로 두 요소 간의 **❶** 과 **❷** 을 파악하는 것이 중요해.

답 ❶ 공통점 **❷** 차이점

대표 유형 **2** 추론적 읽기

2 '현대의 개체화 현상'에 대해 추론한 내용으로 적절하지 <u>않은</u> 것은?

① 노동자들이 계급적 동질성을 갖지 못하게 된다.

② 국가의 통제력 강화를 통해 개인의 자율성 약화를 초래한다.

③ 개인의 거주 공간이 가족 공동의 거주 공간으로부터 분리되는 추세도 포함한다.

④ '벡'의 관점에서는 현대인들로 하여금 새로운 방식의 유대를 모색하게 하는 조건이다.

⑤ '바우만'의 관점에서는 현대인들로 하여금 서로 연대하기 어렵게 하는 위험 요인이다.

유형 해결 전략 ▶ 지문의 **❶** 를 바탕으로 지문에 드러나 있지 않은 정보 또는 정보 간의 관계를 이끌어 내는 유형이야. 사실적 이해를 토대로 정보를 파악하고, 이를 **❷** 로 선택지에서 추론 한 정보의 적절성을 파악할 수 있어야 해.

답 ❶ 정보 **❷** 근거

1-1 윗글의 내용과 일치하지 <u>않는</u> 것은?

 ① 교통과 통신 수단의 발달에 따라 자본과 노동의 이동이 가속화되었어.

 ② 노동 시장의 유연화 경향으로 인해 노동자들의 계급적 연대는 이전보다 약화되었어.

 ③ 개체화 현상은 20세기 중반 이후부터 과거와는 질적으로 달라진 양상을 보여 주고 있어.

 ④ '바우만'은 세계화의 흐름으로 인해 대다수의 사람들이 무한 경쟁에 내몰리고 있다고 보았어.

 ⑤ '벡'은 개체화 현상이라는 조건으로 인해 초계급적, 초국가적 연대의 가능성이 낮아졌다고 보았어.

2-1 윗글을 읽고 ⓐ에 대해 추론한 내용으로 적절하지 <u>않은</u> 것은?

① '벡'과 '바우만' 모두 핵무기, 환경 문제 등이 현대 사회에 부정적으로 기능한다고 인식하고 있군.

② '벡'의 '위험 사회'와 '바우만'의 '액체 시대'는 모두 현대의 사회적 위기와 관련된 용어라고 할 수 있군.

③ '벡'은 현대인들이 위험 요소를 방치함으로써 사회적 위험 요소가 지속되었다고 주장하고 있군.

④ '바우만'과 달리 '벡'은, 현대인이 공동체적 유대로부터 벗어나게 된 것도 사회적 위험 요인에 포함된다고 전제하고 있군.

⑤ '바우만'은 협력의 고리를 찾지 못한다면 정치적 요구를 담은 실천 행위로 현대의 위기를 극복하기 어렵다고 생각하는군.

필수 체크 전략 ②

01~04 다음 글을 읽고 물음에 답하시오.

이익이 분화되고 가치가 다원화됨에 따라 현대 사회에서는 크고 작은 사회 갈등이 발생한다. 민주주의는 이러한 갈등을 일으키는 다양한 가치와 이해관계를 조정하는 정치 체제로, 궁극적으로 사회 통합을 추구한다. 특히 현대 민주주의에서는 구성원 간의 사회적 합의를 ˚도출해 내기 위해 의회의 역할이 강조된다. 의회는 법률을 제정·개정·폐지하는 '입법 과정'을 통해 갈등을 관리할 수 있기 때문이다. 최적의 입법 과정은 발생 가능성이 있는 사회 갈등을 예방하는 '사전적 관리 기능'과 이미 존재하는 사회 갈등을 조정하는 '사후적 관리 기능'을 모두 담당할 수 있어야 한다.

사전적 관리 기능은 입법을 위해 ˚의제를 설정하는 순간부터 작동하며, 입법과 관련하여 발생할 수 있는 사회 갈등을 사전에 예방하기 위한 것이다. 즉 사전적 관리 기능에서는 입법이나 정책이 사회에 미칠 수 있는 영향과 그로 인해 발생할 수 있는 갈등을 체계적으로 분석하여 예방 방안을 마련하는 것이 중요하다. 이를 위해 중립성과 전문성을 갖춘 ㉠평가 기관이 갈등 영향을 사전에 분석하고 평가하여 그 결과를 해당 법률안과 함께 의회에 제출하는데, 이 내용이 부정적이라면 입법은 무산될 수 있다. 또한 광범위하고 다양한 국민 의견을 청취하여 분석하고, 이것이 원활하게 입법에 ⓐ반영될 수 있도록 ㉡입법 ˚커뮤니케이션을 활성화해야 한다. 여기에는 정부 등 공적 주체는 물론 시민의 활발한 참여와 관심이 ˚수반되어야 한다.

사후적 관리 기능은 이미 발생하여 현재 존재하는 사회 갈등을 해결하는 것이다. 사회 갈등은 사회적 비용이 발생하는 등 부정적인 결과를 초래하기 때문에 갈등 현안이 발생하면 의회는 이에 적극적으로 대처하기 위한 활동을 하게 된다. 우선 여론 수렴을 위해 여론 조사나 ˚공청회 등을 진행하고, 갈등의 당사자들이나 시민 대표단이 포함된 참여 기구를 구성한다. 이때 ㉢참여 기구의 인적 구성은 사회적 합의를 이끌어 낼 수 있도록 대표성과 중립성이 담보되어야 한다. 참여 기구는 적극적인 의사소통과 ⓑ숙의를 통해 사회 갈등의 해결 방안

을 제시해야 하며, 입법적 조치를 제시하는 경우에는 입법의 방향과 주요 내용, ⓒ쟁점 사항에 대한 의견을 의회에 제출해야 한다. 의회는 이를 토대로 갈등 현안에 대한 조치를 내리게 되는데, 필요에 따라 법률의 제정·개정·폐지라는 입법적 조치를 할 수 있고, 예산상 조치를 취하거나 갈등 당사자들에게 ⓓ중재안을 제시할 수도 있다.

시민의 정치 참여가 강조되는 현대 민주주의에서 의회가 시민과 ⓔ소통하고 협력하여 사회 갈등을 해결하는 것은 매우 중요하다. 특히 의회가 시민의 폭넓은 참여를 보장하는 최적의 입법 과정을 정립하는 것은 우리 사회의 통합을 위해 꼭 필요한 일이다.

- ● **도출하다** 판단이나 결론 따위를 이끌어 내다.
- ● **의제** 회의에서 의논할 문제.
- ● **커뮤니케이션** 사람들끼리 서로 생각, 느낌 따위의 정보를 주고받는 일.
- ● **수반되다** 어떤 일과 더불어 생기다.
- ● **공청회** 국회나 행정 기관에서 일의 관련자에게 의견을 들어 보는 공개적인 모임. 국민적인 관심의 대상이 되거나 사회 일반에 영향력이 큰 안건을 심의하기 전에, 국회나 행정 기관이 학자·경험자 또는 이해관계자를 참석하게 하여 의견을 듣는 공개회의이다.

세부 내용 파악

01 윗글을 읽고 답할 수 있는 질문이 <u>아닌</u> 것은?

 ① 사전적 관리 기능과 사후적 관리 기능의 목적은 각각 무엇일까?

 ② 현대 사회에서 크고 작은 사회 갈등이 발생하는 원인은 무엇일까?

 ③ 최적의 입법 과정을 적용하여 사회 갈등을 해결한 사례는 무엇일까?

 ④ 사회적 합의를 도출하기 위해 의회의 역할을 강조하는 이유는 무엇일까?

 ⑤ 의회가 시민의 참여를 바탕으로 최적의 입법 과정을 정립해야 하는 이유는 무엇일까?

⋯⋯도움말

질문 방식으로 **❶**〔　　〕 정보를 묻는 문제를 풀 때에는 질문에 대한 **❷**〔　　〕을 글에서 언급했는지 정도만 확인하자.

目 ❶ 세부 **❷** 답

세부 내용 파악

02 ㉠~㉢에 대한 설명으로 가장 적절한 것은?

① ㉠은 사회적 합의를 이끌어 낼 수 있는 대표성이 담보되어야 하고, ㉡은 일반 시민들의 사회적 참여가 필요하다.

② ㉠은 과거의 사회 갈등을, ㉢은 미래의 사회 갈등을 연구하는 기관이다.

③ ㉠과 달리 ㉢은 사회 갈등 현안과 관련된 당사자들의 참여가 필요하다.

④ ㉡과 달리 ㉢은 사회 갈등 현안에 대해 분석한 결과를 의회에 제출하지 않아도 된다.

⑤ ㉢과 달리 ㉡에는 공적 기관의 구성원이 함께 참여하지 않는다.

구체적 상황에 적용 및 추론

03 윗글을 바탕으로 〈보기〉를 이해한 내용으로 적절하지 <u>않은</u> 것은?

┌ 보기 ┐

○○당에서 준비 중인 '사회 갈등 관리법'은 공공 기관의 갈등 예방에 관한 역할과 책무, 갈등 관리 절차 등을 규정해 공공 기관의 갈등 예방과 해결 능력을 향상하고 공공 정책 추진 시 다양한 갈등의 예방을 고려하도록 규정하고 있다.

한편 △△당에서는 '감정 노동자 보호법'을 개정할 목적으로 공청회를 개최하였다. 이번 개정에는 갈등 상황 발생 시 고객의 폭언과 폭행, 고용주의 부당한 지시 등에 대한 처벌 기준이 새롭게 포함될 것으로 예상된다.

① '사회 갈등 관리법'은 사전적 관리 기능의 의무를 공공 기관이 부담하도록 제도화하려는 것이군.

② '사회 갈등 관리법'은 기존의 법을 개정하여 갈등으로 인해 발생하는 사회적 비용을 최소화하기 위한 것이군.

③ '사회 갈등 관리법'은 사회 갈등의 예방에, '감정 노동자 보호법'의 개정 논의는 갈등의 사후적 관리에 해당하는군.

④ '감정 노동자 보호법'에 대한 공청회는 여론 조사와 마찬가지로 여론 수렴의 방법이 될 수 있겠군.

⑤ '감정 노동자 보호법'의 개정은 의회의 결정에 따라 입법적 조치 대신 예산상의 조치가 내려질 수도 있겠군.

어휘의 문맥적 의미 파악

04 다음 중 밑줄 친 단어의 의미가 ⓐ~ⓔ와 <u>다른</u> 것은?

① ⓐ: 민화에는 서민 의식이 <u>반영되어</u> 있다.

② ⓑ: <u>숙의</u>를 거듭하여 결론에 도달했다.

③ ⓒ: 노사 양측은 지금까지 <u>쟁점</u>이 되었던 문제들을 건설적으로 해결해 나가기로 했다.

④ ⓓ: 두 국가는 국제 연합에 <u>중재</u>를 요청했다.

⑤ ⓔ: 신호 체계를 바꾼 덕분에 교차로에서 차량의 <u>소통</u>이 원활해졌다.

05~08 다음 글을 읽고 물음에 답하시오.

정부는 경기 변동의 진폭을 완화시켜 좀 더 빨리 균형을 찾아가도록 여러 가지 안정화 정책을 사용한다. 정부가 사용하는 대표적인 안정화 정책에는 통화 정책과 재정 정책이 있다.

통화 정책은 정부가 화폐 공급량이나 기준 금리 등을 조절하여 경제의 안정성을 ⓐ유지하려는 정책이다. 예를 들어 경기가 불황에 빠져 있을 때, 정부가 화폐 공급량을 ⓑ늘리면 이자율이 낮아져 시중에 풍부한 자금이 공급되어 소비자들의 소비 지출과 기업들의 투자 지출이 늘어나면 총수요에 영향을 주어 경제가 활성화된다. 재정 정책은 정부가 지출이나 조세 징수액을 변화시킴으로써 총수요에 영향을 주려는 정책이다. 재정 정책에는 경기의 변동에 따라 자동적으로 작동되는 자동 안정화 장치와 정부의 의사 결정과 국회의 동의 절차에 따라 ⓒ이루어지는 재량적 재정 정책이 있다.

이러한 안정화 정책의 효과는 다소간의 시차를 두고 나타나는데 이를 정책 시차라고 한다. 정책 시차는 내부 시차와 외부 시차로 구분된다. 내부 시차는 정부가 경제에 발생한 문제를 인식하고 실제로 정책을 수립·집행하는 시점까지의 시간을, 외부 시차는 시행된 정책이 경제에 영향을 끼쳐 그에 따른 효과가 나타나는 데까지 ⓓ걸리는 시간을 의미한다.

재량적 재정 정책의 경우 추경 예산을 편성하거나 조세 제도를 변경해야 할 때 입법 과정과 국회의 동의 절차를 거쳐야 하기 때문에 내부 시차가 길다. 이에 비해 통화 정책은 별도의 입법 절차를 거칠 필요 없이 정부의 의지만으로 수립·집행될 수 있기 때문에 내부 시차가 짧다. 한편 재량적 재정 정책은 외부 시차가 짧다. 예를 들어 경기 불황에 의해 실업률이 급격하게 증가할 때 정부는 공공 근로 사업 등에 대한 지출을 늘려 일자리를 창출하는데 이는 비교적 짧은 시간 안에 소비 지출의 변화에 의해 총수요를 변화시킬 수 있다. 반면 통화 정책은 정부가 이자율을 변화시켰다 하더라도 소비 지출 및 투자 지출의 변화가 즉각적으로 나타나지 않기 때문에 외부 시차가 길다. 자동 안정화 장치는 경기의 상황에 따라 재정 지출이나 조세 징수액이 자동적으로 조절될 수 있도록 미리 재정 제도 안에 마련된 재정 정책이다. 따라서 재량적 재정 정책과 마찬가지로 외부 시차가 짧을 뿐만 아니라, 재량적 재정 정책과는 달리 내부 시차가 없어 경제 상황의 변화에 신속하게 대응할 수 있다는 장점이 있다. 이러한 자동 안정화 장치의 대표적인 예로는 누진적 소득세와 실업 보험 제도가 있다.

누진적 소득세는 납세자의 소득 금액에 따른 과세의 비율을 미리 정하여 소득이 커질수록 높은 세율을 적용하도록 정한 제도이다. 경기가 활성화되어 국민 소득이 늘어날 경우 경기가 지나치게 과열될 우려가 있는데, 이때 소득 수준이 높을수록 더 높은 세율을 적용받게 되므로 전반적 소득 증가와 더불어 세금이 자동적으로 늘어나게 된다. 이는 소비 지출의 억제로 이어져 경기가 심하게 과열되지 않도록 진정하는 효과를 얻게 된다. 한편 실업 보험 제도는 실업 상태에 놓인 근로자의 생활 안정을 목적으로 하는 것으로 보험금의 일부분을 정부가 지원해 준다. 경기 불황으로 실업 인구가 늘어나게 되면 총수요가 줄어들게 되어 경기가 더욱 침체될 수 있다. 이때 정부는 실업 수당을 지급하여 총수요가 줄어드는 것을 억제하여 경기를 자동적으로 안정시켜 주는 효과를 얻게 된다. 그러나 경기가 불황에서 벗어나 회복 국면에 들어서 있을 때, 일반적으로 총수요가 빠른 속도로 팽창해야만 짧은 기간 안에 정상적인 상태로 돌아올 수 있는데, 오히려 자동 안정화 장치는 조세 징수액을 늘려 경기 회복을 ⓔ더디게 만들 수도 있다는 단점이 있다.

- **불황** 경제 활동이 일반적으로 침체되는 상태. 물가와 임금이 내리고 생산이 위축되며 실업이 늘어난다.
- **총수요** 한 나라의 가정이나 기업, 정부의 경제 활동을 통합하여 하나로 볼 때에 그 전체 수요.
- **추경 예산** 예산이 정하여진 뒤에 생긴 사유로 말미암아 이미 정한 예산에 변경을 가하여 이루어지는 예산.
- **누진적** 가격, 수량 따위가 더하여 감에 따라 상대적으로 그에 대한 비율이 점점 높아지는 것.
- **과세** 세금을 정하여 그것을 내도록 의무를 지움.

중심 내용 파악

05 윗글의 표제와 부제로 가장 적절한 것은?

① 안정화 정책의 종류와 특징
  – 정책 시차와 경기 변동 국면을 중심으로
② 조세 제도의 변화에 따른 경기 변동
  – 누진적 소득세와 실업 보험 제도를 중심으로
③ 경기 변동에 따른 자동 안정화 장치
  – 시대에 따른 통화 정책의 변화를 중심으로
④ 내부 시차와 외부 시차의 개념과 발생 원인
  – 경기 불황기의 안정화 정책을 중심으로
⑤ 자동 안정화 장치와 재량적 재정 정책의 장단점
  – 총수요 변동에 따른 소비 지출 변화를 중심으로

> **도움말**
> 표제로 가장 어울리는 내용을 선별하는 기준은 ❶⬜⬜⬜ 과
> ❷⬜⬜⬜ 이야. 즉 글의 핵심 내용을 담고 있으면서 글 전체를
> 아우르는 내용이 표제로 적절하다는 것을 기억하자.
> 답 ❶ 핵심성 ❷ 포괄성

세부 내용 파악

06 윗글을 이해한 내용으로 적절하지 <u>않은</u> 것은?

① 재량적 재정 정책은 국회의 동의 절차를 거쳐야 한다.
② 누진적 소득세는 내부 시차가 없어 경제 상황에 빠르게 대응할 수 있다.
③ 실업 보험 제도는 보험금의 일부를 정부가 지원해 주는 재정 정책의 사례이다.
④ 통화 정책은 시행된 정책이 경제에 영향을 끼쳐 효과가 나타나는 데까지 걸리는 시간이 짧다.
⑤ 자동 안정화 장치는 경기의 상황에 따라 재정 지출이 자동적으로 조절되기 때문에 내부 시차가 없다.

세부 내용 추론

07 〈보기〉는 경기 변동 을 나타낸 그래프이다. 윗글을 토대로 〈보기〉를 이해한 내용으로 적절하지 <u>않은</u> 것은?

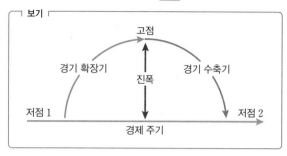

① '저점 1'에서 화폐 공급량을 늘리면 이자율 높아지고 기업의 투자 지출이 증가하여 경제가 활성화되겠군.
② '저점 1'에서 '고점'으로 이르는 시점에 조세 징수액이 늘어난다면 총수요의 팽창 속도를 더디게 할 수도 있겠군.
③ '고점'에서 국민 소득 증가로 인해 경기가 과열된다면 소득 수준에 따라 높은 세율이 적용될 수도 있겠군.
④ '저점 2'에서 실업률이 급격히 증가했다면 공공 사업 분야에 지출을 늘리는 정책을 시행하는 것이 좋겠군.
⑤ '저점 2'에서 경기 침체를 막기 위해 실업 수당을 지급한다면 총수요가 줄어드는 것을 막을 수도 있겠군.

> **도움말**
> 〈보기〉에 그래프가 제시되는 경우, 먼저 그래프의 각 ❶⬜⬜ 이
> 무엇을 의미하는지 살펴봐야 해. 그리고 ❷⬜⬜⬜ 에 적용할 수
> 있는 내용을 글에서 찾아 선택지와 비교하며 문제를 풀어야 해.
> 답 ❶ 축 ❷ 그래프

어휘의 문맥적 의미 파악

08 문맥상 ⓐ~ⓔ와 바꿔 쓰기에 적절하지 <u>않은</u> 것은?

① ⓐ: 지속하려는
② ⓑ: 증가시키면
③ ⓒ: 구성되는
④ ⓓ: 소요되는
⑤ ⓔ: 지연되게

✎ **다음 글을 읽고 물음에 답하시오.**

시장은 수요와 공급이 일치하지 않는 불균형이 발생할 경우 가격 변화에 의해 균형을 회복한다. 그런데 시장 불균형이 발생한 이후 다시 균형을 회복하는 데 ㉮걸리는 시간에 대해 다양한 입장들이 존재해 왔다.

1930년대 고전학파는 시장이 가격의 신축적인 조정에 의해 항상 ⓐ균형을 달성한다고 보았다. 이른바 '보이지 않는 손'에 의한 시장의 자기 조정 능력을 신뢰하는 입장으로, 불균형이 발생할 경우 즉시 가격이 변화하여 시장은 균형을 회복한다는 것이다. 따라서 고전학파는 호황이나 불황이 나타나는 경기 변동 현상은 발생하지 않는다고 보았다.

하지만 케인즈는 고전학파의 주장과 달리 장기에는 가격이 신축적이지만 단기에는 ⓑ경직적이라고 생각했다. 그는 오랜 경기 침체와 대규모의 실업이 발생했던 1930년대 대공황의 원인이 이러한 시장의 가격 경직성에 있다고 주장했다. 가격 경직성이 심할수록 소비나 투자 등 총수요가 변동할 때 극심한 경기 변동 현상이 유발된다고 보았기 때문이다. 또한 노동 시장에서의 가격인 임금이 경직적인 경우 기업의 노동 수요 감소가 임금 하락으로 ˙상쇄되는 대신 대규모 실업을 불러일으킨다고 주장했다.

이러한 케인즈의 주장은 ㉠케인즈 학파에 의해 발전된다. 케인즈 학파는 경기 변동을 시장 균형으로부터의 이탈과 회복, 즉 불균형 상태와 균형 상태가 반복되는 현상으로 보고, 총수요 변동이 유발한 불균형 상태가 가격 경직성으로 말미암아 오래 지속될 수 있다고 보았다. 따라서 이들은 정부가 재정 정책이나 통화 정책 등 경기 안정화 정책을 통해 경제의 총수요를 ⓒ관리함으로써 경기 변동을 조절해야 한다고 주장했다. 가격 경직성의 존재에도 불구하고 정부의 '보이는 손'을 통해 시장의 균형이 회복될 수 있다고 본 것이다. 특히 1950년대 이후 컴퓨터의 발달과 통계학의 발전으로 거시 계량 모형이 개발되어 경기 예측과 정책 효과 분석에 이용됨에 따라 케인즈 학파는 정책을 통해 ⓓ경기 변동을 제거할 수 있을 것으로 기대했다.

그러나 케인즈 학파는 이후 여러 비판에 직면했다. 특히 1970년대 ㉡새 고전학파는 케인즈 학파의 거시 계량 모형에 오류가 있음을 지적했다. 케인즈 학파의 거시 계량 모형은 소비와 소득, 금리와 통화량 등 거시 경제 변수들 간의 상관관계를 가정한 방정식으로 구성되었는데, 이러한 방정식의 계수는 과거의 자료를 통해 통계적인 방법으로 추정되었다. 하지만 새로운 정보가 전해지면 경제 주체들은 기존에 보유하고 있던 정보에 추가된 정보를 반영하여 합리적으로 ⓔ기대를 형성하고 이에 따라 반응을 바꾸므로, 방정식의 계수 혹은 방정식 자체가 바뀌어야 한다. 새 고전학파는 케인즈 학파가 거시 경제 변수 간의 관계를 임의로 가정하고 과거 자료만으로 이 관계를 추정하려 했다는 점을 비판하면서, 경제 주체의 합리적 선택에 대한˙미시적 분석을 바탕으로 거시 경제 현상을 분석해야 한다고 주장했다. 이에 따라 이들은 시장 불균형이 발생한 경우 가격이 조정되는 속도는 매우 빠르다는 고전학파의 전제를 유지하면서, 경기 변동을 균형 자체가 변화하는 현상으로 분석했다. 그리고 총수요 변동이 아닌 기술 변화가 지속적인 경기 변동을 유발한다고 주장했다.

● **상쇄되다** 상반되는 것이 서로 영향을 받아 효과가 없어지다.
● **미시적** 사물이나 현상을 전체적인 면에서가 아니라 개별적으로 포착하여 분석하는 것.

💡 ● 이 글의 화제: 시장의 ❶[ ] 조정 속도에 대한 다양한 관점
● 이 글의 짜임

1문단	시장의 가격 조정 ❷[ ]에 관한 다양한 관점
2문단	고전학파의 견해
3문단	케인즈의 견해
4문단	케인즈 학파의 견해
5문단	새 ❸[ ]의 견해

답 ❶ 가격 ❷ 속도 ❸ 고전학파

대표 유형 ❸ 비판적 읽기

3 〈보기〉의 '경제학자 갑'의 정책 제안에 대해 ⓒ이 할 수 있는 비판으로 가장 적절한 것은?

> 보기
>
> 경제학자 갑은 소득과 통화량이 늘어날수록 소비가 증가할 것이라고 가정하고, 이를 반영하여 소비 예측 모형을 개발하였다. 그리고 K국의 지난 10년간의 자료를 통계적으로 분석하여 모형의 계수를 추정하였다. 모형 분석 결과 갑은 통화량이 증가한 경우 다음 달의 소비가 증가한다는 결론을 도출한 뒤, 통화량을 늘리는 정책을 K국 정부에 제안하였다. K국 정부는 갑의 제안을 받아들이고 2022년 4월 1일에 확장적 통화 정책을 시행하겠다고 발표하였다.
>
> ※ 단, 현재는 2022년 3월 12일이며, K국은 매년 12월 31일에 해당 시점의 통화량을 발표한다.

① K국 정부의 인위적인 통화량 조절로 유발된 총수요 변동이 불황을 불러일으킬 수 있다는 점을 고려하지 않았다.

② 확장적 통화 정책으로 인해 K국의 통화량이 변화할 경우, 2022년 이전의 자료는 배제한 채 소비의 변화를 예측해야 한다는 점을 고려하지 않았다.

③ 2022년 4월 1일에 확장적 통화 정책을 시행함으로써 2022년 12월 30일까지는 K국 국민들의 소비가 변화하지 않을 것이라는 점을 고려하지 않았다.

④ K국 정부가 확장적 통화 정책을 발표한 이후 통화량에 대한 K국 국민들의 예상이 달라짐에 따라 정책 효과 분석도 달라져야 한다는 점을 고려하지 않았다.

⑤ K국의 확장적 통화 정책이 2021년의 통화량에 대한 K국 국민들의 합리적 기대 형성에 영향을 미쳐 K국 국민들의 반응이 바뀔 수 있다는 점을 고려하지 않았다.

> **유형 해결 전략** ▶ 글을 읽으면서 파악한 ⓒ의 전제, ❶ ▭ , 근거 등을 떠올리며 비판의 ❷ ▭ 과 이를 뒷받침하는 근거의 적절성을 따져 봐야 해.
>
> 📋 ❶ 주장 ❷ 초점

3-1 〈보기〉의 '루카스'의 관점에서 ㉠을 비판한 내용으로 가장 적절한 것은?

> 보기
>
> 루카스는 민간 경제 주체가 정부의 팽창 정책까지 고려해 물가 상승을 예측하는 등 합리적 기대를 한다면, 정책은 단기적인 상황에서도 물가만 높이고 실업을 줄일 수 없다고 주장했다.

① 시장의 자기 조정 능력을 지나치게 신뢰하고 있다.

② 1930년대 대공황이 '보이지 않는 손'에 의해 발생했다고 오해하고 있다.

③ 경제 주체가 새로운 정보를 통해 반응을 바꿀 수도 있다는 점을 간과하고 있다.

④ 시장 불균형이 발생할 경우 가격이 빠르게 조정되어 균형을 회복한다고 착각하고 있다.

⑤ 거시 경제 변수들 간의 상관관계를 가정할 때 통화량 같은 변수를 고려하지 못하고 있다.

대표 유형 ❹ 어휘

4 문맥상 ⓐ~ⓔ와 바꿔 쓰기에 적절하지 <u>않은</u> 것은?

① ⓐ: 수요와 공급이 일치한다고

② ⓑ: 즉시 바뀌지 않는다고

③ ⓒ: 적절한 수준으로 변화시킴으로써

④ ⓓ: 시장 균형을 없앨 수

⑤ ⓔ: 미래를 예상하고

> **유형 해결 전략** ▶ 우선 단어의 ❶ ▭ 의미를 이해한 후 이를 바탕으로 해당 단어가 ❷ ▭ 속에서 어떤 의미로 사용되었는지 다시 한번 확인하는 것이 중요해.
>
> 📋 ❶ 사전적 ❷ 문맥

4-1 다음 중 밑줄 친 단어의 의미가 ㉮와 가장 유사한 것은?

① 지난 사흘 동안 심각한 장염에 <u>걸렸다</u>.

② 결국 범인을 잡는 데 현상금이 <u>걸렸다</u>.

③ 버스 정류장까지 약 20분 정도 <u>걸렸다</u>.

④ 과속하다가 무인 단속 카메라에 <u>걸렸다</u>.

⑤ 친구를 소홀하게 대한 일이 마음에 <u>걸렸다</u>.

01~04 다음 글을 읽고 물음에 답하시오.

정부는 공공의 이익을 위해 정책을 기획, 수행하여 유형 또는 무형의 생산물인 공공 서비스를 공급한다. 공공 서비스의 특성은 배제성과 경합성의 개념으로 설명할 수 있다. 배제성은 대가를 지불하여야 사용이 가능한 성질을 말하며, 경합성은 한 사람이 서비스를 사용하면 다른 사람은 사용할 수 없는 성질을 말한다. 이러한 배제성과 경합성의 정도에 따라 공공 서비스의 특성이 결정된다. 예를 들어 국방이나 치안은 사용자가 비용을 직접 지불하지 않고 여러 사람이 한꺼번에 사용할 수 있으므로 배제성과 경합성이 모두 없다. 이에 비해 배제성은 없지만, 많은 사람이 한꺼번에 사용하는 것이 불편하여 경합성이 나타나는 경우도 있다. 무료로 이용하는 공공 도서관에서 이용자가 많아 도서 열람이나 대출이 제한될 경우가 이에 해당한다.

과거에는 공공 서비스가 경합성과 배제성이 모두 약한 *사회 기반 시설 공급을 중심으로 제공되었다. 이런 경우 서비스 제공에 드는 비용은 주로 세금을 비롯한 공적 *재원으로 충당을 한다. 하지만 복지와 같은 개인 단위 공공 서비스에 대한 사회적 요구가 증가함에 따라 관련 공공 서비스의 다양화와 양적 확대가 이루어지고 있다. 이로 인해 정부의 관련 조직이 늘어나고 행정 업무의 전문성 및 효율성이 떨어지는 문제점이 ㉠나타나기도 한다. 이 경우 정부는 정부 조직의 규모를 확대하지 않으면서 서비스의 전문성을 강화할 수 있는 민간 위탁 제도를 도입할 수 있다. 민간 위탁이란 공익성을 유지하기 위해 서비스의 대상이나 범위에 대한 결정권과 서비스 관리의 책임을 정부가 갖되, 서비스 생산은 민간 업체에게 맡기는 것이다.

민간 위탁은 주로 다음과 같은 몇 가지 방식으로 운용되고 있다. 가장 일반적인 것은 *경쟁 입찰 방식'이다. 이는 일정한 기준을 충족하는 민간 업체 간 경쟁 입찰을 거쳐 서비스 생산자를 선정, 계약하는 방식이다. 공원과 같은 공공 시설물 관리 서비스가 이에 해당한다. 이 경우 정부가 직접 공공 서비스를 제공할 때보다 서비스의 생산 비용이 절감될 수 있고 정부의 재정 부담도 *경감될 수 있다. 다음으로는 '면허 발급 방식'이 있다. 이는 서비스 제공을 위한 기술과 시설이 기준을 충족하는 민간 업체에게 정부가 면허를 발급하는 방식이다. 자동차 운전면허 시험, 산업 폐기물 처리 서비스 등이 이에 해당한다. 이 경우 공공 서비스가 갖춰야 할 최소한의 수준은 유지하면서도 공급을 민간의 자율에 맡겨 공공 서비스의 수요와 공급이 탄력적으로 조절되는 효과를 얻을 수 있다. 또한 '보조금 지급 방식'이 있는데, 이는 민간이 운영하는 종합 복지관과 같이 안정적인 공공 서비스 제공이 필요한 기관에 보조금을 주어 재정적으로 지원하는 것이다.

하지만 민간 위탁 업체는 수익성을 중심으로 공공 서비스를 제공하기 때문에, 수익이 나지 않을 경우에는 민간 위탁 업체가 제공하는 공공 서비스가 기대 수준에 미치지 못할 수 있다. 또한 민간 위탁 제도에 의한 공공 서비스 제공의 성과는 정확히 측정하기 어려운 경우가 많아서 평가와 개선이 지속적으로 이루어지지 않을 때에는 오히려 민간 위탁 제도가 공익을 저해할 수 있다. 따라서 민간 위탁 제도의 도입을 결정할 때에는 서비스의 성격과 정부의 관리 능력 등을 면밀히 검토하여 신중하게 결정해야 한다.

● **사회 기반 시설** 사회 유지와 경제 발전의 기초가 되는 도로, 통신, 전력, 수도 따위의 공공시설.
● **재원** 재화나 자금이 나올 원천.
● **경쟁 입찰** 여러 입찰자 가운데 가장 적당한 조건을 제시한 사람에게 낙찰시키는 입찰.
● **경감되다** 부담이나 고통 따위가 줄어서 가볍게 되다.

중심 내용 파악

01 '공공 서비스'에 대한 설명으로 적절하지 <u>않은</u> 것은?

① 공공의 이익을 위해 제공되는 서비스를 의미한다.

② 배제성과 경합성의 정도에 따라 공공 서비스의 특성이 결정된다.

③ 공공 서비스의 양적 확대는 정부의 관련 조직 증가를 유발할 수 있다.

④ 과거에는 사회 기반 시설 중심이었지만, 최근에는 개인 복지에 대한 요구가 늘고 있다.

⑤ 행정 업무의 비효율성을 해결하기 위해 민간에서 운영하던 서비스까지 정부 산하 기관에서 전담하게 되었다.

구체적 사례에 적용 및 추론

02 윗글을 바탕으로 ⓐ와 ⓑ를 이해한 내용으로 가장 적절한 것은?

> 정부는 새로 만든 ⓐ도심 고속화 도로의 통행료를 무료로 전환한 후 상습적으로 교통 체증이 발생하자 이에 대한 다양한 대책을 마련하고 있다. 또한 국민의 안전을 위해 범죄 취약 지구를 재정비하여 ⓑ방범 CCTV의 숫자를 늘릴 예정이다.

① ⓐ는 경합성과 배제성이 모두 있고, ⓑ는 경합성이 없고 배제성이 있다.

② ⓐ는 경합성과 배제성이 모두 없고, ⓑ는 경합성과 배제성이 모두 있다.

③ ⓐ는 경합성과 배제성이 모두 없고, ⓑ는 경합성이 있고 배제성이 없다.

④ ⓐ는 경합성이 있고 배제성이 없으며, ⓑ는 경합성과 배제성이 모두 없다.

⑤ ⓐ는 경합성이 없고 배제성이 있으며, ⓑ는 경합성과 배제성이 모두 있다.

····도움말

먼저 선택지를 읽고 ⓐ와 ⓑ를 어떤 개념과 **❶** 하여 파악해야 하는지 확인해 보자. 그리고 선택지에서 여러 번 언급한 개념이 포함된 **❷** 을 중심으로 내용을 파악하면 문제를 해결할 수 있어.

目 ❶ 연결 ❷ 문단

관점에 따른 비판적 이해

03 〈보기〉의 관점에서 근거로 윗글을 비판한 내용으로 가장 적절한 것은?

> ┌ 보기 ┐
>
> '대리인 이론'이란 주인이, 자신보다 특정 분야에 대해 더 많은 지식과 능력을 지닌 대리인에게 업무에 관한 이익을 °위임하는 계약을 하되 그 효과는 궁극적으로 주인에게 °귀속하는 것을 말한다. 하지만 주인과 대리인 간의 정보 불균형 및 감시의 불완전성을 이용하여 대리인이 계약을 위반하고 기회주의적으로 행동하는 경우 궁극적으로 주인의 이익이 감소하는 '대리인 문제'가 발생하게 된다. 또한 전문성과 복잡성이 큰 분야일수록, 대리인이 되고자 하는 경쟁이 적을수록 '대리인 비용'이 증가한다. 즉 업체 검토 및 계약 체결 비용, 감시·감독 비용 등과 같은 '거래 비용'이 증가한다는 것이다.
>
> ● **위임하다** 어떤 일을 책임 지워 맡기다.
> ● **귀속하다** 재산이나 영토, 권리 따위가 특정 주체에 붙거나 딸리다. 또는 그렇게 하다.

① 입찰에 참여하는 민간 업체가 적을수록 공공의 이익은 증가한다.

② 전문성이 요구되는 분야의 경우 오히려 재정 부담이 증가할 수 있다.

③ 서비스 생산뿐만 아니라 서비스의 관리 책임도 민간에 위임해야 한다.

④ 서비스에 대한 평가를 측정하려는 시도는 궁극적으로 공익을 저해할 수 있다.

⑤ 위탁 업체의 수익이 감소하더라도 공공 서비스의 기대 수준을 충족할 수 있다.

어휘의 문맥적 의미 파악

04 다음 중 밑줄 친 단어의 의미가 ㉠과 가장 유사한 것은?

① 목격자가 우리 앞에 <u>나타났다</u>.

② 다시 내 앞에 <u>나타나면</u> 신고하겠다.

③ 그의 주장은 이 글에 잘 <u>나타나</u> 있다.

④ 그의 얼굴에는 굳은 의지가 <u>나타나</u> 있다.

⑤ 아침에 먹은 감기약의 효과가 <u>나타나는</u> 것 같다.

05~08 다음 글을 읽고 물음에 답하시오.

사무실의 방충망이 낡아서 파손되었다면 *세입자와 사무실을 빌려준 건물주 중 누가 고쳐야 할까? 이 경우 민법전의 법조문에 의하면 *임대인인 건물주가 수선할 의무를 진다. 그러나 사무실을 빌릴 때, 간단한 파손은 세입자가 스스로 해결한다는 내용을 계약서에 포함하는 경우도 있다. 이처럼 법률의 규정과 계약의 내용이 어긋날 때 어떤 것이 우선 적용되어야 하는가, 법적 불이익은 없는가 등의 문제가 발생한다.

사법은 개인과 개인 사이의 재산, 가족 관계 등에 적용되는 법으로서 이 법의 영역에서는 ⑦'계약 자유의 원칙'이 적용된다. 계약의 구체적인 내용 결정 등은 당사자들 스스로 정할 수 있다는 것이다. 따라서 당사자들이 사법에 속하는 법률의 규정과 어긋난 내용으로 계약을 ⓐ체결한 경우에 계약 내용이 우선 적용된다. 이처럼 법률상으로 규정되어 있더라도 당사자가 자유롭게 계약 내용을 정할 수 있는 법률 규정을 '임의 법규'라고 한다. 사법은 원칙적으로 임의 법규이므로, 사법으로 규정한 내용에 대해 당사자들이 계약으로 달리 정하지 않았다면 원칙적으로 법률의 규정이 적용된다. 위에서 본 임대인의 수선 의무 조항이 이에 해당한다.

그러나 법률로 정해진 내용과 어긋나게 계약을 하면 당사자들에게 벌금이나 과태료 같은 법적 불이익이 있거나 계약의 ⓑ효력이 부정되는 예외적인 경우도 있다. 우선, 체결된 계약 내용이 법률에 정해진 내용과 어긋날 때 법적 불이익이 있지만 계약의 효력 자체는 그대로 두는 경우가 있다. 이에 해당하는 법조문을 '단속 법규'라고 한다. 공인 중개사가 자신이 소유한 부동산을 고객에게 직접 파는 것을 금지하는 규정은 단속 법규에 해당한다. 따라서 이 규정을 위반하여 공인 중개사와 고객이 체결한 매매 계약의 경우 공인 중개사에게 벌금이 ⓒ부과되지만 계약 자체는 유효하다. 이 경우 계약 내용에 따른 행동인 급부를 할 의무가 인정되어, 공인 중개사는 매물의 소유권을 넘겨주고 고객은 ⓓ대금을 지급해야 하는 것이다.

한편 체결된 계약 내용이 법률에 정해진 내용과 어긋날 때 법적 불이익이 있을 뿐 아니라 체결된 계약의 효력 자체도 인정되지 않아 급부 의무가 부정되는 경우가 있다. 이에 해당하는 법조문을 '강행 법규'라고 한다. 이 경우 계약 당사자들은 상대에게 급부를 하라고 요구할 수 없다. 이미 급부를 ⓔ이행하여 재산적 이익을 넘겨주었다면 이 이익은 '부당 이득'에 해당하기 때문에 반환을 요구할 수 있다. 즉 '부당 이득 반환 청구권'이 인정된다. 가령 의사와 의사가 아닌 사람의 의료 기관 동업을 금지하는 법률 규정은 강행 법규에 해당한다. 따라서 의사와 의사가 아닌 사람이 체결한 동업 계약은 그 효력이 부정된다. 다만 계약에 따라 이미 동업 자금을 건넸다면 이 돈을 반환하라고 요구하는 것은 가능하다.

그러나 강행 법규에 의해 계약의 효력이 부정되었을 때 부당 이득 반환 청구권이 인정되지 않는 경우도 있다. 급부의 내용이 위조지폐 제작처럼 비도덕적이거나 반사회적인 행동이라면, 계약의 효력이 인정되지 않을 뿐 아니라 이미 넘겨준 이익을 돌려받을 권리도 부정되는 것이 원칙이다.

● **세입자** 세를 내고 남의 집이나 방 따위를 빌려 쓰는 사람.
● **임대인** 임대차 계약에 따라 돈을 받고 다른 사람에게 물건을 빌려준 사람.
● **급부** 채권의 목적이 되는, 채무자가 하여야 할 행위.

글의 전개 방식 이해

05 윗글의 내용 전개 방식으로 가장 적절한 것은?

① 사례를 통해 중심 화제에 대한 이해를 돕고 있다.

② 시대에 따른 중심 화제의 변화 과정을 밝히고 있다.

③ 대립되는 두 이론을 비교하여 중심 화제의 특징을 부각하고 있다.

④ 구체적 상황을 제시한 후 중심 화제를 활용한 해결책을 모색하고 있다.

⑤ 중심 화제의 문제점을 지적한 후 이를 극복할 수 있는 방안을 제시하고 있다.

> ●●● **도움말**
>
> 내용 전개 방식을 묻는 문제를 풀 때에는 글의 중심 **❶**　　　　를 어떤 방식으로 설명하고 있는지 확인하는 게 중요해. 그리고 하나의 선택지에서 두 가지 전개 방식을 **❷**　　　　제시하는 경우 둘 중 하나를 틀린 내용으로 제시하는 경우가 많으니 주의해서 보자.
>
> 답 ❶ 화제 ❷ 엮어서

중심 내용 파악

06 〈보기〉는 윗글의 내용을 정리한 것이다. ㉮~㉰에 들어갈 말을 알맞게 짝지은 것은?

> ┌ 보기 ┐
>
> | 개인 간의 사적 계약 |
> | :---: |
> | ↓ |
>
> | | 법적 불이익 | 계약 효력 | 반환 청구권 |
> | :---: | :---: | :---: | :---: |
> | 임의 법규 | 없음. | ㉮ | · |
> | 단속 법규 | ㉯ | 인정 | · |
> | 강행 법규 | 있음. | 부정 | ㉰ |
>
> ※ 단, 거래 당사자 간에 급부를 이미 이행했으며 급부 내용은 비도덕적이거나 반사회적이지 않음.

	㉮	㉯	㉰
①	인정	있음.	인정
②	인정	있음.	불인정
③	인정	없음.	인정
④	불인정	있음.	불인정
⑤	불인정	없음.	인정

중심 화제에 대한 비판적 이해

07 〈보기〉의 '소비자 A 씨'가 ㉠을 비판한 내용으로 가장 적절한 것은?

> ┌ 보기 ┐
>
> 통신 회사는 일반적으로 *약관을 통해 개인 소비자들과 계약을 체결한다. 소비자 A 씨는 통신 회사 B사가 미리 만들어 놓은 약관의 내용이 자신에게 불리하다고 생각하여 다른 통신 회사인 C사와 D사의 약관을 검토했으나 마찬가지였다. 다른 통신 회사는 없고 휴대 전화를 사용해야 하는 상황이었으므로 소비자 A 씨는 어쩔 수 없이 B 통신사와 계약을 체결했다.
>
> ● **약관** 계약의 당사자가 다수의 상대편과 계약을 체결하기 위하여 일정한 형식에 의하여 미리 마련한 계약의 내용.

① 특정 상품과 관련된 사적 계약에 ㉠을 적용하여 국가가 과도하게 개입하는 것은 바람직하지 않다.

② 법률의 규정과 어긋난 내용이 없음에도 불구하고 ㉠을 적용한다면 사적 계약에 제한이 발생하게 된다.

③ 계약 당사자들이 서로 대등한 위치에서 계약 내용을 체결할 수 없다면 ㉠만 고집하는 것은 불합리하다.

④ 유리한 계약 조건을 찾기 위해 다수의 계약 상대를 비교하고 계약하는 경우 ㉠을 침해해서는 안 된다.

⑤ 계약 당사자가 세부적인 계약 내용을 작성하는 데에 직접 참여할 수 없는 경우에만 ㉠을 적용해야 한다.

> ●●● **도움말**
>
> 〈보기〉에서 **❶**　　　　과 관련된 사례를 제시한 경우 일반적인 상식만으로 사례에 접근하는 것이 아니라 글에서 설명한 특정 개념이나 **❷**　　　　을 반영해서 사례를 파악해야 해.
>
> 답 ❶ 실생활 ❷ 조건

어휘의 사전적 의미 파악

08 ⓐ~ⓔ의 의미로 적절하지 <u>않은</u> 것은?

① ⓐ: 계약이나 조약 따위를 공식적으로 맺음.

② ⓑ: 법률이나 규칙 따위의 작용.

③ ⓒ: 세금이나 부담금 따위를 매기어 부담하게 함.

④ ⓓ: 빌려주기로 하고 제공한 돈.

⑤ ⓔ: 실제로 행함.

01~04 다음 글을 읽고 물음에 답하시오.

가 공급 사슬망이란 상품의 흐름이 고리처럼 연결되어 있고, 이들의 상관관계 또한 서로 긴밀하게 연결되어 있는 것을 말한다. 이 현상의 원인을 설명하기 위해서는 우선 공급 사슬망의 '채찍 효과'를 이해해야 한다.

나 아기 기저귀라는 상품을 예로 들어 보면, 상품 특성상 소비자 수요는 일정한데 소매점과 도매점 주문 수요는 들쑥날쑥했다. 그리고 이러한 주문 변동 폭은 '최종 소비자 – 소매점 – 도매점 – 제조 업체 – 원자재 공급 업체'로 이어지는 공급 사슬망에서 최종 소비자로부터 멀어질수록 더 증가하였다. 공급 사슬망에서 이와 같이 수요 변동 폭이 확대되는 현상을 공급 사슬망의 '채찍 효과'라 한다. 이는 채찍을 휘두를 때 손잡이 부분을 작게 흔들어도 이 파동이 끝 쪽으로 갈수록 더 커지는 현상과 유사하기 때문에 ㉠붙여진 이름이다. 이런 변동 폭은 유통 업체나 제조 업체 모두 반길 만한 사항이 아니다. 왜냐하면 수요가 늘 일정하면 이를 기준으로 생산이나 마케팅의 자원을 적절히 분배하여 계획하고 효율적으로 운영할 수 있지만, 변동 폭이 크면 계획이나 운영을 원활하게 수행하기 어렵기 때문이다.

다 그렇다면 이런 채찍 효과가 생기는 이유는 무엇일까? 여러 가지 이유가 있지만 첫 번째는 수요의 왜곡이다. 소비자의 수요가 갑자기 늘면 소매점은 앞으로 수요 증가를 기대하는 심리로 기존 주문량보다 더 많은 양을 도매점에 주문하게 된다. 그리고 도매점도 같은 이유로 소매점 주문량보다 더 많은 양을 제조 업체에 주문한다. 즉, 공급 사슬망에서 최종 소비자로부터 멀어질수록 점점 더 심하게 왜곡되는 현상이 발생하는 것이다. 이러한 왜곡 현상은 공급자가 시장에서 제한적일 때 더 크게 발생한다. 즉 공급자가 한정된 상황에서는 더 많은 양을 주문해야 제품을 공급받기 수월하기 때문이다. 티셔츠를 공급하는 제조 업체에서 물량이 한정돼 있으면 한꺼번에 많은 양을 주문하는 도매 업체에게 우선권을 주는 것은 당연하다. 결국 물건을 공급받기 위해서 업체들은 경쟁적으로 더 많은 주문을 해 공급을 보장받으려 한다. 이로 인해 '수요의 왜곡'이 발생한다.

라 채찍 효과가 일어나는 두 번째 이유는 공급 사슬망에서 최종 소비자로부터 멀어질수록 대량 주문 방식을 요하기 때문이다. 예를 들면 소비자는 소매점에서 물건을 한두 개 단위로 구입하지만 소매점은 도매상에서 물건을 박스 단위로 주문한다. 그리고 다시 도매점은 제조 업체에 트럭 단위로 주문을 한다. 이처럼 최종 소비자로부터 멀어질수록 기본 주문 단위가 커진다. 그런데 이렇게 주문 단위가 커질수록 재고량이 증가하게 되고, 재고량 증가는 변화에 민첩하게 대응하지 못하게 하는 원인이 된다.

마 채찍 효과의 세 번째 원인은 주문 발주에서 도착까지의 발주 실행 시간에 의한 시차 때문이다. 물건을 주문했다고 바로 물건이 도착하지 않는다. 주문을 처리하고 물류가 이동하는 시간이 있기 때문이다. 그런데 문제는 각 공급 사슬망 주체의 발주 실행 시간이 저마다 다르다는 데에 있다. 예를 들어 소매점이 도매점으로 주문을 했을 때 물건을 받기까지 걸리는 시간이 3~4일 정도라면, 도매점이 제조 업체에 주문을 했을 때 물건을 받기까지는 몇 주 정도가 걸릴 수도 있다. 즉 최종 소비자로부터 멀어질수록 이런 물류 이동 시간이 증가하게 된다. 그리고 이처럼 발주 실행 시간이 길어지면 주문량이 많아지고, 이는 재고량 증가로 이어질 수 있다.

바 공급 사슬망에서 채찍 효과로 인해 발생하는 재고는 기업 입장에서는 큰 부담이 될 수 있다. 왜냐하면 재고를 쌓아 둘 공간을 마련하거나 재고를 손상 없이 관리하는 데 큰 비용이 들기 때문이다. 그러므로 공급 사슬망에서 각 주체들 간에 수요와 공급 정보를 공유함으로써 불필요한 재고를 줄여야 한다.

중심 내용 파악

01 (가)~(마)의 중심 화제로 적절하지 <u>않은</u> 것은?

① (가): 공급 사슬망의 의미

② (나): 채찍 효과의 개념과 사례

③ (다): 수요 왜곡에 따른 채찍 효과

④ (라): 주문 방식의 다양화에 따른 채찍 효과

⑤ (마): 발주 실행 시차에 따른 채찍 효과

세부 내용 파악

02 윗글을 이해한 내용으로 적절하지 <u>않은</u> 것은?

 ① 주문 발주에서 도착까지의 발주 실행 시간은 각 공급 사슬망 주체마다 달라.

 ② 공급 사슬망을 거치면서 주문 단위가 커질수록 재고량이 증가할 가능성이 높아져.

 ③ 공급자가 제한적인 경우 주문량과 상관없이 영세한 도매 업체가 먼저 제품을 구매할 수 있어.

 ④ 상품의 흐름은 소비자, 소매점, 도매점, 제조 업체, 원자재 공급 업체 등의 순서로 긴밀하게 연결되어 있어.

 ⑤ 제조 업체와 유통 업체는 수요가 일정해야 생산이나 마케팅의 자원을 적절히 분배해서 효율적으로 운영할 수 있어.

구체적 상황에 적용 및 추론

03 윗글을 참고하여, 〈보기〉를 이해한 내용으로 적절하지 <u>않은</u> 것은?

> ┌ 보기 ┐
>
> A사는 캡슐형 커피와 전용 커피 기계를 제조하는 회사이다. A사는 인터넷에 연결되는 전용 커피 기계를 새롭게 개발하여 판매하면서 기존 제품을 가져오면 무상으로 새 모델로 교체해 주고, 교체 시 무상 애프터서비스 기간을 기존보다 연장하였다. 또한 소비자가 인터넷을 통해 기계의 필터나 부품의 사용 주기를 파악하여 소매점과 도매점을 거치지 않고 A사에 직접 주문할 수 있는 옵션을 제공했고, 인터넷을 통해 소비자들의 커피 캡슐 사용량을 각 지역의 소매점에서 실시간으로 파악할 수 있도록 했다.
>
> ※ 언급되지 않은 다른 조건들은 이전과 모두 동일하다고 전제함.

① 소비자가 A사에 필터를 직접 주문하게 되면 기존의 방식보다 주문 처리 시간을 줄일 수 있다.

② A사의 커피 캡슐에 대한 수요를 비교적 정확하게 예측할 수 있게 되어 채찍 효과가 줄어들 수 있다.

③ A사는 새 커피 기계와 이전 기계를 무상 교환해 줌으로써 커피 캡슐의 발주 실행 시차를 줄일 수 있다.

④ 만약 소매점이 인터넷을 통해 파악한 커피 캡슐 소비량을 도매점과 공유한다면 커피 캡슐의 재고를 줄일 수 있다.

⑤ 만약 A사의 커피 기계를 인터넷에 연결하지 않고 사용하는 소비자가 훨씬 많다면 수요 변동 폭이 확대되는 현상을 줄이기 어렵다.

어휘의 문맥적 의미 파악

04 다음 중 밑줄 친 단어의 의미가 ㉠과 가장 유사한 것은?

① 편지 봉투에 우표를 <u>붙였다</u>.

② 동생은 인형에 별명을 <u>붙이며</u> 놀았다.

③ 나는 요즘 추리 소설에 재미를 <u>붙였다</u>.

④ 오빠는 땔감을 구해서 아궁이에 불을 <u>붙였다</u>.

⑤ 그녀는 재계약을 하며 새로운 조건을 <u>붙였다</u>.

05~08 다음 글을 읽고 물음에 답하시오.

요즘 시청자들은 간접 광고에 수시로 노출되어 광고와 더불어 살아가는 환경에 놓여 있다. 방송 프로그램의 앞과 뒤에 방송되는 직접 광고와 달리 PPL (Product Placement)이라고도 하는 간접 광고는 프로그램 내에 상품을 배치해 광고 효과를 거두려 하는 광고 형태이다. 간접 광고는 직접 광고에 비해 시청자가 리모컨을 이용해 광고를 회피하기가 상대적으로 어려워 시청자에게 노출될 확률이 더 높다.

광고주들은 광고를 통해 상품의 인지도를 높이고 상품에 대한 호의적 태도를 확산시키려 한다. 간접 광고에서는 이러한 광고 효과를 거두기 위해 주류적 배치와 주변적 배치를 활용한다. 주류적 배치는 출연자가 상품을 사용·착용하거나 대사를 통해 상품을 언급하는 것이고, 주변적 배치는 화면 속의 배경을 통해 상품을 노출하는 것인데, 시청자들은 주변적 배치보다 주류적 배치에 더 주목하게 된다. 또 간접 광고를 통해 배치되는 상품이 자연스럽게 활용되어 프로그램의 맥락에 잘 부합하면 해당 상품에 대한 광고 효과가 커지는데 이를 맥락 효과라 한다.

우리나라는 1990년대 중반부터 극히 제한된 형태의 간접 광고만을 허용하는 협찬 제도를 운영해 왔다. 이 제도는 프로그램 제작자가 협찬 업체로부터 경비, 물품, 인력, 장소 등을 제공받아 활용하고 프로그램이 종료될 때 협찬 업체를 알리는 협찬 고지를 허용했다. 그러나 프로그램의 내용이 전개될 때 상품명이나 상호를 보여 주거나 출연자가 이를 언급해 광고 효과를 주는 것은 법으로 금지했다. 협찬 받은 의상의 상표를 보이지 않게 가리는 것은 그 때문이다.

2010년부터는 협찬 제도를 그대로 유지하면서 광고주와 방송사 등의 요구에 따라 방송법에 '간접 광고'라는 조항을 신설하였다. 간접 광고 제도가 도입된 취지는 프로그램 내에서 광고를 하는 행위에 대해 법적인 규제를 완화하여 방송 광고 산업을 활성화하겠다는 것이었다. 이로써 프로그램 내에서 상품명이나 상호를 보여 주는 것이 허용되었다. 다만 시청권의 보호를 위해 상품명이나 상호를 언급하거나 구매와 이용을 권유하는 것은 금지되었다. 또 방송이 대중에게 미치는 영향력이 크기 때문에 객관성과 공정성이 요구되는 보도, 시사, 토론 등의 프로그램에서는 간접 광고가 금지되었다. 그럼에도 불구하고 간접 광고 제도를 비판하는 사람들은 간접 광고로 인해 광고 노출 시간이 길어지고 프로그램의 맥락과 동떨어진 억지스러운 상품 배치가 빈번해 프로그램의 질이 떨어지고 있다고 주장한다.

이처럼 시청자의 인식 속에 은연중 파고드는 간접 광고에 적절히 대응하기 위해서는 간접 광고에 대한 시청자들의 주체적 해석이 요구된다. ㉠미디어 이론가들에 따르면, 사람들은 외부의 정보를 주체적으로 해석할 수 있는 자기 나름의 프레임을 갖추고 있어서 미디어의 콘텐츠를 수동적으로만 받아들이는 것은 아니다. 이것이 간접 광고를 분석하고 그것을 비판적으로 수용하는 미디어 교육이 필요한 이유이다.

글의 전개 방식 이해
05 윗글의 설명 방식으로 적절하지 <u>않은</u> 것은?
① 주요 용어의 개념을 정의하여 이해를 돕고 있다.
② 두 대상의 특징을 대비하여 효율성을 비교하고 있다.
③ 구체적 시기를 언급하여 제도의 변화 양상을 설명하고 있다.
④ 전문가의 견해를 토대로 중심 화제를 올바르게 수용하는 태도를 언급하고 있다.
⑤ 중심 화제의 문제점을 지적하고 이를 개선하기 위한 구체적인 제도 마련을 촉구하고 있다.

세부 정보 파악

06 '간접 광고'를 이해한 내용으로 적절하지 <u>않은</u> 것은?

① 직접 광고에 비해 상대적으로 텔레비전 프로그램 시청자가 회피하기 어렵다.

② 법적인 규제가 완화되어 상호를 보여 주는 것과 구매를 권유하는 행위가 허용되었다.

③ 방송법에 간접 광고 조항을 신설하게 된 것은 광고주와 방송사의 요구가 있었기 때문이다.

④ 현재 우리나라는 객관성과 공정성이 요구되는 프로그램에서의 간접 광고가 금지되어 있다.

⑤ 프로그램 종료 시에 협찬 업체를 고지하는 방식도 제한적인 방법이지만 간접 광고에 포함된다.

관점에 따른 비판적 이해

07 ㉠의 입장에서 〈보기〉를 비판한 내용으로 가장 적절한 것은?

┌─ 보기 ─────────────────────────┐
　광고는 제품과 생활 정보를 제공하여 경제를 활성화시킨다는 점에서 소비 생활과 시장 경제에 모두 필수적인 존재이자 소비 생활의 매개체이다. 또한 광고에 반영된 다양한 표현 방식과 기술은 문화적 현상을 반영하고 새로운 문화를 창조하기도 한다.
└──────────────────────────────┘

① 주류적 배치를 사용하는 경우 광고에 활용되는 기술의 발전에는 한계가 있다.

② 광고에 대한 비판적 수용이 불가능한 경우 건전한 소비 생활을 유도할 수 없다.

③ 상품을 프로그램 화면 속 배경으로만 활용한다면 새로운 문화 현상을 창조할 수 없을 것이다.

④ 시장 경제를 활성화하고 시청권을 보호하는 것은 간접 광고의 무분별한 도입과 무관한 일이다.

⑤ 협찬 고지에서 상표를 가리는 것은 생활 정보를 제공받아야 하는 시청자의 권리를 침해하는 것이다.

구체적 상황에 적용 및 추론

08 윗글을 참고하여 〈보기〉의 '맥락 광고'를 이해한 내용으로 적절하지 <u>않은</u> 것은?

┌─ 보기 ─────────────────────────┐

　맥락 광고란 방송 프로그램의 내용과 관련성이 높은 제품의 광고를 프로그램이 끝난 직후에 배치하는 것입니다. 예를 들어 드라마가 끝난 직후에 드라마 주인공이 광고 모델로 등장하는 것입니다. 이는 점화 효과와도 관련이 있는데, 어떤 정보에 의해서 특정한 개념을 떠올리게 된 사람이, 이후 접한 정보가 앞선 정보와 별로 관련이 없을지라도 연관 지어서 해석하는 현상을 말합니다.
└──────────────────────────────┘

① 광고주의 입장에서는 상품에 대한 인지도를 높여 광고 효과를 높이는 장점이 있다.

② 시청자들은 은연중에 드라마 주인공에 대한 정보를 광고의 정보와 관련지을 수도 있다.

③ 외부 정보를 주체적으로 분석하는 시청자라면 드라마와 광고가 무관하다는 것을 인식할 수 있다.

④ 인기 있는 드라마의 주인공이 모델이라면 시청자가 상품에 대한 호의적인 태도를 지닐 수도 있다.

⑤ 프로그램의 맥락과 무관한 상품 배치로 광고 노출 시간이 길어질 수 있다는 비판을 받을 수도 있다.

01~03 다음 글을 읽고 물음에 답하시오.

　불법 행위법은 불법 행위로 발생한 손해를 피해자와 가해자에게 배분함으로써 불법 행위를 억제하는 기능을 한다. 그런데 법원이 어떠한 책임 원칙을 적용하느냐에 따라서 불법 행위에 따른 손해가 다르게 배분되며 불법 행위 억제 효과도 다르게 나타난다. 그래서 법경제학에서는 효율적으로 불법 행위를 억제할 수 있는 책임 원칙을 분석하고자 한다.

　책임 원칙을 분석하는 데 있어 중요한 개념이 '주의 수준'과 '주의 기준'이다. 주의 수준이란 가해자 혹은 피해자가 불법 행위 억제를 위해 기울이는 주의의 정도를 의미한다. 주의 수준이 높아질수록 주의를 기울이는 데 드는 시간이나 노력 등과 같은 주의 비용은 커지지만, 불법 행위 발생 확률이 줄어 불법 행위로 인한 손해는 줄어든다. 주의 기준은 불법 행위로 인한 손해를 피해자와 가해자에게 배분하기 위해 법원이 정한 주의 수준을 의미한다. 일반적으로 불법 행위 억제를 위한 주의 비용과 불법 행위로 인한 손해의 합이 최소화되는 지점이 사회적 효율성이 달성되는 최적의 주의 수준이다. 그리고 이것이 불법 행위를 효율적으로 억제할 수 있는 주의 수준이므로 법원은 이를 주의 기준으로 정한다. 이를 바탕으로 한 ㉠불법 행위에 대한 책임 원칙의 종류는 다음과 같다.

　비책임 원칙은 불법 행위는 발생했으나 피해자의 손해에 대해서 가해자가 어떠한 배상 책임도 지지 않는 원칙이다. 반면 엄격 책임 원칙은 손해에 대해서 가해자가 모든 배상 책임을 지는 원칙이다. 이 두 원칙은 가해자에게 손해 배상의 책임이 있는지 여부를 판단할 때 가해자의 주의 수준을 고려하지 않는다는 점에서 공통적이다. 이와 달리 과실 원칙은 가해자의 과실 여부에 따라 가해자의 배상 책임 여부를 판단하는 원칙이다. 이때 과실이란 법원이 부여한 주의 기준을 지키지 않은 것을 의미한다. 과실 원칙에서는 가해자에게만 주의 기준이 부여되므로 가해자에게 과실이 있으면 가해자가 모두 배상 책임을 지고, 과실이 없으면 책임을 지지 않는다.

　한편 불법 행위에 대해 피해자의 책임 여부까지 고려하는 책임 원칙도 있다. 먼저 기여 과실은 법원이 피해자에게 주의 기준을 부여하고 피해자가 이를 지키지 않은 것을 피해자의 과실로 정의하여, 피해자의 과실을 가해자가 손해 배상 책임에서 벗어나는 항변 수단으로 사용할 수 있도록 한다. 과실 원칙에 기여 과실이 결합된 경우, 우선 과실 원칙이 적용되므로 가해자에게 과실이 있으면 가해자가 손해를 전적으로 배상해야 한다. 그런데 가해자의 항변이 인정되면, 즉 피해자의 과실이 입증되면 가해자에게 과실이 있더라도 가해자는 배상 책임에서 벗어나게 되고 피해자가 손해를 전적으로 부담하게 된다. 다음으로 비교 과실은 기본적으로 과실 원칙을 적용하되, 피해자에게도 주의 기준을 부여한다는 특징이 있다. 가해자에게 과실이 없으면 배상 책임이 없고, 가해자에게 과실이 있고 피해자에게 과실이 없으면 가해자에게는 배상 책임이 있다. 그리고 피해자와 가해자 모두에게 과실이 있는 경우에는 과실의 크기에 비례하여 손해에 대한 책임을 분담한다.

---

01 ㉠을 다음과 같이 정리했을 때 ⓐ~ⓔ에 들어갈 내용으로 적절하지 않은 것은?

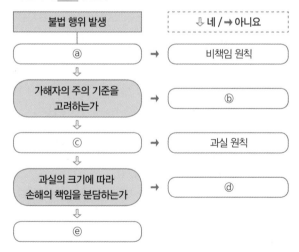

① ⓐ: 가해자가 피해자에게 배상하는가
② ⓑ: 엄격 책임 원칙
③ ⓒ: 가해자의 과실 여부를 고려하는가
④ ⓓ: 기여 과실
⑤ ⓔ: 비교 과실

02 윗글을 읽은 학생이 〈보기〉의 ㉮에 대해 보인 반응으로 가장 적절한 것은?

┌─ 보기 ─────────────────────────────
㉮'판 메이혜른'은 원래 화가였으나 명화 위조범으로 더 유명하다. 그는 자신의 그림이 평론가들로부터 혹평을 받자, 그들을 웃음거리로 만들기 위해 200년 전 네덜란드의 유명 화가 '베르메르'의 작품을 위조했다. 그는 위작을 진품인 것처럼 속이기 위해 17세기에 사용했을 법한 낡은 캔버스를 구하고, 오랜 세월 방치된 효과를 낼 수 있는 유화 물감도 만들었다. 또한 그림을 화덕에 넣고 구우면 어떻게 되는지 세심하게 연구하기도 했다. 이렇게 만들어진 그의 위작들은 평론가들까지 속여 넘기는 수준이 되었는데, 네덜란드의 A 미술관은 거액을 주고 그의 그림을 구입하기도 했다.

위작을 통해 부를 축적한 그는 2차 세계 대전 중에도 나치 사령관에게 〈그리스도와 간음한 여인〉이라는 그림을 베르메르의 작품인 양 팔아 넘겼다. 그러나 이 일로 인해 그는 네덜란드의 국보급 작품을 침략국에 넘겼다는 혐의로 재판에 넘겨지게 되었다. 전범으로 처벌받을 위기에 몰린 그는 자신이 팔았던 그림이 베르메르의 작품이 아닌 위작임을 법정에서 스스로 밝히고 말았다.
────────────────────────────────────

① ㉮가 캔버스를 구하고 유화 물감을 만드는 데 들인 돈은 주의 비용이라고 할 수 있군.

② A 미술관에서 ㉮에게 배상을 요구하고 법원이 이를 인정했다면 가해자의 항변이 인정된 셈이군.

③ ㉮가 나치에게 작품을 팔지 않았다면 사회적 효율성이 달성되는 주의 수준을 유지할 수 있었겠군.

④ ㉮가 법정에서 진실을 밝힌 것은 자신에게 적용될 주의 기준이 달라질 것이라고 기대했기 때문이겠군.

⑤ 만약 A 미술관에서 ㉮에게 구입한 작품을 B 미술관에 무상으로 대여했다면 ㉮는 A 미술관에게 배상 책임이 없겠군.

●●●● **도**움말
이 글에서 설명한 **❶ [ ]** 행위에 대한 책임 원칙의 종류와 특징을 파악하고, 〈보기〉의 사례에 어떤 **❷ [ ]** 원칙을 적용할 수 있을지 생각해 보자.

답 ❶ 불법 ❷ 책임

03 다음 사건에 대해 책임 원칙을 적용하여 추론한 내용으로 적절하지 **않은** 것은?

┌─ [사건 내용] ──────────────────────
김○○ 씨는 보행자 신호가 켜진 건널목을 자전거를 탄 채 건너고 있었다. 이때 우회전하던 버스 운전사 박△△ 씨는 김 씨를 보지 못한 채 버스로 자전거 뒷바퀴를 들이받아 김 씨가 중상을 입게 되었다.
────────────────────────────────────

┌─ 관련 법규 ────────────────────────
Ⓐ 보행 신호에서 운전자는 정지선을 준수해야 한다.
Ⓑ 횡단보도를 건널 때는 자전거에서 내려야 한다.
────────────────────────────────────

① 비책임 원칙을 적용한다면 박 씨는 김 씨의 손해에 대해 전혀 책임을 지지 않을 것이다.

② 기여 과실을 적용한다면 김 씨의 행위에 '관련 법규 Ⓑ'에 대한 주의 기준을 고려할 것이다.

③ 비교 과실을 적용한다면, '관련 법규'를 토대로 김 씨와 박 씨의 과실 비중을 따져 손해에 대한 책임을 분담할 것이다.

④ 기여 과실과 과실 원칙을 모두 적용한다면, '관련 법규 Ⓑ'와 관련된 김 씨의 행위에 대한 박 씨의 항변을 우선 적용할 것이다.

⑤ 과실 원칙을 적용한다면 박 씨의 행위에 '관련 법규 Ⓐ'에 대한 주의 수준을 고려할 것이고, 엄격 책임 원칙을 적용한다면 이를 고려하지 않을 것이다.

●●●● **도**움말
이 글에서 설명한 책임 **❶ [ ]**을 토대로 문제에 제시된 사례에 관련 **❷ [ ]**를 어떻게 적용해야 할지 생각해 보자.

답 ❶ 원칙 ❷ 법규

창의·융합·코딩 전략 ②

04~06 다음 글을 읽고 물음에 답하시오.

특허권은 발명에 대한 정보의 소유자가 특허 출원 및 담당 관청의 심사를 통하여 획득한 특허를 일정 기간 독점적으로 사용할 수 있는 법률상 권리를 말한다. 한편 영업 비밀은 생산 방법, 판매 방법, 영업 활동에 유용한 기술상 또는 경영상의 정보 등으로, 일정 조건을 갖추면 법으로 보호받을 수 있다. 법으로 보호되는 특허권과 영업 비밀은 모두 지식 재산인데, 정보 통신 기술(ICT) 산업은 이 같은 지식 재산을 기반으로 창출된다. 지식 재산 보호 문제와 더불어 최근에는 ICT 다국적 기업이 지식 재산으로 거두는 수입에 대한 과세 문제가 불거지고 있다.

일부 국가에서는 ICT 다국적 기업에 대해 디지털세 도입을 진행 중이다. 디지털세는 이를 도입한 국가에서 ICT 다국적 기업이 거둔 수입에 대해 부과되는 세금이다. 디지털세의 배경에는 법인세 감소에 대한 각국의 우려가 있다. 법인세는 국가가 기업으로부터 걷는 세금 중 가장 중요한 것으로, 재화나 서비스의 판매 등을 통해 거둔 수입에서 제반 비용을 제외하고 남은 이윤에 대해 부과하는 세금이라 할 수 있다.

㉠많은 ICT 다국적 기업이 법인세율이 현저하게 낮은 국가에 자회사를 설립하고 그 자회사에 이윤을 몰아주는 방식으로 법인세를 회피한다는 비판이 있었다. 예를 들면 ICT 다국적 기업 Z사는 법인세율이 매우 낮은 A국에 자회사를 세워 특허의 사용 권한을 부여한다. 그리고 법인세율이 A국보다 높은 B국에 설립된 Z사의 자회사에서 특허 사용으로 수입이 발생하면 Z사는 B국의 자회사로 하여금 A국의 자회사에 특허 사용에 대한 수수료인 로열티를 지출하도록 한다. 그 결과 Z사는 B국의 자회사에 법인세가 부과될 이윤을 최소화한다. ICT 다국적 기업의 본사를 많이 보유한 국가에서도 해당 기업에 대한 법인세 징수는 문제가 된다. 그러나 그중 어떤 국가들은 ICT 다국적 기업의 활동이 해당 산업에서 자국이 주도권을 유지하는 데 중요하기 때문이라도 디지털세 도입에는 방어적이다.

ICT 산업을 주도하는 국가에서 더 중요한 문제는 ICT 지식

재산 보호의 국제적 강화일 수 있다. 이론적으로 봤을 때 지식 재산의 보호가 약할수록 유용한 지식 창출의 유인이 저해되어 지식의 진보가 정체되고, 지식 재산의 보호가 강할수록 해당 지식에 대한 접근을 막아 소수의 사람만이 혜택을 보게 된다. 전자로 발생한 손해를 유인 비용, 후자로 발생한 손해를 접근 비용이라고 한다면, 지식 재산 보호의 최적 수준은 두 비용의 합이 최소가 될 때일 것이다. 각국은 그 수준에서 자국의 지식 재산 보호 수준을 설정한다. 특허 보호 정도와 국민 소득의 관계를 보여 주는 한 연구에서는 국민 소득이 일정 수준 이상인 상태에서는 국민 소득이 증가할수록 특허 보호 정도가 강해지는 경향이 있지만, 가장 낮은 소득 수준을 벗어난 국가들은 그들보다 소득 수준이 낮은 국가들보다 오히려 특허 보호가 약한 것으로 나타났다. 이는 지식 재산 보호의 최적 수준에 대해서도 국가별 입장이 다름을 시사한다.

04 윗글을 읽고 답할 수 있는 질문이 아닌 것은?

① 지식 재산 보호의 최적 수준은 어떻게 설정할까?

② 법으로 보호되는 특허권과 영업 비밀의 공통점은 무엇일까?

③ 영업 비밀이 법적 보호 대상으로 인정받기 위한 절차는 무엇일까?

④ 로열티는 ICT 다국적 기업의 법인세를 줄이는 데 어떻게 이용될까?

⑤ ICT 다국적 기업에 부과하는 세금은 어떤 이유로 도입하려는 것일까?

도움말

글에서 다양한 **❶** 을 설명하고 있으니, 각 개념에 해당하는 내용을 헷갈리지 않도록 **❷** 하며 문제를 풀어 보자.

답 ❶ 개념 **❷** 정리

05 다음은 윗글을 읽은 학생이 수행할 학습지의 일부이다. ㉮에 들어갈 말로 가장 적절한 것은?

※ **과제:** '㉠을 근거로 ICT 다국적 기업에 디지털세가 부과되는 것이 타당한가?'를 검증할 가설에 대해 판단하기

• **가설**

> 법인세율이 높은 국가일수록 ICT 다국적 기업 자회사들의 수입 대비 이윤의 비율이 낮다.

• **판단**

가설이 참이라면 '㉮'라고 할 수 있으므로 ㉠을 근거로 디지털세를 부과하는 것을 지지할 수 있겠군.

① ICT 다국적 기업 자회사의 수입은 법인세율이 높은 국가일수록 많다.

② ICT 다국적 기업이 법인세율이 높은 국가의 자회사에 로열티를 지출한다.

③ ICT 다국적 기업 자회사의 수입 대비 제반 비용의 비율은 법인세율이 낮은 국가일수록 높다.

④ ICT 다국적 기업은 법인세율이 높은 국가의 자회사에서 수입에 비해 이윤을 줄이는 방식으로 법인세를 줄인다.

⑤ 법인세율이 높은 국가에 본사가 있는 ICT 다국적 기업 자회사의 수입 대비 이윤의 비율은 법인세율이 낮은 국가일수록 낮다.

06 지식 재산 보호의 최적 수준을 나타낸 값을 A라고 할 때, 다음 중 가장 적절한 것은?

① 유인 비용 A 접근 비용

② 유인 비용 − 접근 비용 = A

③ 접근 비용 − 유인 비용 = A

④ 유인 비용 + 접근 비용 = 최대 비용 A

⑤ 유인 비용 + 접근 비용 = 최소 비용 A

💬 **도움말**

복잡한 형식의 문제처럼 보일 수 있지만, 글에서 ICT 다국적 기업이 **❶** 를 회피하는 방식을 설명한 **❷** 을 중심으로 내용을 파악하면 쉽게 해결할 수 있어.

답 ❶ 법인세 **❷** 문단

💬 **도움말**

핵심 개념을 도형으로 표현한 문제야. 표현의 **❶** 이 되는 개념을 설명한 문단을 읽고, 해당 개념을 어떤 방식으로 **❷** 할 수 있을지 선택지에서 골라 보자.

답 ❶ 대상 **❷** 표현

전편 마무리 전략

문장의 의미 관계 파악하기

 연결 표지에 주목하여 전체 문장을 둘로 나누기

연결 표지는 문장 내에서 앞 내용과 뒤 내용을 연결하는 표현이나 문장과 문장의 내용을 연결하는 지시어와 접속어를 말함.

지시어	• 문맥 내에서 주로 어떤 말을 가리킬 때 쓰이는 말 • 이, 그, 저, 이때, 그때, 이렇게, 그렇게, 저렇게, 이러하다, 그러하다, 저러하다 등
접속어	• 단어와 단어, 구절과 구절, 문장과 문장을 이어 주는 구실을 하는 문장 성분 • 그리고, 그래서, 그러나, 또는, 먼저, 첫째, 둘째 등

 앞뒤 내용의 의미 관계 살펴보기

정의	어떤 말이나 사물의 뜻을 명백히 밝혀 규정함. 예 '~는 ~이다.'	고양이는 동물이다. =
예시	예를 들어 보임. 예 예를 들어, 만일, 가령 등	우리집 고양이는 자기가 좋아하는 것만 골라 먹는다. [예를 들어 사료는 좋아하는데 생선은 싫어해서 사료와 생선을 섞어 두면 사료만 골라 먹는다.]
나열	여러 가지 사실이나 예를 늘어놓음. 예 첫째, 둘째 등	고양이 품종에는 ❶삼고양이, ❷터키시앙고라 등이 있다.
대조	앞 내용과 반대되거나 일치하지 않는 내용이 나타남. 예 그러나, 하지만, 반면에, 이와 달리 등	기분이 좋을 때 고양이는 꼬리를 바짝 세우는 반면 개는 꼬리를 마구 흔든다. ↔
인과	원인과 결과를 밝힘. 예 그래서, 그러므로, 따라서 등	하루 종일 혼자 있던 고양이가 나를 보고 신나게 달려왔다. 그래서 오늘만큼은 할 일을 미루고 고양이와 놀아 주기로 했다. →

지문 적용

개념을 정의하고 있어.   인과 관계가 나타나.

음성 피드백이란 일정한 상태로 몸을 유지하기 위해 [최종 산물의 양이 많아지면 화학 반응 경로의 초기 단계에 작용
하는 효소가 억제되고], 반대로 그 양이 적어지면 화학 반응 경로의 초기 단계에 작용하는 효소가 활성화되는 것을 말한
다. [예를 들어, 세포는 화학 반응을 통해 당을 분해하여 에너지원인 ATP를 얻는다.]

원인 → 결과

예시에 해당해.   반대되는 내용이야.

문단 독해

문단 독해를 위해 중심 화제를 빠르게 찾고, 중심 화제를 위주로 하여 중심 내용을 정확하게 파악해 봅시다!

중심 화제

• **의미**: 문단에서 가장 핵심이 되는 화제

• **중심 화제를 찾는 방법**

① 넓은 범위에 걸쳐 반복되는 화제를 찾는다.

② 첫 문장이나 끝 문장에 주목한다.

③ 대조·전환 다음에 등장하는 화제에 주목한다.

중심 내용

• **의미**: 문단에서 가장 중심이 되는 내용

• **중심 내용을 정리하는 방법**

① 문장 간 의미 관계를 파악하여 가장 중요한 문장을 찾는다.

> **TIP! 중심 문장일 확률이 높은 문장**
>
> • 중심 화제를 정의하는 문장
> • 대조·전환이 나타나는 문장
> • 물음이나 물음에 대한 답을 말하는 문장
> • 분류의 기준이나 분류의 내용을 담은 문장
> • 중심 화제에 대한 내용을 정리하거나 '결과, 결론, 주장'을 담은 문장
>
>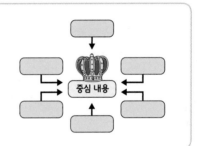

② '중심 화제가 어떠하다'를 문장의 기본 구조로 하여 중심 내용을 정리한다.

지문 적용

　　자동차가 상대 차량 또는 장애물 등과 정면충돌하게 되면 운전자는 핸들이나 유리 등 차체 내부에 부딪히게 된다. 이때 발생한 큰 충격력에 의해 운전자는 부상을 입거나 생명을 잃기도 한다. 물론 안전벨트가 있지만, 그것만으로는 운전자의 안전을 완벽하게 보장하기 어렵다. 이에 따라 운전자의 안전성을 보다 높일 수 있는 장치를 고안하게 되었는데 그것이 바로 에어백이다.

중심 문장

중심 화제

신유형·신경향 전략

✿ 최근에는 특정 분야와 관련된 지문이 아닌 독서 이론을 다룬 지문이 출제되고 있습니다. 또한 학습 활동지와 같은 새로운 유형의 자료를 활용하거나 지문의 내용을 〈보기〉로 한 번 더 엮은 문제들이 변별력 있게 출제되고 있습니다.

01~03 다음 글을 읽고 물음에 답하시오.

㉠특정 주제를 깊이 있게 탐구하기 위한 독서는 지식을 습득하고 이를 비판적·종합적으로 탐구하는 독서이다. 이러한 독서는 목차나 책 전체를 훑어보며 글의 전체 구조를 파악하고, 필요한 부분을 찾아 중점적으로 읽을 내용을 ˙선별하는 것으로부터 출발한다. 이어 독자는 글 표면에 드러난 내용을 정확하고 충분하게 읽기, 글 이면의 내용을 추론하고 비판하며 읽기, 여러 관점을 비교하고 종합하며 읽기와 같은 방법을 적절히 조합하여 선별한 내용을 읽게 된다.

위 과정에서 독자는 자신의 배경지식과 새로이 얻은 지식을 통합하여 의미를 구성한다. 그런데 이렇게 개인의 머릿속에서 구성된 의미는 다른 사회 구성원들과의 상호 작용을 거쳐 재구성된다. 따라서 특정 주제를 깊이 있게 탐구하기 위한 독서의 의미 구성은 개인적 차원뿐 아니라 사회적 차원에서도 이루어지는 것으로 이해되어야 한다.

이를 감안하면 특정 주제를 깊이 있게 탐구하기 위한 독서에서는 기록의 역할이 부각된다. 탐구 과정에서 개인적으로 구성한 의미를 기록하는 것은 읽은 내용의 망각을 방지하며, 비판과 토론의 자료로서 사회적 차원의 의미 구성에 기여한다. 또한 보고서, 논문, 단행본 등의 형태로 발전하여 공동체의 지식이 축적되는 토대를 이룬다. 이렇게 볼 때 특정 주제를 깊이 있게 탐구하기 위한 독서는 학문 탐구의 과정에서 글을 읽고 의견을 주고받으며 토론하는˙강론 또는 기록을 권유했던 전통과도 맥을 같이한다.

● **선별하다** 가려서 따로 나누다.
● **강론** 학술이나 도의(道義)의 뜻을 해설하며 토론함.

01 윗글에서 확인할 수 있는 ㉠의 방법이 <u>아닌</u> 것은?

① 글 표면에 드러난 내용을 꼼꼼하게 읽기
② 목차를 보고 전체적인 구조를 파악하며 읽기
③ 글의 숨겨진 의미를 파악하며 비판적으로 읽기
④ 탐구하고자 하는 주제에 필요한 내용을 골라 읽기
⑤ 정서적 반응을 기준으로 글의 가치를 평가하며 읽기

····도움말
글에 제시된 내용을 확인하는 문제는 글에서 설명한 내용을 ❶ 만 바꾸어 선택지에 제시하는 경우가 많아. 따라서 ㉠의 독서 방법을 설명한 문단을 선택지와 ❷ 하며 글에 제시되지 않은 내용을 찾아보자.

답 ❶ 단어 ❷ 비교

02 윗글을 바탕으로 〈보기〉를 이해한 내용으로 적절하지 <u>않은</u> 것은?

┌─ 보기 ┌

　학문하는 데는 연속적으로 공부하는 것을 중히 여긴다. 한 번이라도 그 맥이 끊어지게 되면 정신이 새어 나가고 성의가 흩어져 버리니, 어떻게 학문의 깊은 뜻을 꿰뚫어 볼 수 있겠는가? 벗끼리 서로 돕는 것으로는 함께 모여 학문을 강론하는 것보다 나은 것이 없다. 그런데 퇴계는 "읽은 것을 얼굴을 마주하고 강론하는 것이 좋기는 하지만, 항상 마음속의 생각을 다 드러내지는 못하고 만다. 그러니 의문이 드는 부분을 뽑아 기록해서 벗에게 보내 자세히 살펴볼 수 있게 하는 것만 못하다."라고 하였다. 그 뜻이 참으로 옳다.

－ 이익, 「서독승면론」

① '정신이 새어 나가고 성의가 흩어져 버리'는 데 대한 우려는 기록의 궁극적 목적이 망각의 방지에 있음을 보여 준다.

② 학문 과정에서 '학문의 깊은 뜻을 꿰뚫어' 보고자 하는 것은 주제를 깊이 있게 탐구하고자 하는 태도와 일맥상통한다.

③ '읽은 것을 얼굴을 마주하고 강론하는 것'은 독서의 의미 구성 과정에 포함되는 구성원들과의 상호 작용을 가리킨다.

④ '마음속의 생각'이나 '의문이 드는 부분'을 '강론' 또는 '기록'을 통해 공유하는 것은 사회적 차원의 의미 구성 과정과 연결된다.

⑤ '기록해서 벗에게 보내 자세히 살펴볼 수 있게 하는 것'은 비판과 토론의 자료로 기능할 수 있는 기록의 의의를 드러낸다.

··· 도움말
이 글에서 설명한 독서 방법과 독자가 **❶** 를 구성하는 방법, **❷** 의 역할을 〈보기〉와 연결 지어 이해하고, 선택지의 내용이 적절한지 확인해 보자.

답 ❶ 의미 ❷ 기록

03 다음은 윗글을 읽은 학생의 반응이다. 이에 대한 설명으로 가장 적절한 것은?

첫 문장을 읽으면서 특정 전공 분야의 연구자를 대상으로 하는 글인 줄 알았어. 그런데 생각해 보니 이런 독서의 모습이 낯설지 않아. 우리도 학교에서 보고서 작성을 위해 책을 읽고 친구들과 의문점을 나누며 의논하는 경우가 많잖아?

① 독서에서 얻은 깨달음을 실천하려는 모습을 보이고 있다.

② 모범적인 독서 태도를 발견하고 반성의 계기로 삼고 있다.

③ 학습 경험과 연관 지어 독서 활동의 의미를 확인하고 있다.

④ 알게 된 내용을 바탕으로 추가적인 독서 계획을 세우고 있다.

⑤ 독서 경험에 비추어 지속적인 독서의 중요성을 인식하고 있다.

04~06 다음 글을 읽고 물음에 답하시오.

'의사 표시'는 의사 표시자가 마음속 의사를 외부에 표시하는 법률 행위로서, 효과 의사, 표시 의사, 행위 의사에 이어 표시 행위까지의 과정을 거쳐 일정한 법률 효과를 발생시킨다. A가 주택을 짓고 싶어서 B 소유의 토지를 사고자 하는 상황을 살펴보자. 전원주택을 짓고 싶다는 A의 생각은 '동기'에 해당하며 이로 인해 B 소유의 토지를 사야겠다고 마음먹은 것이 '효과 의사'이다. 또한 이를 B에게 전달해야겠다는 생각은 '표시 의사'이며, 이렇게 토지를 *매수하겠다는 의사를 전달하는 방법인 계약서 작성이라는 행위를 의도하거나 인식하는 것은 '행위 의사'이다. 마지막으로 이러한 의사를 토대로 토지 구입 계약서를 직접 작성하는 것은 '표시 행위'이다.

그런데 의사 표시 과정에서 의사와 표시가 일치하지 않을 때 의사 표시의 본질을 무엇으로 보느냐에 따라 동일한 법률 행위도 다르게 해석될 수 있다. 의사 표시의 본질을 바라보는 관점은 크게 '의사주의', '표시주의', '효력주의'로 나뉜다. 의사주의는 의사 표시의 본질을 의사 표시자 마음속의 효과의사로 파악한다. 그런데 이 관점을 취할 경우 의사 표시자의 의사는 보호되나 상대방의 신뢰는 보호받지 못하는 문제가 발생할 수 있다. 그래서 표시주의는 의사 표시자의 표시 행위에 대한 상대방의 신뢰를 보호하기 위해 의사 표시의 본질을 표시 행위로 파악한다. 한편 의사와 표시는 일체로서 양자 모두를 의사 표시의 요소로 파악하고자 하는 견해를 효력주의라고 한다. 이는 의사와 표시를 이분법적으로 나누는 기존의 인식을 거부하며 표시 행위를 의사의 단순한 외부적 *표지가 아니라 의사를 완성하여 법적 효력을 발생하게 하는 것으로 본다.

의사와 표시가 불일치하는 대표적인 유형으로는 *착오에 의한 의사 표시가 있다. 착오의 기본 유형은 착오가 효과 의사의 결정, 표시 행위의 이해, 표시 행위 중 어느 단계에 발생하느냐에 따라 '동기의 착오', '내용의 착오', '표시상의 착오'로 나눌 수 있다. 먼저 동기의 착오는 의사 표시자가 효과 의사 결정 단계에서 의미 있는 상황을 실제와 다르게 잘못 인식하는 경우이다. 금반지를 사려고 마음 먹었는데, *도금 반지를 금반지로 인식하고 구입하는 경우가 그 예이다. 내용의 착오는 의

사 표시자가 표시하고자 의도한 대로 표시 행위를 했지만, 표시 행위의 이해 단계에서 그 의미를 잘못 파악하여 생긴 경우이다. 금반지의 가격은 100달러로 표시되어 있는데, 유로와 달러가 같은 가치를 가진 줄 알고 금반지를 100유로로 산 경우가 이에 해당한다. 표시상의 착오는 의사 표시자가 표시하고자 의도한 것과 다른 표시 행위를 하는 것으로 예컨대 매매 계약서에 100,000원이라고 표시할 것을 착오로 10,000원이라고 표시하는 경우가 이에 해당한다.

그런데 착오를 이유로 법률 행위를 취소하기 위해서는 여러 조건을 갖추어야 한다. 첫째 의사 표시가 존재하고 의사 표시 과정에서 의사 표시자의 착오가 있어야 한다. 둘째 법률 행위 내용의 중요 부분에 착오가 있어야 한다. 이는 의사 표시자의 착오가 없었더라면 그러한 의사 표시를 하지 않았을 것이며, 의사 표시자의 입장에 일반인이 서는 경우에도 그러한 의사 표시를 하지 않았으리라고 생각될 정도여야 한다는 것이다. 마지막으로 의사 표시자에게 일반적으로 요구되는 주의를 현저히 결여한 중대한 잘못이 없어야 한다.

- ● **매수하다** 물건을 사들이다.
- ● **표지** 표시나 특징으로 어떤 사물을 다른 것과 구별하게 함. 또는 그 표시나 특징.
- ● **착오** 착각을 하여 잘못함. 또는 그런 잘못.
- ● **도금** 금속이나 비금속의 겉에 금이나 은 따위의 금속을 얇게 입히는 일.

04 윗글에 대한 이해로 적절하지 **않은** 것은?

① 효과 의사는 의사 표시자의 동기에 의해 형성된다.

② 의사 표시자는 의사 표시를 통해 일정한 법률 효과를 발생시킬 수 있다.

③ 특정 조건을 갖추지 못한다면 착오를 이유로 법률 행위를 취소할 수 없다.

④ 효력주의는 의사와 표시를 분리하여 보는 기존의 인식에 맞서 나온 견해이다.

⑤ 표시주의는 의사 표시자의 의사를 보호하기 위해 표시 의사를 의사 표시의 본질로 본다.

[05~06] 〈보기〉는 의사 표시자 A와 B의 착오로 인해 발생한 사건이다. 윗글을 참고하여 5번과 6번 물음에 답하시오.

┌─ 보기 ─────────────────────────

가 소화 불량으로 고생하고 있는 A는 인터넷에서 소화에 좋은 음식을 찾아보았다. 그리고 소화에 좋  다고 홍보하는 M 업체의 과일즙을 보고 이를 사야겠다는 마음을 먹었다. 그 후 인터넷상에서 계약서를 작성하여 구매할 수 있음을 알게 되어 M 업체와 계약서를 작성하고 해당 비용을 송금하였다. 그런데 A는 M 업체 과일즙의 일부 성분이 오히려 소화에 방해가 된다는 연구 결과 보도를 뒤늦게 접하게 되었다. 이에 A는 M 업체를 상대로 구매 비용의 반환을 요구하였다.

나 빵집을 운영하는 B는 제품의 질을 높이기 위해 해외 N사의 유명 오븐을 새로 구매하기로 결심하고  N사와 계약서를 작성했다. 그런데 B는 계약서의 내용이 길어 제대로 읽지 못한 채 계약서에 숫자로 적혀 있는 금액만 보고 원화로 비용을 송금하였다. 이후 B는 계약서에 제시된 비용이 원화가 아니었다는 사실을 알게 되었고, 환율을 고려할 때 자신이 더 많은 비용을 지불했다는 것을 깨달았다. 그리하여 B는 N사를 상대로 구매 취소 소송을 제기하였다.

└────────────────────────────────

05 윗글을 참고하여 〈보기〉를 이해한 내용으로 적절한 것은?

① A와 B의 동기는 각각 '소화 불량 해결'과 '새로운 오븐 구매'이다.

② 〈보기〉에는 A와 B의 표시 행위가 직접적으로 드러나 있지 않다.

③ 표시주의의 관점에서 보면 A가 소화에 좋은 과일즙을 구매하겠다는 마음이 의사 표시의 본질이다.

④ 의사주의의 관점에서 보면 A와 B의 계약서 작성은 의사를 완성하여 법적 효력을 발생하게 하는 것이다.

⑤ 효력주의의 관점에서 보면 새로운 오븐을 사려고 하는 B의 의사와 계약서 작성은 모두 의사 표시의 요소이다.

┌─ 도움말 ─────────────────────────
〈보기〉의 **❶** [   ] 과정을 분석해 보고, 2문단에서 설명한 의사 표시 본질을 바라보는 세 가지 **❷** [   ]을 바탕으로 문제를 해결해 보자.

답 **❶** 의사 표시 **❷** 관점
└────────────────────────────────

06 윗글을 읽은 학생이 〈보기〉에 대해 보인 반응으로 가장 적절한 것은?

 ① A는 동기 결정 단계에서 착오가 발생하였군.

 ② A가 M 업체의 과일즙 성분에 관한 연구 결과를 미리 알았다면 과일즙을 구매하지 않았을 것이라는 점에서 법률 행위 취소 조건을 갖추는군.

 ③ B는 '표시상의 착오'에 의해 의사와 표시가 불일치하였군.

 ④ B는 자신이 표시하려고 한 의도대로 표시 행위를 하지 않았군.

 ⑤ 계약서상에 구매 금액이 원화가 아님을 확인하라는 설명이 있었다 해도 B의 행위를 중대한 잘못으로 볼 수 없기 때문에 법률 행위 취소 조건을 갖추겠군.

07~09 다음 글을 읽고 물음에 답하시오.

자아 상태 모델은 인간의 성격을 A(어른), P(어버이), C(어린이)의 세 가지 자아 상태로 설명하며, 건강하고 균형 잡힌 성격이 되려면 세 가지를 모두 필요로 한다고 본다. 이때 자아 상태란 특정 순간에 보이는 일련의 행동, 사고, 감정의 총체를 일컫는 것으로 특정 순간마다 자아 상태는 달라질 수 있다.

예를 들어 갑이라는 사람이 도로에서 주변 상황을 살피며 차를 몰고 있다고 해 보자. 이때 다른 차가 갑자기 끼어든다. 갑은 뒤따르는 차가 없는 것을 확인하고 브레이크를 밟아 충돌을 면한다. 이 경우 갑은 'A 자아 상태'에 놓여 있다. A 자아 상태는 지금 여기서 가장 현실적인 대책을 찾는, 객관적이며 합리적인 자아 상태이다.

끼어들었던 차가 사라지자 갑은 어릴 때 아버지가 했던 것처럼 "저런 운전자는 운전을 못하게 해야 해!"라고 말한다. 이때 갑은 'P 자아 상태'로 바뀐 것이다. P 자아 상태는 자신 혹은 타인을 가르치려 들거나 보살피려 하는 자세를 취하는 자아 상태로서, 어린 시절 부모가 자신에게 했던 행동이나 태도, 사고를 내면화한 것이다. 어린 시절 무엇을 가르치고 통제했던 부모의 역할을 따라 하고 있다면 'CP(통제적 어버이)' 상태, 배려하고 돌봐 주었던 부모처럼 남을 돌본다면 'NP(양육적 어버이)' 상태에 놓여 있다고 말한다.

잠시 후 갑은 직장 상사와의 약속에 늦었다는 사실을 깨닫고 당황한다. 이때 갑은 학창 시절에 지각하여 벌을 받을까 겁먹었던 기억이 되살아나 'C 자아 상태'로 이동한다. C 자아 상태는 어릴 때 했던 것처럼 행동, 사고하거나 감정을 느끼는 자아 상태이다. 부모의 요구에 순응하며 살았던 행동 양식들을 재연할 경우를 'AC(순응하는 어린이)' 상태, 요구나 압력과 상관없이 독립적으로 행동했던 양식을 재연할 경우를 'FC(자유로운 어린이)' 상태라고 한다.

세 가지 자아 상태 중 어느 한 상태에서 누군가에게 말을 걸면 상대방도 어느 한 상태에서 반응하게 된다. 이러한 의사소통 과정에서 자신이 기대하는 반응이 올 수도 있고, 기대하지 않은 반응이 올 수도 있다. 우리는 남들이 자신을 알아봐 줬으면 좋겠다는 인정의 욕구로 인해 서로 상대방을 인지한다는 신호를 보내는데 이것이 '스트로크'이다. 스트로크는 언어로 신호를 보내는 언어적 스트로크와 몸짓, 표정 등으로 보내는 비언어적 스트로크로 나눌 수 있다. 다음으로 상대방을 즐겁게 하는 긍정적 스트로크와 상대를 고통스럽게 하는 부정적 스트로크로 나눌 수 있다. 끝으로 "일을 참 잘 처리했군."과 같이 상대방의 행위에 반응하는 조건적 스트로크와 "난 당신이 좋아."와 같이 아무 조건 없이 존재 그 자체에 반응하는 무조건적 스트로크로 나눌 수 있다. 일반적으로 사람들은 상대로부터 긍정적 스트로크를 받기 원하지만, 이것이 충분하지 않다고 여기면 부정적 스트로크라도 얻으려고 한다. 그리고 어떤 행위를 통해 자신이 원하는 스트로크를 받게 되면, 그것을 계속 받기 위해 같은 행위를 반복하며 강화한다.

● **자아** 자기 자신에 대한 의식이나 관념.
● **총체** 있는 것들을 모두 하나로 합친 전부 또는 전체.
● **내면화** 정신적·심리적으로 깊이 마음속에 자리 잡힘. 또는 그렇게 되게 함.
● **재연하다** 한 번 하였던 행위나 일을 다시 되풀이하다.

07 윗글을 이해한 내용으로 가장 적절한 것은?

① 자아 상태는 연령에 따라 특정한 모습으로 고정된다.
② P 자아 상태와 C 자아 상태는 과거의 경험과 연관이 깊다.
③ C 자아 상태는 건강한 성격 형성에 도움이 되지 않는다.
④ C 자아 상태가 되었을 때 인간은 반드시 어떠한 요구에 따라 행동하게 된다.
⑤ 어느 한 자아 상태에서 누군가에게 말을 걸면 상대방도 똑같은 상태에서 반응하게 된다.

[08~09] 〈보기〉에 제시된 상황을 확인하고 윗글을 바탕으로 8번과 9번 물음에 답하시오.

> **보기**
>
> 〈상황 1〉은 진수가 어린 시절에 겪은 일이고, 〈상황 2〉는 교사인 성희가 학생과 나눈 대화이며, 〈상황 3〉은 친구 사이인 진수와 성희의 대화이다.
>
> | 〈상황 1〉 |
> | --- |
>
> **진수:** (속상한 표정으로) 집에 오는 길에 친구들과 장난치다가 넘어져서 무릎을 다치고 바지가 찢어졌어요. 죄송해요.
>
> **어머니:** ㉠(따뜻한 말투로) 많이 아팠겠구나. 얼른 치료해야겠다. 바지는 수선하면 되지. 대신 다음부터는 친구들이랑 심하게 장난치면 안 돼.
>
> **진수:** 네, 그렇게 할게요.
>
> | 〈상황 2〉 |
> | --- |
>
> **성희:** 오늘 지각한 학생들에게는 학기 초에 만든 우리 반 규칙을 적용할 거야.
>
> **학생:** ㉡(억울한 표정으로) 선생님, 버스가 늦게 와서 지각한 건데 오늘 벌 청소는 빼 주시면 안 될까요?
>
> **성희:** ㉢(단호하게) 안 돼. 네 잘못에 대해 변명하지 말고 앞으로 더 일찍 학교에 와라.
>
> | 〈상황 3〉 |
> | --- |
>
> **성희:** (지친 표정으로) 요즘에 학생들이 지각을 너무 많이 해. 벌로 청소를 시키고 훈계도 하는데 나아지지 않네. 이제는 그냥 내버려 두고 싶기까지 해.
>
> **진수:** 무관심한 것보다 네가 그렇게 지도를 해 주는 게 낫지. 그런데 학생들한테 좀 부드럽게 대해 보는 건 어때? 예전에 내가 잘못했을 때 어머니께서 부드럽게 대해 주셔서 다음부터 같은 잘못을 하지 않도록 조심했었거든.
>
> **성희:** 어릴 때 나는 아버지로부터 엄하게 훈계를 듣고 거기에 잘 따르는 편이었거든. 그래서 네 말대로 하는 게 어려운 것 같아.

08 윗글을 바탕으로 〈보기〉의 ㉠~㉢을 이해한 내용으로 적절한 것은?

① ㉠은 부정적 스트로크이다.
② ㉠은 비언어적 스트로크이다.
③ ㉡은 언어적 스트로크이다.
④ ㉡은 무조건적 스트로크이다.
⑤ ㉢은 조건적 스트로크이다.

> **도움말**
>
> 이 글에서 설명한 **❶**〔　　　　〕의 종류와 특징을 토대로 〈보기〉를 분석하는 단계에서 ㉠~㉢에 해당하는 스트로크를 **❷**〔　　〕한 후 선택지와 비교해 보자.
>
> 답 ❶ 스트로크 ❷ 메모

09 윗글을 바탕으로 〈보기〉를 이해한 내용으로 적절하지 <u>않은</u> 것은?

 ① 〈상황 1〉에서 어머니의 말은 진수가 같은 잘못을 하지 않도록 주의하는 데 도움이 되었군.

 ② 〈상황 2〉에서 성희는 자아 상태의 변화 없이 CP 상태에서 학생들에게 말을 하고 있군.

 ③ 〈상황 2〉에서 성희의 두 번째 말은 어릴 때 아버지가 했던 행동을 내면화한 발화라고 할 수 있군.

 ④ 〈상황 3〉에서 진수는 성희가 NP 상태로 학생들을 대하기를 권유하고 있군.

 ⑤ 〈상황 3〉에서 진수는 성희가 학생들에게 무관심한 것보다 부정적인 스트로크라도 보내는 것이 낫다고 여기고 있군.

1·2등급 확보 전략

01~05 다음 글을 읽고 물음에 답하시오.

근대 과학은 양적으로 수치화할 수 있는 것을 과학으로 간주하였으며 미리 수학적으로 설정한 믿음을 통해 자연에 접근하였다. 이런 태도는 근대 철학의 이성론에도 영향을 주었다. 특히 수학에 심취했던 근대 철학자 ㉠데카르트는 °선험적으로 가지고 있다고 믿는 °직관을 통해 인식한 것들로 세계에 접근하려 하였다. 그가 말하는 직관은 '순수한 정신의 의심할 여지 없는 파악이며, 이것은 오직 이성의 빛에서 유래하는 것'으로 분명한 인식을 얻을 수 있는 것이었다. 데카르트는 의심할 수 없는 것을 찾기 위해 대상을 직관으로 분절하여 더 나눌 수 없는 단순 본성을 찾고, 이를 복합하여 세계에 대한 이해를 ⓐ넓히려 했다.

그런데 현대 철학자 ㉡베르그송은 이에 반발한다. 그는 이성이 세계를 분절시키며, 질적인 시간마저 양적으로 쪼갠다고 이야기한다. 베르그송은 세계의 사물들은 서로 경계가 모호한 채로 연속적인 전체를 이루고 서로 수많은 관계 속에 처해 있는데, 이성이 세계를 분절시키면 전체성을 잃기에 세계에 대한 통찰이 실패할 수밖에 없다는 것이다. 그래서 그는 세계를 통찰하는 방법으로 직관과 지속을 제시한다. 그의 직관은 사물의 내부로 들어가 서로를 느끼게 되는 공감적 경험을 통해 각각의 이질성을 유지하면서도 동시에 하나가 다른 하나로 스며들면서 전체를 향해 통합되는 경험이다. 예를 들어 오렌지색에 공감하는 과정을 보자. 직관을 통해 공감을 확장하는 노력 중 붉은색과 노란색 사이의 이질적인 다양한 색들이 있음을 경험하고 그것들이 모호한 경계 속에서 스며들며 통합되는 과정을 느낀다는 것이다.

한편 베르그송은 공감과 통합은 지속되는 시간에서 이루어진다고 하였다. 근대 철학의 이성론은 시간을 분절하여 공간 안에 정지된 상태로 봤지만, 그는 오히려 공간적인 것이 시간적인 것에서 영향을 받아 생긴다고 하였다. 예를 들어 활짝 핀 장미꽃을 볼 때 우리는 일정한 공간을 차지하는 장미꽃을 보지만, 일정 시간이 지나면 꽃잎이 모두 떨어진 가지만을 보게 된다. 시간에 의해 공간의 변화가 일어난 것이다. 그뿐만 아니라 시간은 양적인 변화를 담은 것이 아니라 개인 체험이 반영된 질적인 것임을 주장했다.

미술사에서 이러한 베르그송의 철학과 유사성을 가진 °사조가 인상주의이다. ㉢인상주의자들은 서로 다른 색 각각의 이질성을 살리면서 색들의 경계를 흐리게 표현하여 한 가지 색이 다른 하나의 색으로 감상자의 눈에 의해 분절됨이 없이 섞여 들어가도록 표현했다. 더불어 인물화 속에 인물의 위대함, 교훈을 담으려 했던 고전주의와 달리 대상의 인상을 표현하려 했다. 예를 들어 마네의「풀밭 위의 점심 식사」에는 등장인물들에 대한 어떤 이야기, 의미도 없으며 검은색과 흰색의 대비라는 색채의 미적 효과를 위해 인물들을 그렸다. 또 고전주의에서는 풍경이 배경에 불과했지만, 인상주의 회화에서는 인간도 독점적인 지위 대신 배경의 일부로서 의미를 가지거나 사라지기도 했다. 또 대상에게 받은 인상에 집중시키기 위해 배경이 존재하지 않는 경우도 있었다.

인상주의자들은 색들을 합쳐 만든 중간색은 편견이므로 이를 해체해 고유의 색으로 되돌린 후, 빛이 연출하는 색채의 아름다운 변화들을 연속적으로 느끼게 하는 것이 중요하다고 생각하였다. 이로써 대상에게 받은 인상을 그대로 전달하려 노력하였다. 이는 베르그송이 이야기한 근대 철학이 가져온 이성에 의한 분절로부터의 회복과, 이질적인 것의 연속 안에서 공감을 통한 통합으로 전체성을 느끼는 것과 유사한 의미를 가진다.

● **선험적** 경험에 앞서서 인식의 주관적 형식이 인간에게 있다고 주장하는 것. 대상에 관계되지 않고 대상에 대한 인식이 선천적으로 가능함을 밝히려는 인식론적 태도를 말한다.
● **직관** 감각, 경험, 연상, 판단, 추리 따위의 사유 작용을 거치지 아니하고 대상을 직접적으로 파악하는 작용.
● **사조** 한 시대의 일반적인 사상의 흐름.

01 다음은 윗글을 읽은 학생이 작성한 학습 활동지의 일부이다. ㉮~㉲에 들어갈 내용으로 적절하지 <u>않은</u> 것은?

학습 항목	학습 내용
도입 문단의 내용 제시 방식 파악하기	㉮
글의 내용 전개 방식 이해하기	㉯
대상의 설명 방식 이해하기	㉰

① ㉮: 도입 문단 이후에 제시하는 중심 화제의 주장과 상반되는 견해를 드러내고 있다.

② ㉯: 중심 화제에 대한 설명과 함께 구체적인 예를 제시하고 있다.

③ ㉯: 특정 이론들의 장점을 종합하고, 그 이론들의 전망을 제시하고 있다.

④ ㉰: 철학자별 '직관'의 개념을 제시하고 있다.

⑤ ㉰: '인상주의'의 특징을 다른 사조와 대조하여 설명하고 있다.

 활동지의 일부를 제시하여 **❶** 유형의 문제처럼 보이지만 글의 전개 방식을 확인하는 문제야. 문제의 **❷** 만 다를 뿐 익숙하게 풀던 유형이지. 각 문단별 내용 전개 방식을 확인해 보자.

답 **❶** 새로운 **❷** 형태

02 윗글을 이해한 내용으로 적절하지 <u>않은</u> 것은?

① 인상주의 작품에는 인물이 없는 경우도 존재한다.

② 베르그송은 시간을 양적으로 접근하는 견해에 반발하였다.

③ 베르그송은 시간이 공간에 영향을 미칠 수 있다고 주장하였다.

④ 데카르트는 주관적인 경험을 바탕으로 대상을 인식하고자 하였다.

⑤ 인상주의자들은 고유의 색을 활용하여 대상의 인상을 전달하고자 하였다.

03 윗글의 ㉠~㉢이 서로의 견해에 대해 할 수 있는 말로 가장 적절한 것은?

① ㉠ → ㉡: 세계를 이해하기 위해서는 직관을 통해 이질적인 것들을 통합시켜야 하기에 당신의 의견에 공감할 수 없습니다.

② ㉡ → ㉠: 세계에 대한 이해를 위해서는 공감적 경험을 수치화할 필요가 있기에 당신의 의견에 공감합니다.

③ ㉡ → ㉢: 색들의 경계를 흐리게 하는 당신의 기법은 공감의 확장에 방해가 된다고 생각합니다.

④ ㉢ → ㉠: 회화에 있어서도 이성의 빛에서 유래하는 단순 본성이 필요하기에 당신의 의견에 공감합니다.

⑤ ㉢ → ㉡: 이질적인 것의 연속에서 공감을 통한 통합으로 전체성을 느끼는 것과 색채의 변화를 연속적으로 느끼게 하는 것이 유사하기에 당신의 의견에 공감합니다.

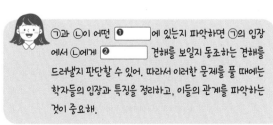 ㉠과 ㉡이 어떤 **❶** 에 있는지 파악하면 ㉠의 입장에서 ㉡에게 **❷** 견해를 보일지 동조하는 견해를 드러낼지 판단할 수 있어. 따라서 이러한 문제를 풀 때에는 학자들의 입장과 특징을 정리하고, 이들의 관계를 파악하는 것이 중요해.

답 **❶** 관계 **❷** 비판적

04 윗글을 바탕으로 〈보기〉를 이해한 내용으로 적절하지 않은 것은?

> 보기

▲ 클로드 모네, 〈파라솔을 든 여인〉

인상주의 화가 모네는 그림에 빛을 그렸다. 그는 빛에 심취하여 어색한 형태를 그리기도 하였는데, 태양 광선을 담아낼 때는 사물과 그림자의 관계가 모호한 그림을 그리기도 했다.

그는 태양빛을 화면에 담을 때 시각적 혼합 방식을 사용하여 두 가지 순수한 색깔을 병치시킴으로써 보는 사람의 눈에 화가가 의도했던 색깔로 배합되도록 하였다.

빛에 대한 그의 탐구는 이 작품에서도 드러난다. 강렬한 태양으로 인해 화면에 빛만 가득할 뿐 어느 것 하나 명확하게 드러나 있지 않다. 모네는 빛의 속성에 따라 감정 이입 없이 사물을 객관적으로 보았으며, 인물은 여름날의 찬란한 빛을 그려 내기 위한 단순한 도구일 뿐이었다.

① 모네는 순수한 색깔들 각각의 이질성을 살리면서 병치시켰다.

② 모네는 빛이 연출하는 대상의 인상을 그대로 전달하려고 하였다.

③ 모네는 〈파라솔을 든 여인〉 속 인물에 자연과 대비되는 독점적 지위를 부여했다.

④ 모네는 시각적 혼합 방식을 사용하여 색이 감상자의 눈에 의해 나뉘지 않고 섞이도록 하였다.

⑤ 모네는 자신의 그림 속 인물에 다른 의미를 담기보다 빛의 영향을 받는 사물의 객관적 인상을 표현했다.

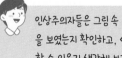

인상주의자들은 그림 속 **❶**　과 색에 대해 어떤 관점을 보였는지 확인하고, 〈보기〉의 **❷**　에 어떻게 적용할 수 있을지 생각해 보자.

답 ❶ 인물 ❷ 그림

05 다음 중 밑줄 친 단어의 의미가 ⓐ와 다른 것은?

① 그는 점차 행동반경을 <u>넓히기</u> 시작했다.

② 지영이는 세계를 돌면서 견문을 <u>넓혔다</u>.

③ 식견을 <u>넓히려면</u> 꾸준히 책을 읽어야 한다.

④ 형은 관심 분야를 <u>넓혀</u> 새로운 도전을 시작했다.

⑤ 올해는 포도의 품종을 개량하고 재배 면적을 <u>넓혀</u> 수확량을 늘릴 것이다.

06~10 다음 글을 읽고 물음에 답하시오.

유학은 수기치인을 통해 °성인(聖人)이 되기 위한 학문이다. '수기'는 앎을 투철히 하고 마음을 바르게 하여 자신을 닦는 일이며, '치인'은 집안을 바르게 하고 나라를 통치하고 세상을 평화롭게 하는 것을 의미한다. 수기치인을 통해 하늘의 도리인 천도와 °합일되는 경지에 도달한 사람이 바로 '성인'이다. 이러한 유학의 이념을 수용한 율곡 이이는 수기치인의 도리를 밝힌 『성학집요』를 지어 이 땅에 유학의 이상 사회가 구현되기를 ⓐ소망했다.

율곡은 수기를 위한 수양론과 치인을 위한 경세론을 전개하는데, 그 바탕은 만물을 '이(理)'와 '기(氣)'로 설명하는 이기론이다. 율곡은 '이'를 형체가 없고 시간과 공간의 제약을 받지 않고 존재하는 만물의 원리로 보고, '기'를 시간적인 선후와 공간적인 시작과 끝을 가지면서 끊임없이 변화하며 ⓑ작동하는 물질적 요소로 본다. '이'와 '기'는 사물의 구성 요소로서 서로 다른 성질을 갖지만, '이'는 현실 세계에서 항상 '기'와 더불어 실제로 존재한다고 본다.

수양론의 한 가지 기반으로 율곡은 이통기국을 주장한다. 이것은 만물이 하나의 동일한 '이'를 ⓒ공유하지만, 다양한 '기'의 성질로 인해 서로 다른 모습으로 나타날 수 있음을 의미한다. 또한 이는 성인과 일반인이 °기질의 차이는 있지만 동일한 '이'를 갖기 때문에 일반인이라도 기질상의 병폐를 제거하고 탁한 기질을 정화하면 '이'의 선한 본성이 회복되어 ㉠성인의 경지에 이를 수 있다는 기질 변화론으로 이어진다. 인간에게 내재된 천도를 실현하려는 율곡의 수양론은 사회의 폐단을 제거하여 천도를 실현하려는 경세론으로 이어진다.

율곡은 많은 논설에서 °법제 개혁론을 펼쳤는데, 이는 「만언봉사」에서 잘 드러난다. 선조가 근래 하늘과 땅에서 일어난 재앙으로부터 깨우쳐야 할 도리를 신하들에게 물었고, 율곡이 그에 답변을 올린 것이 「만언봉사」이다. 여기서 율곡은 "때에 따라 변할 수 있는 것은 법제이며, 시대를 막론하고 변할 수 없는 것이 왕도요, 어진 정치요, 삼강이요, 오륜입니다."라고 말하면서 법제 개혁의 필요성을 주장한다. 곧, '이'라고 할 수 있는 왕도나 오륜을 고치려 하는 것이 아니라, 그것을 구현할 수 있도록 법제를 개혁하여야 한다는 것이다.

조선에서 법전의 기본적인 원천은 '수교'이다. 어떤 사건이 매우 ⓓ중대하다고 여겨지면 국왕은 조정의 회의를 열고 지침을 만들어 사건을 해결한다. 이 지침이 앞으로도 같은 종류의 사건을 해결하는 데 적합하겠다고 판단되면 법령으로 만들어지는데, 이를 수교라 한다. 그리고 이후 폐단이 없고 유용하다고 확인된 수교들은 정리되어 '록'이라는 이름으로 법전에 실리며 수록된 규정 중 영구히 시행할 만한 것이라 판정된 것은 마침내 '대전'이라는 법전에 오르게 된다.

《경국대전》은 이 과정을 거친 규정들을 °집대성한 통일 법전으로, 조선 왕조가 끝날 때까지 국가 기본 법전의 역할을 수행해 왔다. 선왕들이 심혈을 기울여 만들고 오랜 검증을 통해 영원토록 시행할 것으로 판정된 규범은 '조종성헌'이라 불렸고, 이는 함부로 고칠 수 없다고 생각되어 ㉡왕도에 근접하였다고 여겼다. '대전'에 실린 규정은 조종성헌으로 받아들여져 국왕도 ⓔ어길 수 없었다. 율곡의 법제 개혁론은 조종성헌을 변혁하자는 것이 아니다. 그는 성종을 이은 연산군 때 제정된 조세 법령이 여전히 백성들의 삶을 피폐하게 하는데도 고쳐지지 않는 실정을 지적하는 등 폐단이 있는 법령들을 거론한다. 이런 법령들을 바꾸어야 조종성헌이 회복된다는 것이다. 결국 조종성헌에 해당하지 않는 부당한 법령을 선왕의 법이라며 고칠 수 없다는 권세가들에게 그런 법령은 '이'의 영역에 속하는 것이 아니라고 한 것이다.

● **성인** 지혜와 덕이 매우 뛰어나 길이 우러러 본받을 만한 사람.
● **합일** 둘 이상이 합하여 하나가 됨. 또는 그렇게 만듦.
● **기질** 기량과 타고난 성질.
● **법제** 법률과 제도를 아울러 이르는 말.
● **집대성하다** 여러 가지를 모아 하나의 체계를 이루어 완성하다.

06 윗글에서 알 수 있는 내용으로 적절하지 <u>않은</u> 것은?

① '이'는 물질적 요소와 더불어 존재한다.

② 수양론은 마음을 바르게 하여 자신을 닦기 위한 것이다.

③ 율곡은 법제의 경우 시대에 따라 변할 수 있다고 보았다.

④ 율곡은 폐단이 있는 법령의 경우 조종성헌이 아니라고 보았다.

⑤ 조선에서 중대한 사건이 발생하면 왕이 단독으로 지침을 만들어 해결하였다.

07 ㉠과 ㉡에 대한 반응으로 적절하지 <u>않은</u> 것은?

 ① 율곡은 유학의 이상 사회가 구현되려면 구성원이 ㉠에 이르러야 한다고 생각했어.

 ② 율곡은 일반인들이 모두 공유하는 '기'의 회복을 통해 ㉠에 이를 수 있다고 생각했어.

 ③ 율곡은 앎을 투철히 하고 세상을 평화롭게 하는 일을 통해 ㉠에 이를 수 있다고 했어.

 ④ 율곡은 매번 바뀌어야 하는 법제라면 ㉡일 수 없다고 생각했을 거야.

 ⑤ 율곡은 오랜 검증을 거쳐 '대전'에 실린 규정은 ㉡에 해당한다고 생각했어.

함정문제

08 윗글을 바탕으로 〈보기〉를 이해한 내용으로 가장 적절한 것은?

┌ 보기 ┐

　우담 정시한은 율곡의 '이통기국'에서 '통'이라는 글자가 필요하지 않다고 하였다. 이것은 천지만물이 '이' 하나에 근원하며 모든 곳에 존재해 막힘이 없기 때문이다. '이'를 중시하며 '이'를 통해 모든 것을 해결할 수 있는데 굳이 '이통'이라는 용어가 필요없다는 것이다. 특히 율곡의 이통기국에서 '이'가 비록 모든 곳에 존재하지만 '이'가 '기'를 다스리지 못한다면 허무하게 자취도 없이 사라질 것이라고 말한다. 즉 율곡이 '이'가 주된 것임을 인정했지만 '기'를 통제할 수 없으니 '이'에 진정한 권한을 부여하지 않았다고 주장하며 '이'를 죽은 것으로 치부한다고 덧붙였다.

① 정시한과 달리 율곡은 '기'를 만물의 원리로서 더 중요하게 여겼다.

② 정시한은 율곡이 '이'가 모든 곳에 존재하지 않는다고 본 것을 비판하였다.

③ 정시한은 율곡이 말한 기질의 정화에 '이'가 전혀 영향을 미치지 못하는 점을 비판하였다.

④ 율곡과 정시한 모두 '이'와 '기'가 항상 분리되어 존재한다고 보았다.

⑤ 정시한은 율곡과 마찬가지로 만물의 원리인 '이'만으로 수기가 가능하다고 보았다.

 율곡의 '❶⬚⬚⬚⬚⬚' 주장에 대해 〈보기〉의 정시한이 어떠한 논리로 ❷⬚⬚ 하고 있는지 생각해 보자.

답 ❶ 이통기국 ❷ 비판

09 윗글을 참고하여 조선의 '법제'에 대해 설명한 내용으로 가장 적절한 것은?

① '대전'은 그것을 만든 왕이 살아 있을 때만 유효하다.

② 율곡은 '이'라고 할 수 있는 법제를 고쳐야 한다고 주장하였다.

③ 법전에 수록된 규정 중 일부 내용은 국왕도 반드시 지켜야 했다.

④ 사건의 중요도에 따라 '수교'와 '록'이 만들어지는 순서가 달라질 수 있다.

⑤ 율곡은 폐단이 있는 법령들만 선별하여 개혁해야 한다는 권세가들의 주장에 반대하였다.

10 문맥상 ⓐ~ⓔ와 바꿔 쓰기에 적절하지 <u>않은</u> 것은?

① ⓐ: 염원했다

② ⓑ: 움직이는

③ ⓒ: 배격하지만

④ ⓓ: 중요하다고

⑤ ⓔ: 거스를

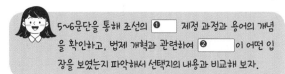

5~6문단을 통해 조선의 **❶** 제정 과정과 용어의 개념을 확인하고, 법제 개혁과 관련하여 **❷** 이 어떤 입장을 보였는지 파악해서 선택지의 내용과 비교해 보자.

답 ❶법 **❷**율곡

memo

수능 개념+유형+실전 대비서

2022 신간

핵심 개념부터 실전까지, 고품격 수능 대비서

고등 수능전략

전과목 시리즈

개념과 유형, 실전을 한 번에!

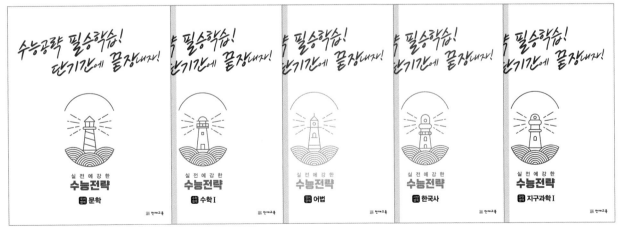

국어: 고2~3(문학/독서/언어와 매체/화법과 작문)
수학: 고2~3(수학Ⅰ/수학Ⅱ/확률과 통계/미적분)
영어: 고2~3(어법/독해 150/독해 300/어휘/듣기)

사회: 고2~3(한국사/사회·문화/생활과 윤리/한국지리)
과학: 고2~3(물리학Ⅰ/화학Ⅰ/생명과학Ⅰ/지구과학Ⅰ)

book.chunjae.co.kr

교재 내용 문의 ·························· 교재 홈페이지 ▶ 고등 ▶ 교재상담

교재 내용 외 문의 ····················· 교재 홈페이지 ▶ 고객센터 ▶ 1:1문의

발간 후 발견되는 오류 ·············· 교재 홈페이지 ▶ 고등 ▶ 학습지원 ▶ 학습자료실

수능공략 필승학습!
단기간에 끝장내자!

BOOK 2

실전에 강한
수능전략

국어영역 독서

천재교육

실 전 에 강 한

수능전략

국어
영역 독서

수능전략

국·어·영·역

독서

BOOK 2

이 책의 차례

BOOK 2

WEEK 1

과학·기술 분야

1일 개념 돌파 전략 ①, ② ⋯⋯⋯⋯⋯⋯ 006

2일 필수 체크 전략 ①, ② ⋯⋯⋯⋯⋯⋯ 014

3일 필수 체크 전략 ①, ② ⋯⋯⋯⋯⋯⋯ 022

🌱 누구나 합격 전략 ⋯⋯⋯⋯⋯⋯ 030

🌱 창의·융합·코딩 전략 ①, ② ⋯⋯⋯⋯⋯⋯ 034

WEEK 2

예술 분야

1일 개념 돌파 전략 ①, ② ⋯⋯⋯⋯⋯⋯ 040

2일 필수 체크 전략 ①, ② ⋯⋯⋯⋯⋯⋯ 046

3일 필수 체크 전략 ①, ② ⋯⋯⋯⋯⋯⋯ 052

🌱 누구나 합격 전략 ⋯⋯⋯⋯⋯⋯ 058

🌱 창의·융합·코딩 전략 ①, ② ⋯⋯⋯⋯⋯⋯ 062

🌱 후편 마무리 전략 ⋯⋯⋯⋯⋯⋯ 066

🌱 신유형·신경향 전략 ⋯⋯⋯⋯⋯⋯ 068

🌱 1·2등급 확보 전략 ⋯⋯⋯⋯⋯⋯ 074

BOOK 1

WEEK 1

인문 분야

1일 개념 돌파 전략 ①, ② ················ 008

2일 필수 체크 전략 ①, ② ················ 014

3일 필수 체크 전략 ①, ② ················ 020

🌱 누구나 합격 전략 ·························· 026

🌱 창의·융합·코딩 전략 ①, ② ············ 030

WEEK 2

사회 분야

1일 개념 돌파 전략 ①, ② ················ 036

2일 필수 체크 전략 ①, ② ················ 042

3일 필수 체크 전략 ①, ② ················ 048

🌱 누구나 합격 전략 ·························· 054

🌱 창의·융합·코딩 전략 ①, ② ············ 058

🌱 전편 마무리 전략 ························· 062

🌱 신유형·신경향 전략 ····················· 064

🌱 1·2등급 확보 전략 ······················ 070

파이팅!!

과학·기술 분야

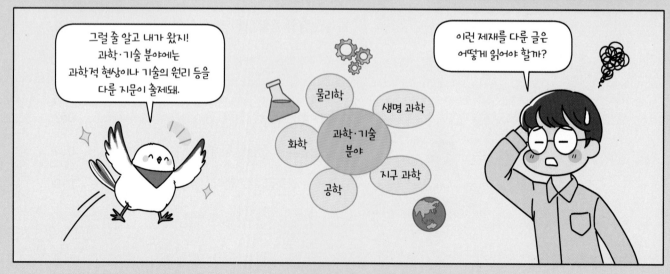

공부할 내용   1. 과학 분야 출제 경향 및 빈출 어휘   2. 사실적 읽기
              3. 기술 분야 출제 경향 및 빈출 어휘   4. 추론적 읽기

개념 돌파 전략 ①

개념 01 과학 분야 지문 출제 경향

○ 주요 제재

자연 현상과 물리적 세계 등 과학적 **❶** [　　　]이 발생하는 원인과 그 결과에 대한 내용을 다룸.

예 물리학, 화학, 생명 과학, 지구 과학 등

○ 출제 경향 및 공략법

- 과학 이론이나 탐구 과정을 다룬 글이 출제됨.
  예 빛의 굴절과 분산, 단백질의 분해와 합성
- 일상생활에서 발견할 수 있는 과학 현상을 설명하는 글이 출제됨. 예 공포 상황에 따른 교감 신경의 변화

↓

전문적인 과학 지식을 다루기 때문에 글에 제시된 용어의 개념을 명확하게 이해하고, 어떤 현상이 일어나는 조건이나 원인을 찾아 정보들 간의 **❷** [　　　]에 주목하여 글을 읽어야 함.

답 **❶** 현상 **❷** 관계

확인 01

다음 문장에 들어갈 알맞은 말을 골라 ○표를 하시오.

과학 분야의 지문은 주로 과학적 이론이나 탐구 과정을 다루기 때문에 (분석적 / 감상적)인 내용이 많다.

개념 02 과학 분야 문제 출제 경향

○ 빈출 문제

- 과학적 이론이나 법칙, **❶** [　　　] 결과와 관련된 시각 자료(그래프, 그림 등)를 이해하는 문제
  예 〈그림〉의 곡선 B에 대한 설명으로 적절하지 <u>않은</u> 것은?
- 지문의 내용을 사례에 적용하여 결과를 예측하는 문제

○ 빈출 문제 공략법

- 지문과 선택지의 핵심 단어에 표시하고 정보의 **❷** [　　　] 여부를 확인하며 풀어야 함.
- 시각 자료나 사례를 통해 묻고자 하는 내용은 특정 문단에 제시되는 경우가 많으므로 먼저 자료와 관련된 문단을 찾아 내용을 적용하며 풀어야 함.

답 **❶** 연구 **❷** 일치

확인 02

다음 중 과학적 이론을 이해하는 문제를 푸는 방법으로 가장 적절한 것은?

(정보의 일치 여부 확인하기 / 새로운 관점에서 재해석하기)

개념 03 과학 분야 빈출 어휘

고도	평균 **❶** [　　　] 따위를 0으로 하여 측정한 대상 물체의 높이.
	예 이 지역은 고도가 높아서 선선하다.
밀도	빽빽이 들어선 정도.
	예 입자의 밀도를 측정하는 실험이다.
투과성	어떤 물질이나 구조가 물질 분자와 이온의 **❷** [　　　]를 허용하는 성질. 또는 그 정도.
	예 유리는 종류에 따라 빛의 투과성이 다르다.
팽창하다	부풀어서 부피가 커지다.
	예 풍선이 점점 팽창하더니 터져 버렸다.
여과하다	액체 속에 들어 있는 침전물이나 입자를 걸러 내다.
	예 정수기로 수돗물을 여과해서 마신다.
방출되다	입자나 전자기파의 형태로 에너지가 내보내지다.
	예 자연 상태에서도 미량의 방사능이 방출된다.

답 **❶** 해수면 **❷** 투과

확인 03

다음 중 '팽창하다'의 반의어로 알맞은 것은?

① 비대하다　　　② 수축하다　　　③ 하락하다

개념 04 과학 분야 개념어

가설	어떤 사실을 설명하거나 어떤 원리를 이끌어 내기 위하여 설정한 **❶** [　　　]
	예 가설을 검증하기 위해 실험을 진행하다.
명제	어떤 문제에 대한 하나의 논리적 판단 내용과 주장을 언어 또는 **❷** [　　　]로 표시한 것으로, 참과 거짓을 판단할 수 있는 내용이라는 점이 특징임.
	예 어떤 명제가 참이라면, 그것의 역은 참일 수도 거짓일 수도 있다.
인과	어떤 대상을 원인과 결과를 중심으로 설명하는 방법
	예 운동과 체중 감량은 인과 관계에 있다.
도출	이미 제시된 내용을 바탕으로 하여 판단이나 결론 따위를 이끌어 내는 사고 과정을 말함.
	예 이번 실험으로 새로운 결론을 도출하게 되었다.

답 **❶** 가정 **❷** 기호

확인 04

다음 문장에 쓰인 설명 방식으로 알맞은 것은?

늦잠을 자서 지각했다.

① 정의　　　② 비교　　　③ 인과

개념 **05** 사실적 읽기_개념과 독해법

↻ 개념
글에 드러난 **❶** [   ]를 있는 그대로 확인하며 읽는 독서 방법

↻ 독해법
☑ **중심 화제와 핵심 내용 파악하기**
- 글에서 반복적으로 등장하는 단어의 의미를 파악하고 중심 **❷** [   ]를 찾아야 함.
- 지시어나 접속어 또는 **❸** [   ]되는 내용, 문장 간의 의미 관계에 주목하여 글의 핵심 내용을 파악해야 함.

☑ **글의 구조와 전개 방식 파악하기**
- 각 문단의 내용을 요약하여 문단들이 어떤 방식으로 **❹** [   ]되어 있는지 확인하고, 이를 토대로 글의 전개 방식을 파악해야 함.
- 예) 글의 구조 유형

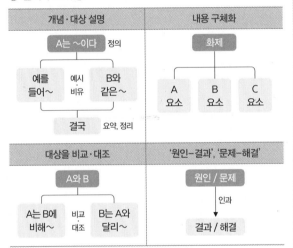

↻ 출제 경향
- 핵심 정보 및 세부 정보 파악하기 ✭
- 정보 간의 관계 파악하기 ✭
- 내용 전개 방식(서술 방식) 파악하기

답 ❶ 정보 ❷ 화제 ❸ 반복 ❹ 구조화

확인 05

다음 설명이 맞으면 ○표, 틀리면 ✕표를 하시오.
(1) 글을 읽을 때에는 반복적으로 등장하는 어휘에 주목하여 내용을 이해해야 한다. (   )
(2) 글의 구조 중 '원인-결과' 유형은 '개념 정의 → 예시 → 정리'의 순서로 글의 내용을 전개한다. (   )

개념 **06** 사실적 읽기_문제 풀이 전략

유형 **①** 핵심 정보 및 세부 정보 파악하기
글 전체의 **❶** [   ] 내용 또는 특정 대상이나 개념과 관련된 정보를 파악할 수 있는지 평가하는 유형

예) 윗글에서 알 수 있는 내용으로 적절하지 <u>않은</u> 것은?

>> 문제 풀이 전략

STEP 1 중심 화제 찾기	글에서 반복적으로 언급하는 말에 주목하여 중심 화제를 찾음.
STEP 2 세부 정보 파악하기	문단의 중심 내용과 세부 정보를 파악한 후 글의 전체적인 흐름을 파악함.
STEP 3 선택지와 지문 비교하기	주로 지문의 어휘나 표현 등을 바꾸어 **❷** [ ]한 문장으로 선택지를 제시하기 때문에 표현의 차이에 유의하여 선택지의 내용과 지문의 해당 부분을 비교함.

유형 **②** 정보 간의 관계 파악하기
글에 나타난 정보 간의 **❸** [   ] 관계를 파악할 수 있는지 평가하는 유형

예) ㉠과 ㉡에 대한 설명으로 적절한 것은?

>> 문제 풀이 전략

STEP 1 발문 확인하기	지문에서 확인해야 할 정보가 무엇인지 발문을 통해 확인함.
STEP 2 각 정보의 의미 파악하기	정보와 관련된 세부 내용을 지문에서 확인하고, 정보의 의미를 파악함.
STEP 3 정보 간의 관계 파악하기	정보들 사이의 **❹** [ ]에 주목하여 각 정보가 어떤 관계에 있는지 파악함.

답 ❶ 핵심 ❷ 재구성 ❸ 의미 ❹ 연관성

확인 06

다음 문제 유형에 알맞은 풀이 전략을 연결하시오.

(1) 세부 정보 파·악하기 ·

· ⓐ 정보들 사이의 연관성에 주목하여 그 관계를 파악함.

(2) 정보 간의 관·계 파악하기 ·

· ⓑ 지문과 선택지의 어휘나 표현의 차이에 유의하여 내용을 비교함.

개념 07 기술 분야 지문 출제 경향

↻ 주요 제재

일상생활에서 접할 수 있는 기술의 [❶_____]나 특정 기술의 발전 과정 등을 다룸.

예 정보 통신 기술, 기계 공학, 전자 공학 기술, 의료 기술 등

↻ 출제 경향 및 공략법

- 특정 기술에 적용된 과학적 원리와 작동 순서 등을 설명하는 글이 출제됨.
  예 디지털 데이터의 부호화 과정

- 생활 속에서 유용하게 활용되는 산업 기술과 그 기술이 적용된 제품의 특성 등을 설명하는 글이 출제됨.
  예 미세 먼지 측정 기술, 전자 요금 징수 시스템

↓

주로 기술의 원리나 방법을 설명하는 글이 출제되기 때문에 작동 과정이나 단계에 [❷_____]를 매겨 가면서 원리·과정·방법에 관한 정보에 주목하여 글을 읽어야 함.

目 ❶ 원리 ❷ 번호

확인 07

다음 문장에 들어갈 알맞은 말을 골라 ○표를 하시오.

기술 분야의 지문은 원리나 과정, 방법이 드러나는 (순서 / 견해)를 파악하며 읽어야 한다.

개념 08 기술 분야 문제 출제 경향

↻ 빈출 문제

- 구체적 [❶_____]에 대한 이해를 묻는 문제
  예 '모델링'에 대한 설명으로 가장 적절한 것은?

- 원리와 작동 과정을 구체적 사례나 상황에 적용하는 문제
  예 윗글을 바탕으로 〈보기〉의 '전기 레인지'를 이해한 내용으로 적절하지 않은 것은?

↻ 빈출 문제 공략법

- 지문에 제시된 용어의 개념을 명확하게 이해하고, 그러한 개념이 기술이나 장치가 작동하는 과정에서 어떤 [❷_____]을 하는지에 주목하여 문제를 풀어야 함.

- 기술의 원리나 작동 과정이 드러난 부분을 지문에서 찾아 선택지와 비교·대조하며 풀어야 함.

目 ❶ 개념 ❷ 역할

확인 08

다음 중 '사물의 근본이 되는 이치'를 의미하는 것은?

① 원리　　　　② 근원　　　　③ 규범

개념 09 기술 분야 빈출 어휘

공정	한 제품이 완성되기까지 거쳐야 하는 하나하나의 작업 [❶_____]. 예 제조 공정을 자동화하면 생산 비용을 줄일 수 있다.
출력	엔진, 전동기, 발전기 따위가 외부에 공급하는 기계적·전기적인 힘. 예 이 기계는 최대 출력을 얻을 수 있도록 설계했다.
제어	기계나 설비 또는 화학 반응 따위가 목적에 알맞은 작용을 하도록 조절함. 예 이 장치는 전동기의 속도 제어에 쓰인다.
오작동	기계나 전자 제품이 기능 이상으로 잘못 작동함. 예 기계의 오작동으로 불량품이 생산되었다.
내구성	물질이 원래의 상태에서 변질되거나 변형됨이 없이 오래 [❷_____] 성질. 예 신제품은 기존 제품보다 내구성이 크게 향상되었다.
식별하다	분별하여 알아보다. 예 공군은 항공기의 종류를 식별할 수 있는 장치를 갖고 있다.

目 ❶ 단계 ❷ 견디는

확인 09

다음 중 반의 관계에 해당하는 것은?

① 제어 – 통제　　② 작동 – 정지　　③ 개선 – 개량

개념 10 기술 분야 개념어

추론	어떤 판단을 근거로 삼아 다른 [❶_____]을 이끌어 내는 것을 말함. 예 추론은 사실에 근거해야 한다.
전제	글의 내용을 전개하기 위해 이미 받아들이고 있는 생각으로, 글의 중심 내용을 이끌어 내기 위한 기본 바탕을 말함. 예 기업의 미래 성장 동력은 기술 경쟁력 확보를 필수 전제로 한다.
입증	근거나 증거 따위를 내세워 [❷_____]하는 것을 말함. 예 이 장난감은 실험을 통해 안전성이 입증되었다.
논증	근거를 들어 옳고 그름을 밝히는 서술 방식을 말함. 예 학문에서는 철저한 논증이 중요하다.

目 ❶ 판단 ❷ 증명

확인 10

다음 중 ㉠에 들어갈 말로 알맞은 것은?

고고학자들은 발굴된 유물을 통해 고대인들의 생활 방식을 (㉠)하고 있다.

① 전제　　　　② 추론　　　　③ 의도

개념 **11** 추론적 읽기_개념과 독해법

↻ 개념
글에 제시된 정보를 토대로 글에 직접 드러나지 않은 내용을 ❶[　　　]하며 읽는 독서 방법

↻ 독해법

☑ 기본 정보 이해하기
· 글의 중심 화제를 파악하고 글에 제시된 개념과 원리, 방법 등 ❷[　　　]의 바탕이 되는 기본 정보를 정확하게 이해해야 함.

☑ 정보 간의 관계 파악하기
· 정보들의 관계는 읽기 ❸[　　　]을 구성하여 겉으로 드러나지 않은 내용을 추론하는 데 바탕이 되기 때문에 문장 형식에 주목하여 '원인-결과', '주장(견해)-근거', '전제-결론' 등의 관계를 파악해야 함.
> 인과 관계를 보여 주는 문장 형식: ～(하)면 ～(이)다. / ～에 따라 ～(하)다. / ～(ㄹ)수록 ～(ㄴ)다.

☑ 생략된 내용 추론하기
· 글의 문맥, 정보 간의 ❹[　　　], 글에 사용된 담화 표지 등을 종합적으로 활용하여 글에서 생략되거나 암시된 정보를 추측하며 읽어야 함.
> 하이브리드 자동차는 기존의 내연 기관 자동차와 비교했을 때 동력 성능이 뛰어나고 연료 소비율이 낮아 배기가스 배출을 줄일 수 있다는 장점이 있다.
> → 내연 기관 자동차와 하이브리드 자동차의 차이점(동력 성능, 연료 소비율 등)을 추론할 수 있음.

↻ 출제 경향
· 세부 내용 추론하기 ✄
· 글쓴이의 의도나 목적 추론하기
· 글의 내용을 시각 자료에 적용하기
· 글의 내용을 구체적 사례나 상황에 적용하기 ✄

답 ❶ 추측 ❷ 추론 ❸ 맥락 ❹ 관계

확인 11

다음 설명이 맞으면 ○표, 틀리면 ✕표를 하시오.
(1) 추론적 읽기는 글에 제시된 정보에 독자의 개인적 경험을 더해 자신만의 독창적인 생각을 구성하는 읽기 방법이다. (　　　)
(2) 글의 내용을 추론하며 읽을 때에는 문맥이나 담화 표지, 정보 간의 관계 등을 종합적으로 활용해야 한다. (　　　)

개념 **12** 추론적 읽기_문제 풀이 전략

유형 ① 세부 내용 추론하기
글에 직접 드러나지 않은 정보를 추론할 수 있는지 평가하는 유형
> 윗글을 읽고 추론한 내용으로 적절하지 <u>않은</u> 것은?
> ⑦의 이유로 가장 적절한 것은?

≫ 문제 풀이 전략

STEP 1 추론 대상 확인하기	발문에서 추론 ❶[　　　]으로 지정한 개념이나 문장이 포함된 문단의 중심 내용을 확인함.
↓	
STEP 2 선택지에서 추론의 단서 찾기	선택지는 추론 과정을 거쳐 재진술된 것이므로 선택지에서 추론의 ❷[　　　]가 될 주요 내용을 파악함.
↓	
STEP 3 추론의 적절성 판단하기	지문에서 근거를 찾아 선택지에 제시된 추론 내용이 적절한지 판단함. 이때 지문과 선택지의 어휘나 표현이 다르더라도 내용 면에서 가장 근접한 근거를 찾아 적절한 추론을 거친 진술인지 확인함.

유형 ② 구체적 사례나 상황에 적용하기
글에 나타난 ❸[　　　]·관념적인 정보를 구체적인 사례나 상황, 시각 자료에 대응시킬 수 있는지 평가하는 유형
> 윗글을 바탕으로 〈보기〉를 이해한 내용으로 적절하지 <u>않은</u> 것은?

≫ 문제 풀이 전략

STEP 1	지문에서 개념, 원리, 관점을 구성하는 핵심 요소가 무엇인지 분석하기
↓	
STEP 2	지문에서 찾은 핵심 요소가 〈보기〉의 사례·상황에서 어떻게 ❹[　　　]되었는지 파악하기

답 ❶ 대상 ❷ 단서 ❸ 추상적 ❹ 구체화

확인 12

다음 문제 유형에 알맞은 풀이 전략을 연결하시오.

(1) 세부 내용 추론하기 ·　　　· ⓐ 추론의 단서를 찾아 선택지의 추론 내용이 적절한지 판단함.

(2) 구체적 사례에 적용하기 ·　　　· ⓑ 지문의 핵심 내용이 사례에 어떻게 적용되는지 연결 지어 파악함.

개념 돌파 전략 ②

01 다음 글에서 설명하고 있는 과학적 이론이나 법칙을 찾아 쓰시오.

일반적으로 널리 사용되는 스피커로는 다이내믹 스피커가 있다. 다이내믹 스피커는 영구 자석에 의해 형성되는 자기장이 보이스 코일에 흐르는 전류와 수직 방향을 이루도록 하여 진동판을 움직이는 힘이 위아래로 작용하게 함으로써 소리를 재생하는 메커니즘을 갖는다. 이러한 메커니즘은 왼쪽의 〈그림〉처럼 자기장과 전류의 방향이 수직을 이룰 때 생성되는 힘이 자기장과 전류의 수직 방향으로 작용한다는 플레밍의 왼손 법칙으로 설명할 수 있다.

힘(F) 자기장(B) 전류(I)

〈그림〉 플레밍의 왼손 법칙

02 과학 분야에서 자주 사용되는 개념어 중 다음 글의 ㉠에 들어갈 단어로 가장 적절한 것은?

면역계 과민 반응으로 인한 질병들은 의료 환경이 발달한 선진국에서 점점 더 증가하는 추세이다. 그렇다면 이와 같은 면역계 과민 반응이 나타나는 이유는 무엇일까?

과학자들은 그 이유를 인체가 수백만 년 동안 진화해 온 환경에서 찾았다. 인체는 무균 지대나 청정 지대가 아니라 세균과 바이러스, 기생충 등과 함께 진화해 왔다. 즉 이들 침입자는 인체의 면역계로부터 자신을 보호하기 위해 면역 반응을 억제하도록 진화했고, 인체는 면역 반응을 억제하는 외부 물질의 침입에 대비하여 면역 반응을 일으키도록 진화했다. 그런데 현대 의학의 발달과 환경 개선으로 바이러스 등이 줄어들게 되자 면역 반응이 지나치게 된 것이다. 이를 '위생 (㉠)'이라고 한다. 이에 따르면 바이러스에 접할 기회가 줄어든 깨끗한 환경이 오히려 질병의 원인이 된다.

① 명제　　　　② 인과　　　　③ 도출
④ 가설　　　　⑤ 현상

03 이 글의 내용으로 알맞지 <u>않은</u> 것은?

> 과거에는 물질이 더 이상 쪼개지지 않는 작은 원자들로 구성되어 있다고 생각되었지만, 오늘날에는 원자가 전자, 양성자, 중성자로 구성된 복잡한 구조라는 것이 밝혀졌다.
>
> 음전기를 띠고 있는 전자는 세 입자 중 가장 작고 가볍다. 1897년에 톰슨이 기체 방전관 실험에서 음전기의 흐름을 확인하여 전자를 발견하였다. 같은 음전기를 띠고 있는 전자들은 서로 반발하므로 원자 안에 모여 있기 어렵다. 이에 전자끼리 흩어지지 않고 원자의 형태를 유지하는 이유를 설명하기 위해 톰슨은 '건포도 빵 모형'을 제안하였다. 그는 양전기가 빵 반죽처럼 원자에 고르게 퍼져 있고, 전자는 건포도처럼 점점이 박혀 있어서 원자가 평소에 전기적으로 중성이라고 생각한 것이다.

① 톰슨은 기체 방전관 실험에서 전자를 발견하였다.
② 과거에는 원자를 더이상 쪼갤 수 없다고 생각하였다.
③ 전자는 양성자, 중성자와 비교하여 작고 가볍다는 특징이 있다.
④ 원자는 전자, 양성자, 중성자로 구성된 복잡한 구조를 지니고 있다.
⑤ 톰슨은 '건포도 빵 모형'에서 전자를 빵 반죽에 비유하여 전자가 원자에 고르게 퍼져 있다고 설명했다.

독해 전략

글에서 반복적으로 등장하는 단어의 의미를 파악하며 **❶**   를 찾아본다. 그리고 중심 화제의 특징과 구조 등을 어떻게 설명하고 있는지 구체적인 **❷**   를 확인해야 한다.

답 ❶ 중심 화제 **❷** 정보

문제 해결 전략

내용 **❶**   여부를 묻는 문제를 풀 때에는 선택지의 내용이 글의 어느 부분에 제시되어 있는지 빠르게 찾고, 그 내용을 **❷**   하여 일치 여부를 판단해야 한다.

답 ❶ 일치 **❷** 비교

04 ㉠과 ㉡에 대한 설명으로 적절하지 <u>않은</u> 것은?

> ㉠급성 감염은 일반적으로 짧은 기간 안에 일어나는데, 바이러스는 감염된 숙주 세포를 증식 과정에서 죽이고 바이러스가 또 다른 숙주 세포에서 증식하며 질병을 일으킨다. 시간이 흐르면서 체내의 방어 체계에 의해 바이러스를 제거해 나가면 체내에는 더 이상 바이러스가 남아 있지 않게 된다. 반면 ㉡지속 감염은 급성 감염에 비해 상대적으로 오랜 기간 동안 바이러스가 체내에 잔류한다. 지속 감염에서는 바이러스가 장기간 숙주 세포를 파괴하지 않으면서도 체내의 방어 체계를 회피하며 생존한다. 지속 감염은 바이러스의 발현 양상에 따라 잠복 감염과 만성 감염, 지연 감염으로 나뉜다.

① ㉠은 ㉡에 비해 바이러스가 체내에 남아 있는 시간이 짧다.
② ㉠은 ㉡과 달리 바이러스가 증식하는 과정에서 숙주 세포를 죽인다.
③ ㉡은 ㉠에 비해 바이러스가 오랫동안 체내의 방어 체계를 회피하며 생존한다.
④ ㉡은 ㉠과 달리 감염된 숙주 세포가 아닌 다른 숙주 세포에서 바이러스가 증식한다.
⑤ ㉡은 ㉠과 달리 바이러스의 발현 양상에 따라 잠복 감염, 만성 감염, 지연 감염으로 구분한다.

독해 전략

글에서 비교 대상을 각각 어떻게 설명하고 있는지 확인하고, 대상 간의 **❶**   과 **❷**   을 중심으로 각 대상과 관련된 정보를 정리해 본다.

답 ❶ 공통점 **❷** 차이점

문제 해결 전략

정보 간의 **❶**   를 파악하는 문제는 각 정보의 **❷**   을 먼저 확인해야 한다. 그 내용을 바탕으로 비교 대상이 상하 관계, 병렬 관계, 반대 관계 등 어떤 관계를 지니는지 파악한다.

답 ❶ 관계 **❷** 세부 내용

05 다음 글에 대한 설명으로 가장 적절한 것은?

일상에서 널리 사용되고 있는 지문 인식 시스템은 등록된 지문과 조회하는 지문이 동일한지 판단함으로써 신원을 확인하는 생체 인식 시스템이다. 지문을 등록하거나 조회하기 위해서는 지문 입력 장치를 통해 지문의 융선과 골이 잘 드러나 있는 지문 영상을 얻어야 한다. 지문 입력 장치는 손가락과의 접촉을 통해 정보를 얻는데, 이때 지문의 융선은 접촉면과 닿게 되고 골은 닿지 않는다. 따라서 지문 입력 장치의 융선과 골에 대응하는 빛의 세기, 전하량, 온도와 같은 물리량에 차이가 발생한다.

① 지문 인식 시스템의 발전 과정을 시기별로 나누어 설명하고 있다.
② 지문 인식 시스템이 사용된 전자 제품의 종류와 구성을 설명하고 있다.
③ 지문 인식 시스템에 적용된 특정 과학 법칙을 예를 들어 설명하고 있다.
④ 지문 인식 시스템이 개발된 이유와 개발 과정을 구체적으로 설명하고 있다.
⑤ 일상생활에서 접할 수 있는 지문 인식 시스템의 개념과 그 원리를 설명하고 있다.

문제 해결 전략

이 글에서 **❶** [ ]으로 나타나는 단어를 중심으로 중심 화제를 찾고, 중심 화제를 어떤 방식으로 **❷** [ ]하고 있는지 확인해야 한다.

🖪 ❶ 반복적 ❷ 설명

06 문맥상 ㉠에 들어갈 단어로 가장 적절한 것은?

저울은 물체의 질량이나 무게를 재는 도구이다. 그렇다면 저울은 어떤 원리로 만들어졌을까? 대표적으로 지렛대의 원리를 이용하여 물체의 질량을 [㉠]하는 방법이 있는데, 양팔 저울과 대저울이 이에 해당한다. 또한 탄성력의 원리를 이용하여 물체의 무게를 측정하는 방법도 있는데, 가정에서 쉽게 볼 수 있는 체중 저울이 이러한 원리를 사용한 것이다.

① 식별   ② 감정   ③ 판별
④ 제어   ⑤ 측정

문제 해결 전략

빈칸에 들어갈 내용이나 단어를 묻는 문제에서는 앞뒤 **❶** [ ]을 바탕으로 생략된 부분에 들어갈 단어를 **❷** [ ]해야 한다.

🖪 ❶ 문맥 ❷ 추론

07~08 다음 글을 읽고 물음에 답하시오.

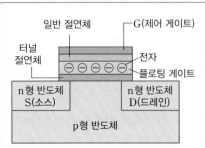

플래시 메모리에서는 두 가지 과정을 거쳐 데이터가 저장된다. 우선 데이터를 지우는 과정이 필요하다. 데이터 지우기는 여러 개의 셀이 연결된 블록 단위로 이루어진다. 블록에 포함된 모든 셀마다 G에 0V, p형 반도체에 약 20V의 양의 전압을 ⊙가하면, 플로팅 게이트에 전자가 있는 경우, 그 전자가 터널 절연체를 넘어 p형 반도체로 이동한다. 반면 전자가 없는 경우는 플로팅 게이트에 변화가 없다. 따라서 해당 블록의 모든 셀은 0의 상태가 된다. 터널 절연체는 전류 흐름을 항상 차단하는 일반 절연체와는 다르게 일정 이상의 전압이 가해졌을 때는 전자를 통과시킨다.

이와 같은 과정을 거친 후에야 데이터 쓰기가 가능하다. 데이터를 저장하려면 1을 쓰려는 셀의 G에 약 20V, p형 반도체에는 0V의 전압을 가한다. 그러면 p형 반도체에 있던 전자들이 터널 절연체를 넘어 플로팅 게이트로 들어가 저장된다. 이것이 1의 상태이다.

독해 전략

이 글은 플래시 메모리에 데이터를 저장하는 방법을 플래시 메모리의 ❶ □□ 를 나타낸 그림과 함께 설명하고 있다. 이처럼 그림이 함께 제시된 글의 경우 그림을 보며 ❷ □□ 적인 내용을 파악하면 글을 이해하는 데 도움이 된다.

🔽 ❶ 구조 ❷ 세부

문제 해결 전략

글의 내용을 ❶ □□ 하는 문제에서는 추론 대상을 확인한 후, 선택지를 통해 추론의 ❷ □□ 를 찾고, 지문의 내용을 바탕으로 추론의 적절성을 판단해야 한다.

🔽 ❶ 추론 ❷ 단서

07 윗글을 읽고, '플래시 메모리'에 대해 추론한 내용으로 가장 적절한 것은?

① 터널 절연체 대신 일반 절연체를 사용하면 데이터를 지울 수 없다.
② 일반 절연체는 전압의 세기에 따라 전류의 흐름을 차단하기도 한다.
③ p형 반도체에 양의 전압을 가해도 플로팅 게이트의 전자는 변화가 없다.
④ p형 반도체에 양의 전압을 가하면 플로팅 게이트의 전자가 G로 이동한다.
⑤ 플로팅 게이트에 전자가 들어 있을 때, 일반 절연체와 터널 절연체의 구분이 사라진다.

08 문맥을 고려할 때 ⊙의 의미로 가장 적절한 것은?

① 뒤섞어서 한데 합하다.
② 모자라는 것을 더하여 채우다.
③ 어떤 행위를 하거나 영향을 끼치다.
④ 모자라거나 부족한 것을 보충하여 완전하게 하다.
⑤ 일정한 양이나 정도에서 일부를 떼어 줄이거나 적게 하다.

문제 해결 전략

단어의 의미를 파악하는 문제를 풀 때에는 해당 단어가 쓰인 문장들을 읽고 ❶ □□□ 의미를 추론할 수 있어야 한다. 작은 의미 ❷ □□ 로 인해 다른 단어가 되기도 하기 때문에 선택지에 제시된 의미를 꼼꼼하게 파악하여 문맥을 통해 추론한 의미와 가장 유사한 의미를 찾아야 한다.

🔽 ❶ 문맥상 ❷ 차이

필수 체크 전략 ①

✎ **다음 글을 읽고 물음에 답하시오.**

빛이 물체에 닿으면 물체를 구성하는 원자 내의 전자가 진동하면서 전자기파를 방출하는데, 인간의 눈에 보이는 빛의 색깔은 방출되는 전자기파의 고유한 진동수에 따라 결정된다. 인간의 눈에 보이는 가시광선 중 가장 낮은 진동수의 빛은 빨간색 광선이며, 진동수가 가장 높은 빛은 보라색 광선이다. 보라색 광선보다 더 높은 진동수를 지닌 자외선이나, 빨간색 광선보다 더 낮은 진동수를 지닌 적외선은 인간의 눈에 보이지 않는다. 빛이 물체에 닿을 때, 물체는 흡수한 빛 중에서 특정 진동수의 가시광선을 우리 눈의 방향으로 다시 방출하여 우리 눈은 그 방출된 빛을 보게 된다. 장미가 빨갛게 보이는 이유는 장미가 흡수한 빛 중에서 빨간색 광선에 해당하는 진동수의 빛을 우리 눈의 방향으로 방출하기 때문이다.

그렇다면 유리와 같은 투명체는 왜 특정 색깔을 띠지 않고 투명해 보이는 것일까? 인간의 눈에는 빛이 직진하여 그대로 유리를 통과하는 것처럼 보이지만, 실제로는 그렇지 않다. 즉 유리를 구성하는 원자가 흡수한 빛 가운데, 적외선과 자외선은 유리에 대부분 흡수되어 열에너지의 형태로 남고, 가시광선 영역에 해당하는 대부분은 사방으로 재방출된다. 유리가 투명해 보이는 이유는 이 때문이다.

그런데 유리 원자가 가시광선을 흡수했다가 방출하기까지는 약간의 시간이 소요되며, 소요된 시간만큼 빛의 속력이 줄어들게 된다. 공기 중에서의 빛의 속력의 값을 c로 놓을 때, 유리나 물과 같은 투명체를 통과하는 빛의 속력은 c의 대략 70%에 불과하다. 이렇게 느려진 빛은 다시 공기 중으로 나오면서 원래의 속력을 회복하게 된다. 빛의 속력은 '매질의 밀도가 높을수록 낮아지는데, 공기 중보다 유리에서 빛의 속력이 낮아지는 것은 유리의 밀도가 공기의 밀도보다 높기 때문이다.

빛이 이렇게 물질마다 다른 속력으로 진행하기 때문에 다른 물질의 경계 면에 닿았을 때 수직으로 진행하는 경우를 제외하면 언제나 빛의 경로가 꺾이게 된다. 이러한 현상을 굴절이라고 한다. 굴절 현상을 이해하기 위해, 장난감 자동차가 매끈한 아스팔트에서 바퀴가 잘 구르지 않는 잔디밭으로 비스듬히 들어가는 경우를 생각해 보자. 잔디에 먼저 도착한 쪽의 바퀴의 속력은 느려지지만 아스팔트 위를 달리고 있는 쪽의 바퀴의 속력은 빠르게 유지되기 때문에 자동차의 진행 방향은 잔디에 먼저 도착한 쪽의 바퀴가 있는 방향으로 꺾이게 된다. 빛이 공기 중에서 물로 비스듬히 들어갈 때에도, 빛의 파면의 아랫부분이 물에 먼저 도착하여 속력이 느려지면서 빛이 파면의 아랫부분으로 꺾이게 된다.

또한 빛이 투명체를 지날 때 굴절되면서 진동수에 따라 다양한 광선으로 분리되는데, 이를 빛의 분산이라고 한다. 빛이 공기 중에서 투명체로 비스듬히 들어갈 때, 진동수가 높은 보라색 광선은 진동수가 낮은 빨간색 광선보다 투명체 안에서의 속력이 더 느려지기 때문에, 더 많이 굴절된다. 이에 따라 투명체를 통과하는 빛은 서로 다른 색깔의 광선으로 나뉘어 각기 다른 진행 경로로 방출된다.

● **매질** 어떤 파동 또는 물리적 작용을 한 곳에서 다른 곳으로 옮겨 주는 매개물.
● **빛의 파면** 빛을 파동으로 보았을 때 빛의 진행 방향과 수직인 면. 본래 파면은 곡선이나 태양과 거리가 먼 지구에서의 빛의 파면은 거의 직선이다.

💡 ● **이 글의 화제:** 빛의 진행 과정에서 나타나는 현상
● **이 글의 짜임**

1문단	물체가 색을 띠는 **①**
2문단	투명체가 투명해 보이는 이유
3문단	매질의 **②** 따른 빛의 속력 차이
4문단	빛의 **③**
5문단	빛의 굴절과 함께 발생하는 빛의 **④**

답 ❶ 원리 ❷ 밀도 ❸ 굴절 ❹ 분산

대표 유형 ① 사실적 읽기

1 윗글에서 다룬 내용이 **아닌** 것은?

① 자외선이 유리에 흡수되는 이유

② 빛의 색깔에 따른 진동수의 차이

③ 빛의 진행 과정에서 일어나는 현상

④ 유리와 같은 물체가 투명하게 보이는 이유

⑤ 투명체를 통과할 때 빛의 속력이 감소하는 이유

유형 해결 전략 지문에서 언급하고 있는 세부 정보를 파악하는 문제야. 이런 유형의 문제는 특정 **❶** 과 관련된 정보로 선택지를 구성하기보다는 글 **❷** 와 관련된 내용으로 구성하기 때문에 각 문단의 중심 내용을 제대로 파악해야 풀 수 있어.

답 ❶ 문단 ❷ 전체

대표 유형 ② 추론적 읽기

2 윗글을 읽고 〈보기〉의 그림에 대해 설명한 내용으로 적절한 것은?

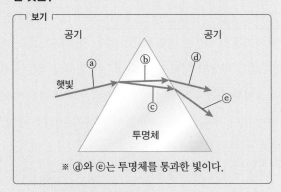

※ ⓓ와 ⓔ는 투명체를 통과한 빛이다.

① ⓐ와 ⓓ의 속력은 다르다.

② ⓐ~ⓔ 중, ⓒ의 속력이 가장 느리다.

③ ⓐ와 ⓔ에는 자외선이 들어 있지 않다.

④ ⓑ의 진동수는 ⓒ의 진동수보다 높다.

⑤ ⓑ와 ⓔ의 진동수는 같다.

유형 해결 전략 지문의 **❶** 를 〈보기〉의 구체적 상황에 **❷** 하는 문제야. 지문에서 〈보기〉를 해석하는 데 필요한 정보를 찾고, 해당 내용을 〈보기〉의 그림에 적용하여 추론해야 돼.

답 ❶ 정보 ❷ 적용

1-1 윗글의 내용과 일치하는 것은?

① 빛이 투명체를 통과하는 경우 가시광선은 모두 동일한 경로로 방출된다.

② 빨간색 광선은 인간의 눈에 보이는 가시광선 중 진동수가 가장 높은 빛이다.

③ 유리가 투명해 보이는 이유는 빛이 직진하여 유리를 그대로 통과하기 때문이다.

④ 빛은 투명체를 통과한 이후 다시 공기 중으로 나오면서 원래의 속력을 회복한다.

⑤ 빛이 물질의 경계 면에 닿았을 때 수직으로 진행하는 경우에만 굴절 현상이 일어난다.

•••도움말

글의 내용과 **❶** 여부를 묻는 문제는 선택지의 내용 중 **❷** 를 글의 내용과 다르게 구성하는 경우가 많아. 그렇기 때문에 글에 대한 이해를 바탕으로 선택지의 내용을 꼼꼼하게 확인하며 풀어야 해.

답 ❶ 일치 ❷ 일부

2-1 윗글을 읽고 추론한 내용으로 적절하지 **않은** 것은?

① 투명체의 밀도에 따라 빛이 굴절되는 방향이 달라질 것이다.

② 적외선과 자외선도 가시광선처럼 특정한 진동수를 지닐 것이다.

③ 빛이 유리에 닿으면 일부는 유리에 흡수되고 일부는 재방출될 것이다.

④ 빛이 투명체를 지날 때 굴절되지 않는다면 빛의 분산도 발생하지 않을 것이다.

⑤ 빛이 어떤 물질을 통과할 때 그 물질의 밀도가 낮을수록 빛의 속력이 빨라질 것이다.

✏️ 다음 글을 읽고 물음에 답하시오.

지름 10㎛ 이하인 미세 먼지는 각종 호흡기 질환을 유발할 수 있기 때문에, 예방 차원에서 대기 중 미세 먼지의 농도를 알 필요가 있다. 이를 위해 미세 먼지 측정기가 개발되었는데, 이 기기들은 대부분 •베타선 흡수법을 사용하고 있다. 베타선 흡수법을 이용한 미세 먼지 측정기는 입자의 성분에 상관없이 설정된 시간에 맞추어 미세 먼지의 농도를 자동적으로 측정한다. 이 기기는 크게 분립 장치, 여과지, 베타선 광원 및 감지기, 연산 장치 등으로 구성된다.

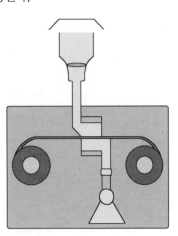

미세 먼지의 농도를 측정하기 위해서는 우선 분석에 쓰일 재료인 •시료의 채취가 필요하다. 시료인 공기는 •흡인 펌프에 의해 시료 흡입부로 들어오는데, ㉠이때 일정한 양의 공기가 일정한 시간 동안 유입되도록 설정된다. 분립 장치는 시료 흡입부를 통해 유입된 공기 속 입자 물질을 내부 노즐을 통해 가속한 후, 충돌판에 충돌시켜 10㎛보다 큰 입자만 •포집하고 그보다 작은 것들은 통과할 수 있도록 한다.

결국 지름 10㎛보다 큰 먼지는 충돌판에 그대로 남고, 이보다 크기가 작은 미세 먼지만 아래로 떨어져 여과지에 쌓인다. 여과지는 긴 테이프의 형태로 되어 있으며, 일정 시간 미세 먼지를 포집한다. 여과지에 포집된 미세 먼지는 베타선 광원과 베타선 감지기에 의해 그 질량이 측정된 후 자동 이송 구동 장치에 의해 밖으로 배출된다.

•방사선인 베타선을 광원으로 사용하는 이유는 베타선이 어떤 물질을 통과할 때, 그 물질의 질량이 커질수록 베타선의 세기가 •감쇠하는 성질이 있기 때문이다. 또한 종이는 빠르게 투과하나 얇은 금속판이나 플라스틱은 투과할 수 없어, 안전성이 뛰어나기 때문이다. 베타선 광원으로부터 •조사(照射)된 베타선은 여과지 위에 포집된 미세 먼지를 통과하여 베타선 감지기에 도달하게 된다. 이때 감지된 베타선의 세기는 미세 먼지가 없는 여과지를 통과한 베타선의 세기보다 작을 수밖에 없다. 왜냐하면 베타선이 여과지 위에 포집된 미세 먼지를 통

과할 때, 그 일부가 미세 먼지 입자에 의해 흡수되거나 소멸되기 때문이다. 따라서 미세 먼지가 없는 여과지를 통과한 베타선의 세기와 미세 먼지가 있는 여과지를 통과한 베타선의 세기에는 차이가 발생한다.

베타선 감지기는 이 두 가지 베타선의 세기를 데이터 신호로 바꾸어 연산 장치에 보낸다. 연산 장치는 이러한 데이터 신호를 수치로 환산한 후 미세 먼지가 흡수한 베타선의 양을 고려하여 여과지에 포집된 미세 먼지의 질량을 구한다. 이렇게 얻어진 미세 먼지의 질량은 유량 측정부를 통해 측정한, 시료 포집 시 흡입된 공기량을 감안하여 •피피비(ppb) 단위를 갖는 대기 중의 미세 먼지 농도로 나타나게 된다.

● **베타선** 방사성 물질에서 나오는 방사선의 하나.
● **시료** 시험, 검사, 분석 따위에 쓰는 물질이나 생물.
● **흡인** 빨아들이거나 끌어당김.
● **포집하다** 여러 가지 방법으로 일정한 물질 속에 있는 미량 성분을 분리하여 잡아 모으다.
● **방사선** 방사성 원소의 붕괴에 따라 물체에서 방출되는 입자나 전자기파. 프랑스의 물리학자 베크렐이 우라늄 화합물에서 처음 발견한 것으로, 알파선 · 베타선 · 감마선이 있다.
● **감쇠하다** 힘이나 세력 따위가 줄어서 약하여지다.
● **조사** 광선이나 방사선 따위를 쬠.
● **피피비(ppb)** 농도의 단위. 1피피비는 10^{-9}으로 1ppm의 1000분의 1이다.

💡 ● 이 글의 화제: 베타선 흡수법을 이용한 ❶ [　미세 먼지　] 측정기
● 이 글의 짜임

1문단	베타선 흡수법을 이용한 미세 먼지 ❷ [　측정기　]의 구성
2문단	분립 장치의 기능
3문단	여과지와 ❸ [　베타선　] 감지기의 기능
4문단	베타선을 ❹ [　광원　]으로 사용하는 이유
5문단	연산 장치의 기능

📘 ❶ 미세 먼지 ❷ 측정기 ❸ 베타선 ❹ 광원

대표 유형 ③ 사실적 읽기

3 윗글을 읽은 학생들의 반응으로 적절하지 <u>않은</u> 것은?

① 미세 먼지 측정기에는 베타선 흡수법이 널리 사용되는군.

② 베타선은 플라스틱으로 만들어진 물체를 투과하지 못하겠군.

③ 베타선 감지기는 베타선 세기를 데이터 신호로 바꾸어 주는 장치겠군.

④ 대기 중 미세 먼지 농도를 측정하기 위해서는 시료 채취부터 시작해야겠군.

⑤ 미세 먼지 측정기는 미세 먼지 농도 측정 시 미세 먼지의 성분에 영향을 받는군.

유형 해결 전략 ▶ 지문을 읽고 보일 수 있는 **❶** 을 묻고 있지만, 선택지를 살펴보면 글의 내용을 사실적으로 이해했는지 확인하는 문제임을 알 수 있어. 결국 글에 대한 반응도 주어진 정보에 근거하여 구성되기 때문에 선택지 내용이 지문의 내용과 **❷** 하는지 꼼꼼히 따져 봐야 해.

답 **❶** 반응 **❷** 일치

대표 유형 ④ 추론적 읽기

4 ㉠의 이유로 가장 적절한 것은?

① 미세 먼지를 짧은 시간 안에 많이 포집하기 위해

② 미세 먼지의 발생 원인을 효과적으로 분석하기 위해

③ 미세 먼지를 투과하는 베타선의 세기를 유지하기 위해

④ 미세 먼지로 인한 호흡기 질환 유발 가능성을 진단하기 위해

⑤ 미세 먼지의 질량을 농도로 나타낼 때 필요한 기준을 마련하기 위해

유형 해결 전략 ▶ 특정 내용과 관련된 세부적인 정보를 **❶** 해 보는 문제야. 미세 먼지를 측정할 때, 단위 시간당 공기 유입량을 제한하는 이유를 미세 먼지 측정기의 측정 **❷** 와 관련지어 생각해 보자.

답 **❶** 추론 **❷** 원리

3-1 윗글의 표제와 부제로 가장 적절한 것은?

① 미세 먼지 측정기의 발전 과정
  – 미세 먼지에 대한 과학적 발견을 중심으로

② 미세 먼지 측정기의 작동 과정
  – 미세 먼지 측정기의 구성 장치를 중심으로

③ 미세 먼지의 개념과 그 위험성
  – 미세 먼지가 인체에 미치는 영향을 중심으로

④ 미세 먼지를 측정할 때 베타선을 이용하는 이유
  – 베타선의 개념과 특징을 중심으로

⑤ 우리 생활에서 다양하게 이용되는 베타선
  – 베타선 광원 활용 및 감지기의 기능을 중심으로

•••도움말
글에 어울리는 표제와 부제를 찾는 문제를 풀 때에는 먼저 표제가 글의 내용을 **❶** 으로 아우를 수 있는지 확인해야 돼. 그리고 어떤 내용을 중심으로 **❷** 를 설명하고 있는지 확인한 후 부제로 적절한 것을 찾아야 해.

답 **❶** 전체적 **❷** 표제

4-1 윗글을 읽고 추론한 내용으로 적절하지 <u>않은</u> 것은?

① 여과지에서는 $10\mu m$보다 큰 먼지 입자를 발견할 수 없을 것이다.

② 연산 장치가 없다면 여과지에 포집된 미세 먼지의 질량을 구할 수 없을 것이다.

③ 베타선 감지기에서 측정되는 베타선의 세기는 미세 먼지의 질량에 반비례할 것이다.

④ 부피가 큰 먼지 입자는 충돌판과 충돌한 이후 $10\mu m$ 이하 크기의 먼지 입자로 쪼개질 것이다.

⑤ A와 B 여과지에 포집된 미세 먼지의 질량이 같다는 가정 하에, 시료 포집 시 일정한 시간동안 흡입된 A의 공기량이 B보다 많다면 미세 먼지 농도는 A가 B보다 상대적으로 낮게 나타날 것이다.

01~04 다음 글을 읽고 물음에 답하시오.

질병을 유발하는 병원체에는 세균, 진균, 바이러스 등이 있다. 생명체의 기본 구조에 속하는 세포막은 °지질을 주성분으로 하는 이중층이다. 세균과 진균은 일반적으로 세포막 바깥 부분에 세포벽이 있고, 바이러스의 표면은 세포막 대신 캡시드라고 부르는 단백질로 이루어져 있다. 바이러스의 종류에 따라 캡시드 외부가 지질을 주성분으로 하는 °피막으로 덮인 경우도 있다. 한편 진균과 일부 세균은 다른 병원체에 비해 건조, 열, 화학 물질에 저항성이 강한 °포자를 만든다.

생활 환경에서 병원체의 수를 억제하고 전염병을 예방하기 위한 목적으로 사용하는 방역용 화학 물질을 '항(抗)미생물 화학제'라 한다. 항미생물 화학제는 다양한 병원체가 공통으로 갖는 구조를 구성하는 성분들에 화학 작용을 일으키므로 광범위한 살균 효과가 있다. 그러나 병원체의 구조와 성분은 병원체의 종류에 따라 완전히 같지는 않으므로, 동일한 항미생물 화학제라도 그 살균 효과는 다를 수 있다.

항미생물 화학제 중 멸균제는 포자를 포함한 모든 병원체를 파괴한다. 감염 방지제는 포자를 제외한 병원체를 사멸시키는 화합물로 병원, 공공시설, 가정의 °방역에 사용된다. 감염 방지제 중 독성이 약해 사람의 피부나 상처 소독에도 사용이 가능한 항미생물 화학제를 소독제라 한다. 사람의 세포막도 지질 성분으로 이루어져 있어 소독제라 하더라도 사람의 세포를 죽일 수 있으므로, 눈이나 호흡기 등의 °점막에 접촉하지 않도록 주의해야 한다. 따라서 항미생물 화학제는 병원체에 대한 최대의 방역 효과와 인체 및 환경에 대한 최고의 안전성을 확보할 수 있도록 종류별 사용법을 지켜야 한다.

항미생물 화학제의 작용 기제는 크게 병원체의 표면을 손상시키는 방식과 병원체 내부에서 °대사 기능을 저해하는 방식으로 ⊙나눌 수 있지만, 많은 경우 두 기제가 함께 작용한다. 고농도 에탄올 등의 알코올 화합물은 세포막의 기본 성분인 지질을 용해시키고 단백질을 변성시키며, 병원성 세균에서는 세포벽을 약화시킨다. 또한 알코올 화합물은 지질 피막이 없는 바이러스보다 지질 피막이 있는 병원성 바이러스에

서 방역 효과가 크다. 지질 피막은 병원성 바이러스가 사람을 감염시키는 과정에서 중요한 역할을 하기 때문에, 지질을 손상시키는 기능을 가진 항미생물 화학제만으로도 병원성 바이러스에 대한 방역 효과가 있다. 지질 피막의 유무와 관계없이 다양한 바이러스의 감염 예방을 위해서는 하이포염소산 소듐 등의 산화제가 널리 사용된다. 병원성 바이러스의 방역에 사용되는 산화제는 바이러스의 공통적인 표면 구조를 이루는 캡시드를 손상시키는 기능이 있어 바이러스를 파괴하거나 바이러스의 감염력을 잃게 한다.

병원체의 표면에 생긴 약간의 손상이 병원체를 사멸시키는 데 충분하지 않더라도, 항미생물 화학제가 내부로 침투하면 살균 효과가 증가한다. 알킬화제와 산화제는 병원체의 내부로 침투하면 필수적인 물질대사를 정지시킨다. 글루타르 알데히드와 같은 알킬화제가 알킬 작용기를 단백질에 결합시키면 단백질을 변성시켜 기능을 상실하게 하고, 핵산의 염기에 결합시키면 핵산을 비정상 구조로 변화시켜 유전자 복제와 발현을 교란한다. 산화제인 하이포염소산 소듐은 병원체 내에서 불특정한 단백질들을 산화시켜 단백질로 이루어진 효소들의 기능을 비활성화하고 병원체를 사멸에 이르게 한다.

● **지질** 생물체 안에 존재하며 물에 녹지 아니하고 유기 용매에 녹는 유기 화합물을 통틀어 이르는 말.
● **피막** 덮어 싸고 있는 막.
● **포자** 식물이 무성 생식을 하기 위하여 형성하는 생식 세포.
● **방역** 전염병이 발생하거나 유행하는 것을 미리 막는 일.
● **점막** 위창자관, 기도와 같은 대롱 모양 구조의 속 공간을 덮고 있는 부드럽고 끈끈한 막을 통틀어 이르는 말.
● **대사** 생물체가 몸 밖으로부터 섭취한 영양물질을 몸 안에서 분해하고, 합성하여 생체 성분이나 생명 활동에 쓰는 물질이나 에너지를 생성하고 필요하지 않은 물질을 몸 밖으로 내보내는 작용.

세부 내용 파악

01 윗글에서 알 수 있는 내용으로 적절하지 않은 것은?

① 세균, 진균, 바이러스는 질병을 유발할 수 있다.

② 멸균제는 병원체와 병원체의 포자 모두를 파괴한다.

③ 진균은 바이러스에 비해 화학 물질에 저항성이 강한 포자를 만든다.

④ 알킬화제는 병원체의 내부로 침투하면 필수적인 물질대사를 정지시킨다.

⑤ 소독제는 독성이 약해 사람의 세포를 죽이지 않으므로 피부나 상처 소독에 사용할 수 있다.

세부 내용 추론

02 윗글을 바탕으로 ⓐ~ⓒ를 추론한 내용으로 적절하지 않은 것은?

> 한 실험실에서 다양한 항미생물 화학제를 개발하고 있다. 실험 결과 다음과 같은 특징의 항미생물 화학제를 얻을 수 있었다.
>
> ⓐ: 지질 피막의 유무와 관계없이 다양한 바이러스의 감염 예방에 효과가 있음.
>
> ⓑ: 세포막의 기본 성분인 지질을 용해시키고 단백질을 변성시킴.
>
> ⓒ: 알킬 작용기를 핵산의 염기에 결합시켜 핵산을 비정상 구조로 변화시키고 유전자 복제와 발현을 교란함.

① ⓐ는 캡시드를 손상시키는 기능이 있을 것이다.

② ⓐ가 병원체의 내부로 침투하면 단백질로 이루어진 효소들의 기능을 비활성화할 것이다.

③ ⓑ는 눈이나 호흡기 등의 점막에 닿으면 인체에 부정적인 영향을 미칠 수 있다.

④ ⓑ는 지질 피막이 있는 바이러스보다 지질 피막이 없는 병원성 바이러스에서 방역 효과가 클 것이다.

⑤ ⓒ의 작용 기제는 병원체 내부에서 대사 기능을 저해하는 방식이라 할 수 있다.

도움말

ⓐ~ⓒ가 설명하고 있는 **❶** 을 지문에서 찾은 후, 각각의 **❷** 을 정리해 보자.

❶ 대상 ❷ 특징

내용의 비판적 이해

03 윗글을 바탕으로 〈보기〉의 방역 사례를 비판한다고 할 때, 그 내용으로 가장 적절한 것은?

> 보기
>
> A 시에서는 지속적인 방역 관리를 위해 B, C 업체와 항미생물 화학제 공급에 대한 계약을 체결하였다. 이후 B, C 업체는 병원체의 표면을 손상시키는 작용에 초점을 맞추어 A 시 전체에 동일한 항미생물 화학제를 정기적으로 살포하기로 계획하였다.

① 병원체에 대한 방역이 가장 우수하다고 알려진 알코올 화합물로 A 시의 방역이 이루어져야 한다.

② B, C 업체 두 곳에서 공급받기보다는 한 곳을 정해 완벽하게 동일한 항미생물 화학제로 방역해야 한다.

③ 병원체의 구조와 성분은 동일하지 않으므로 병원체의 종류와 특징에 맞는 다양한 항미생물 화학제를 사용해야 한다.

④ 인체에 대한 안전성을 고려하여 멸균제를 주로 사용하고 감염 방지제는 보조적으로 사용한다는 계획이 추가되어야 한다.

⑤ 병원체의 표면을 손상시키는 방식보다는 병원체의 내부에서 대사 기능을 저해하는 방식에 초점을 맞추어 방역이 이루어져야 한다.

도움말

글의 내용을 바탕으로 〈보기〉의 방역 사례에서 발견할 수 있는 **❶** 을 지적해야 하는 문제야. 선택지에서 제시한 비판의 근거가 타당하지 않거나 **❷** 에 제시되지 않은 내용을 기준으로 비판하고 있는 것은 아닌지 판단할 수 있어야 해.

❶ 문제점 ❷ 글

어휘의 문맥적 의미 파악

04 다음 중 밑줄 친 단어의 의미가 ㉠과 가장 유사한 것은?

① 그는 나와 피를 <u>나눈</u> 형제이다.

② 이 사과를 세 조각으로 <u>나누자</u>.

③ 고향 친구와 만나 이야기를 <u>나누었다</u>.

④ 이익금은 모두에게 공평하게 <u>나누어야</u> 한다.

⑤ 물건들을 불량품과 정품으로 <u>나누는</u> 작업을 한다.

05~08 다음 글을 읽고 물음에 답하시오.

엘리베이터 군(群) 관리 시스템은 여러 대의 엘리베이터를 효율적으로 운행하기 위해 엘리베이터의 동작을 적절히 조절하는 시스템이다. 우리가 일상적으로 이용하는 엘리베이터는 상하의 호출 버튼을 누르면 엘리베이터가 승강장까지 오는 방식을 사용한다. 복수의 엘리베이터 중에 승객에게 가장 빨리 도착할 수 있는 엘리베이터가 호출이 들어온 승강장으로 이동하고, 승객은 엘리베이터에 탄 뒤에 각자 자신이 원하는 ˚행선 층의 버튼을 누른다. 이때 승객들의 선택이 다양할수록 엘리베이터를 이용하는 시간이 길어진다는 문제가 발생한다. 이런 문제에 좀 더 효과적으로 대응할 수 있는 방법이 행선 예보 방식 이다.

엘리베이터 군 관리 시스템 가운데 하나인 ㉠행선 예보 방식은 ㉡기존의 방식과 달리 승객이 엘리베이터를 타기 전에 승강장에 마련된 행선 층 입력 장치를 통해 행선 층을 미리 입력하게 한다. 그러면 승객들의 행선 층 정보를 바탕으로 승객의 대기 시간과 이동 시간, 각 층에 타고 내리는 승객 수 등을 ⓐ계산하여 그 승객이 타야 할 엘리베이터가 배정된다.

예를 들어 1호기부터 4호기까지 엘리베이터가 있는 5층 건물의 1층에 각 층을 가려는 승객 20명이 대기하고 있다고 가정하자. 승객들이 자유롭게 엘리베이터에 탑승한다면 각 호기는 거의 모든 층에 정차하게 되어 승객들의 ˚수송 시간이 길어진다. 하지만 행선 층의 정보를 미리 분석하여 행선 층이 같은 승객끼리 묶어서 엘리베이터를 배정한다면 모든 승객이 거의 한 번 만에 행선 층에 도착할 수 있다.

이때 하나의 엘리베이터에 같은 층을 가려는 사람들만 배정하면 승객의 수송 시간은 단축되지만, 대신 운행해야 하는 엘리베이터의 수가 많아져 전력 소비량은 늘어날 수 있다. 전력 소비량을 고려하면 여러 대의 엘리베이터를 운행하는 것보다 최소한의 엘리베이터를 운행하는 것이 더 효율적이기 때문이다. 따라서 행선 예보 방식은 승객의 수송 시간과 전력 소비량을 고려하여 행선 층이 비슷한 승객을 같은 엘리베이터에 타도록 배정하게 된다.

행선 예보 방식의 시스템은 주 군 제어기, 보조 군 제어기, 호기 제어기, 행선 층 입력 장치, 원격 모니터 장치로 구성된다. 승객이 각 층에 설치된 행선 층 입력 장치를 통해 행선 층을 입력하면, 주 군 제어기는 입력된 호출에 대한 최적의 호기를 결정하고, 이를 다시 행선 층 입력 장치에 전달한다. 그러면 행선 층 입력 장치가 승객이 타야 할 호기를 표시한다. 호기 제어기는 주 군 제어기의 호출을 받아 이를 각 엘리베이터에 전달하여 엘리베이터가 호출된 층으로 이동할 수 있도록 한다. 보조 군 제어기는 주 군 제어기와 하드웨어 및 소프트웨어가 동일하며, 만약 주 군 제어기의 이상이 ˚감지되면 즉시 주 군 제어기의 기능을 대신하게 된다. ˚원격 모니터 장치는 주 군 제어기와 통신하며 주 군 제어기의 작동 정보를 분석하고 표시한다.

- **행선** 가는 곳.
- **수송** 기차나 자동차, 배, 항공기 따위로 사람이나 물건을 실어 옮김.
- **감지** 느끼어 앎.
- **원격** 멀리 떨어져 있음.

세부 내용 파악

05 '행선 예보 방식'에 대한 설명으로 적절하지 <u>않은</u> 것은?

① 주 군 제어기는 입력된 호출에 대한 최적의 호기를 결정한다.

② 호기 제어기는 주 군 제어기의 호출을 각 엘리베이터에 전달한다.

③ 승객의 수송 시간과 전력 소비량을 고려하여 엘리베이터를 배정한다.

④ 승객들은 가고자 하는 층을 행선 층 입력 장치에 입력한 후, 자신이 타야 할 호기를 확인하게 된다.

⑤ 보조 군 제어기는 주 군 제어기의 이상 유무를 감지하며 주 군 제어기의 작동 정보를 분석하는 역할을 한다.

정보 간의 관계 이해

06 ㉠과 ㉡에 대한 설명으로 적절하지 <u>않은</u> 것은?

① ㉠은 ㉡의 문제점을 보완할 수 있는 방식이다.

② ㉠은 ㉡과 달리 승객이 승강장에서 행선 층을 미리 입력한다.

③ ㉠은 ㉡과 달리 승객의 대기 시간, 이동 시간, 각 층에 타고 내리는 승객 수를 고려하여 엘리베이터를 배정한다.

④ ㉡은 ㉠과 달리 승객에게 가장 빨리 도착하는 것을 기준으로 엘리베이터가 선택된다.

⑤ ㉡은 ㉠과 달리 승객들의 선택이 다양할수록 엘리베이터를 이용하는 시간이 줄어든다는 장점을 가진다.

도움말

먼저 글에서 ㉠과 ㉡의 ❶ [   ]과 작동 방식을 설명한 문단을 찾아 주요 내용을 정리한 후, ㉠과 ㉡의 ❷ [   ]을 비교해 보자.

답 ❶ 특징 ❷ 차이점

구체적 상황에 적용 및 추론

07 〈보기〉의 상황에서 행선 예보 방식에 따라 최적의 엘리베이터를 배정한 방법으로 가장 적절한 것은?

보기

이 건물의 엘리베이터 1, 2호기는 행선 예보 방식에 따라 작동된다. 1호기는 7층, 2호기는 1층에서 대기하고 있다. 이때 승객 A와 C는 3층에서, B는 8층에서 다음과 같이 자신이 가고자 하는 행선 층을 눌렀다.

| A: 2층 | B: 9층 | C: 2층 |

※ 전력 소비량은 엘리베이터의 이동 거리에 비례함.

① A, B, C 모두 1호기에 타게 한다.

② A, B, C 모두 2호기에 타게 한다.

③ A와 B는 1호기, C는 2호기에 타게 한다.

④ A와 C는 2호기, B는 1호기에 타게 한다.

⑤ B와 C는 2호기, A는 1호기에 타게 한다.

도움말

이 글에서 행선 예보 방식을 통해 승객에게 최적의 엘리베이터를 배정하기 위해 어떤 정보를 ❶ [   ]하는지 확인하고, 〈보기〉에 제시된 ❷ [   ]를 적용해 보자.

답 ❶ 계산 ❷ 정보

어휘의 문맥적 의미 파악

08 문맥상 ⓐ의 의미로 가장 적절한 것은?

① 값을 치르다.

② 수를 헤아리다.

③ 어떤 일을 예상하거나 고려하다.

④ 어떤 일이 자기에게 이해득실이 있는지 따지다.

⑤ 주어진 수나 식을 일정한 규칙에 따라 처리하여 수치를 구하다.

✏️ **다음 글을 읽고 물음에 답하시오.**

신체의 세포, 조직, 장기가 손상되어 더 이상 제 기능을 하지 못할 때에 이를 대체하기 위해 이식을 실시한다. 이때 이식으로 옮겨 붙이는 세포, 조직, 장기를 이식편이라 한다. 자신이나 일란성 쌍둥이의 이식편을 이용할 수 없다면 다른 사람의 이식편으로 '동종 이식'을 실시한다. 그런데 우리의 몸은 자신의 것이 아닌 물질이 체내로 ⓐ유입될 경우 면역 반응을 일으키므로, 유전적으로 동일하지 않은 이식편에 대해 항상 거부 반응을 일으킨다.

이식에는 많은 비용이 소요될 뿐만 아니라 이식이 가능한 동종 이식편의 수가 매우 부족하기 때문에 이를 대체하는 방법이 개발되고 있다. 우선 인공 심장과 같은 '전자 기기 인공 장기'를 이용하는 방법이 있다. 하지만 이는 장기의 기능을 일시적으로 대체하는 데 사용되며, 추가 전력 공급 및 정기적 부품 교체 등이 요구되는 단점이 있고, 아직 인간의 장기를 완전히 ⓑ대체할 만큼 정교한 단계에 이르지는 못했다.

다음으로는 사람의 조직 및 장기와 유사한 다른 동물의 이식편을 인간에게 이식하는 '이종 이식'이 있다. 그런데 이종 이식은 동종 이식보다 거부 반응이 훨씬 심하게 일어난다. 특히 사람이 가진 자연 항체는 다른 종의 세포에서 ⓒ발현되는 항원에 반응하는데, 이로 인해 이종 이식편에 대해서 초급성 거부 반응 및 급성 혈관성 거부 반응이 ㉠일어난다. 이런 거부 반응을 일으키는 유전자를 제거한 형질 전환 미니 돼지에서 얻은 이식편을 이식하는 실험이 성공한 바 있다.

이종 이식의 또 다른 문제는 내인성 레트로바이러스이다. 내인성 레트로바이러스는 생명체의 DNA의 일부분으로, 레트로바이러스로부터 ⓓ유래된 것으로 여겨지는 부위들이다. 이는 바이러스의 활성을 가지지 않으며 사람을 포함한 모든 포유류에 존재한다. 레트로바이러스는 자신의 유전 정보를 RNA에 담고 있고 역전사 효소를 갖고 있는 바이러스로서, 특정한 종류의 세포를 감염시킨다. 유전 정보가 담긴 DNA로부터 RNA가 생성되는 전사 과정만 일어날 수 있는 다른 생명체와는 달리, 레트로바이러스는 다른 생명체의 세포에 들어간

후 역전사 과정을 통해 자신의 RNA를 DNA로 바꾸고 그 세포의 DNA에 끼어들어 감염시킨다. 이후에는 다른 바이러스와 마찬가지로 자신이 속해 있는 생명체를 숙주로 삼아 숙주 세포의 시스템을 이용하여 복제, 증식하고 일정한 조건이 되면 숙주 세포를 파괴한다.

그런데 정자, 난자와 같은 생식 세포가 레트로바이러스에 감염되고도 살아남는 경우가 있었다. 이런 세포로부터 유래된 자손의 모든 세포가 갖게 된 것이 내인성 레트로바이러스이다. 내인성 레트로바이러스는 세대가 지나면서 돌연변이로 인해 염기 서열의 변화가 일어나며 해당 세포 안에서는 바이러스로 활동하지 않는다. 그러나 내인성 레트로바이러스를 떼어 내어 다른 종의 세포 속에 ⓔ주입하면 이는 레트로바이러스로 변환되어 그 세포를 감염시키기도 한다. 따라서 미니 돼지의 DNA에 포함된 내인성 레트로바이러스를 효과적으로 제거하는 기술이 개발 중에 있다. 그동안의 대체 기술과 관련된 연구 성과를 토대로 ㉡이상적인 이식편을 개발하기 위해 많은 연구가 수행되고 있다.

- **항원** 생체 속에 침입하여 항체를 형성하게 하는 단백성 물질. 세균이나 독소 따위가 있다.
- **형질** 동식물의 모양, 크기, 성질 따위의 고유한 특징. 유전하는 것과 유전하지 않는 것이 있다.
- **내인성** 어떤 병의 원인이 몸속에 있는 성질.
- **전사** 디엔에이(DNA)의 유전 정보가 일단 전령 아르엔에이(RNA)에 옮겨지는 과정. 유전 정보의 복사물인 전령 아르엔에이가 단백질을 합성한다.

💡 ● **이 글의 화제:** 장기 이식의 종류
● **이 글의 짜임**

1문단	❶ [ ] 과 우리 몸의 거부 반응
2문단	전자 기기 인공 장기의 단점
3문단	이종 이식의 문제점 ① – 심한 ❷ [ ]
4문단	이종 이식의 문제점 ② – ❸ [ ] 레트로바이러스
5문단	이상적인 ❹ [ ] 개발을 위한 연구

🔒 ❶ 동종 이식 ❷ 거부 반응 ❸ 내인성 ❹ 이식편

대표 유형 ① 비판적 읽기

1 〈보기〉의 ㉮가 '동종 이식'과 '이종 이식'에 대해 제기할 수 있는 비판으로 적절하지 <u>않은</u> 것은?

> **보기**
>
> 줄기세포는 인체의 모든 세포나 조직으로 분화할 수 있는데, 이식을 받는 당사자의 줄기세포만을 이용하여 세포 기반 인공 이식편을 만들고자 하는 ㉮연구자들이 늘어나고 있다.

① 동종 이식의 경우 추가 전력 공급 및 정기적 부품 교체는 불편하지 않을까?

② 다른 사람의 이식편으로 동종 이식을 하는 경우 면역적 거부 반응이 일어나는 문제를 어떻게 해결할 수 있을까?

③ 이종 이식의 경우 자연 항체에 의한 초급성 거부 반응이 일어나지 않을까?

④ 이종 이식의 경우 내인성 레트로바이러스를 제거하는 기술은 확실하게 마련되어 있을까?

⑤ 이종 이식의 경우 형질 전환 미니 돼지에서 유전자 조작으로 인한 문제점은 발생하지 않을까?

> **유형 해결 전략** 관점에 따른 비판적 읽기 문제에서 여러 대상을 ❶ □□ 의 대상으로 삼고 있다면 먼저 각 대상의 장단점을 정리해 두는 것이 좋아. 그리고 대상에 맞는 비판적 질문을 던진 것인지 확인한 후 비판 내용의 ❷ □□□ 을 따져 보자.
>
> 답 ❶ 비판 ❷ 적절성

1-1 다음 중 ⓛ에 대해 제기할 수 있는 의문으로 가장 적절한 것은?

① 레트로바이러스를 포유류에도 주입하는 것은 어떨까?

② 레트로바이러스의 역전사 과정을 참고하면 되지 않을까?

③ 정자와 난자가 레트로바이러스에 감염되는 것을 막으면 되지 않을까?

④ 내인성 레트로바이러스가 해당 세포 안에서 바이러스로 활동하게 하면 되지 않을까?

⑤ 내인성 레트로바이러스를 제거하는 대신 내인성 레트로바이러스가 레트로바이러스로 변환되지 않도록 하는 연구를 진행하는 것은 어떨까?

대표 유형 ② 어휘

2 ⓐ~ⓔ의 사전적 의미로 적절하지 <u>않은</u> 것은?

① ⓐ: 액체나 기체, 열 따위가 어떤 곳으로 흘러들게 되다.

② ⓑ: 다른 것으로 대신하다.

③ ⓒ: 속에 있거나 숨은 것이 밖으로 나타나다.

④ ⓓ: 사물이나 일이 생겨나게 되다.

⑤ ⓔ: 묻히거나 박힌 것을 파서 꺼내다.

> **유형 해결 전략** 단어의 ❶ □□□ 의미를 파악하는 문제는 선택지에서 제시한 의미를 지문의 해당 ❷ □□ 에 넣어 보는 방식으로 풀어 보자.
>
> 답 ❶ 사전적 ❷ 맥락

2-1 다음 중 밑줄 친 단어의 의미가 ㉠과 가장 유사한 것은?

① 집안이 <u>일어나다</u>.

② 산불이 <u>일어나다</u>.

③ 욕심이 <u>일어나다</u>.

④ 자리에서 <u>일어나다</u>.

⑤ 기쁨으로 환호성이 <u>일어나다</u>.

> **도움말**
>
> 문맥을 통해 ㉠의 ❶ □□ 를 파악하고, 선택지에 제시된 단어가 각각 어떤 의미로 사용되었는지 ❷ □□ 해 보자.
>
> 답 ❶ 의미 ❷ 비교

✎ 다음 글을 읽고 물음에 답하시오.

디지털 통신 시스템은 송신기, 채널, 수신기로 구성되며, ⓐ전송할 데이터를 빠르고 정확하게 전달하기 위해 부호화 과정을 거쳐 전송한다. 영상, 문자 등인 데이터는 ⓑ기호 집합에 있는 기호들의 조합이다. 예를 들어 기호 집합 {a, b, c, d, e, f}에서 기호들을 조합한 'add', 'cab', 'beef' 등이 데이터이다. 정보량은 어떤 기호가 발생했다는 것을 알았을 때 얻는 정보의 크기이다. 어떤 기호 집합에서 특정 기호의 발생 확률이 높으면 그 기호의 정보량은 적고, 발생 확률이 낮으면 그 기호의 정보량은 많다. 기호 집합의 ˙평균 정보량을 기호 집합의 엔트로피라고 하는데 모든 기호들이 동일한 발생 확률을 가질 때 그 기호 집합의 엔트로피는 최댓값을 갖는다.

송신기에서는 소스 부호화, 채널 부호화, 선 부호화를 거쳐 기호를 ⓒ부호로 ㉠변환한다. 소스 부호화는 데이터를 압축하기 위해 기호를 0과 1로 이루어진 부호로 변환하는 과정이다. 어떤 기호가 110과 같은 부호로 변환되었을 때 0 또는 1을 비트라고 하며 이 부호의 비트 수는 3이다. 이때 기호 집합의 엔트로피는 기호 집합에 있는 기호를 부호로 표현하는 데 필요한 평균 비트 수의 최솟값이다. 전송된 부호를 수신기에서 원래의 기호로 ⓓ복원하려면 부호들의 평균 비트 수가 기호 집합의 엔트로피보다 크거나 같아야 한다. 기호 집합을 엔트로피에 최대한 가까운 평균 비트 수를 갖는 부호들로 변환하는 것을 엔트로피 부호화라 한다. 그중 하나인 '허프만 부호화'에서는 발생 확률이 높은 기호에는 비트 수가 적은 부호를, 발생 확률이 낮은 기호에는 비트 수가 많은 부호를 할당한다.

채널 부호화는 오류를 검출하고 정정하기 위하여 부호에 잉여 정보를 추가하는 과정이다. 송신기에서 부호를 전송하면 채널의 잡음으로 인해 오류가 발생하는데 이 문제를 해결하기 위해 잉여 정보를 덧붙여 전송한다. 채널 부호화 중 하나인 '삼중 반복 부호화'는 0과 1을 각각 000과 111로 부호화한다. 이때 수신기에서는 수신한 부호에 0이 과반수인 경우에는 0으로 판단하고, 1이 과반수인 경우에는 1로 판단한다. 즉 수신기에서 수신된 부호가 000, 001, 010, 100 중 하나라면 0으로 판단하고, 그 이외에는 1로 판단한다. 이렇게 하면 000을 전송했을 때 하나의 비트에서 오류가 생겨 001을 수신해도 0으로 판단하므로 오류는 정정된다. 채널 부호화를 하기 전 부호의 비트 수를, 채널 부호화를 한 후 부호의 비트 수로 나눈 것을 부호율이라 한다. 삼중 반복 부호화의 부호율은 약 0.33이다.

채널 부호화를 거친 부호들을 채널을 통해 전송하려면 부호들을 전기 신호로 변환해야 한다. 0 또는 1에 해당하는 전기 신호의 전압을 결정하는 과정이 선 부호화이다. 전압의 ⓔ결정 방법은 선 부호화 방식에 따라 다르다. 선 부호화 중 하나인 ˙차동 부호화'는 부호의 비트가 0이면 전압을 유지하고 1이면 전압을 변화시킨다. 차동 부호화를 시작할 때는 기준 신호가 필요하다. 예를 들어 차동 부호화 직전의 기준 신호가 양(+)의 전압이라면 부호 0110은 '양, 음, 양, 양'의 전압을 갖는 전기 신호로 변환된다. 수신기에서는 송신기와 동일한 기준 신호를 사용하여, 전압의 변화가 있으면 1로 판단하고 변화가 없으면 0으로 판단한다.

● **평균 정보량** 각 기호의 발생 확률과 정보량을 서로 곱하여 모두 더한 것.
● **차동** 기계 따위가 움직이는 과정에서 그 빠르기가 저절로 달라지는 운동.

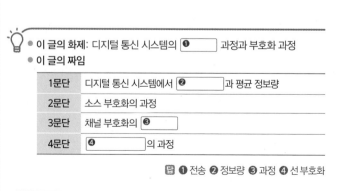

💡 ● 이 글의 화제: 디지털 통신 시스템의 **❶** [ ] 과정과 부호화 과정
● 이 글의 짜임

1문단	디지털 통신 시스템에서 **❷** [ ] 과 평균 정보량
2문단	소스 부호화의 과정
3문단	채널 부호화의 **❸** [ ]
4문단	**❹** [ ] 의 과정

📖 ❶ 전송 ❷ 정보량 ❸ 과정 ❹ 선 부호화

대표 유형 3 창의적 읽기

3 윗글을 바탕으로 〈보기〉의 문제 상황을 해결하려 할 때, 그 내용으로 가장 적절한 것은?

> ┌ 보기 ┐
> 디지털 통신 시스템을 사용하여 날씨 데이터를 전송하고 있다. 차동 부호화를 이용하여 '흐림'이라는 날씨의 부호를 전송한 결과, 수신기에서 '음, 양, 음'을 수신하였다. 기준 신호가 양(+)의 전압이었다면, 차동 부호화 이전의 '흐림'에 해당하는 부호는 무엇이었을까?

① 011   ② 100   ③ 111

④ 000   ⑤ 010

유형 해결 전략 ▶ 차동 부호화에서 **❶** 의 변화에 따라 어떤 **❷** 를 할당하는지 확인하고, 〈보기〉의 사례에 적용해 보자.

답 ❶ 전압 **❷** 부호

대표 유형 4 어휘

4 문맥을 고려할 때, 밑줄 친 단어가 ⓐ~ⓔ의 동음이의어가 <u>아닌</u> 것은?

① ⓐ: 공항에서 해외로 떠나는 친구를 <u>전송(餞送)</u>할 계획이다.

② ⓑ: 대중의 <u>기호(嗜好)</u>에 맞추어 상품을 개발하고 있다.

③ ⓒ: 나는 가난하지만 귀족이나 <u>부호(富豪)</u>가 부럽지 않다.

④ ⓓ: 한번 금이 간 인간관계를 <u>복원(復原)</u>하기는 어렵다.

⑤ ⓔ: 이 추상화는 화가의 오랜 노력의 <u>결정(結晶)</u>이다.

유형 해결 전략 ▶ 동음이의어란 **❶** 는 같지만 **❷** 이 다른 단어를 의미해. 이러한 조건에 따라 ⓐ~ⓔ와 선택지의 단어들을 비교해 보자.

답 ❶ 소리 **❷** 뜻

3-1 윗글을 바탕으로 다음 문제 상황을 해결하려 할 때, 그 내용으로 가장 적절한 것은?

> 삼중 반복 부호화를 이용하여 전송한 부호를 101010, 000110으로 각각 수신하였다면 삼중 반복 부호화 이전의 부호는 각각 무엇이었을까?

① 10, 01   ② 10, 00   ③ 10, 10

④ 01, 01   ⑤ 10, 01

••• 도움말
삼중 반복 부호화는 수신한 부호 세 자리 중 **❶** 를 차지하는 '0' 또는 '1'을 그 부호의 **❷** 로 판단하는 방식이라는 것을 고려하여 문제를 해결해 보자.

답 ❶ 과반수 **❷** 비트

4-1 문맥상 ㉠과 바꿔 쓰기에 가장 적절한 것은?

① 바꾼다   ② 변천한다

③ 동화한다   ④ 부연한다

⑤ 연산한다

••• 도움말
문맥상 바꾸어 쓰기에 적절한 단어를 고르는 문제를 풀 때에는 먼저 ㉠의 **❶** 를 찾아야 한다. 선택지에 여러 개의 유의어가 제시된 경우 유의어 중에서도 ㉠과 가장 비슷한 **❷** 로 사용된 단어를 골라야 한다.

답 ❶ 유의어 **❷** 의미

01~04 다음 글을 읽고 물음에 답하시오.

우리는 가끔 평소보다 큰 보름달인 '슈퍼문(supermoon)'을 보게 된다. 실제 달의 크기는 일정한데 이러한 현상이 발생하는 까닭은 무엇일까? 이 현상은 달의 공전 궤도가 타원 궤도라는 점과 관련이 있다.

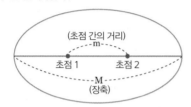

타원은 두 개의 초점이 있고 두 초점으로부터의 거리를 합한 값이 일정한 점들의 집합이다. 두 초점이 가까울수록 원 모양에 가까워진다. 타원에서 두 초점을 지나는 긴지름을 가리켜 장축이라 하는데, 두 초점 사이의 거리를 장축의 길이로 나눈 값을 이심률이라 한다. 두 초점이 가까울수록 이심률은 작아진다.

달은 지구를 한 초점으로 하면서 이심률이 약 0.055인 타원 궤도를 돌고 있다. 이 궤도의 장축상에서 지구로부터 가장 먼 지점을 '원지점', 가장 가까운 지점을 '근지점'이라 한다. 지구에서 보름달은 약 29.5일 *주기로 세 천체가 '태양-지구-달'의 순서로 배열될 때 볼 수 있는데, 이때 보름달이 근지점이나 그 근처에 위치하면 슈퍼문이 관측된다. ㉠슈퍼문은 보름달 중 크기가 가장 작게 보이는 것보다 14% 정도 크게 보인다. 이는 지구에서 본 달의 *겉보기 지름이 달라졌기 때문이다. 지구에서 본 천체의 겉보기 지름을 각도로 나타낸 것을 각지름이라 하는데, 관측되는 천체까지의 거리가 가까워지면 각지름이 커진다. 예를 들어, 달과 태양의 경우 평균적인 각지름은 각각 0.5° 정도이다.

지구의 공전 궤도에서도 이와 같은 현상이 나타난다. 지구역시 태양을 한 초점으로 하는 타원 궤도로 공전하고 있으므로, 궤도상의 지구의 위치에 따라 태양과의 거리가 ⓐ다르다. 달과 마찬가지로 지구도 공전 궤도의 장축상에서 태양으로부터 가장 먼 지점과 가장 가까운 지점을 갖는데, 이를 각각 원일점과 근일점이라 한다. 지구와 태양 사이의 이러한 거리 차

이에 따라 *일식 현상이 다르게 나타난다. 세 천체가 '태양-달-지구'의 순서로 늘어서고, 달이 태양을 가릴 수 있는 특정한 위치에 있을 때, 일식 현상이 일어난다. 이때 달이 근지점이나 그 근처에 위치하면 대부분의 경우 태양 면의 전체 면적이 달에 의해 완전히 가려지는 개기 일식이 관측된다. 하지만 일식이 일어나는 같은 조건에서 달이 원지점이나 그 근처에 위치하면 대부분의 경우 태양 면이 달에 의해 완전히 가려지지 않아 태양 면의 가장자리가 빛나는 고리처럼 보이는 금환 일식이 관측될 수 있다.

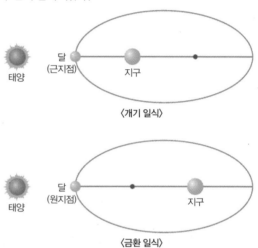

〈개기 일식〉

〈금환 일식〉

이러한 원일점, 근일점, 원지점, 근지점의 위치는 태양, 행성 등 다른 천체들의 인력에 의해 영향을 받아 미세하게 변한다. 현재 지구 공전 궤도의 이심률은 약 0.017인데, 일정한 주기로 이심률이 변한다. 천체의 다른 조건들을 고려하지 않을 때 지구 공전 궤도의 이심률만이 현재보다 더 작아지면 근일점은 현재보다 더 멀어지며 원일점은 현재보다 더 가까워지게 된다. 이는 달의 공전 궤도상에 있는 근지점과 원지점도 마찬가지이다. 천체의 다른 조건들을 고려하지 않을 때 천체의 공전 궤도의 이심률만이 현재보다 커지면 반대의 현상이 일어난다.

● **주기** 회전하는 물체가 한 번 돌아서 본래의 위치로 오기까지의 기간.
● **겉보기** 겉으로 드러나 보이는 모양새.
● **일식** 달이 태양의 일부나 전부를 가림. 또는 그런 현상.

세부 내용 파악

01 윗글의 내용과 일치하지 <u>않는</u> 것은?

① 지구 공전 궤도의 이심률은 일정한 주기로 변한다.

② 달과 지구의 거리가 가까워지면 달의 각지름은 상대적으로 커진다.

③ 세 천체가 '태양-지구-달'의 순서로 배열될 때 보름달을 볼 수 있다.

④ 달은 약 0.055인 이심률로 지구를 한 초점으로 하는 타원 궤도를 돌고 있다.

⑤ 타원의 두 초점이 가까울수록 타원은 원 모양에 가까워지고, 이심률은 커진다.

세부 내용 추론

02 윗글을 읽고 ㉠에 대해 추론한 내용으로 적절하지 <u>않은</u> 것은?

① 슈퍼문이 관측된 날, 달의 각지름은 0.5°보다 크겠군.

② 슈퍼문은 지구의 한 지점에서 약 29.5일 주기로 관측할 수 있겠군.

③ 슈퍼문은 가장 작게 보이는 보름달보다 14% 정도 크게 보이는 달이군.

④ 달이 근지점에 위치한다고 해서 무조건 슈퍼문이 관측되는 것은 아니겠군.

⑤ 달의 공전 궤도가 타원이 아닌 원 모양이라면 슈퍼문은 관측될 수 없겠군.

> **도움말**
>
> 슈퍼문과 관련된 **❶**〔 〕을 설명한 부분을 찾아 세부 내용을 정리한 후, 선택지의 **❷**〔 〕 내용이 적절한지 판단해 보자.
>
> 〔답〕 ❶ 개념 ❷ 추론

구체적 상황에 적용 및 추론

03 윗글을 바탕으로 할 때, ㉮에 들어갈 내용으로 가장 적절한 것은?

어떤 사람이 우연한 계기로 일식 현상을 관측하고, '태양 면이 달에 의해 가려지지 않아 태양 면의 가장자리가 빛나는 고리처럼 보였다.'라고 하였다. 이 글을 본 후 과학자들은 당시의 천체 상황을 다음과 같이 추측하였다.

'〔 ㉮ 〕'

① '태양-달-지구'의 순서로 늘어서고, 달이 근지점이나 그 근처에 위치했겠군.

② '태양-지구-달'의 순서로 늘어서고, 달이 원지점이나 그 근처에 위치했겠군.

③ 동일한 조건에서 달의 공전 궤도의 이심률이 커진다 해도 고리 모양은 그대로 발견할 수 있겠군.

④ 동일한 조건에서 달의 공전 궤도의 이심률이 변화한다 해도 일식 현상에는 영향을 미치지 않겠군.

⑤ 동일한 조건에서 달의 공전 궤도의 이심률이 극단적으로 작아진다 해도 고리 모양은 그대로 발견할 수 있겠군.

> **도움말**
>
> 문제에 제시된 **❶**〔 〕이 개기 일식과 금환 일식 중 어떤 것에 해당하는지 확인한 후, 해당 일식 현상이 일어나는 **❷**〔 〕을 토대로 ㉮에 들어갈 내용을 찾아보자.
>
> 〔답〕 ❶ 일식 현상 ❷ 조건

어휘의 문맥적 의미 파악

04 다음 중 밑줄 친 단어의 의미가 ⓐ와 <u>다른</u> 것은?

① 군자와 소인은 <u>다르다</u>.

② 쌍둥이도 서로 성격이 <u>다르다</u>.

③ 아들이 아버지와 얼굴이 <u>다르다</u>.

④ 나이가 드니까 몸이 예전과 <u>다르다</u>.

⑤ 고장 난 문을 감쪽같이 고치는 것을 보니 기술자는 역시 <u>다르다</u>.

05~08 다음 글을 읽고 물음에 답하시오.

일반 사용자가 디지털 카메라를 들고 촬영하면 손의 미세한 떨림으로 인해 영상이 번져 흐려지고, 걷거나 뛰면서 촬영하면 *식별하기 힘들 정도로 영상이 흔들리게 된다. 흔들림에 의한 영향을 최소화하는 기술이 영상 안정화 기술이다.

영상 안정화 기술에는 빛을 이용하는 광학적 기술과 소프트웨어를 이용하는 디지털 기술 등이 있다. ㉠광학 영상 안정화(OIS) 기술을 사용하는 카메라 모듈은 렌즈 모듈, 이미지 센서, 자이로 센서, 제어 장치, 렌즈를 움직이는 장치로 구성되어 있다. 렌즈 모듈은 보정용 렌즈들을 포함한 여러 개의 렌즈들로 구성된다. 일반적으로 카메라는 렌즈를 통해 들어온 빛이 이미지 센서에 닿아 *피사체의 상이 맺히고, 피사체의 한 점에 해당하는 위치인 *화소마다 빛의 세기에 비례하여 발생한 전기 신호가 저장 매체에 영상으로 저장된다. 그런데 카메라가 흔들리면 이미지 센서 각각의 화소에 닿는 빛의 세기가 변한다. 이때 OIS 기술이 작동되면 자이로 센서가 카메라의 움직임을 감지하여 방향과 속도를 제어 장치에 전달한다. 제어 장치가 렌즈를 이동시키면 피사체의 상이 유지되면서 영상이 안정된다.

렌즈를 움직이는 방법 중에는 보이스 코일 모터를 이용하는 방법이 많이 쓰인다. 보이스 코일 모터를 포함한 카메라 모듈은 중앙에 위치한 렌즈 주위에 코일과 자석이 배치되어 있다. 카메라가 흔들리면 제어 장치에 의해 코일에 전류가 흘러서 자기장과 전류의 직각 방향으로 전류의 크기에 비례하는 힘이 발생한다. 이 힘이 렌즈를 이동시켜 흔들림에 의한 영향이 *상쇄되고 피사체의 상이 유지된다. 이외에도 카메라가 흔들릴 때 이미지 센서를 움직여 흔들림을 *감쇄하는 방식도 이용된다.

OIS 기술이 손 떨림을 훌륭하게 *보정해 줄 수는 있지만 렌즈의 이동 범위에 한계가 있어 보정할 수 있는 움직임의 폭이 좁다. ㉡디지털 영상 안정화(DIS) 기술은 촬영 후에 소프트웨어를 사용해 흔들림을 보정하는 기술로 역동적인 상황에서 촬영한 동영상에 적용할 때 좋은 결과를 얻을 수 있다. 이 기술은 촬영된 동영상을 프레임 단위로 나눈 후 연속된 프레임 간 피사체의 움직임을 추정한다. 움직임을 추정하는 한 방법은 특징점을 이용하는 것이다. 특징점으로는 피사체의 모서리처럼 주위와 밝기가 뚜렷이 구별되며 영상이 이동하거나 회전해도 그 밝기 차이가 유지되는 부분이 선택된다.

먼저 k 번째 프레임에서 특징점들을 찾고, 다음 k+1 번째 프레임에서 같은 특징점들을 찾는다. 이 두 프레임 사이에서 같은 특징점이 얼마나 이동하였는지 계산하여 영상의 움직임을 추정한다. 그리고 흔들림이 발생한 곳으로 추정되는 프레임에서 위치 차이만큼 보정하여 흔들림의 영향을 ⓐ줄이면 보정된 동영상은 움직임이 부드러워진다. 그러나 특징점의 수가 늘어날수록 연산이 더 오래 걸린다. 한편 영상을 보정하는 과정에서 영상을 회전하면 프레임에서 비어 있는 공간이 나타난다. 비어 있는 부분이 없도록 잘라 내면 프레임들의 크기가 작아지는데, 원래의 프레임 크기를 유지하려면 화질은 떨어진다.

- **식별하다** 분별하여 알아보다.
- **피사체** 빛을 비추는 대상이 되는 물체
- **화소** 텔레비전이나 사진 전송에서, 화면을 전기적으로 분해한 최소의 단위 면적.
- **상쇄되다** 상반되는 것이 서로 영향을 받아 효과가 없어지다.
- **감쇄하다** 줄어 없어지다. 또는 줄여 없애다.

글의 전개 방식 이해

05 윗글의 서술 방식으로 가장 적절한 것은?

① 영상 안정화 기술의 발전 과정을 통시적으로 설명하고 있다.

② 디지털 카메라 촬영 기술의 발전 양상을 영상 안정화 기술을 사례로 설명하고 있다.

③ 영상 안정화 기술의 종류를 소개한 후, 각 기술의 작동 원리를 구체적으로 설명하고 있다.

④ 광학 영상 안정화 기술과 디지털 영상 안정화 기술의 흔들림 보정 효과와 사용 범위를 비교하여 설명하고 있다.

⑤ 과학 기술의 발전이 광학 영상 안정화 기술과 디지털 영상 안정화 기술에 어떤 영향을 미쳤는지 설명하고 있다.

구체적 상황에 적용 및 추론

06 〈보기〉의 ㉮와 ㉯를 '디지털 영상 안정화 기술'로 보정하려 할 때, 그 내용으로 적절하지 <u>않은</u> 것은?

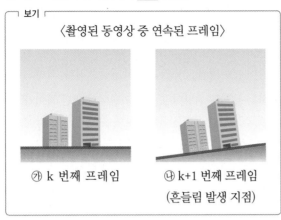

보기

〈촬영된 동영상 중 연속된 프레임〉

㉮ k 번째 프레임　　㉯ k+1 번째 프레임
　　　　　　　　　　(흔들림 발생 지점)

① ㉮에서 건물의 모서리 부분을 특징점으로 선택할 가능성이 높겠군.

② ㉯를 보정하여 흔들림의 영향을 줄이면 영상의 움직임이 부드러워지겠군.

③ ㉮에서 특징점을 선택한다면 ㉯와의 비교 없이 영상의 움직임을 추정할 수 있겠군.

④ ㉯에서 프레임의 크기가 변했다면 영상 회전 후 원래의 영상 일부가 손실된 것이겠군.

⑤ ㉮와 ㉯ 사이에서 같은 특징점이 얼마나 이동하였는지 계산하고 이를 토대로 ㉯를 보정하면 되겠군.

●●●● **도**움말

'디지털 영상 안정화 기술'에서 ❶　　　　으로 선택되는 부분과
영상을 보정하는 방법을 파악한 후, 〈보기〉의 그림에 ❷　　　해
보자.

🔑 ❶ 특징점 ❷ 적용

내용의 비판적 이해

07 ㉠의 연구자가 ㉡의 단점에 대해 지적할 수 있는 말로 가장 적절한 것은?

① ㉠과 달리 이미지 센서를 움직여 흔들림을 감쇄한다.

② ㉠에 비해 영상의 흔들림을 효과적으로 수정하지 못한다.

③ ㉠에 비해 렌즈 모듈의 구조가 복잡하여 카메라 가격이 비싸다.

④ ㉠에 비해 렌즈의 이동 범위에 한계가 있어 보정할 수 있는 움직임의 폭이 좁다.

⑤ ㉠과 달리 촬영 중에 흔들림을 즉각적으로 보정할 수 없으며 별도의 연산 시간이 필요하다.

●●●● **도**움말

광학 영상 안정화 기술과 디지털 영상 안정화 기술의 ❶　　　　
을 비교한 후, 디지털 영상 안정화 기술이 지닌 ❷　　　이 무엇
인지 생각해 보자.

🔑 ❶ 차이점 ❷ 단점

어휘의 사전적 의미 파악

08 문맥을 고려할 때 ⓐ의 사전적 의미로 가장 적절한 것은?

① 시간이나 기간을 짧아지게 하다.

② 살림의 규모를 본디보다 작게 하다.

③ 힘이나 세력 따위를 본디보다 약하게 하다.

④ 물체의 길이나 넓이, 부피 따위를 본디보다 작게 하다.

⑤ 말이나 글의 끝에서, 할 말은 많으나 그만하고 마친다는 뜻으로 하는 말.

01~04 다음 글을 읽고 물음에 답하시오.

물에 녹아 단맛이 나는 물질을 일반적으로 '당(糖)'이라 한다. 각종 당은 신체의 에너지원으로 쓰이는 탄수화물의 기초가 된다. 인류는 주로 과일  을 통해 당을 ㉠섭취해 왔는데, 사탕수수에서 ㉡추출한 설탕이 보급된 후에는 설탕을 통한 당 섭취가 일반화되었다. 그런데 최근 수십 년 사이에 설탕의 과다 섭취로 인한 유해성이 ㉢부각되면서 식품업계는 설탕의 •대체재로 액상 과당에 관심을 갖기 시작했다.

포도당이 주성분인 옥수수 시럽에 효소를 넣으면 포도당 중 일부가 과당으로 전환된다. 이때 만들어진 혼합액을 정제한 것이 액상 과당(HFCS)이다. 액상 과당 중 가장 널리 쓰이는 것은 과당의 비율이 55%인 'HFCS55'이다. 설탕의 단맛을 1.0이라 할 때 포도당의 단맛은 0.6, 과당의 단맛은 1.7이다. 따라서 액상 과당은 적은 양으로도 강한 단맛을 낼 수 있다. 그런데 액상 과당은 많이 섭취해도 문제가 없는 것일까? 이에 대한 답을 찾기 위해서는 포도당과 과당의 •대사를 살펴볼 필요가 있다.

먼저 포도당의 대사를 살펴보자. 음식의 당분이 포도당으로 ㉣분해되면 인슐린과 함께 •포만감을 느끼게 하는 호르몬인 렙틴(leptin)이 분비된다. 렙틴이 분비되면 식욕을 촉진하는 호르몬인 그렐린(ghrelin)의 분비는 억제된다. 그렐린의 분비량은 식사 전에는 증가했다가 식사를 하고 나면 렙틴이 분비되면서 자연스럽게 감소하게 된다. 한편 과당의 대사는 포도당과는 다르다. 과당은 인슐린과 렙틴의 분비를 촉진하지 않으며, 그 결과 그렐린의 분비량이 줄지 않는다. 게다가 과당은 세포에서 포도당보다 더 쉽게 지방으로 축적된다. 이런 이유로 사람들은 과당의 비율이 높은 액상 과당을 달갑지 않게 생각한다.

설탕과 액상 과당은 어떤 차이점이 있는 것일까? 설탕은 과당과 포도당이 1:1로 결합한 구조이다. 반면 액상 과당은 과당과 포도당이 각자의 구조를 유지한 채 섞여 있는 혼합액이다. 설탕이 분해되면 50%의 과당이 만들어진다. 과당으로 인해 발생하는 문제는 설탕이나 액상 과당이나 별반 차이가 없다.

요즘에는 아주 적은 양으로도 단맛을 낼 수 있는 인공 •감미료를 많이 쓰는데, 이것은 복잡한 화학 처리 과정을 통해 만들어진다. 아미노산 계열 감미료이면서 설탕보다 200배나 단맛이 강한 아스파탐, 설탕을 화학 처리하여 설탕보다 600배나 단맛이 강한 수크랄로스 등이 대표적이다. 그런데 이 새로운 인공 감미료도 천연적으로 생성된 물질이 아니기 때문에 ㉤유해성 논란에서 자유롭지 못하다.

● **대체재** 서로 대신 쓸 수 있는 관계에 있는 두 가지의 재화.
● **HFCS** High Fructose Corn Syrup(고과당 옥수수 시럽)
● **대사** 생물체가 몸 밖으로부터 섭취한 영양물질을 몸 안에서 분해하고, 합성하여 생체 성분이나 생명 활동에 쓰는 물질이나 에너지를 생성하고 필요하지 않은 물질을 몸 밖으로 내보내는 작용.
● **포만감** 넘치도록 가득 차 있는 느낌.
● **감미료** 단맛을 내는 데 쓰는 재료를 통틀어 이르는 말.

글의 전개 방식 이해

01 윗글의 서술 방식으로 가장 적절한 것은?

① 액상 과당을 발명하게 된 계기를 설명하고 있다.

② 액상 과당을 활용한 인공 감미료의 제조 방법을 설명하고 있다.

③ 액상 과당과 설탕의 특징을 비교한 후 설탕의 유용성을 강조하고 있다.

④ 액상 과당의 특징과 대사 과정을 설탕, 포도당과 비교하여 설명하고 있다.

⑤ 액상 과당, 설탕, 인공 감미료가 우리 몸에 미치는 긍정적인 영향을 비교하여 제시하고 있다.

세부 내용 파악

02 윗글을 통해 확인할 수 있는 내용으로 적절하지 <u>않은</u> 것은?

① 과당은 인슐린과 렙틴의 분비를 촉진한다.

② 렙틴이 분비되면 그렐린의 분비는 억제된다.

③ 일반적으로 그렐린의 분비량은 식사 전후로 달라진다.

④ 당은 신체의 에너지원으로 쓰이는 탄수화물의 기초가 된다.

⑤ 액상 과당은 옥수수 시럽에 효소를 넣은 후 포도당의 일부가 과당으로 전환되며 만들어진 혼합액을 정제한 것이다.

구체적 상황에 적용 및 추론

03 윗글을 바탕으로 〈보기〉의 A~D를 단맛이 강한 순서대로 올바르게 정리한 것은?

┌─ 보기

음료수에 함유된 성분을 조사한 결과, 다음과 같은 결과를 얻을 수 있었다.

A	액상 과당(HFCS55) 20g
B	포도당 20g
C	아스파탐 20g
D	수크랄로스 20g

※ 그 외 다른 성분은 모두 동일함.

① A < C < B < D

② B < A < C < D

③ B < C < A < D

④ C < A < D < B

⑤ C < B < D < A

어휘의 사전적 의미 파악

04 ㉠~㉤의 사전적 의미로 적절하지 <u>않은</u> 것은?

① ㉠: 생물체가 양분 따위를 몸속에 빨아들이는 일.

② ㉡: 이미 있는 것에 덧붙이거나 보탬.

③ ㉢: 어떤 사물을 특징지어 두드러지게 함.

④ ㉣: 한 종류의 화합물이 두 가지 이상의 간단한 화합물로 변화함. 또는 그런 반응.

⑤ ㉤: 해로운 성질이나 특성.

05~08 다음 글을 읽고 물음에 답하시오.

자동차의 에너지 효율은 연료량 대비 운행 거리의 비율인 연비로 나타내며, 이는 자동차의 성능을 평가하는 중요한 잣대이다. 이러한 자동차의 연비는 엔진의 동력이 어떤 조건에서 발생되느냐에 따라 큰 차이를 보인다.

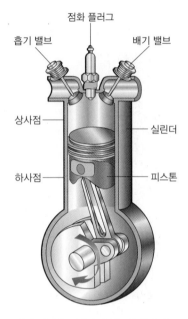

엔진의 동력은 흡기, 압축, 폭발, 배기의 ㉠4행정을 순차적으로 거쳐 생산된다. 흡기 행정에서는 흡기 밸브를 열고 피스톤을 상사점에서 하사점으로 이동시킨다. 이때 실린더 내부 압력이 대기압보다 낮아져 공기가 유입되는데, 흡입되는 공기에 연료를 분사하여 공기와 함께 연료를 섞어 넣는다. 압축 행정에서는 실린더를 밀폐시키고 피스톤을 다시 상사점으로 밀어 공기와 연료의 혼합 기체를 압축한다. 폭발 행정에서는 피스톤이 상사점에 이를 즈음에 점화 플러그에 불꽃을 일으켜 압축된 혼합 기체를 연소시킨다. 압축된 혼합 기체가 폭발적으로 연소되면서 실린더 내부 압력이 급격히 높아지고, 외부 대기압과의 압력 차이에 의해 피스톤이 하사점으로 밀리면서 동력이 발생한다. 배기 행정에서는 배기 밸브가 열리고 남아 있는 압력에 의해 연소 가스가 외부로 급격히 빠져나간다. 피스톤이 다시 상사점으로 움직이면 흡기 때와는 반대로 부피가 줄면서 대기압보다 내부 압력이 높아지므로 잔류 가스가 모두 ⓐ배출된다.

이러한 엔진의 동력 발생 주기에서 흡입되는 공기와 분사되는 연료의 혼합비를 어떻게 유지해 주느냐에 따라 자동차의 연비가 크게 달라진다. 일정 질량의 연료를 완전 연소시키는 데 필요한 산소의 질량은 일정하다. 한편 실린더 안에서 피스톤의 이동으로 흡입될 수 있는 공기의 부피는 정해져 있으므로, 공기의 밀도가 변하지 않으면 한 주기 동안 완전 연소 가능한 연료량의 최대치는 일정하다. 즉 최대 출력을 얻을 수

있는 공기와 연료의 적정한 혼합비는 이론적으로는 일정하다. 혼합비가 적절하지 않으면 출력이 떨어지면서 유해 가스의 배출량이 늘어나는데, 적정 혼합비보다 혼합 기체에 포함된 연료의 비율이 높아지면 산소가 부족하여 일산화 탄소, 탄화수소가 증가한다. 반대로 연료의 비율이 낮아지면 공기 과잉으로 질소 산화물이 늘어나고 배기가스에 산소가 잔류한다.

이론과 달리 실제 환경에서의 적정 혼합비는 상황에 따라 조금씩 달라진다. 이는 대기압, 엔진의 회전수 등 여러 요인에 의해 실린더에 흡입되는 공기의 질량이 변하기 때문이다. 따라서 자동차의 연비를 향상시키려면 엔진의 운행 상태를 실시간으로 감지하여 혼합비를 지속적으로 제어해야 한다.

- **동력** 전기 또는 자연에 있는 에너지를 쓰기 위하여 기계적인 에너지로 바꾼 것.
- **흡기** 기체를 빨아들임. 특히 내연 기관에서 연료의 혼합기를 기통 안으로 빨아들이는 것을 이른다.
- **배기** 열기관에서, 일을 끝낸 뒤의 쓸데없는 증기나 가스. 또는 그것들을 뽑아내는 일.
- **행정** 실린더 안에서 피스톤이 왕복하는 거리.
- **상사점** 내연 기관에서, 피스톤이 가장 높이 올라갔을 때의 위치.
- **하사점** 내연 기관에서, 실린더 안의 피스톤이 가장 낮게 내려갔을 때의 위치.
- **대기압** 대기의 압력.
- **분사하다** 액체나 기체 따위에 압력을 가하여 세차게 뿜어 내보내다.
- **출력** 엔진, 전동기, 발전기 따위가 외부에 공급하는 기계적·전기적 힘.

세부 내용 파악

05 윗글의 내용과 일치하지 <u>않는</u> 것은?

① 자동차의 에너지 효율은 연비로 나타낸다.

② 흡기 행정에서는 실린더 내부 압력이 대기압보다 낮아진다.

③ 압축 행정에서는 공기와 연료의 혼합 기체를 압축한다.

④ 폭발 행정에서는 혼합 기체를 연소시킴으로써 동력이 발생한다.

⑤ 배기 행정에서는 외부에서 유입되는 공기에 연료를 분사한다.

핵심 내용 적용

06 다음은 ㉠에 대한 설명이다. ㉮~㉱에 들어갈 말을 바르게 짝지은 것은?

> 4행정 동안 피스톤의 움직임을 관찰하면 피스톤은 흡기 행정에서 ㉮ , 압축 행정에서는 ㉯ 으로 이동한다. 이후, 피스톤은 폭발 행정에서 압축된 혼합 기체가 연소된 후 ㉰ 으로 이동하고 배기 행정에서는 ㉱ 으로 이동하게 된다.

	㉮	㉯	㉰	㉱
①	상사점	하사점	상사점	하사점
②	상사점	하사점	하사점	상사점
③	하사점	상사점	상사점	하사점
④	하사점	상사점	하사점	상사점
⑤	하사점	하사점	상사점	상사점

어휘의 문맥적 의미 파악

07 다음 중 밑줄 친 단어의 의미가 ⓐ와 가장 유사한 것은?

① 그 학교에서는 많은 인재가 <u>배출되었다</u>.
② 이 고장에서는 여러 학자가 <u>배출되었다</u>.
③ 그곳은 다양한 유명 화가가 <u>배출된</u> 도시이다.
④ 가정에서 사용한 생활 폐수가 하천에 <u>배출되었다</u>.
⑤ 그 집안에서는 유능한 사업가가 많이 <u>배출되었다</u>.

내용의 비판적 이해

08 윗글을 바탕으로 하여 A의 엔진 개발 과정에 대해 비판적으로 평가한 내용으로 가장 적절한 것은?

> **보기**
>
> A는 자동차 엔진을 개발하는 과정에서 최대 출력을 얻을 수 있는 공기와 연료의 적정한 혼합비는 이론적으로 일정하다는 것을 알게 되었다. 그래서 A는 자동차의 연비를 향상시키기 위해 실린더 안에서 피스톤의 이동으로 흡입될 수 있는 공기의 부피를 감안하여 한 주기 동안 분사되는 연료량을 고정시켰다.

① 동일한 양의 연료에서 최대 출력을 얻을 수 있는 방법에 대해서는 고민하지 못했군.
② 실제 환경에서 공기와 연료의 적정 혼합비는 대기압, 엔진의 회전수 등에 영향을 받아 달라진다는 것을 고려하지 못했군.
③ 실린더 안으로 흡입될 수 있는 공기에 맞추어 연료량을 투입하게 되면 가스의 배출량이 늘어난다는 것은 고려하지 못했군.
④ 엔진의 에너지 효율을 높이기 위해서는 기체와 연료의 적정 혼합비보다 연료의 비율을 더 높여야 한다는 것을 고려하지 못했군.
⑤ 4행정 기반 엔진에서는 공기와 연료의 적정한 혼합비보다 피스톤의 견고함과 자연스러운 작동이 효율을 높인다는 것을 고려하지 못했군.

창의·융합·코딩 전략 ①

다음 글을 읽고 물음에 답하시오.

식물 호르몬의 하나인 에틸렌은 공기보다 가벼운 기체이며 쉽게 *산화하는 성질이 있다. 에틸렌은 식물의 성장과 발달 과정에서 다양한 기능을 한다. 먼저 ㉠에틸렌은 사과, 배, 토마토 등 과일의 성숙을 유도한다. 과일의 성장이 일정한 단계에 이르면 에틸렌이 합성되어 과일을 성숙하게 하고, 성숙한 과일은 에틸렌을 더 많이 만들어 낸다. ㉡이처럼 어떤 원인에 의해 나타난 결과가 다시 그 원인에 작용해 그 결과를 촉진하는 것을 '양성 되먹임'이라 한다. 에틸렌은 기체이므로 같은 공간에 있는 여러 과일에 전달되어 과일을 더 잘 익게 한다. 이와 달리 과일의 성숙을 지연시키기 위해서는 이산화 탄소를 활용할 수 있다.

또한 에틸렌은 줄기가 물리적 자극에 반응하도록 유도한다. 어두운 곳에서 배양되어 싹이 튼 완두가 토양 속에서 위쪽으로 올라오다가 돌에 부딪치면, 줄기의 맨 위쪽 부위가 자극을 받는다. 이때 완두는 에틸렌을 합성하게 되는데, 이 에틸렌에 의해 '삼중 반응'이 일어난다. 삼중 반응은 줄기의 신장 속도 감소, 줄기를 굵게 하는 측면 비대 성장, 줄기를 옆으로 자라게 하는 휘어짐이 모두 일어나는 현상을 의미한다. ㉢즉 식물의 줄기는 '물리적 자극 → 에틸렌 합성 → 삼중 반응'의 과정을 거치는 것이다. 에틸렌은 식물 성장 과정에서 삼중 반응을 일으켜 줄기가 장애물을 피해 가게 한다. 그러나 장애물이 사라지면 줄기의 에틸렌 합성은 감소하고, 줄기는 다시 위쪽을 향해 정상적으로 자란다. 이때 줄기에 삼중 반응이 일어나게 하는 것은 물리적인 자극 자체가 아니라 에틸렌이다. 물리적 자극이 없는 상태에서 자라는 어린 식물에 에틸렌을 처리해도 삼중 반응이 일어나기 때문이다.

생물학자들은 실험실에서 애기장대를 관찰하다가 정상적인 애기장대뿐만 아니라 세 가지 유형의 돌연변이체도 같이 발견했다. ⓐ첫째 유형은 에틸렌에 반응하지 않는 돌연변이체이다. ㉣이 돌연변이체는 에틸렌 수용체를 지니고 있지 않아 에틸렌을 처리해도 삼중 반응이 일어나지 않는다. ⓑ둘째 유형은 물리적인 자극이 없는 공기 중에 노출되어 있을 때에도 삼중 반응을 보이는 돌연변이체이다. 이들은 에틸렌 합성과 조절에 이상이 생겨 정상적인 경우보다 20배나 많은 에틸렌을 합성한다. 그런데 이 돌연변이체에 에틸렌 합성 억제제를 처리하면 정상적인 형태로 돌아간다. ㉤셋째 유형은 항상 삼중 반응을 보이는 돌연변이체이다. ㉤이들은 에틸렌 합성 억제제에도 반응하지 않는다. 에틸렌 신호 전달 경로에 이상이 생겨 에틸렌이 없어도 신호가 전달되기 때문이다.

생물학자들은 돌연변이체에 대한 연구를 토대로 정상적인 유전자의 기능을 알게 되었으며, 식물 조직 내부의 효소와 에틸렌의 상호 작용을 통해 신호 전달 경로를 추정해 나갔다.

● **산화** 어떤 물질이 산소와 결합하거나 수소를 잃는 일.

---

01 ㉠~㉤ 중, 〈보기〉의 사례와 연결하여 이해할 수 있는 것은?

> ┌─ 보기 ─
>
> **〈헌혈로 이웃 사랑 실천해요〉**
>
> 김○○ 씨는 10년 전 다른 사람의 도움을 받고 살아난 경험이 있다. 김 씨는 국내에서 구하기 힘든 혈액형을 가지고 있었는데, 김 씨와 같은 혈액형을 가진 사람들의 헌혈 덕분에 수술을 무사히 마치고 살아날 수 있었다.
>
> 김 씨는 이 경험을 바탕으로 정기적으로 헌혈에 참여하였고 올해 100번째 헌혈을 하였다. 이러한 소식이 알려지며 많은 사람들이 헌혈에 동참했고, 그 덕분에 김 씨처럼 위급한 상황에 놓인 많은 환자들의 생명을 구할 수 있었다.

① ㉠　　② ㉡　　③ ㉢　　④ ㉣　　⑤ ㉤

●●●● 도움말

타인의 **❶**□□□으로 생명을 유지할 수 있었던 김 씨가 이후 다른 사람에게 도움을 주기 위해 헌혈에 **❷**□□한 것에 주목하여 ㉠~㉤과의 관련성을 생각해 보자.

답 ❶ 도움 ❷ 참여

02 다음 실험 결과를 토대로 돌연변이체를 구분하려 한다. 윗글의 ⓐ~ⓒ에 해당하는 돌연변이체를 바르게 짝지은 것은?

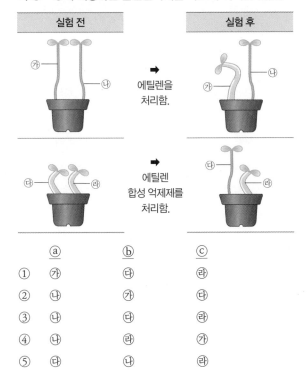

	ⓐ	ⓑ	ⓒ
①	㉮	㉰	㉱
②	㉯	㉮	㉰
③	㉯	㉰	㉱
④	㉯	㉱	㉮
⑤	㉰	㉯	㉱

03 윗글의 내용을 다음과 같이 정리했을 때, Ⓐ~Ⓔ에 들어갈 내용으로 알맞지 <u>않은</u> 것은?

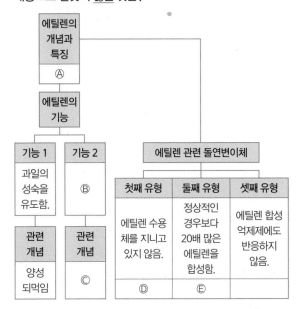

① Ⓐ: 가벼운 기체인 식물 호르몬으로, 쉽게 산화함.

② Ⓑ: 줄기가 물리적 자극에 반응하도록 유도함.

③ Ⓒ: 삼중 반응

④ Ⓓ: 에틸렌에 반응하지 않는 돌연변이체

⑤ Ⓔ: 항상 삼중 반응을 보이는 돌연변이체

••••**도**움말

ⓐ~ⓒ의 특징을 파악한 후, **❶** 과 에틸렌 합성 억제제 처리에 따른 식물의 **❷** 양상을 토대로 돌연변이체 유형을 구분해 보자.

🄳 ❶ 에틸렌 ❷ 변화

••••**도**움말

도식을 통해 글의 전개 방식과 주요 개념 간의 **❶** 를 파악하고, 글에서 해당 **❷** 을 설명한 부분을 찾아 Ⓐ~Ⓔ에 들어갈 내용을 확인해 보자.

🄳 ❶ 관계 ❷ 개념

창의·융합·코딩 전략 ②

04~06 다음 글을 읽고 물음에 답하시오.

안경과 카메라의 렌즈, 스마트폰의 터치 화면 등에 형성되어 있는 박막은 눈의 보호, 지문 방지, 반사 방지 등의 중요한 역할을 한다. 이러한 박막을 형성할 때 가장 널리 사용되는 것이 진공 증착 기술이다. 진공 증착 기술은 진공 상태에서 금속을 가열·증발시켜 발생된 기체 분자를 물체 표면에 얇은 막으로 입히는 것인데, 그 과정은 다음과 같다.

먼저 진공 펌프로 용기 내의 공기를 용기 밖으로 배출하여 용기 내의 기압이 외부의 대기압보다 낮은 진공 상태를 만든다. 용기를 진공 상태로 만드는 이유는 금속이 증발할 때 용기 내 공기에 있는 다른 물질들과 충돌하면 증발된 기체 분자가 박막을 형성할 기판 표면에 도달하지 못하기 때문이다.

다음으로 진공 용기 안 아랫부분에는 증발시킬 재료인 증발 금속을 설치하고 윗부분에는 박막이 형성될 고체 기판을 장착한다. 증발 금속을 전기적 저항이나 전자 빔 등으로 가열하면, 증발 금속의 분자가 기체 분자가 되어 진공 공간으로 튀어 나가게 된다. 이때의 에너지만으로 기판까지 직진하며 날아간다. 일반적으로 가열 온도가 높으면 튀어 나가는 에너지는 변하지 않지만 튀어 나가는 분자 수는 많아진다. 튀어 나가는 분자 수가 많다는 것은 증발하는 기체가 많다는 것이며, 증발하는 기체가 많을수록 증착 속도를 높일 수 있다. 그런데 물질마다 증발하는 기체 분자량이 최대로 측정되는 가열 온도가 다르기 때문에 이를 고려하여 물질에 따른 증착 속도를 조절해야 한다.

기판까지 날아간 기체 분자들은 기판 표면에 흡착하게 된다. 기판 내부에 들어 있는 원자는 상하좌우 모든 방향으로 대칭이어서 힘의 균형이 이루어진 안정된 상태이지만, 기판 표면에 있는 원자는 아래쪽에 결합할 원자가 없는 불안정한 상태이다. 불안정한 상태인 기판 표면에 있는 원자는 기체 분자와 결합하여 안정화하려고 한다. 이 과정에서 기판 표면에 기체 분자가 달라붙는 현상인 흡착이 이루어지게 되는 것이다. 이때 안정적으로 흡착이 이루어지려면 기판의 온도가 중요하다. 기판의 온도가 기체 분자의 온도보다 높으면 흡착된 기체

분자들의 운동 에너지가 기판 표면의 원자들이 안정화하려는 힘보다 커져 기판 표면에서 쉽게 탈착하게 된다. 이때 탈착되지 않고 기판 표면에 흡착된 기체 분자는 잃어버린 운동 에너지의 일부를 열로 방출하는데 이를 흡착열이라고 한다. 흡착된 분자가 많으면 흡착열이 커지기 때문에 흡착열의 크기는 흡착 세기를 나타낸다. 마지막으로 기체 상태로 흡착된 분자들이 고체화되는 증착을 통해 기판의 박막이 형성된다.

증발된 기체 분자는 직진으로 날아가기 때문에 입체적 모양을 가진 기판의 구석이나 뒷면에는 증착이 되지 않는 단점이 있다. 이러한 단점을 해결하기 위해 기판을 회전시키거나 증발 금속의 위치를 다양하게 조절하는 방법을 사용하고 있다.

● **박막** 표면적에 비해 두께가 아주 얇은 막.
● **증착** 진공 상태에서 금속이나 화합물 따위를 가열·증발시켜 그 증기를 물체 표면에 얇은 막으로 입히는 일.
● **전자 빔** 전자총에서 나오는 속도가 거의 균일한 전자의 연속적 흐름.
● **흡착하다** 고체 표면의 얇은 층에 기체 분자나 용액 중의 물질 또는 액체의 분자·원자·이온이 붙어 있다.
● **탈착하다** 흡착된 물질이 고체 표면으로부터 떨어지다.

---

04 〈보기〉는 진공 증착 기술의 과정을 도식화한 것이다. ㉠~㉤에 들어갈 내용으로 적절하지 **않은** 것은?

① ㉠: 진공화　　② ㉡: 가열　　③ ㉢: 기체화
④ ㉣: 탈착　　⑤ ㉤: 박막

••• 도움말

진공 증착 기술의 **❶** 　　을 도식화한 표이므로, 지문을 통해 증발 금속이 기판에 흡착되는 **❷** 　　를 파악해 보자.

답 ❶ 과정 ❷ 순서

05 윗글을 참고하여 〈보기〉를 이해한 내용으로 적절하지 <u>않은</u> 것은?

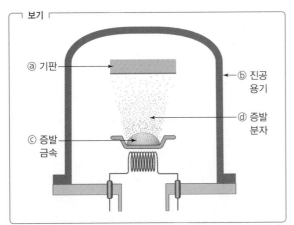

ⓐ 기판
ⓑ 진공 용기
ⓒ 증발 금속
ⓓ 증발 분자
보기

① ⓐ의 온도가 ⓓ보다 높으면 ⓐ의 표면에서 탈착 현상이 일어날 수 있다.

② ⓐ가 입체적인 모양일 경우 ⓒ를 회전시키면 ⓐ의 뒷면에 ⓓ를 증착시킬 수 있다.

③ ⓑ의 내부를 진공 상태로 만들지 않으면 ⓓ가 ⓐ에 도달하지 못할 수도 있다.

④ ⓒ를 가열하면 ⓓ가 되어 진공 공간으로 튀어 나가게 된다.

⑤ 일반적으로 ⓒ를 가열하는 온도가 높으면 ⓓ가 ⓐ에 증착하는 속도를 높일 수 있다.

도움말

그림을 보고 기판에 증발 금속을 ❶ [   ] 하는 방법이 적절하게 설명되었는지 확인하는 문제이다. 지문을 바탕으로 각 ❷ [   ] 을 적절하게 설명하고 있는지 파악해 보자.

❶ 증착 ❷ 과정

06 윗글을 바탕으로 '진공 증착 기술'과 관련하여 발표 자료를 구성하려 할 때, 학생들이 나눈 대화로 적절하지 <u>않은</u> 것은?

다들 발표 준비 잘하고 있지? 우리 조는 진공 증착 기술과 관련해서 발표를 준비하고 있잖아. 각자 어떤 내용으로 발표를 구성하고 있는지 공유해 보자.

 ① 나는 1문단을 활용해서 진공 증착 기술로 만든 박막의 역할을 알려 주고 싶어.

 ② 나는 2~4문단을 활용해서 박막을 형성할 때 사용하는 진공 증착 기술의 구체적인 과정을 소개할 거야.

 ③ 나는 3문단을 활용해서 모든 물질은 동일한 가열 온도에서 증발하는 기체 분자량이 최대로 측정된다는 점을 설명하고, 증착 속도를 높이기 위해서는 가열 온도를 최대한 높여야 한다는 내용을 강조할 거야.

 ④ 나는 4문단을 활용해서 기판까지 날아간 증발 분자들이 기판 표면에 흡착되는 이유를 소개할 거야.

 ⑤ 나는 5문단을 활용해서 박막을 입힐 기판이 입체적 모양을 가지고 있을 때, 기판의 뒷면이나 구석까지 증착시키기 위해 사용하는 방식에는 어떤 것들이 있는지 소개할 거야.

도움말

글의 내용을 바탕으로 학생들이 ❶ [   ] 자료를 구상하는 상황이야. 따라서 학생들이 발표하려는 내용이 글에 제시된 내용인지 확인하고, 글의 내용과 ❷ [   ] 이해한 부분이 없는지 확인해야 해.

❶ 발표 ❷ 다르게

2 예술 분야

정말 멋진 공연이었어.

아름다운 선율이 귓가에 맴도는 것 같아.

휴, 다시 도서관으로 가자.

그러고 보니 오늘은 예술 분야 지문을 복습하기로 한 날이구나.

예술 공연을 보는 건 재미있는데 예술 지문은 왜 어렵게 느껴질까?

내가 있잖아!

공부할 내용 1. 예술 분야 지문 출제 경향   2. 예술 분야 문제 출제 경향
3. 예술 분야 빈출 어휘 & 개념어   4. 창의적 읽기

개념 돌파 전략 ①

개념 01 예술 분야 지문 출제 경향

↻ 주요 제재

예술 철학, 미학 등 예술론이나 다양한 예술 분야의 특징, 표현 기법, 특정 작품에 대한 분석이나 비평 등을 다룸.

예 미술, 음악, 영화, 사진, 건축 등

↻ 출제 경향 및 공략법

• 특정 예술 사조나 작가, 작품, 세계관 등을 구체적으로 소개하는 글이 출제됨. 예 인상파 화가들의 회화 경향

• 최근에는 과학, 기술 등 다른 영역과 **❶** 하여 출제되는 경향을 보임.

예 소리에 관한 과학적 분석과 음악의 아름다움

↓

글이나 〈보기〉에 시각 자료가 제시되는 경우 글의 내용을 이미지에 적용하며 읽고, 여러 작가나 작품의 경향을 설명하는 경우 설명 대상의 특징을 **❷** 하며 읽어야 함.

답 ❶ 융합 ❷ 비교

확인 01

다음 문장에 들어갈 알맞은 말을 골라 ○표를 하시오.

예술 분야의 지문은 (다양한 / 특정) 예술 분야를 제재로 다룬다.

개념 02 예술 분야 문제 출제 경향

↻ 빈출 문제

• 작품을 감상하거나 해석하는 문제

• 지문에서 언급한 대상을 **❶** 자료로 제시하는 문제

예 〈보기〉는 신라 시대에 만들어진 범종이다. 이 범종의 ⓐ～ⓔ와 관련된 설명으로 적절하지 않은 것은?

• 다른 대상 또는 관점을 비교하는 문제

예 ㉠과 〈보기〉의 입장을 비교한 것으로 적절하지 않은 것은?

↻ 빈출 문제 공략법

• 감상이나 해석의 근거가 글의 내용에 부합하는지 확인해야 함.

• 〈보기〉와 선택지를 먼저 읽은 후 지문을 읽고, 대상이나 관점의 **❷** 가 드러나는 부분을 찾아야 함.

답 ❶ 시각 ❷ 차이

확인 02

다음 중 '사람이 생각하는 태도나 방향'을 의미하는 것은?

① 비교 　　② 관점 　　③ 감상

개념 03 예술 분야 빈출 어휘

조형미	어떤 모습을 입체감 있게 예술적으로 형상하여 표현하는 아름다움. 예 불국사 다보탑은 조형미가 뛰어난 작품이다.
질감	재질의 차이에서 받는 **❶** . 예 사물의 질감을 살려 그림을 그렸다.
피사체	사진을 찍는 대상이 되는 물체. 예 이 카메라 렌즈는 피사체와의 거리를 자유자재로 조절할 수 있다.
역동적	힘차고 활발하게 움직이는 것. 예 그 음악은 감상자에게 역동적인 느낌을 준다.
형상화하다	형체로는 분명히 나타나 있지 않은 것을 어떤 방법이나 매체를 통하여 구체적이고 명확한 **❷** 으로 나타내다. 예 이 그림은 우리 사회의 모습을 압축적으로 형상화하고 있다.
구현하다	어떤 내용을 구체적인 사실로 나타나게 하다. 예 이 건물은 대칭의 미를 잘 구현하고 있다.
재현하다	다시 나타나다. 또는 다시 나타내다. 예 이 영화는 당대의 의상을 재현하는 데 심혈을 기울였다.

답 ❶ 느낌 ❷ 형상

확인 03

다음 밑줄 친 단어와 바꾸어 쓰기에 적절하지 않은 것은?

이곳은 백여 년 전의 농촌 모습을 재현한 마을이다.

① 표현한 　　② 구현한 　　③ 지양한

개념 04 예술 분야 개념어

제재	예술 작품이나 학술 연구의 **❶** 이 되는 재료 예 예술 분야는 다양한 제재를 다룬다.
쟁점	서로 다투는 중심이 되는 점 예 이 작품에 관한 주요 쟁점을 이해할 필요가 있다.
상술	글의 핵심 개념이나 어휘, 주장 등을 자세하게 풀어서 설명하는 방식 예 이 책은 동양화의 특징을 상술하고 있다.
부연	이해하기 쉽도록 설명을 **❷** 자세히 말하는 방식 예 작품이 난해하여 부연 설명이 필요하다.

답 ❶ 바탕 ❷ 덧붙여

확인 04

다음 문장에 들어갈 알맞은 말을 골라 ○표를 하시오.

호랑이는 민화의 (문제 / 제재)로 많이 사용되었다.

개념 **05** 창의적 읽기_개념과 독해법

↺ 개념

글의 내용과 글쓴이의 생각을 바탕으로 독자가 자신의 ❶ [   ]과 경험을 더해 새로운 의미를 만들어 내는 독서 방법

↺ 독해법

☑ 글의 내용을 심화·확장하며 읽기

- 글에서 설명한 개념이나 원리를 정확하게 이해하고 앞으로 탐구해야 할 과제 또는 글의 내용을 ❷ [   ]할 수 있는 질문을 떠올리며 읽어야 함.
- 글에 특정 대상이나 문제에 대한 글쓴이의 관점 또는 해결 방안이 제시된 경우 관점의 ❸ [   ], 문제 해결 방안의 실효성, 실현 가능성 등을 평가하며 글을 읽어야 함.
- 글의 내용을 단순히 사실적으로 이해하는 것에 그치는 것이 아니라 이해한 내용을 바탕으로 자신의 생각을 심화·발전시킬 수 있어야 함.

☑ 글에 제시된 정보 응용하기

- 글의 내용을 바탕으로 ❹ [   ] 내용을 생성하거나 목적에 따라 내용을 재구성할 수 있어야 함.
- 글에 대한 이해를 전제로 하여 참신하고 독창적인 내용을 구상할 수 있어야 함.

↺ 출제 경향

- 글의 내용 재구성하기 ✗
- 문제 해결 방안 또는 대안 탐색하기 ✗
- 글의 내용을 심화·확장하여 이해하기
- 글쓴이의 생각을 보완하거나 대체하는 방안 찾기
- 글에서 자신과 사회의 문제를 해결하는 방법 찾기

답 ❶ 지식 ❷ 확장 ❸ 타당성 ❹ 새로운

확인 05

창의적 읽기 방법에 대한 설명으로 맞으면 ○표, 틀리면 ✕표를 하시오.

(1) 글의 내용과 별개로 기존에 전혀 없던 새로운 내용을 만들어 내는 읽기 방법이다. (   )

(2) 독자가 글의 내용과 글쓴이의 생각을 토대로 자신의 관점을 구성하는 읽기 방법이다. (   )

개념 **06** 창의적 읽기_문제 풀이 전략

유형 ① 글의 내용 재구성하기

글의 내용을 논리적으로 ❶ [   ]할 수 있는지 평가하는 유형

예 다음은 학생의 독서 활동 과정이다. 학생이 재구성하기 단계에서 쓴 글로 가장 적절한 것은?

≫ 문제 풀이 전략

STEP 1 조건 파악하기	문제에서 요구하는 ❷ [ ]을 정확하게 파악하기
↓	
STEP 2 내용 분석하기	화제, 주제, 글쓴이의 관점 등 글의 주요 내용 분석하기
↓	
STEP 3 내용 재구성하기	문제의 조건과 글의 내용을 바탕으로 내용을 재구성하여 선택지의 적절성 판단하기

유형 ② 문제 해결 방안 또는 대안 탐색하기

글의 내용과 삶의 문제를 연관 지어 ❸ [   ]을 제시할 수 있는지, 글쓴이의 생각에 대한 대안을 마련할 수 있는지 평가하는 유형

예 윗글을 바탕으로 〈보기〉의 문제를 해결하기 위해 제시할 만한 방안으로 적절하지 않은 것은?

≫ 문제 풀이 전략

STEP 1 문제 파악하기	〈보기〉에 제시된 문제 상황을 파악하기
↓	
STEP 2 문제 해결의 단서 찾기	지문에서 문제 상황을 해결하는 ❹ [ ]가 되는 내용을 찾기
↓	
STEP 3 선지의 적절성 판단하기	지문에서 찾은 단서를 바탕으로 〈보기〉의 문제 상황을 해결할 방안을 찾아 선택지의 내용과 비교하기

답 ❶ 재구성 ❷ 조건 ❸ 해결 방안 ❹ 단서

확인 06

다음 설명이 맞으면 ○표, 틀리면 ✕표를 하시오.

(1) 글의 내용을 재구성하는 문제를 풀 때에는 문제에 제시된 재구성 조건을 먼저 확인해야 한다. (   )

(2) 문제 상황을 해결하는 단서는 지문에 제시되지 않으므로 자신의 상상력을 바탕으로 문제 해결 방안을 제시해야 한다. (   )

개념 돌파 전략 ②

01 다음 글의 중심 화제를 쓰시오.

> 그리스 시대부터 19세기 전반까지 자연을 대상으로 삼은 대표적 사조로 고전주의와 낭만주의가 있다. 두 사조의 관심은 '자연의 모방'에 있었지만, 자연을 모방하려는 목적과 방법, 또 모방하려는 자연의 종류가 달랐다. 고전주의의 핵심 이론은 '아름다운 자연의 모방'으로, 고전주의자들이 주로 모방의 대상으로 삼은 것은 우리 안의 자연 즉, 인간의 신체였다. 그들은 자연의 모방을 통해 궁극적으로 미적 이상에 도달할 수 있다고 믿었다. 예술에서 모방의 대상으로 우리 밖의 자연 즉, 풍경이 인간을 제치고 예술의 주요한 대상으로 떠오른 것은 18세기에 시작된 낭만주의 시대에 이르러서이다.

02 다음 글을 통해 알 수 있는 내용이 <u>아닌</u> 것은?

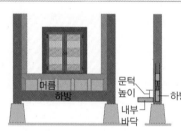

머름
하방
문턱 높이
하방
내부 바닥

> 한옥에서 일반적으로 창턱의 높이는 실내 생활 방식과 관계가 있었다. 좌식 생활을 하는 경우에 창턱은 입식 생활을 하는 경우보다 낮게 설치되었는데, 하방 위에 목재를 이용해 머름[遠音]이라 부르는 별도의 나지막한 창턱을 만들었다. 머름의 유무는 형태와 기능에 있어서 창호가 명확히 구분되지 않는 한국 건축에서 형태상 창과 호를 결정하는 요소로 작용한다. 호는 하방 위에 바로 설치되지만 창은 하방 위에 머름을 설치하고 그 위에 설치되기 때문이다. 이때 머름의 높이는 1.5~1.8자 정도의 범위에서 설치하는데, 이는 바닥에 앉은 사람이 팔걸이를 하고 기대기에 적합한 높이와 관계가 있다.

① 한옥에서 창턱은 보통 하방 위에 위치한다.
② 호는 창턱이 없이 하방 위에 바로 설치된다.
③ 창을 설치하기 위해서는 반드시 머름을 설치해야 한다.
④ 머름의 높이는 좌식 생활을 하는 사람을 고려한 것이다.
⑤ 입식 생활을 할 경우 머름의 높이는 1.8자보다 낮을 것이다.

03~04 다음 글을 읽고 물음에 답하시오.

통일성을 구현하기 위한 방법으로 인접, 반복, 연속 등이 사용된다. 인접은 각각 분리된 요소들을 가까이 배치해 서로 관계를 맺고 있는 것처럼 보이게 만드는 방법이다. 밤하늘에서 별자리를 찾는 일도 몇몇 특정한 별들을 인접시켜 해석함으로써 형상에 따라 의미를 부여한 것이고 문자를 인접시켜 단어를 만드는 것도 통일성의 질서를 이용한 것이라 할 수 있다. 반복은 부분적인 것들을 반복시켜 작품 전체에 통일성을 부여하는 방법이다. 반복되는 것에는 색깔이나 형태, 질감은 물론이고 방향이나 각도 등 여러 가지가 있을 수 있다. 마지막으로 연속은 어떤 대상에서 다른 대상으로 연관을 갖고 이어지게 하여 통일성을 구현하는 방법이다. 연관된 것들을 보게 되면 우리의 눈길은 어떤 것에서 연관된 그 다음의 것으로 자연스럽게 옮겨 가게 된다.

독해 전략

여러 대상을 ❶ 하여 설명하는 경우, 각 대상과 관련된 설명을 ○, △, □ 등의 기호로 ❷ 하면서 읽는 것이 좋다.

답 ❶ 나열 ❷ 표시

문제 해결 전략

선택지의 내용이 글의 어느 부분에 해당하는지 하나하나 확인하기보다는 글을 읽을 때 내용 ❶ 을 알려 주는 ❷ 를 찾아 가며 글을 읽는 습관을 들이는 것이 좋다.

답 ❶ 전개 방식 ❷ 표지

03 윗글의 전개 방식으로 가장 적절한 것은?

① 특정 성질을 구현하는 방법들의 장단점을 비교하고 있다.
② 특정 성질을 구현하기 위한 다양한 방법을 상술하고 있다.
③ 특정 성질을 구현하는 데 방해가 되는 요소를 제시하고 있다.
④ 특정 성질을 구현하는 방법이 적용되는 순서를 소개하고 있다.
⑤ 특정 성질을 구현하는 방법을 고안하게 된 배경을 설명하고 있다.

04 윗글을 참고하여 〈보기〉를 이해한 내용으로 가장 적절한 것은?

A 작가는 봄 전시회 때 다양한 모양과 색깔의 한지를 붙인 30점의 작품을 만들어 전시했다. 모든 작품들은 꽃 모양을 하고 있으며, 이 꽃들은 모두 봄꽃이다. A 작가는 한지의 콜라주 기법을 모든 작품에 적용하여 서로 다른 다양한 질감과 색채를 표현하고자 하였다.

① A 작가의 작품은 질감의 반복으로 통일성을 구현하고 있다.
② A 작가의 작품은 콜라주 기법으로 통일성에서 벗어나고 있다.
③ A 작가의 작품은 꽃 모양의 반복으로 통일성을 구현하고 있다.
④ A 작가의 작품은 유사한 색깔의 꽃을 인접하여 통일성을 구현하고 있다.
⑤ A 작가의 작품은 연관성이 없는 작품들을 전시하여 통일성에서 벗어나고 있다.

문제 해결 전략

먼저 글에서 제시한 ❶ 을 구현하기 위한 방법을 파악한 후, 〈보기〉의 사례에 어떤 방법을 ❷ 하여 통일성을 구현할 수 있는지 생각해 봐야 한다.

답 ❶ 통일성 ❷ 적용

05 ⓐ~ⓔ의 사전적 의미로 적절하지 **않은** 것은?

> 사르트르의 관점에서 예술을 바라본다면, 예술은 늘 변할 수밖에 없는 ⓐ실재 세계가 아닌 독립된 상상 세계에서 ⓑ인식되어야 한다. 고전적인 조각의 경우를 예로 들면 예술가는 자신이 지각한 그대로를 완벽하게 표현하려 애쓰지만 실재 세계에서 인식되는 대상은 계속 변화하기 때문에 결국 ⓒ지각에 의한 ⓓ재현에는 어려움이 생길 수밖에 없다. 그러나 조각을 상상 세계에서 이미지화하면 ⓔ의도한 만큼 작품을 변하지 않게 구성할 수 있다. 비로소 예술가가 나타내고자 했던 이미지를 그대로 전달할 수 있다는 것이다.

① ⓐ: 실제로 존재함.
② ⓑ: 사물을 분별하고 판단하여 앎.
③ ⓒ: 감각 기관을 통하여 대상을 인식함.
④ ⓓ: 연극이나 영화 따위를 다시 상연하거나 상영함.
⑤ ⓔ: 무엇을 하고자 하는 생각이나 계획. 또는 무엇을 하려고 꾀함.

독해 전략

이 글은 사르트르의 ❶ 을 설명하고 있다. 따라서 사르트르가 예술을 바라보는 ❷ 을 설명한 부분에 주목하여 읽어야 한다.

답 ❶ 예술론 ❷ 관점

06 ㉠ 시기의 음악적 특징과 관련하여 학생이 재구성하여 글을 쓰는 과정에서 떠올린 내용으로 적절하지 **않은** 것은?

> 빈의 새로운 청중의 귀는 유럽의 다른 지역 청중과는 달리 순수 기악을 향해 열려 있었다. 당시 청중은 언어가 순수 기악이 주는 의미를 담기에 부족하다고 생각했기 때문에 제목이나 가사 등의 음악 외적 단서를 원치 않았다. 또한 ㉠당시 음악 비평가들은 음악을 앎의 방식으로 이해하기를 원했다. 슐레겔은 모든 순수 기악이 철학적이라고 보았으며, 호프만은 베토벤의 교향곡이 '보편적 진리를 향한 문'이라고 주장하였다. 요컨대 당시의 빈의 청중과 독일의 음악 비평가들은 베토벤의 교향곡이 음악의 독립적 가치를 극대화한 음악이자 독일 민족의 보편적 가치를 실현해 주는 순수 기악의 정수라 여겼다.

> ① 빈의 청중들과 달리 유럽의 다른 지역 사람들은 순수 기악을 선호하지 않았다고 했는데, 그들은 어떤 음악을 선호했는지 궁금했어. 그리고 ② 당시 청중들이 다양한 언어적 단서를 통해 음악을 앎의 방식으로 이해하기를 원했다는데, 그 단서에 대해 자세히 알고 싶었어. ③ 호프만은 베토벤의 교향곡을 통해 진리에 닿을 수 있다고 보았는데, 그렇게 판단한 근거를 구체적으로 알고 싶었어. 그뿐만 아니라 ④ 독일의 음악 비평가들은 베토벤의 교향곡이 독일 민족의 보편적 가치를 실현해 준다고 믿었는데, 왜 그렇게 생각했는지 궁금했어. 마지막으로 ⑤ 음악의 독립적 가치를 극대화했다고 평가받는 베토벤의 교향곡을 실제로 감상해 보고 싶어.

독해 전략

이 글은 순수 기악을 ❶ 하는 빈의 청중과 비평가들을 소개하고 있다. 빈의 청중과 독일의 음악 비평가들이 베토벤의 교향곡을 높게 평가한 ❷ 를 정리해 본다.

답 ❶ 선호 ❷ 이유

문제 해결 전략

글을 재구성할 때에는 글의 주제, ❶ , 내용에 대한 이해가 바탕이 되어야 한다. 따라서 학생이 글을 ❷ 하는 과정에서 글에 제시되지 않은 내용을 떠올린 것은 없는지 확인해야 한다.

답 ❶ 관점 ❷ 재구성

07~08 다음 글을 읽고 물음에 답하시오.

　㉠볼탕스키는 아마추어 사진을 오브제로 활용하여 감상자로 하여금 오랫동안 고착화된 사회적 규범 체제나 공동체의 특징과 같은 일종의 문화적 코드를 읽게 함으로써, 작품 해석에 능동적으로 참여할 수 있게 한다. 예를 들어 일상적인 가족사진을 오브제로 사용한 작품을 바라보는 감상자는 오브제인 아마추어 사진이 나타내는 이데오그램을 통해 문화적 코드를 읽어 낼 수 있고, 소시오그램을 통해 특정 가족의 삶의 모습에서 연상되는 자신의 과거나 동시대 가족의 모습을 떠올리며 능동적으로 감상할 수 있는 것이다.

　한편 그는 사람들이 사진을 진짜라고 믿는 마음을 역이용하여 사진이 갖는 사실성과 허구성이라는 양면성을 드러냄으로써, 사진에 부여된 진실성을 의심하고 사진을 다의적으로 읽을 수 있도록 다양한 시도를 했다. '진짜'처럼 여기도록 아마추어 사진을 반복적으로 재촬영하여 원래 사진의 이미지를 일부러 흐리게 만들거나 자신의 의도에 따라 사진을 재배열하기도 했다.

독해 전략

볼탕스키 작품의 특징과 ❶ [　　] 사진에 관한 볼탕스키의 관점 등 ❷ [　　] 내용을 꼼꼼하게 확인하며 읽어야 한다.

답 ❶ 아마추어 ❷ 세부

문제 해결 전략

볼탕스키의 ❶ [　　]을 세부적으로 파악해야 하는 문제이므로 선택지의 내용과 글의 해당 부분을 꼼꼼하게 ❷ [　　]해야 한다.

답 ❶ 관점 ❷ 비교

07 윗글을 읽고 알 수 있는 내용으로 적절한 것은?

① 볼탕스키는 사람들이 사진을 가짜라고 여긴다고 생각했다.
② 볼탕스키는 아마추어 사진이 예술이 될 수 없다고 생각했다.
③ 볼탕스키는 아마추어 사진이 가진 일상성을 부정적으로 평가했다.
④ 볼탕스키는 사실과 허구가 공존하는 사진의 특성을 드러내려 했다.
⑤ 볼탕스키는 감상자의 감상보다 예술 자체의 절대적 미를 추구했다.

08 윗글의 ㉠과 〈보기〉의 ⓐ를 이해한 내용으로 적절하지 <u>않은</u> 것은?

┌─ 보기 ─────────────────────────────
　ⓐ마르셀 뒤샹은 일상의 사물에 미적 개념을 부여하여 예술 작품으로 만든 작가로 유명하다. 이같이 기존의 물건을 그대로 전시 공간으로 가져오는 방식을 '이미 만들어진'이라는 의미를 지닌 '레디메이드(Ready-made)'라고 부르며, 이때 가져온 기존의 물건은 예술의 오브제가 된다. 뒤샹은 레디메이드의 방식을 활용하여, '발견이 곧 미가 된다.'라는 혁신적인 예술 이념을 만들어 냈다.
└────────────────────────────────────

① ㉠은 감상자가 경험을 바탕으로 작품 해석에 참여하게 한다.
② ⓐ는 예술가가 대상에 부여하는 미적 개념을 중요하게 생각한다.
③ ㉠은 ⓐ와 달리 오브제를 재구성하여 작품으로 만드는 과정을 거쳤다.
④ ㉠과 ⓐ는 작품을 당시의 사회적 규범에 저항하기 위한 도구로 활용하였다.
⑤ ㉠과 ⓐ는 각각 아마추어 사진과 일상의 사물을 예술의 영역으로 가져왔다.

문제 해결 전략

㉠과 ⓐ의 관점이 드러난 부분을 파악하고, 이를 바탕으로 ❶ [　　]에서 적절하게 설명하고 있는지 확인해야 한다. 특히 글에 드러나지 않은 내용을 제시하거나 대상과 ❷ [　　]이 잘못 연결된 것은 아닌지 확인하도록 한다.

답 ❶ 선택지 ❷ 관점

필수 체크 전략 ①

✎ **다음 글을 읽고 물음에 답하시오.**

사진은 19세기 초까지만 해도 근대 문명이 만들어 낸 기술적 도구이자 현실 재현의 수단으로 인식되었다. 하지만 점차 여러 사진작가들이 사진을 연출된 형태로 찍거나 제작함으로써 자기의 주관을 표현하고자 하는 시도를 하였다. 이들은 빛의 처리, 원판의 합성 등의 기법으로 회화적 표현을 모방하여 예술성 있는 사진을 추구하였다. 이러한 흐름 속에서 만들어진 사진 작품들을 회화주의 사진이라고 부른다.

스타이컨의 ㉠〈빅토르 위고와 생각하는 사람과 함께 있는 로댕〉(1902년)은 회화주의 사진을 대표하는 것으로 평가된다. 이 작품에서 피사체들은 조각가 '로댕'과 그의 작품인 〈빅토르 위고〉와 〈생각하는 사람〉이다. 스타이컨은 로댕을 대리석상 〈빅토르 위고〉 앞에 두고 찍은 사진과, 청동상 〈생각하는 사람〉을 찍은 사진을 합성하여 하나의 사진 작품으로 만들었다. 이렇게 제작된 사진의 구도에서 어둡게 나타난 근경에는 로댕이 〈생각하는 사람〉과 서로 마주 보며 비슷한 자세로 앉아 있고, 반면 환하게 보이는 원경에는 〈빅토르 위고〉가 이들을 내려다보는 모습으로 배치되어 있다. 스타이컨은 단순히 근경과 원경을 합성한 것이 아니라, 두 사진의 피사체들이 작가가 의도한 바에 따라 하나의 프레임 속에서 자리 잡을 수 있도록 당시로서는 고난도인 합성 사진 기법을 동원한 것이다. 또한 사진을 *인화하는 과정에서는 피사체의 질감이 억제되는 감광액을 사용하였다.

스타이컨은 1901년부터 거의 매주 로댕과 예술적 교류를 하며 그의 작품들을 촬영했다. 로댕은 사물의 외형만을 재현하려는 당시 예술계의 경향에서 벗어나 생명력과 표현성을 강조하는 조각을 하고 있었는데, 스타이컨은 로댕의 이러한 예술 세계를 높이 평가하고 깊이 공감하였다. 스타이컨은 사진이나 조각이 작가의 주관과 감정을 표현할 수 있으며 문학 작품처럼 해석의 대상도 될 수 있다고 생각했는데, 로댕 또한 이 같은 스타이컨의 의견에 동감하여 기꺼이 사진 작품의 모델이 되어 주기도 하였다.

㉡이 사진에서 스타이컨은 피사체들의 질감이 뚜렷이 살지 않게 처리하여 모든 피사체들이 사람인 듯한 느낌을 주고자 하였다. *대문호 〈빅토르 위고〉가 내려다보고 있는 가운데 로댕은 〈생각하는 사람〉과 마주하여 자신도 〈생각하는 사람〉이 된 양, 같은 자세로 *묵상하는 모습을 취하고 있다. 원경에서 희고 밝게 빛나는 〈빅토르 위고〉는 근경에 있는 로댕과 〈생각하는 사람〉의 어두운 모습에 대비되어 창조의 영감을 발산하는 모습으로 나타난다. 이러한 구도는 로댕의 작품도 문학 작품과 마찬가지로 창작의 고뇌 속에서 이루어진 것이라는 메시지를 주고 있다.

이처럼 스타이컨은 명암의 대비가 뚜렷이 드러나도록 촬영하고, 원판을 합성하여 구도를 만들고, 특수한 감광액으로 질감에 변화를 주는 등의 방식으로 사진이 회화와 같은 방식으로 창작되고 표현될 수 있는 예술임을 보여 주고자 하였다.

● **인화하다** 사진 원판을 인화지 위에 올려놓고 사진이 나타나도록 하다.
● **감광액** 감광(빛에 감응하여 화학적 변화를 일으킴.) 물질을 녹인 액체.
● **대문호** 세상에 널리 알려진 매우 뛰어난 작가.
● **묵상** 눈을 감고 말없이 마음속으로 생각함.

💡 ● **이 글의 화제:** 스타이컨의 회화주의 사진
● **이 글의 짜임**

1문단	사진에 대한 인식 변화와 ❶ _____ 사진
2문단	스타이컨의 사진 작품의 특징과 ❷ _____
3문단	로댕과 예술적으로 교류한 스타이컨
4문단	스타이컨 사진의 ❸ _____ 특징과 메시지
5문단	스타이컨 사진의 표현 기법과 표현 ❹ _____

📋 ❶ 회화주의 ❷ 기법 ❸ 구도적 ❹ 의도

대표 유형 ① 사실적 읽기

1 윗글에 대한 이해로 가장 적절한 것은?

① 로댕은 사진 작품, 조각 작품, 문학 작품 모두 해석의 대상이 될 수 있다고 생각했다.

② 빅토르 위고는 사진과 조각을 모두 해석의 대상이라고 생각하여 그것들을 내려다보고 있었다.

③ 로댕과 스타이컨은 조각의 역할이 사물의 형상을 충실히 재현하는 것에 한정되어야 한다고 보았다.

④ 스타이컨의 사진은 대상을 있는 그대로 보여 준다는 점에서 회화주의 사진의 대표적 작품으로 평가된다.

⑤ 스타이컨의 작품에서 명암 효과는 합성 사진 기법으로 구현되었고, 질감 변화는 피사체의 대립적인 구도로 실현되었다.

> **유형 해결 전략** 글에서 직접적으로 언급한 **①** 들을 있는 그대로 **②** 하는 유형이야. 이러한 문제를 풀 때에는 선지에 제시된 정보가 글의 어느 부분에 있는지 정확하게 파악하는 것이 중요해.
>
> 답 **①** 정보 **②** 확인

대표 유형 ② 추론적 읽기

2 ㉠과 관련하여 추론할 수 있는 스타이컨의 의도로 적절하지 않은 것은?

① 고난도의 합성 사진 기법을 쓴 것은 촬영한 대상들을 하나의 프레임에 담기 위해서였다.

② 원경이 밝게 보이게 한 것은 〈빅토르 위고〉와 로댕 간의 명암 대비 효과를 내기 위해서였다.

③ 로댕이 〈생각하는 사람〉과 마주 보며 같은 자세로 있게 한 것은 고뇌하는 모습을 보여 주기 위해서였다.

④ 원경의 대상을 따로 촬영한 것은 인물과 청동상을 함께 찍은 근경의 사진과 합칠 때 대비 효과를 얻기 위해서였다.

⑤ 대상들의 질감이 잘 살지 않도록 인화한 것은 대리석상과 청동상이 사람처럼 보이게 하는 효과를 얻기 위해서였다.

> **유형 해결 전략** 글에 드러나 있지 않은 **①** 정보들을 이끌어 내는 유형이야. 글을 사실적으로 이해한 다음 새로운 정보를 올바르게 **②** 할 수 있어야 해.
>
> 답 **①** 새로운 **②** 추리

1-1 윗글에 대한 이해로 가장 적절한 것은?

① 〈빅토르 위고〉와 〈생각하는 사람〉은 회화주의 사진의 대표작이다.

② 19세기 초까지 사진은 작가의 주관을 표현하는 예술로 인식되었다.

③ 스타이컨은 사진이 회화와 같은 방식으로 표현될 수 없다는 점을 강조하였다.

④ 스타이컨은 합성 사진 기법과 감광액을 사용하여 사진의 예술성을 표현하였다.

⑤ 로댕은 당시 예술계의 경향에서 벗어나 사물의 외형을 완벽하게 재현하고자 했다.

> ●●●**도움말**
> 이 글의 핵심 **①** 인 회화주의 사진의 특징과 이를 대표하는 작가에 대한 설명을 읽고, 선택지와 **②** 해 보자.
>
> 답 **①** 제재 **②** 비교

2-1 ㉡과 관련하여 추론한 내용으로 적절하지 않은 것은?

 ① 로댕과 〈생각하는 사람〉은 서로 마주 보고 있을 거야.

 ② 총 세 장의 사진을 합성하여 하나의 사진으로 만들었을 거야.

 ③ 사진 속의 로댕은 실제 인물인 로댕을 모델로 하여 찍었을 거야.

 ④ 〈생각하는 사람〉은 〈빅토르 위고〉와 달리 어둡게 연출되었을 거야.

 ⑤ 사진은 문학 작품처럼 해석의 대상이 될 수 있다는 스타이컨의 생각이 반영되었을 거야.

01~04 다음 글을 읽고 물음에 답하시오.

17세기 프랑스 화가 푸생(N. Poussin)은 그림을 통해 경험적인 차원 그 너머에 있는 영원불변한 본질과 이상적인 아름다움을 나타내고자 했다. 그가 살았던 시대는 바로크 미술이 주류를 이루었는데, 그는 바로크 미술이 주로 작가의 즉흥적인 감정을 형상화했다는 점에서 그것을 지적인 사고가 결여된 예술 활동으로 규정했다. 그는 우연성과 변화무쌍함을 멀리하는 대신, 이상적인 아름다움과 영원불변성을 추구했던 고대 그리스·로마 미술의 고전성에서 미의 원리를 찾고자 했다. 왜냐하면 푸생은 이성이 자연의 보편적 원리를 파악할 수 있는 능력이라고 생각했고, 고대 그리스·로마의 예술이 이성에 바탕을 둔 것이므로 고대 예술이 모든 시대에 적용될 수 있는 보편적 원리를 제공해 줄 수 있다고 믿었기 때문이다.

그래서 ⓙ고대 예술의 주된 대상인 신화나 역사 혹은 성서 속 이야기들을 그림의 소재로 삼았으며, 그것을 서사의 차원이 아닌 시의 차원으로 전환시키면서 절제되고 압축된 표현을 사용했다. 이를 위해 감상자의 시선을 흐트러뜨릴 가능성이 있는 요소는 철저히 배제했다. 또한 작품 속의 인물들을 표현할 때, 주제를 가장 잘 드러내기 위해 고대 조각상 중에서 자신의 표현 의도에 맞는 가장 이상적으로 생각하는 상을 골라˚인위적인 자세를 취하도록 해야 한다고 ⓐ보았다. 그리고 작품의 구성에 있어서도 화면은 오로지 이성의 법칙에 입각한 균형과 대칭, 선이나 도형 등을 활용한˚기하학적 공간 구성의 원리를 적용하여 짜임새 있는 안정적인 구도를 갖추려고 했다. 이는 자연의 영원불변한 본질을 조화와 질서라고 생각하여 이를 그림에서 구현하고자 한 것이다.

이와 같은 표현 원리들을 통해 영원불변한 본질과 이상적인 아름다움을 형상화하고자 한 푸생의 노력은 풍경화에서도 잘 드러난다. 그는 역사 속 영웅적 인물의 삶을 작품의 소재로 삼고 풍경에 엄격한 질서와 조화를 부여할 수 있는 방법을 통해 인간이 추구해야 할 보편적인 삶의 본질을 나타내고자 했다. 그의 풍경에는 자연 배경과 특별히 선택된 건축물이 등장한다. 작품 속 자연 풍경은 사실적인 자연의 모습이 아니라 푸생이 생각하는 가장 이상적이고 본질적인 자연의 이미지이며, 고대의 건축물 역시 배경의 일부로서 이상적인 아름다움을 보여 주기 위해 사용되었다. 그리고 이러한 배경에 전경, 중경, 후경의 명백한 구분과 좌우상하의 대칭, 전경에서 후경으로의˚점진적인 공간 이행, 수평과 수직의 기하학적 질서 등을 사용함으로써 자연에 엄격한 질서와 조화를 부여했다. 따라서 그는 영웅적 인물의 삶을 소재로, 자연에서 위대하고 특별한 것만을˚선별하여 인간이라면 보편적으로 추구해야 할 삶의 본질을 나타내고자 한 것이다.

이처럼 푸생은 작품 제작에 있어 자신이 정한 표현 원리들을 명료한 법칙으로 규정하여 모든 작품에 엄격하게 적용하고자 했다는 점에서 그에게 예술은 의식적인 작업의 결과이다. 이 때문에 감상자들이 그의 작품을 통해 느끼게 되는 미적 즐거움은 감각적이라기보다는 지적이고 정신적인 것에 가깝다고 볼 수 있다.

- **인위적** 자연의 힘이 아닌 사람의 힘으로 이루어지는 것.
- **기하학** 도형 및 공간의 성질에 대하여 연구하는 학문.
- **점진적** 조금씩 앞으로 나아가는 것.
- **선별하다** 가려서 따로 나누다.

세부 내용 파악

01 윗글의 내용과 일치하는 것은?

 ① 푸생의 그림에서 느껴지는 미적 즐거움은 감각적인 것에 가까워.

 ② 푸생은 인물을 표현할 때 인물의 자연스러운 모습을 담고자 했어.

 ③ 푸생은 자신의 그림 속에서 엄격한 질서와 조화를 구현하고자 했어.

 ④ 푸생은 작품 속에서 자연 풍경을 최대한 사실적으로 묘사하고자 했어.

 ⑤ 푸생은 평범한 인물의 삶을 소재로 하여 인생의 본질을 드러내고자 했어.

세부 내용 추론

02 ㉠의 이유로 가장 적절한 것은?

① 푸생은 고대 그리스·로마 미술이 지닌 우연성과 변화무쌍함을 추구했기 때문이다.

② 푸생은 고대 그리스·로마 미술에 보편적 미의 원리가 담겨 있다고 믿었기 때문이다.

③ 푸생은 고대 그리스·로마 미술이 바로크 미술과 가장 유사하다고 생각했기 때문이다.

④ 푸생은 고대 그리스·로마 미술이 작가의 무의식적인 작업의 결과라고 여겼기 때문이다.

⑤ 푸생은 고대 그리스·로마 미술이 추구하는 경험적 차원의 미를 표현하고자 했기 때문이다.

도움말

푸생이 ㉠과 같이 한 **❶** 를 앞뒤 문장의 내용을 살펴보며 **❷** 해 보자.

답 ❶ 이유 **❷** 추론

구체적 상황에 적용 및 추론

03 윗글을 읽은 학생이 〈보기〉에 대해 보인 반응으로 적절하지 **않은** 것은?

보기

이 그림은 푸생이 성서 속의 유명한 이야기인 '솔로몬의 심판'을 그린 것이다. 그림 가운데에는 솔로몬 왕, 그 양쪽에는 아기를 두고 싸우는 여인이 배치되어 있어 완벽한 삼각형 구도를 이룬다. 왕의 양쪽에 있는 대리석 기둥과 좌우에 있는 사람들은 대칭을 통해 균형을 만든다. 솔로몬 왕은 왕홀이나 왕관도 없이 하얗게 빛나는 머리띠만 두르고 있어 명석한 두뇌가 강조되고 있다.

① 고대 예술의 주된 대상인 성서 속 이야기를 소재로 삼고 있군.

② 삼각형의 구도는 기하학적 공간 구성의 원리를 적용한 것이군.

③ 푸생은 솔로몬 왕의 표정을 통해 자신의 즉흥적인 감정을 표현하였군.

④ 왕의 양쪽에 있는 대리석 기둥은 대칭을 통해 안정적 구도를 갖추기 위해 배치한 것이군.

⑤ 솔로몬 왕에게 왕홀과 왕관이 없는 것은 감상자의 시선을 빼앗을 수 있는 요소를 배제하기 위한 의도겠군.

도움말

글에서 설명한 **❶** 의 예술관과 작품의 특징을 토대로 〈보기〉의 그림을 **❷** 해 보자.

답 ❶ 푸생 **❷** 분석

어휘의 문맥적 의미 파악

04 다음 중 밑줄 친 단어의 의미가 ⓐ와 가장 유사한 것은?

① 나는 동생과 시장을 <u>봤다</u>.

② 친구와 함께 심야 영화를 <u>봤다</u>.

③ 너를 <u>봐서</u> 내가 이번에는 참는다.

④ 원장님은 오전에만 환자를 <u>보십니다</u>.

⑤ 그는 상대를 만만하게 <u>보는</u> 나쁜 버릇이 있다.

05~08 다음 글을 읽고 물음에 답하시오.

㉠'우연성 음악(Aleatoric music)'이란 주사위를 뜻하는 라틴어 '알레아(Alea)'에서 ⓐ생겨난 용어로, 서양 음악의 전통적 통념에서 벗어나 작곡이나 연주 과정에 우연성을 도입함으로써 불확정성을 추구하는 음악을 일컫는다. 우연성 음악은 현대 음악이 지나치게 추상화되거나 정밀하게 구성된 음만을 추구한다는 비판에서 출발하였는데, 대표적인 음악가로 케이지와 슈토크하우젠이 있다.

케이지는 인간의 의도가 배제된 ˚무작위(無作爲)의 상태가 가장 자연스러운 상태라고 주장하는 동양의 ˚주역 사상을 접한 후, 작곡에 있어 인위적인 요소들을 ⓑ없애면 소리가 자연스럽게 구성될 수 있다고 생각하였다. 그래서 케이지는 작품을 창작하는 과정에 우연의 요소를 도입하여, 음의 높이나 강약 또는 악기나 음악 형식을 작곡가의 의도에 따라 결정하지 않고 동전이나 주사위를 던져 결정하는 방법을 사용하였다.

우연적 방법을 사용한 케이지의 대표적 작품으로는 1951년 작곡된 〈피아노를 위한 변화의 음악〉이 있다. 케이지는 이 곡을 작곡할 때 작품 전체의 형식 구조만을 정해 놓고 세 개의 동전을 던져 음의 고저와 장단, ˚음가 등을 결정하였다. 다시 말해서 곡의 전체 구조는 합리적 사고에 의해, 세부적인 요소는 비합리적인 우연성에 의해 선택된 것이다. 그의 다른 대표작으로는 1952년에 발표된 〈4분 33초〉가 있다. 연주자는 4분 33초 동안 연주를 하지 않고 피아노 앞에 가만히 앉아 있는다. 작곡가는 이 시간 동안 우연히 ⓒ생겨나는 모든 소리를 음악으로 ⓓ여긴다.

케이지의 영향을 받은 슈토크하우젠은 음악의 우연성이 통계적 사고를 하는 과정에서 발생한다고 보고, 음악적 요소들의 관계에서 가변성이 만들어질 때 다양한 음악적 표현이 가능하다고 생각했다. 기존의 음악처럼 고정된 악보를 제시하여 정해진 연주 방법과 진행 순서로 연주하는 것이 아니라, 단편적인 여러 ˚악구만 제시하고 연주자가 이를 임의로 조합하는 우연성에 의해 연주해도 얼마든지 음악적 표현이 가능하다고 본 것이다.

[가] 슈토크하우젠의 〈피아노 소품 XI〉은 19개의 단편적인 악구로만 구성된, 단 한 페이지의 악보로 된 작품이다. 각 악구의 끝에는 박자, 빠르기, 음의 세기 등과 같은 지시어가 적혀 있는데, 연주자는 악구 중 하나를 선택하여 자신이 생각한 박자, 빠르기, 음의 세기로 연주를 시작하고, 해당 악구의 연주가 끝나면 임의로 선택한 다른 악구로 이동한다. 이때 각 악구의 뒷부분에 다음 악구를 연주하는 방식이 지시되어 있기 때문에, 그다음 악구는 바로 직전 악구의 지시어대로 연주해야 한다. 그리고 동일한 악구를 두 번째로 다시 연주할 때에는 해당 악구 앞부분의 괄호 안에 적힌 옥타브 변경 지시에 따라 연주한다. 이러한 과정을 반복하다 어느 한 악구를 세 번째로 연주하게 되면 끝난다. 따라서 이 작품은 처음에 선택한 악구를 연달아 세 번 연주하고 끝내는 짧은 연주 방법부터, 모든 악구를 두 번씩 반복한 후 마지막에 임의의 한 악구를 선택하여 끝내는 방법까지 다양한 방식으로 연주할 수 있다.

이러한 우연성 음악은 하나의 작품이 작곡되고 연주되는 과정이 고정된 것이 아니라, 작곡가의 창작 과정과 이를 실현하는 연주자에 의해 다양하게 나타날 수 있다는 것을 보여 주었다. 때문에 음악을 바라보는 고정 관념에서 벗어나 음악의 지평을 ⓔ넓혔다는 평가를 받고 있다.

● **무작위** 일부러 꾸미거나 뜻을 더하지 아니함.
● **주역** 유학 오경(五經)의 하나. 만상(萬象)을 음양 이원으로써 설명하여 그 으뜸을 태극이라 하였고 거기서 64괘를 만들었는데, 이에 맞추어 철학·윤리·정치상의 해석을 덧붙였다.
● **음가** 음표나 쉼표가 나타내는 음의 길이로, 절대적인 시간 길이가 아니라 상대적인 시간 길이를 의미한다.
● **악구** 음악 주제가 비교적 완성된 두 소절에서 네 소절 정도까지의 구분.

글의 전개 방식 이해

05 윗글의 전개 방식으로 가장 적절한 것은?

① 중심 화제에 대한 전문가들의 평가를 제시하고 있다.

② 중심 화제를 설명하는 다양한 이론의 한계를 지적하고 있다.

③ 중심 화제의 변화 과정을 역사적으로 고찰하여 설명하고 있다.

④ 구체적 사례를 들어 중심 화제의 개념과 특징을 설명하고 있다.

⑤ 중심 화제에 대한 상반된 입장을 제시하고 절충 방안을 모색하고 있다.

관점에 따른 비판적 이해

06 ㉠의 입장에서 〈보기〉의 관점을 평가한 내용으로 가장 적절한 것은?

┌ 보기 ┐

프랑스의 현대 음악 작곡가 피에르 불레즈는 음높이와 박자, 세기 등을 모두 숫자로 변형하여 도표처럼 만들어 수학적으로 곡을 통제하는 '총렬주의'의 음악을 시도했다.

① 정밀하게 구성된 음으로 구성될 때 훌륭한 음악적 표현이 가능해진다.

② 수학적으로 곡을 통제하는 것은 감상자가 음악의 아름다움을 더 깊이 느끼도록 해 준다.

③ 음악 요소들을 도표로 제시하는 것은 연주를 섬세하게 표현하기 위한 효과적인 방법이다.

④ 음악 요소를 지나치게 통제하면 연주자에 의해 다양하게 연주될 수 있는 가능성이 줄어든다.

⑤ 총렬주의 음악은 작곡가의 의도를 정확하게 전달하는 데 기여하며 현대 음악이 나아가야 할 방향을 제시한다.

•••• **도**움말

㉠과 **❶** _____ 음악의 관점 차이를 파악하고, 이를 토대로 ㉠의 **❷** _____에서 총렬주의 음악에 대해 할 수 있는 말을 선택지에서 찾아보자.

답 ❶ 총렬주의 ❷ 입장

구체적 사례에 적용 및 추론

07 [가]를 참고하여 〈보기〉를 이해한 내용으로 적절하지 않은 것은?

┌ 보기 ┐

• **첫 악구 연주 방법**: C를 선택, 3/4박자, 보통 빠르기로

• **연주 순서**: C → D → C → B → D → B → A → B

*A~D는 악구를 뜻한다.

 ① 처음 시작하는 '악구 C'는 3/4박자로 연주하지 않아도 되는군.

 ② '악구 A' 다음에 '악구 B'가 아닌 '악구 D'를 선택해도 연주는 끝나겠군.

 ③ 두 번째로 연주하는 '악구 D'는 해당 악구 앞부분의 괄호 속에 적힌 옥타브로 연주해야겠군.

 ④ '악구 A'에 '한 옥타브 높게'라는 지시가 있을 경우, '악구 A를' 한 옥타브 높은 음으로 연주해야겠군.

 ⑤ '악구 C'의 뒷부분에 '느리게'라는 지시가 있을 경우, '악구 C' 다음에 오는 '악구 D'는 느리게 연주해야겠군.

•••• **도**움말

악구를 선택해서 연주를 시작하고, 다음 **❶** ____를 연주할 때 어떤 **❷** _____에 따라야 하는지 [가]를 통해 확인하고 〈보기〉의 연주 순서에 적용해 보자.

답 ❶ 악구 ❷ 지시어

어휘의 문맥적 의미 파악

08 문맥상 ⓐ~ⓔ와 바꿔 쓰기에 적절하지 않은 것은?

① ⓐ: 유래된

② ⓑ: 제거하면

③ ⓒ: 발생하는

④ ⓓ: 간주한다

⑤ ⓔ: 확립했다는

필수 체크 전략 ①

✏️ **다음 글을 읽고 물음에 답하시오.**

서울의 청계 광장에는 〈스프링(Spring)〉이라는 다슬기 형상의 대형 조형물이 설치돼 있다. 이것을 ㉠기획한 올덴버그는 공공장소에 작품을 설치하여 대중과 미술의 소통을 이끌어 내려 했다. 이와 같이 대중과 미술의 소통을 위해 공공장소에 설치된 미술 작품 또는 공공 영역에서 이루어지는 예술 행위 및 활동을 공공 미술이라 한다.

1960년대 후반부터 1980년대까지의 공공 미술은 대중과 미술의 소통을 위해 작품이 설치되는 장소를 점차 확장하는 쪽으로 전개되었기 때문에 '장소' 중심의 공공 미술이라 할 수 있다. 이전까지는 미술관에만 전시되던 작품을 사람들이 자주 드나드는 공공건물에 설치하기 시작했다. 하지만 이렇게 공공건물에 설치된 작품들은 한낱 건물의 장식으로 인식되어 대중과의 소통에 한계가 있었기 때문에, 작품이 설치되는 공간은 공원이나 광장 같은 공공장소로 확장되었다. 그러나 공공장소에 놓이게 된 작품 중에는 주변 공간과 어울리지 않거나, 미술가의 °미학적 입장이 대중에게 수용되지 못하는 일들이 벌어졌다. 리처드 세라의 〈기울어진 호〉(1981년)가 그 사례이다. 이 조형물은 뉴욕 맨해튼 연방 광장에 설치되었다가 통행에 불편을 겪은 시민들의 아우성으로 결국 ㉡철거되었다. 이는 소통에 대한 미술가의 반성으로 이어졌고 시간이 지남에 따라 공공 미술은 점차 주변의 삶과 조화를 이루는 방향으로 발전하였다.

1990년대 이후의 공공 미술은 참된 소통이 무엇인가에 대해 진지하게 성찰하며 대중을 작품 창작 과정에 참여시키는 쪽으로 전개되었기 때문에 '참여' 중심의 공공 미술이라 할 수 있다. 이때의 공공 미술은 대중들이 작품 제작에 직접 참여하게 하거나, 작품을 보고 만지며 체험하는 활동 속에서 작품의 의미를 완성할 수 있도록 하여 미술가와 대중, 작품과 대중 사이의 소통을 강화하였다. 안토니 곰리의 〈북방의 천사〉(1998년)가 대표적 작품이다. 영국 게이츠헤드는 1970년대 들어서 탄광 산업의 ㉢쇠락으로 영국에서 경제적으로 가장 소외된 지역이었다. 오랜 경기 침체에서 벗어나기 위해 지역 주민들과 소통하며 8년에 ⓐ걸쳐 완성한 이 조형물로 인해 6천 개 이상의 일자리가 생겼고 게이츠헤드는 예술 도시로 거듭나게 되었다. 이처럼 장소 중심의 공공 미술이 이미 완성된 작품을 어디에 놓느냐에 주목하던 '결과 중심'의 수동적 미술이라면, 참여 중심의 공공 미술은 작품의 창작 과정에 대중이 참여하여 작품과 직접 소통하는 '과정 중심'의 능동적 미술이라고 볼 수 있다.

[A] 그런데 공공 미술에서는 대중과의 소통을 위해 누구나 쉽게 다가가 감상할 수 있는 작품을 만들어야 하므로, 미술가는 자신의 미학적 입장을 어느 정도 포기해야 한다고 우려할 수 있다. 그러나 이러한 우려는 대중의 미적 감상 능력을 무시하는 ㉣편협한 시각이다. 왜냐하면 추상적이고 ㉤난해한 작품이라도 대중과의 소통의 가능성은 늘 존재하기 때문이다. 따라서 ㉮공공 미술에서 예술의 자율성은 소통의 가능성과 대립하지 않는다. 공공 미술가는 예술의 자율성과 소통의 가능성을 높이기 위해 대중의 예술적 감성이 어떠한지, 대중이 어떠한 작품을 기대하는지 면밀히 분석하며 작품을 창작해야 한다.

● **미학** 자연이나 인생 및 예술 따위에 담긴 미의 본질과 구조를 해명하는 학문.

💡 ● **이 글의 화제:** 공공 미술
● **이 글의 짜임**

1문단	공공 미술의 **❶**
2문단	1960년대 후반~1980년대까지 공공 미술의 특징 – **❷** 중심
3문단	1990년대 이후 공공 미술의 특징 – **❸** 중심
4문단	공공 미술가가 **❹** 해야 할 창작의 태도

🔒 **❶** 개념 **❷** 장소 **❸** 참여 **❹** 지향

대표 유형 ❸ 비판적 읽기

3 [A]의 입장에서 〈보기〉의 견해를 비판할 때, 가장 적절한 것은?

┌ 보기 ┐

공원이나 광장과 같은 공공장소에 주변의 공간과의 조화를 고려하지 않고 만들어 놓은 공공 미술 작품들은 대중들의 관심을 끌지 못했다. 이는 대중과의 소통을 염두에 두지 않아서 발생하는 것이다. 따라서 공공 미술가는 대중과의 소통을 위해 때로는 자신의 미학적 입장을 포기할 수 있어야 한다.

① 공원이나 광장 같은 공공장소에 설치된 작품들은 대중에 의해 예술로 인정받을 수 없다.

② 공공 미술 작품이 대중으로부터 호응을 받으려면 누구나 쉽게 다가갈 수 있도록 해야 한다.

③ 대중의 감상 능력에는 한계가 있으므로 작품에서 작가의 미학적 입장을 강조해서는 안 된다.

④ 공공 미술에서 작가가 자신의 미학적 입장을 포기하지 않아도 대중과의 소통 가능성은 열려 있다.

⑤ 미술가의 생각을 추상적으로 표현하여 대중이 난해하게 느끼는 작품은 외면을 받을 수밖에 없다.

유형 해결 전략 ▶ [A]의 입장을 먼저 **❶**〔   〕한 뒤, 〈보기〉의 입장과의 **❷**〔   〕을 찾아보자.

답 ❶ 파악 ❷ 차이점

대표 유형 ❹ 어휘

4 ㉠~㉤의 사전적 의미로 적절하지 <u>않은</u> 것은?

① ㉠: 일을 꾀하여 계획함.

② ㉡: 건물, 시설 따위를 무너뜨려 없애거나 걷어치움.

③ ㉢: 쇠약하여 말라서 떨어짐.

④ ㉣: 한쪽으로 치우쳐 도량이 좁고 너그럽지 못함.

⑤ ㉤: 사정이 몹시 딱하고 어렵다.

유형 해결 전략 ▶ 글에 제시된 단어의 **❶**〔   〕인 의미를 알고 있는지 평가하는 유형이야. 이러한 문제를 풀 때에는 해당 단어가 포함된 **❷**〔   〕의 의미를 파악해서 단어의 의미를 짚어 내야 해.

답 ❶ 사전적 ❷ 문장

3-1 다음 중 ㉮에 대한 비판으로 적절한 것은?

① 공공 미술은 대중의 미적 취향과 무관하다.

② 공공 미술은 공적인 자금으로 제작되는 것이다.

③ 공공 미술가는 소통을 통해 대중을 설득할 수 있다.

④ 대중의 요구로 인해 작품의 디자인이 지나치게 변경될 수 있다.

⑤ 공공 미술은 공공의 자원으로 제작되므로 창작의 자율성보다 대중의 수용 가능성을 더 중요하게 고려해야 한다.

⋯⋯ 도움말

예술의 자율성, 대중과의 **❶**〔   〕 가능성에 대한 ㉮의 관점을 파악한 후, ㉮에 **❷**〔   〕할 수 있는 내용을 선택지에서 찾아보자.

답 ❶ 소통 ❷ 반박

4-1 다음 중 밑줄 친 단어의 의미가 ⓐ와 가장 유사한 것은?

① 해가 서산마루에 <u>걸쳐</u> 있다.

② 열 시간에 <u>걸쳐</u> 수술이 진행됐다.

③ 빨랫줄이 마당에 길게 <u>걸쳐</u> 있다.

④ 형은 식탁에 팔을 <u>걸치고</u> 앉아 있었다.

⑤ 오랜만에 만난 친구가 낡은 옷을 <u>걸치고</u> 있었다.

⋯⋯ 도움말

어휘 문제를 풀 때에는 우선 그 어휘가 포함된 문장 **❶**〔   〕를 살펴봐야 해. 그리고 그 어휘의 앞뒤 문맥을 고려하여 어휘가 어떤 의미로 사용된 것인지 **❷**〔   〕해 보자.

답 ❶ 전체 ❷ 추측

01~04 다음 글을 읽고 물음에 답하시오.

미술관에서 오랫동안 움직이지 않고 서 있는 관광객 차림의 부부를 보게 된다면 사람들은 다시 한 번 그 부부를 바라볼 것이다. 그리고 그것이 미술 작품이라는 것을 알면 놀랄 것이다. 이처럼 현실에 존재하는 것을 실재라고 믿을 수 있도록 재현하는 ˚유파를 하이퍼리얼리즘이라고 한다.

미술관에 설정된 관광객처럼 우리 주변에서 흔히 볼 수 있는 것을 대상으로 고르면 현실성이 높다고 하고, 그 대상을 시각적 재현에 기대어 실재와 똑같이 표현하면 사실성이 ㉠높다고 한다. 대상의 현실성과 표현의 사실성을 모두 추구한 하이퍼리얼리즘은 같은 리얼리즘 경향에 드는 팝 아트와 비교하면 그 특성이 잘 드러난다. 이들은 1960년대 미국에서 발달하여 현재까지 유행하고 있는 유파로, 당시 자본주의 사회의 일상의 모습을 대상으로 삼은 점에서는 공통적이다. 팝 아트는 대상을 함축적으로 변형했지만 하이퍼리얼리즘은 대상을 정확하게 재현하려고 하였다. 그래서 팝 아트는 주로 대상의 현실성을 추구하지만, 하이퍼리얼리즘은 대상의 현실성뿐만 아니라 ˚트롱프뢰유의 흐름을 이어 표현의 사실성도 추구한다. 두 유파 모두 대상의 현실성을 추구하지만, 팝 아트는 대상의 정확한 재현보다는 대중과 쉽게 소통할 수 있는 인쇄 매체를 주로 활용한 반면에, 하이퍼리얼리즘은 새로운 재료나 기계적인 방식을 적극 사용하여 대상을 정확히 재현하는 방법을 추구하였다.

자본주의 일상을 사실적으로 표현한 하이퍼리얼리즘의 대표적인 작가에는 핸슨이 있다. 그의 작품 〈쇼핑 카트를 밀고 가는 여자〉(1969년)는 물질적 풍요함 속에 매몰되어 살아가는 당시 현대인을 비판적 시각에서 표현한 작품으로 해석할 수 있다. 이 작품의 대상은 상품이 가득한 쇼핑 카트와 여자이다. 그녀는 욕망의 주체이며 물질에 대한 탐욕을 상징하고 있고, 상품이 가득한 쇼핑 카트는 욕망의 객체이며 물질을 상징하고 있다. 그래서 여자가 상품이 넘칠 듯이 가득한 쇼핑 카트를 밀고 있는 구도는 물질적 풍요 속에서의 과잉 소비 성향을 보여 준다.

이 작품의 기법을 보면, 생활 공간에 전시해도 자연스럽도록 작품을 전시 받침대 없이 제작하였다. 사람을 보고 찰흙으로 형태를 만드는 방법 대신 사람에게 직접 석고를 덧발라 형태를 뜨는 실물 ˚주형 기법을 사용하여 사람의 형태와 크기를 똑같이 재현하였다. 또한 기존 입체 작품의 재료인 청동의 금속재 대신에 합성수지, 폴리에스터, 유리 섬유 등을 사용하고 에어브러시로 채색하여 사람 피부의 질감과 색채를 똑같이 재현하였다. 여기에 ˚오브제인 가발, 목걸이, 의상 등을 덧붙이고 쇼핑 카트, 식료품 등을 그대로 사용하여 사실성을 높였다.

리얼리즘 미술의 가장 큰 목적은 현실을 포착하고 그것을 효과적으로 전달하는 것이다. 작가가 포착한 현실을 전달하는 표현 방법은 다양하다. 하이퍼리얼리즘과 팝 아트 등의 리얼리즘 작가들은 대상들을 그대로 재현하거나 함축적으로 변형하는 등 자신만의 방법으로 현실을 전달하여 감상자와 소통하고 있다.

- ● 유파 주로 학계나 예술계에서, 생각이나 방법 경향이 비슷한 사람이 모여서 이룬 무리.
- ● 트롱프뢰유(trompe-l'oeil) '속임수 그림'이란 말로, 감상자가 실물처럼 착각할 정도로 정밀하게 재현하는 것.
- ● 주형 만들려는 물건의 모양대로 속이 비어 있어 거기에 쇠붙이를 녹여 붓도록 되어 있는 틀.
- ● 오브제(objet) 일상 용품이나 물건을 본래의 용도로 쓰지 않고 예술 작품에 사용하는 기법 또는 그 물체.

세부 내용 파악

01 윗글을 읽고 답할 수 있는 질문이 <u>아닌</u> 것은?

 ① 리얼리즘 미술의 목적은 무엇일까?

 ② 하이퍼리얼리즘이란 어떤 유파일까?

 ③ 현실성과 사실성의 차이는 무엇일까?

 ④ 하이퍼리얼리즘과 팝 아트의 공통점과 차이점은 무엇일까?

 ⑤ 핸슨이 팝 아트보다 하이퍼리얼리즘을 선호한 이유는 무엇일까?

관점에 따른 비판적 이해

03 '하이퍼리얼리즘'에 대하여 <보기>의 헤겔이 보일 반응으로 가장 적절한 것은?

> ┌ 보기 ┐
> 헤겔은 예술을 단지 모방으로 규정한다면 대상의 외형에 대한 정확한 모사가 중시되어 모방 대상 자체에 대한 본질적 고려가 간과될 수밖에 없다고 보았다. 특히 예술의 본질을 형성하는 정신을 완전히 표현할 수 없기 때문에 정신의 표현은 모방에서 벗어날 것을 요구받게 된다고 했다. 실제로 근대 이후 모더니즘 예술이 등장하면서 인간의 주관, 창조적 능력과 개성적 표현을 강조하게 되었다.
>
> ● 모사 사물을 형체 그대로 그림.

① 하이퍼리얼리즘은 대상을 정확하게 모사하여 예술의 본질을 잘 구현하고 있다.

② 하이퍼리얼리즘에는 근대 이후 모더니즘 예술이 추구한 개성적 표현이 드러나 있다.

③ 하이퍼리얼리즘은 실제가 아닌 것을 실제인 것처럼 표현하기 때문에 거짓과 다름없다.

④ 하이퍼리얼리즘처럼 대상을 재현하기만 한다면 실체가 없는 꿈이나 정신은 그려 내지 못한다.

⑤ 하이퍼리얼리즘처럼 대상의 사실성을 추구할 경우 대중들이 작품을 이해하는 데 어려움을 느끼게 된다.

> ┌ 도움말 ┐
> 대상의 **❶**   재현과 예술의 본질에 대한 하이퍼리얼리즘과 **❷**   의 입장 차이를 살펴보자.
>
> 답 ❶ 사실적 ❷ 헤겔

세부 내용 파악

02 '하이퍼리얼리즘'에 대한 설명으로 가장 적절한 것은?

① 대상을 함축적으로 변형하여 제시한다.

② 감상자가 착각할 정도로 실물처럼 재현한다.

③ 1960년대 미국에서 잠깐 유행했던 유파이다.

④ 대상의 정확한 표현보다는 현실성을 추구한다.

⑤ 대중과의 소통을 위해 인쇄 매체를 활용하였다.

> ┌ 도움말 ┐
> 2문단에서 하이퍼리얼리즘과 팝 아트의 특징을 **❶**   하여 설명하고 있는데, 선택지에 제시된 내용이 하이퍼리얼리즘의 **❷**   이 맞는지 꼼꼼하게 확인해 보자.
>
> 답 ❶ 비교 ❷ 특징

어휘의 문맥적 의미 파악

04 다음 중 밑줄 친 단어의 의미가 ㉠과 가장 유사한 것은?

① 그녀는 굽이 높은 구두를 신었다.

② 친구가 소리를 높여 나를 불렀다.

③ 그의 소설은 문학적 가치가 높다.

④ 올 여름은 한낮의 기온이 매우 높았다.

⑤ 지위가 높을수록 책임도 커지는 법이다.

05~08 다음 글을 읽고 물음에 답하시오.

우리가 흔히 건반 악기라고 부르는 피아노는 정확하게 표현하자면 건반으로 연주하는 현악기이다. 건반과 연결된 해머가 현을 때리면 현이 진동하게 되고, 이 진동으로 생성된 음이 음향판에서 ⓐ증폭되어 특유의 *음색을 가진 소리를 내기 때문이다. 그랜드 피아노를 기준으로 피아노에서 특유의 소리가 나기까지 어떤 것들이 ⓑ관여하는지 살펴보자.

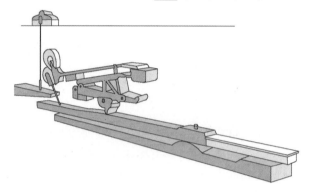

우선 피아노에서 핵심적인 역할을 하는 ㉠'액션'을 살펴보자. 각 건반마다 하나씩 있는 액션은 크게 세 가지 역할을 한다. 우선 액션은 건반을 누른 힘보다 더 큰 힘으로 액션에 있는 해머가 현을 때리도록 하는 지렛대 역할을 한다. 둘째, 건반을 누를 때에는 해당 현의 댐퍼가 현에서 떨어지게 했다가 손을 건반에서 뗄 때 댐퍼가 현에 다시 붙게 한다. 건반을 누르는 동안에는 해머에 의해 진동을 시작한 현이 계속 진동할 수 있게 하고, 그 건반에서 손을 떼면 댐퍼가 다시 현에 붙도록 하여 다른 현이 진동할 때 공명하지 않게 만든다. 셋째, 해머가 현을 때리는 즉시 액션은 해머를 현에서 *이탈하게 한다. 액션이 이처럼 작동하는 이유는 만약 해머가 현을 때리고 곧바로 떨어지지 않거나, 해머가 현을 때린 후 그 ⓒ반동으로 인해 제멋대로 움직인다면 해머의 방해로 현이 자유롭게 진동하지 못하기 때문이다.

건반 하나에 액션은 하나가 대응하지만 ㉡현은 그렇지 않다. 건반 하나에 같은 음높이로 *조율된 여러 개의 현들이 대응하도록 제작되어 있다. 저음부에는 해머 하나에 같은 음높이의 현이 1~2개씩 ⓓ대응되어 있고, 중고음부에는 2~3개씩 대응되어 있어 해머가 한 번에 여러 개의 현을 때릴 수 있다. 그에 따라 같은 음높이를 가진 현이 여러 개 진동하므로 더 큰 소리를 낼 수 있게 된다. 여기서 발생하는 진동은 현과 음향판을 잇는 역할을 하는 브리지를 거쳐 음향판으로 전달된다. 음

향판은 현의 진동을 전달받아 공기와의 접촉면을 넓혀 음량을 증폭하는 역할을 한다. 음향판에는 향봉이 부착되어 있어 음이 음향판 전체에 고루 퍼질 수 있도록 하는데, 음향판의 모양은 피아노 특유의 음색에 변화를 가져올 수 있다.

피아노의 페달 역시 페달을 밟는 동안 특정 역할을 수행하여 음색에 영향을 주기도 한다. 피아노에서 세 개의 페달 중 오른쪽에 있는 페달을 '댐퍼 페달'이라고 하는데, 이 페달을 밟으면 모든 현에서 댐퍼가 일제히 떨어지게 된다. 만약 댐퍼 페달을 밟고 건반을 누른다면 현의 진동은 건반을 누르지 않은 다른 현에도 공명을 일으킬 것이다. 또한 건반에서 손을 떼도 이 같은 현상이 어느 정도 ⓔ지속될 것이다. 그러므로 댐퍼 페달은 연주된 음을 지속적으로 울리게 하여 *음향을 풍부하게 하고 음과 음 사이를 부드럽게 연결하는 효과를 낸다. 왼쪽 페달은 '소프트 페달'이라고 하는데, 이 페달을 밟으면 해머가 한쪽으로 조금씩 움직여서 해당 건반의 해머가 때리는 현의 수를 3현은 2현으로, 2현은 1현으로 감소시킨다. 이를 통해 음량을 감소시킬 수 있다. 가운데 페달은 '소스테누토 페달'이라고 하는데, 이를 밟고 건반을 누르면 해머가 때린 현의 댐퍼만이 현에서 떨어지게 된다. 이로 인해 음색에 변화를 줄 수 있다.

● **음색** 음을 만드는 구성 요소의 차이로 생기는, 소리의 감각적 특색. 소리의 높낮이, 크기가 같더라도 진동체나 발음체, 진동 방법에 따라 음이 갖는 감각적 성질에는 차이가 생긴다.
● **이탈하다** 어떤 범위나 대열 따위에서 떨어져 나오거나 떨어져 나가다.
● **조율되다** 악기의 음이 표준음에 맞추어져 골라지다.
● **음향** 물체에서 나는 소리와 그 울림.

세부 내용 파악

05 ⊙과 ⓒ에 대한 설명으로 적절하지 <u>않은</u> 것은?

① ⊙: 해머가 현을 때리자마자 해머를 현에서 벗어나게 한다.

② ⊙: 건반을 누른 힘보다 큰 힘으로 해머가 현을 때리도록 만든다.

③ ⊙: 건반에서 손을 뗄 때 댐퍼와 현이 붙게 하여 현의 진동을 막는다.

④ ⓒ: 건반의 저음부에는 현이 1~2개씩 대응되어 있다.

⑤ ⓒ: 건반 하나에 서로 다른 높이로 조율된 여러 개의 현들이 대응되어 있다.

> **도움말**
> 액션과 현의 **❶** 을 설명한 **❷** 의 내용을 중심으로 각각의 특징을 확인해 보자.
>
> **탑 ❶** 기능 **❷** 문단

세부 내용 파악

06 윗글의 내용을 고려할 때, 선생님의 질문에 대한 답으로 가장 적절한 것은?

 피아노에서 '음향판'은 어떤 역할을 할까요?

 ① 해머가 현을 때리도록 하는 지렛대 역할을 해요.

 ② 해머가 한 번에 여러 개의 현을 때릴 수 있게 해요.

 ③ 하나의 현이 진동할 때 다른 현이 진동하지 못하도록 해요.

 ④ 연주된 음을 지속적으로 울리게 해서 음량을 감소시켜요.

 ⑤ 현의 진동을 전달받아 음량을 증폭시키는 역할을 해요.

구체적 상황에 적용 및 추론

07 다음 그림은 피아노의 페달이다. 윗글을 바탕으로 Ⓐ~Ⓒ를 이해한 내용으로 적절하지 <u>않은</u> 것은?

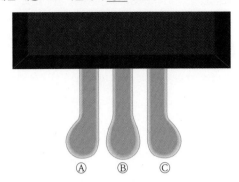

① Ⓐ는 해머가 때리는 현의 개수를 바꿀 수 있다.

② Ⓐ는 해머의 위치를 움직여서 음량을 감소시킬 수 있다.

③ Ⓑ는 음색을 변화시킬 수 있다.

④ Ⓒ는 연주 소리를 더욱 풍성하게 하는 효과를 만들어 낸다.

⑤ Ⓒ는 건반을 눌렀을 때 현의 진동이 건반을 누르지 않은 다른 현에 전달되지 않게 한다.

> **도움말**
> 이 글에서 피아노 **❶** 의 기능을 설명한 문단을 찾아 ⓐ~ⓒ가 어떤 페달에 해당하는지 확인하고, 각각의 **❷** 을 정리해 보자.
>
> **탑 ❶** 페달 **❷** 기능

어휘의 사전적 의미 파악

08 ⓐ~ⓔ의 의미로 적절하지 <u>않은</u> 것은?

① ⓐ: 사물의 범위가 늘어나 커짐.

② ⓑ: 어떤 일에 관계하여 참여함.

③ ⓒ: 어떤 작용에 대하여 그 반대로 작용함.

④ ⓓ: 처지, 속성 따위가 서로 반대되거나 모순됨.

⑤ ⓔ: 어떤 상태가 오래 계속됨.

누구나 합격 전략

01~04 다음 글을 읽고 물음에 답하시오.

1950년대 프랑스의 영화 비평계에는 작가주의라는 비평 이론이 새롭게 등장했다. 작가주의란 감독을 단순한 연출자가 아닌 '작가'로 간주하고, 작품과 감독을 동일시하는 관점을 말한다. 이 이론이 ⓐ대두될 당시, 프랑스에는 유명한 문학 작품을 별다른 손질 없이 영화화하거나 화려한 의상과 세트, 인기 연극배우에 의존하는 제작 관행이 ⓑ만연해 있었다. 작가주의는 이렇듯 프랑스 영화에 만연했던 문학적, 연극적 색채에 대한 반발로 *주창되었다.

작가주의는 상투적인 영화가 아닌 감독 개인의 영화적 세계와 독창적인 스타일을 일관되게 투영하는 작품들을 옹호한다. 감독의 창의성과 개성은 작품 세계를 ⓒ관통하는 감독의 세계관 혹은 주제 의식, 그것을 표출하는 나름의 이야기 방식, 고집스럽게 되풀이되는 특정한 상황이나 배경 혹은 표현 기법 같은 일관된 문체상의 특징으로 나타난다는 것이다.

한편, 작가주의적 비평은 영화 비평계에 중요한 영향을 끼쳤는데, 그중에서도 주목할 점은 할리우드 영화를 재발견한 것이다. ㉠할리우드에서는 일찍이 미국의 대량 생산 기술을 상징하는 *포드 시스템과 흡사하게 제작 인력들의 능률을 높일 수 있는 표준화·분업화한 방식으로 영화를 제작했다. 이에 따라 재정과 행정의 총괄자인 제작자가 감독의 작업 과정에도 관여하게 되었고, 감독은 제작자의 생각을 화면에 구현하는 역할에 머물렀다. 이는 계량화가 불가능한 창작자의 재능, 관객의 변덕스런 기호 등의 변수로 야기될 수 있는 흥행의 불안정성을 최소화하면서 일정한 품질의 영화를 생산하기 위함이었다. 그러나 작가주의적 비평가들은 할리우드라는 가장 산업화된 조건에서 생산된 상업적인 영화에서도 감독 고유의 표지를 찾아낼 수 있다고 보았다. 작가주의적 비평가들은 제한적인 제작 여건이 오히려 감독의 도전 의식과 창의성을 끌어낸 사례들에 주목한 것이다. 그에 따라 *B급 영화와 그 감독들마저 수혜자가 되기도 했다.

작가주의적 비평가들에 의해 *복권된 대표적인 할리우드 감독이 바로 스릴러 장르의 거장인 히치콕이다. 히치콕은 제작

시스템과 장르의 제약 속에서도 일관된 주제 의식과 스타일을 ⓓ관철한 감독으로 평가받았다. 히치콕은 관객을 *오인에 빠뜨린 뒤 막바지에 진실을 ⓔ규명하여 충격적인 반전을 이끌어 내는 그만의 이야기 도식을 활용하였다. 또한 그는 관객의 오인을 부추기는 '맥거핀' 기법을 자신만의 이야기 법칙을 만들어 가는 데 하나의 극적 장치로 종종 활용하였다. 즉 특정 소품을 맥거핀으로 활용하여 확실한 단서처럼 보이게 한 다음 일순간 허망한 것으로 만들어 관객을 당혹스럽게 한 것이다.

이처럼 할리우드 영화의 재평가에 큰 영향을 끼쳤던 작가주의의 영향력은 오늘날까지도 이어지고 있다. 예컨대 작가주의로 인해 '좋은' 영화 혹은 '위대한' 감독들이 선정되었고, 이들은 지금도 영화 교육 현장에서 활용되고 있다.

- **주창되다** 주의나 사상이 앞장서서 주장되다.
- **포드 시스템(Ford system)** 포드 회사가 경영 합리화를 통한 대량 생산으로 원가를 절감하기 위하여, 처음으로 채용한 생산 합리화 방식. 제품의 규격화, 생산 수단의 전문화, 컨베이어 시스템의 도입 따위를 내용으로 한다.
- **B급 영화** 적은 예산으로 단시일에 제작되어 완성도가 낮은 상업적인 영화.
- **복권되다** 한 번 상실한 권세가 다시 찾아지다.
- **오인** 잘못 보거나 잘못 생각함.

세부 내용 파악
01 윗글의 내용과 일치하지 <u>않는</u> 것은?

① 작가주의 비평가들에 의해 할리우드 영화가 재평가되었다.

② 작가주의 비평가들은 히치콕 감독과 그의 작품을 높게 평가했다.

③ 작가주의는 작품의 기법이나 문체보다 배우의 개성을 중요시했다.

④ 작가주의는 감독의 독창적인 스타일을 일관되게 투영한 작품들을 옹호했다.

⑤ 작가주의는 프랑스 영화의 문학적, 연극적 색채에 대한 반발에서 시작되었다.

구체적 상황에 적용 및 추론

02 〈보기〉를 참고하여 '맥거핀 기법'을 이해한 내용으로 적절하지 <u>않은</u> 것은?

> 보기

1960년에 개봉한 히치콕 감독의 영화 〈사이코(Psycho)〉는 여주인공이 회사 사장의 돈을 횡령하여 도피하는 장면으로 시작한다. 관객들은 여주인공이 훔친 돈다발에 집중하지만, 영화의 중반부에서 여주인공이 살해된 후에는 그 돈의 행방을 궁금해하지 않게 된다.

맥거핀은 관객이 공포감을 느끼게 만들어 주로 스릴러나 미스터리 형식의 영화에서 많이 활용되었는데, 최근에는 인터넷 기사 제목이나 텔레비전 프로그램 등 여러 분야에서 활용되고 있다.

 ① 영화 〈사이코〉에서 여주인공이 횡령한 돈이 맥거핀에 해당하는 소재야.

 ② 히치콕 감독은 제작자의 생각을 작품에 충실하게 구현하기 위해 맥거핀 기법을 활용했어.

 ③ 맥거핀 기법을 활용해서 영화의 예고편과 실제 영화의 내용을 다르게 한다면 관객들은 허망함을 느끼게 될 거야.

 ④ 텔레비전 프로그램 예고편에서 실제로 등장하지 않는 인물의 이름을 내보내는 것도 맥거핀 기법을 활용하기 위한 거야.

 ⑤ 유명 연예인이 문제를 일으켰다는 제목을 보고 기사를 클릭했는데, '극 중에서 그랬다.'라는 것도 맥거핀 기법을 활용한 것이라고 볼 수 있어.

세부 내용 추론

03 ㉠의 이유로 가장 적절한 것은?

① 제한적인 제작 여건을 통해 감독의 창의성을 끌어내기 위함이다.

② 제작자가 감독의 작업 과정에 관여하는 것을 제한하기 위함이다.

③ 감독의 생각을 영화에 구현하는 데 최적화된 여건을 제공하기 위함이다.

④ 흥행의 불안정성을 최소화하여 영화를 상업적으로 성공시키기 위함이다.

⑤ 감독이 관객의 요구를 따르기보다는 개성적인 작품 세계를 펼치도록 돕기 위함이다.

어휘의 사전적 의미 파악

04 ⓐ~ⓔ와 바꾸어 쓰기에 적절하지 <u>않은</u> 것은?

① ⓐ: 등장할

② ⓑ: 퍼져

③ ⓒ: 꿰뚫는

④ ⓓ: 타협한

⑤ ⓔ: 밝히어

05~08 다음 글을 읽고 물음에 답하시오.

선암사(仙巖寺)는 전라남도 순천시에 있는 사찰로, 선암사 가는 길에는 독특한 *미감을 자아내는 돌다리인 승선교(昇仙橋)가 있다. 승선교의 유래는 다음과 같다. 호암 대사는 관음보살을 보기 위해 백일기도를 하였지만, 결국 보지 못하자 생을 마감하려고 했다. 그때 한 여인이 나타나 대사를 구하고 사라졌는데, 대사는 그 여인이 관음보살임을 깨닫는다. 이후 호암대사는 원통전을 세워서 관음보살을 모시고 절 입구에는 승선교를 세웠다고 한다. 승선교는 번잡한 속세와 경건한 세계의 경계로서 옛사람들은 *산사에 이르기 위해 이 다리를 건너야 했다.

㉠승선교는 가운데에 무지개 모양의 *홍예를 세우고 그 좌우에 *석축을 쌓아 올린 홍예다리로서, 계곡을 가로질러 산길을 이어 준다. 홍예는 위로부터 받는 *하중을 좌우의 아래쪽으로 효과적으로 분산시켜 구조적 안정성을 얻을 수 있기 때문에 예로부터 동서양에서 널리 활용되었다. 홍예를 세우는 과정은 홍예 모양의 목조로 된 *가설 틀을 세우고, 그 위로 홍예석을 쌓아 올려 홍예가 완전히 세워지면, 가설 틀을 해체하는 순으로 이루어진다. 홍예는 *장대석의 단면을 사다리꼴로 잘 다듬어, 바닥에서부터 상부 가운데를 향해 차곡차곡 반원형으로 쌓아 올린다. 모나고 단단한 돌들이 모여 반원형의 구조물로 탈바꿈함으로써 부드러운 곡선미를 형성한다. 또한 홍예석들은 서로를 단단하게 지지해 주기 때문에 특별한 접착 물질로 돌과 돌을 이어 붙이지 않았음에도 견고하게 서 있다.

승선교는 이러한 홍예와 더불어, 홍예 좌우와 위쪽 일부에 주위의 막돌을 쌓아 올려 석축을 세웠는데 이로써 승선교는 온전한 다리의 형상을 갖게 되고 사람이 다닐 수 있는 길의 일부가 된다. 층의 구분이 없이 무질서하게 쌓인 듯 보이는 석축은 잘 다듬어진 홍예석과 대비가 되면서 전체적으로 변화감 있는 조화미를 이룬다. 한편 승선교의 홍예 천장에는 용머리 모양의 장식 돌이 물길을 향해 돌출되어 있다. 이런 장식은 용이 다리를 건너는 사람들이 물로부터 화를 @입는 것을 방지한다고 여겨 만든 것이다.

계곡 아래쪽에서 멀찌감치 승선교를 바라보면, 계곡 위쪽에 있는 강선루와 산자락이 승선교 홍예의 반원을 통해 초점화되어 보인다. 또한 녹음이 우거지고 물이 많은 계절에는 다리의 홍예가 잔잔하게 흐르는 물 위에 비친 홍예 그림자와 이어져 원 모양을 이루고 주변의 수목들의 그림자도 수면에 비친다. 이렇게 승선교와 주변 경관은 서로 어우러지며 극적인 합일을 이룬다. 승선교와 주변 경관이 만들어 내는 아름다움은 계절마다 그 모습을 바꿔 가며 다채롭게 드러난다.

승선교는 뭇사람들이 산사로 가기 위해 계곡을 건너가는 길목에 세운 다리다. 그러기에 호사스러운 치장이나 장식을 할 까닭은 없었을 것이다. 그럼에도 이 다리가 아름다운 것은 주변 경관과의 조화를 중시하는 옛사람들의 자연스러운 미의식이 반영된 덕택이다. 승선교가 오늘날 *세사의 번잡함에 지친 우리에게 자연의 소박하고 조화로운 미감을 선사하는 것은 바로 이 때문이다.

● **미감** 아름다움에 대한 느낌. 또는 아름다운 느낌.
● **산사** 산속에 있는 절.
● **홍예** 무지개같이 휘어 반원형의 꼴로 쌓은 구조물.
● **석축** 돌로 쌓아 만든 옹벽.
● **하중** 어떤 물체 따위의 무게.
● **가설** 임시로 설치함.
● **장대석** 계단의 층계나 축대를 쌓는 데 쓰는, 길게 다듬어 만든 돌.
● **세사** 세상에서 일어나는 온갖 일.

세부 내용 파악

05 윗글을 읽고 알 수 있는 내용이 <u>아닌</u> 것은?

① 승선교의 유래
② 홍예를 세우는 과정
③ 승선교에 있는 장식 돌의 의미
④ 강선루의 건축 방법과 그 특징
⑤ 승선교에 반영된 옛사람들의 미의식

세부 내용 추론

06 〈보기〉를 참고하여 ㉠을 이해한 내용으로 가장 적절한 것은?

> ┌─ 보기 ┐
>
> 터널의 구조가 대부분 아치 형태인 이유는 다음과
> 같다. 아치 형태로 만들면 터널의 아치를 이루는 조
> 각들이 서로 맞물려 모든 조각이 양쪽 끝에서 서로를
> 밀어 주는 압축력을 받아 단단하게 고정된다. 또한
> 위에서 누르는 힘을 아치의 방향으로 분산하기 때문
> 에 무게를 지탱할 수 있게 된다. 이처럼 하나의 평형
> 상태에서 새로운 평형 상태로 옮겨간 것을 아칭 효과
> (Arching effect)라고 한다.

① ㉠의 '홍예'는 하중을 위쪽으로 분산한다.
② ㉠의 '홍예'는 아칭 효과로 인해 구조적 안정성을 얻
는다.
③ ㉠의 '홍예'는 장대석들이 서로를 당기는 힘으로 고
정된다.
④ ㉠의 '석축'은 아치 형태로 조각을 질서 있게 쌓아
올렸다.
⑤ ㉠의 '석축'은 하나의 평형 상태가 새로운 평형 상태
로 옮겨 간 상태이다.

구체적 상황에 적용 및 추론

07 다음은 '승선교'를 촬영한 사진이다. 윗글을 참고하여 Ⓐ～ⓒ
를 이해한 내용으로 적절하지 <u>않은</u> 것은?

① Ⓐ: 나무로 된 가설 틀을 세워 만든 것이다.
② Ⓐ: 돌 사이에 접착 물질을 붙여서 다리를 견고하게
만든다.
③ Ⓑ: 다리를 건너는 사람들이 화를 입지 않도록 만든
장식이다.
④ ⓒ: 층의 구분 없이 무질서하게 쌓여 있다.
⑤ ⓒ: 사람들이 걸어 다닐 수 있는 길이 된다.

어휘의 문맥적 의미 파악

08 다음 중 밑줄 친 단어의 의미가 ⓐ와 거리가 <u>먼</u> 것은?

① 그는 축구를 하다가 부상을 <u>입었다</u>.
② 그는 남을 돕다가 오히려 손해를 <u>입었다</u>.
③ 나는 추운 날씨에 손가락에 동상을 <u>입었다</u>.
④ 선생님께 은혜를 <u>입었으니</u> 보답을 하고 싶다.
⑤ 그는 화려한 장식이 달린 옷을 <u>입고</u> 나타났다.

창의·융합·코딩 전략 ①

01~03 다음 글을 읽고 물음에 답하시오.

한국의 줄타기는 줄광대와 어릿광대, 악공, 관중이 서로 어울려 삶의 애환과 신명을 공유하면서 활력을 불어넣어 주는 종합 예술이다. 어릿광대는 줄광대가 줄을 탈 때 지상에서 뛰어놀거나 줄광대와 재담을 주고받는다. 줄광대는 줄이라는 한정된 공간에서 기예를 보여 줄 뿐만 아니라 줄 아래 지상의 어릿광대나 악공, 관중과도 재담을 주고받는다. 이러한 연행 방식은 줄광대가 올라서 있는 줄이라는 수평적 공간에서부터 관중이 위치한 공간으로까지 극적 공간을 수직적으로 확대시킨다는 측면에서 입체적이다.

줄타기는 기예 중심의 줄타기에서 줄 아래에 어릿광대를 두고 재담을 서로 주고받고 *삼현 육각을 연주하는 악공들의 음악에 맞추어 연행을 진행하는 연희 중심의 줄타기로 발전하게 된다.

줄타기는 긴장과 이완의 반복 구조를 지닌다. 일반적으로 줄타기는 전체적으로 '줄고사-기예 Ⅰ-놀이-기예 Ⅱ-마무리' 등의 과정으로 진행된다. 먼저 참가자 모두의 행복을 기원하는 줄고사로 연희의 시작을 알린 후 기예 Ⅰ이 연행된다. 줄 위에서 줄광대가 아슬아슬한 묘기를 선보이면 관중의 긴장감은 점차 고조된다. 기예 Ⅰ에서 조성된 긴장은 이어 전개되는 재담과 노래 중심의 놀이를 통해 이완된다. 파계승을 풍자하는 '중놀이'와 다양한 계층을 희화화하는 *왈짜놀이' 등의 놀이가 극적 흥미를 제공하면서 기예 Ⅰ에서 조성된 긴장을 이완시키는 것이다. 고난도 묘기들로 구성된 기예 Ⅱ가 펼쳐지면 관중의 긴장은 더욱 고조된다. 정점에 달한 긴장이 마무리 과정에서 점차 이완되면서 전체 연행은 끝을 맺게 된다. 이와 같이 줄타기는 각 과정별로 긴장과 이완이 반복됨으로써 관중의 극적 몰입도를 높여 흥미를 배가시킨다.

한편, 줄타기 전체에 걸친 긴장과 이완의 반복 구조는 줄타기의 각 부분에서도 동일하게 적용된다. 예를 들어 기예 Ⅱ는 외발만 딛고 뛰며 걷는 '앵금뛰기', 두 다리를 붙이고 거꾸로 서는 '배 돛대 서기' 등의 절묘한 기술들로 이루어져 있다. 기술과 기술 사이에는 재담뿐만 아니라 인물의 외양과 행동에 대한 의도적 왜곡과 모방 등이 적절하게 배치되어 있다. 고난도의 연행으로 인해 조성된 긴장감이 시청각을 자극하는 흥미 요소들을 통해 이완되는 것이다.

이렇듯 줄타기는 민중의 삶과 신명을 긴장과 이완의 반복 구조를 통해 현장감 있게 풀어낸다. 긴장과 이완이 반복되는 형태는 자연의 섭리인 동시에 삶의 굴곡을 상징한다는 점에서 줄타기는 보다 근원적인 예술로서의 가치를 지닌다.

- **삼현 육각** 피리 두 개와 대금, 해금, 장구, 북.
- **왈짜** 말이나 행동이 단정하지 못하고 수선스럽고 거친 사람.

01 윗글을 참고하여 그림 속 인물에 대해 추론한 내용으로 적절하지 <u>않은</u> 것은?

① 오른쪽 아래에 서 있는 세 사람은 관중일 것이다.
② 줄 아래에서 부채를 들고 있는 사람은 줄광대일 것이다.
③ 줄 아래에서 부채를 들고 있는 사람은 줄광대와 재담을 주고받을 수 있다.
④ 왼쪽 아래에 앉아 있는 여섯 명의 사람들은 삼현 육각을 연주하는 악공일 것이다.
⑤ 줄 위에서 기예를 보여 주는 사람은 줄 아래에 있는 모든 사람들과 재담을 주고받을 수 있다.

도움말

글의 내용을 바탕으로 ❶[　　　] 속 인물의 ❷[　　　]을 파악해 보자.

답 ❶ 그림 ❷ 역할

02 줄타기 연행 과정을 다음과 같이 정리했을 때, ㉠~㉢에 들어갈 내용으로 적절하지 않은 것은?

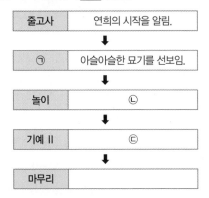

줄고사	연희의 시작을 알림.
㉠	아슬아슬한 묘기를 선보임.
놀이	㉡
기예 II	㉢
마무리	

① ㉠: 기예 I에 해당하며, 관중의 긴장감이 고조된다.

② ㉡: 파계승을 풍자하는 '중놀이'는 극적 흥미를 유발하여 관중의 긴장감을 이완시킨다.

③ ㉡: 다양한 계층을 희화화하는 '왈짜놀이'는 관중의 웃음을 유발하여 긴장감을 이완시킨다.

④ ㉢: 외발만 딛고 뛰며 걷는 '앵금뛰기'는 관중의 긴장감을 고조시킨다.

⑤ ㉢: 인물의 외양과 행동을 왜곡하여 관중의 긴장감을 고조시킨다.

03 〈보기〉를 참고하여 ⓐ~ⓔ를 이해한 내용으로 적절하지 않은 것은?

┌ 보기 ┐

　한국 줄타기에서 재담의 유형에는 다음과 같은 것들이 있다. 줄타기 기예의 내용을 설명하기, 앞으로 전개될 기예를 예고하기, 이미 완성된 기예에 대해 반응하기 등이다. 이 같은 재담들은 줄타기 판의 분위기를 고조시키고, 관중의 호기심을 유발하는 등 관중들이 줄타기를 더욱 즐길 수 있도록 한다.

> **줄광대:** ⓐ이번에는 칠보 먼장치기로 나가는데, 배우씨 꿍! (줄 위에서 칠보 먼장치기를 한다.)
>
> **배우씨:** 거, 좋군! 오늘은 왜 이리 잘 타는고.
>
> **줄광대:** 산에 나는 산삼, 바다 나는 해삼, 물에 나는 수삼도 다 먹었것다. ⓑ자, 이번에는 맞 먼장치긴데 앞으로 내밀고 뒤로 뛰겠다. 배우씨 꿍! (줄 위에서 맞 먼장치기를 한다.)
>
> **배우씨:** ⓒ오두방정이로구나. 어지러워 못 보겠다.
>
> **줄광대:** 이제 점점 어려워지는구나. ⓓ이건 허궁 가세트림인데 가운데 한 길 이상 떠서 틀어 돌아앉는 놈이렷다. 배우씨 꿍! (줄 위에서 허궁 가세트림을 한다.)
>
> **배우씨:** ⓔ곰배팔이 외새끼 꼬듯 하는구나.
>
> ● **배우씨** 이제 막 기예를 배우기 시작한 어릿광대.

① ⓐ: 앞으로 전개될 기예를 예고한다.

② ⓑ: 앞으로 전개될 기예를 예고하고, 기예의 내용을 설명한다.

③ ⓒ: 앞으로 전개될 기예를 예고하고, 완성된 기예를 정리한다.

④ ⓓ: 앞으로 전개될 기예를 예고하고, 기예의 내용을 설명한다.

⑤ ⓔ: 완성된 기예를 정리하여 이야기해 준다.

····도움말

줄타기 연행 과정을 설명한 문단을 중심으로 각 단계에서 **❶** 되는 구체적인 내용과 긴장·이완의 **❷** 를 파악한 후 ㉠~㉢에 해당하는 내용을 정리해 보자.

답 **❶** 연행 **❷** 구조

····도움말

〈보기〉의 내용을 토대로 한국 줄타기의 재담 **❶** 을 파악한 후, 줄타기 장면에 **❷** 해 보자.

답 **❶** 유형 **❷** 적용

04~06 다음 글을 읽고 물음에 답하시오.

절에서 시간을 알리거나 의식을 행할 때 쓰이는 종을 범종이라고 한다. 범종은 불교가 중국에 유입되면서 나타나기 시작하여 우리나라와 일본의 사찰로 퍼져 나갔다. 우리나라 범종의 전형적인 조형 양식은 신라에서 완성되었다. 신라에서는 독창적이고 섬세한 조형 양식을 지닌 대형 종을 주조하였는데, 이는 중국이나 일본의 주조 공법으로는 만들기 어려운 것이었다. 이러한 신라 종의 조형 양식은 조선 초기를 기점으로 한 큰 변화가 나타나기 전까지 후대의 범종으로 계승되었다.

신라 종의 몸체는 항아리를 거꾸로 세워 놓은 것과 비슷하게 가운데가 불룩하게 튀어나온 모습을 하고 있다. 이와 달리 중국 종은 몸체의 하부가 팔(八) 자로 벌어져 있으며, 일본 종은 수직 원통형으로 되어 있다. 범종의 정상부에는 종을 매다는 용 모양의 고리인 용뉴(龍鈕)가 있는데, 신라 종의 용뉴는 쌍용 형태인 중국 종이나 일본 종의 용뉴와는 달리 한 마리 용의 모습을 하고 있다. 그리고 용뉴 뒤에는 우리나라의 범종에서만 특징적으로 나타나는 음통이 있다.

주조 공법이 발달했던 신라의 범종에는 섬세한 문양들이 장식되어 있어 중국 종이나 일본 종과 차이를 보인다. 신라 종의 상부와 하부에는 각각 상대와 하대라고 부르는 동일한 크기의 문양 띠가 있는데, 여기에는 덩굴무늬나 연꽃무늬 등의 불교적 상징물이 장식되어 있다. 상대 바로 아래 네 방향에는 사다리꼴의 유곽이 있으며 그 안에 연꽃 봉오리 형상이 장식된 유두가 9개씩 있어, 단순한 꼭지 형상의 유두가 있는 일본 종이나 유두와 유곽이 없는 중국 종과 차이를 보인다. 그리고 가장 불룩하게 튀어나온 종의 정점부에는 타종 부위인 당좌(撞座)가 있으며, 이 당좌 사이에 천인상(天人像)이 아름답게 장식되어 있어 가로세로의 띠만 있는 일본 종과 차이가 있다.

고려 시대에는 이러한 신라 종의 조형 양식이 미약한 변화 속에서 계승된다. 전기에는 상대와 접하는 종의 상관 둘레에 견대라 불리는 어깨 문양의 장식이 추가되고 유곽과 당좌의 위치가 달라지며, 천인상만 부조되어 있던 자리에 삼존불 등

이 함께 나타난다. 그리고 고려 후기로 가면 전기 양식의 견대가 연꽃을 세운 모양으로 변하고, 원나라의 침입 이후 전래된 라마교의 영향으로 범(梵) 자 문양 등의 장식이 나타난다. 한편, 범종이 소형화되어 신라 종의 조형 양식이 계승되면서도 그러한 조형 양식을 지닌 대형 종의 주조 공법은 사라지게 된다.

조선 초기에는 새 왕조를 연 왕실 주도로 다시 대형 종이 주조된다. 이때 조선에서는 신라의 대형 종 주조 공법을 대신하여 중국 종의 주조 공법을 도입하게 된다. 그러면서 중국 종처럼 음통이 없이 쌍용으로 된 용뉴가 등장하며, 당좌가 사라지고, 신라 종의 섬세한 장식 대신 중국 종의 전형적인 장식들이 나타나게 된다. 이후 불교를 억제하는 정책에 따라 한동안 범종 제작이 통제되었고, 16세기에 사찰 주도로 소형 종이 주조되면서 사라졌던 신라 종의 조형 양식이 다시 나타난다. 그 후 이러한 혼합 양식과 복고 양식이 병립하다가 복고 양식이 사라지면서 우리나라의 범종은 쇠퇴기에 접어들게 된다.

---

04 윗글을 이해한 내용으로 적절하지 **않은** 것은?

① 신라에서는 중국이나 일본과는 다른 주조 공법으로 대형 종을 주조했다.

② 신라 시대부터 범종에 장식되어 있었던 당좌는 조선 시대에 들어와 사라지기도 했다.

③ 우리나라와 일본에서 범종이 만들어진 것은 중국에 불교가 전파된 것과 관련이 있다.

④ 신라 종의 상부와 하부에는 불교적 상징물이 장식되어 있는 동일한 크기의 문양 띠가 있다.

⑤ 고려 시대까지 우리나라의 범종은 외국의 영향을 받지 않으며 신라 종의 조형 양식을 계승했다.

•••도움말
우리나라와 중국, 일본의 **❶**⃞ 을 비교하고, 시대에 따른 범종의 **❷**⃞ 을 중심으로 선택지의 적절성을 판단해 보자.

탭 ❶ 범종 **❷** 양식

05 다음은 신라 종의 그림이다. ㉠~㉤에 대한 설명으로 적절하지 **않은** 것은?

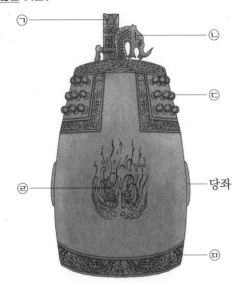

당좌

① ㉠은 중국 종이나 일본 종에는 존재하지 않는 신라 종의 독특한 조형 양식에 해당한다.

② 용이 한 마리인 형태의 ㉡은 쌍용 형태인 중국 종이나 일본 종과 차이가 있다.

③ 중국 종에는 ㉢이 존재하지 않고, 일본 종에 존재하는 것은 ㉢과 형상이 다르다.

④ 일본 종은 신라 종과 달리 ㉣의 주변에 가로세로의 띠가 있다.

⑤ 신라 종은 중국 종이나 일본 종과 달리 몸체의 정점부가 ㉤ 부분보다 볼록하게 튀어나와 있다.

06 윗글을 참고하여 시대에 따른 종의 조형 양식 변화 양상을 정리한 내용으로 적절하지 **않은** 것은?

①	고려 전기	라마교의 영향으로 범 자 문양 장식이 나타남.
②	고려 후기	견대가 연꽃을 세운 모양으로 변함.
③	조선 초기	왕실 주도로 대형 종을 주조함.
④	조선 초기	중국 종의 주조 공법을 도입하여 종의 조형 양식에 큰 변화가 생김.
⑤	16세기	사찰 주도로 소형 종이 주조되어 신라 종의 조형 양식이 다시 나타남.

•••**도**움말
그림 자료에서 각각의 부분을 ❶ [ ] 로 표시한 경우 먼저 ㉠~㉤이 각각 무엇을 가리키는지 확인하고, 글을 통해 각 부분의 ❷ [ ] 을 파악해 보자.

📋답 ❶ 기호 ❷ 특징

•••**도**움말
시대의 흐름에 따른 범종의 ❶ [ ] 양상을 정리하는 문제야. 각 시대와 범종의 변화 양상이 알맞게 ❷ [ ] 되었는지 확인해 보자.

📋답 ❶ 변화 ❷ 연결

후편 마무리 전략

일반적으로 글은 '처음-중간-끝'으로 구성되어 있어요. 글의 구성을 알면 각 단계에서 어떤 내용이 나올지 예측할 수 있으니, 글의 구성에 따른 특징을 정리하고 글 전체의 중심 내용을 파악하는 방법을 알아봅시다!

글의 구성 파악하기

글 · 나는 '처음'! · 나는 '중간'! · 나는 '끝'

글의 처음 부분은 주로 상황, 배경, 일화를 소개하거나 문제 제기, 화제 제시로 이루어져 있어. 글 전체의 화제가 처음 부분에 제시되는 경우가 많으니, 글의 처음 부분에서는 화제를 먼저 찾아야 해!

중간 부분에서는 화제에 대한 세부 내용(정보, 과정 등)을 다뤄. 글의 중간 부분을 읽을 때에는 개념 설명이나 내용의 흐름, 정보 간의 관계 등을 파악하는 게 중요해!

글의 끝 부분에서는 앞에서 다룬 글의 내용을 요약하거나 정리하고, 의의와 평가, 한계, 전망 등을 제시하며 마무리해. 처음과 중간 부분에서 읽은 것을 떠올리며 글의 내용을 정리해 봐!

글 전체의 중심 내용 파악하기

 글 전체의 중심 내용을 파악하기 위해 각 문단의 화제를 살펴 중심 화제를 찾고, 각 문단의 중심 내용을 정리해 보자!

 접속어가 나오면 눈을 크게 뜨고, 접속어 다음에 나오는 내용에 주목해야 해. 아래에 정리한 세 가지 유형의 접속어가 나오면 특히 주목하자!

> **TIP! 주요 접속어**
>
> • 역접의 접속어(그러나, 하지만): 앞의 내용과 상반되는 내용이 나옴. → 중심 내용일 가능성 ↑
> • 인과의 접속어(그러므로, 따라서): 원인과 결과가 중요한 정보일 가능성 ↑
> • 요약의 접속어(요컨대, 즉): 앞의 내용을 정리함.

 각 문단의 중심 내용을 토대로 문단들이 어떤 의미 관계를 맺고 있는지 파악해서 글의 구조도를 그려 봐!

'글의 구조'는 문단들의 연결 관계라고 할 수 있어요. 글의 구조 유형을 알아 두면 글에 담긴 정보의 내용과 위치를 효과적으로 기억할 수 있으니, 시험에 자주 나오는 글의 구조 유형을 익혀 봅시다!

개념·대상을 설명하는 유형

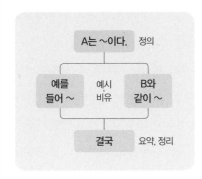

특징	첫 문단에서 주요 개념이나 대상을 정의하고, 이어지는 내용에서 예시나 비유를 활용하여 구체적으로 설명함.
기출 지문 적용	어떤 환경에서 개개의 종이 차지하는 위치를 '생태적 지위'라고 한다. 예를 들어, 열대 지역의 나무 도마뱀의 생태적 지위는 견딜 수 있는 온도 범위, 서식할 수 있는 나뭇가지의 크기, 먹이가 되는 곤충의 종류 등 많은 요소들로 이루어진다. 결국 생태적 지위는 서식 장소와 먹이 사슬 등의 생태적 환경에 의해 형성되는 것이다. → '생태적 지위'의 개념을 정의하고, 예를 들어 설명함.

내용 요소를 구체화하는 유형

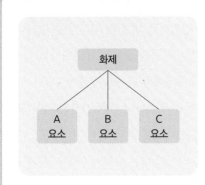

특징	첫 문단에서 화제를 제시하고 이어지는 문단에서 중심 화제의 하위 요소를 분석하여 다룸.
기출 지문 적용	이런 행위를 '스트로크(stroke)'라 부르는데, 스트로크는 다음과 같이 구분할 수 있다. 먼저 언어로 신호를 보내는 언어적 스트로크와 몸짓, 표정 등으로 신호를 보내는 비언어적 스트로크로 나눌 수 있다. → 중심 화제인 '스트로크'의 하위 요소를 '언어적 스트로크'와 '비언어적 스트로크'로 구분하여 설명함.

대상을 비교/대조하는 유형

특징	둘 이상의 대상이 나올 때 이러한 구조를 보이는 경우가 많으며, 각각의 대상이 대등한 위치에 있기 때문에 서로의 특성을 비교하거나 대조하는 것이 가능함.
기출 지문 적용	기존의 전통적인 서양 회화가 대상의 고정적인 모습에 주목하여 비례, 통일, 조화 등을 아름다움의 요소로 보았다면, 미래주의 회화는 움직이는 대상의 속도와 운동이라는 미적 가치에 주목하여 새로운 미의식을 제시했다는 점에서 의의를 찾을 수 있다. → 전통적인 서양 회화와 미래주의 회화를 비교하여 설명함.

신유형·신경향 전략

01~03 다음 글을 읽고 물음에 답하시오.

가 스톨니츠는 우리가 미적 태도로 지각하는 모든 대상은 미적 대상이 된다고 주장한다. 이때의 미적 태도는 어떤 대상을 유용성에 근거해서 바라보는 실제적 지각 태도와 다르다. 그가 말하는 미적 태도는 그것이 예술 작품이든 아니든, 감상자가 지각하는 대상 자체를 '무관심적'이면서 '공감적'으로 '관조'하는 태도이다.

스톨니츠가 말하는 미적 태도에서의 '무관심적'이라는 것은 대상에 대해 관심이 없는 것이 아니라 대상을 사용, 조작하여 무엇을 취하려는 목적을 가지고 바라보지 않는다는 것이다. 다시 말해 대상에 대해 어떤 이해관계를 떠나, 보이고 느껴지는 대로 관심을 가지고 본다는 것이다.

그리고 '공감적'은 감상자가 대상에 반응할 때 대상 자체의 조건에 의해 대상을 받아들이는 방식을 취하는 것을 의미한다. 이를 위해 감상자는 자신을 대상과 분리시키는 신념이나 편견과 같은 반응은 억제해야 한다. 그렇게 하지 않으면 대상이 감상자에게 흥미롭게 지각될 수 있는 가능성이 사라지게 된다. 예를 들어 ㉠특정 신을 찬미하기 위한 의도가 담긴 작품에 대해 감상자가 자신의 종교적 기준과 다르다고 거부감을 가지는 것은 공감적이지 못한 것이다.

끝으로 '관조'란 단순한 응시가 아니라 감상자가 대상에 적극적으로 주목하는 것을 의미한다. 관조는 활동과 함께 일어나기도 하는데, 일례로 음악을 듣는 감상자가 음악에 집중하여 멜로디를 따라 손으로 장단을 맞추는 모습을 들 수 있다. 그러나 대상에 적극적으로 주목하며 활동하는 것이 관조가 의미하는 바의 전부는 아니다. 대상의 독특한 가치를 맛보기 위해서는 복잡하고 섬세한 부분까지 주의 깊게 살펴야 한다. 이러한 섬세한 부분까지 민감하게 인지하는 것이 식별력이다. 즉, 식별력을 갖추고 관조한다면 더욱 풍부한 미적 경험을 할 수 있다. 이러한 식별력은 반복해서 예술 작품을 경험하거나 작품에 드러나는 표현 기법, 작품의 구성 요소 같은 지식에 대해 공부하거나, 예술 형식에 대한 기술적 훈련을 함으로써 기를 수 있다.

나 비어즐리는 미적 대상이란 예술 작품의 속성 중 올바르게 감상되고 비평될 수 있는 것이라고 주장한다. 그는 미적 대상이 감상자의 주관적 태도에 의해서 규정될 수 없다고 말하며, 오직 예술 작품 자체의 속성들에 근거하여 미적 대상을 규정할 수 있다는 객관주의적 입장을 취한다. 그래서 그는 '구분의 원리'와 '지각 가능성의 원리'를 통해 예술 작품에서 미적 대상이 될 수 없는 것들을 미적 대상에서 배제한다.

먼저 비어즐리는 구분의 원리를 제시하며, 예술가의 의도를 예술 작품의 미적 대상으로 생각하는 입장에 반대한다. 그는 예술 작품의 속성이 미적 대상이 되려면 그 예술 작품과 구분되어서는 안 된다는 것을 전제한다. 그래서 그는 예술 작품과 구분되는 예술가의 의도는 예술 작품의 속성이 될 수 없어 미적 대상에서 배제되어야 한다고 말한다.

지각 가능성의 원리는 예술 작품의 어떤 속성이 직접적으로 지각될 수 있어야만 미적 대상이 될 수 있다는 것이다. 비어즐리는 예술 작품을 경험하는 데 전혀 지각될 수 없거나 직접적으로 지각될 수 없는 것들을 물리적 측면이라고 규정하고, 이를 미적 대상에서 배제해야 한다고 말한다.

비어즐리는 이 원리들을 종합하여 예술 작품의 속성 중 객관적으로 지각될 수 있는 대상을 밝히며, ㉡미적 대상으로서의 예술 작품의 의미를 해석할 때는 오로지 예술 작품과 분리될 수 없는 객관적인 속성만을 고려해야 한다는 주장을 분명히 하였다.

01 다음은 ㉡의 관점에서 ㉠에 대해 보인 반응이다. ⓐ~ⓒ에 들어갈 말로 적절한 것은?

> 조각 작품에 담긴 특정 신을 찬미하려 한 예술가의 의도는, (ⓐ)으로 지각될 수 있는 것이 아니기에 예술 작품과 (ⓑ)되어야 해요. 따라서 예술가의 의도는 미적 대상으로서 예술 작품의 의미를 올바르게 감상하기 위한 속성으로 볼 수 (ⓒ).

	ⓐ	ⓑ	ⓒ
①	객관적	구분	있어요
②	객관적	구분	없어요
③	객관적	종합	있어요
④	공감적	구분	있어요
⑤	공감적	종합	없어요

02 학생이 '읽기 중' 단계에서 활동한 내용으로 가장 적절한 것은?

① (가)와 (나)는 예술가의 의도에 의해 규정되는 미적 대상을 비판하고 있다.
② (가)와 (나)는 예술 작품의 유용성을 평가하기 위한 절차를 설명하고 있다.
③ (가)와 (나)는 지각할 수 있는 대상이어야 미적 대상으로 고려될 수 있다는 관점을 드러내고 있다.
④ (가)와 (나)는 감상자가 관심을 가지지 않고 감상해야 예술 작품이 미적 대상이 될 수 있다고 설명하고 있다.
⑤ (가)와 (나)는 예술 작품이 미적 대상이 되기 위해서는 감상자와 예술가의 상호 작용이 필요함을 강조하고 있다.

> ···**도**움말
> (가)와 (나)에서 ❶ [   ]에 대한 스톤니츠와 비어즐리의 ❷ [   ]이 어떤 점에서 같거나 다른지 생각해 보자.
> 답 ❶ 미적 대상 ❷ 입장

[02~03] 다음은 학생의 독서 활동을 구조화한 것이다. 윗글을 참고하여 2번과 3번 물음에 답하시오.

독서 동기

> 주제별 체험 학습에서 '미적 대상 경험하기'라는 주제로 표현주의 연극을 보고 왔다. 친구들과 나는 연극이 정말 아름다웠다고 생각했다. 돌아오는 길에 문득 Ⓐ예술 작품들이 지닌 독특한 가치들을 주의 깊게 살필 수 있는 능력을 기르기 위해서는 어떤 노력이 더 필요한지 궁금해졌다.

독서 과정	학생의 활동
읽기 전	독서 목적 확인하기, 경험을 떠올려 배경지식 활성화하기
읽기 중	(가)와 (나)를 읽고 이해한 내용을 자기 말로 바꾸어 말해 보기
읽기 후	새로 알게 된 내용의 활용 방안 생각하기

03 학생이 Ⓐ를 해결하기 위해 (가)를 적용하여 '읽기 후' 활동을 한 내용으로 적절하지 않은 것은?

① 프랑스 상징시를 감상하기 위해 상징의 개념에 대해 학습하기
② 표현주의 연극을 이해하기 위해 해당 연극을 반복해서 관람하기
③ 평시조를 감상하기 위해 평시조의 형식에 맞춰 창작하는 훈련하기
④ 사실주의 영화를 감상하기 위해 영화의 역사에 대한 지식을 공부하기
⑤ 교향곡을 감상하기 위해 곡의 섬세한 부분에 얽매이지 않고 상상력 발휘하기

04~06 다음 글을 읽고 물음에 답하시오.

디지털 이미지는 최소 단위의 점인 화소로 구성된다. 일반적으로 화소의 수가 많을수록 해상도는 높아지지만 저장되는 데이터의 용량이 커지게 된다. 따라서 디지털 이미지를 효율적으로 저장하고 전송하기 위해서는 데이터의 용량을 줄여주는 디지털 이미지 압축 기술이 필요하다. 이 기술에는 무손실 압축과 손실 압축이 있다. 전자는 압축 과정에서 데이터를 손실시키지 않고 압축이 진행되기에 압축 효율은 떨어지지만, 원본과 동일한 이미지로 복원이 가능하다. 반면 후자는 중복되거나 필요치 않은 데이터를 제거하여 원본과 동일한 이미지로 복원하기는 어렵지만, 무손실 압축에 비해 수 배에서 수천 배 이상의 압축 효율을 얻을 수 있다.

JPEG는 손실 압축 기술이 적용된 대표적인 디지털 이미지 파일 형식이다. JPEG 형식의 압축은 크게 전처리, DCT, 양자화, 부호화 과정을 거친다. 전처리 과정에서는 색상 모델 변경과 '샘플링'이 이루어진다. 우선 디지털 이미지의 색상 모델을 RGB에서 YCbCr로 변경한다. RGB 모델은 빛의 삼원색을 조합하여 화소의 색과 밝기를 함께 표현하는데, 변경된 YCbCr 모델에서는 밝기 정보를 나타내는 Y와 색상 정보를 나타내는 Cb, Cr로 분리하여 화소의 정보를 표현한다. 이후 샘플링이 진행된다. 인간의 눈은 밝기의 변화에 민감하고, 색상의 변화에는 상대적으로 덜 민감하다. 그래서 샘플링에서는 밝기 정보를 나타내는 Y는 모두 추출되고, 색상 정보를 나타내는 Cb, Cr은 인간의 눈이 색상의 변화를 인식하지 못하는 범위 내에서 일부만 추출된다. 이러한 샘플링은 화소들을 일정한 단위로 묶은 블록에서 J:a:b의 비율로 화소의 정보를 추출한다. 이때 J는 화소 블록의 가로 화소 개수, a는 화소 블록 첫 번째 행에서 추출하는 화소의 정보의 개수, b는 두 번째 행에서 추출하는 화소 정보의 개수를 의미한다.

DCT는 샘플링한 화소의 정보들을 주파수로 변환하여 주파수 영역에 따라 규칙적으로 분리된 데이터로 나타내는 과정이며, 효율성을 고려하여 가로 8개, 세로 8개의 화소로 블록화된 행렬을 기본 단위로 진행된다. 이를 통해 인접한 화소들 간의 정보 차이가 작다는 것을 나타내는 저주파 성분은 행렬의 왼쪽 위, 차이가 크다는 것을 나타내는 고주파 성분은 행렬의 오른쪽 아래로 모여 주파수 영역에 따라 분리된 행렬 값으로 표현된다.

다음으로 양자화 과정에서는 DCT로 얻은 행렬 값을 미리 설정된 특정 상수로 나눈 뒤 반올림하게 된다. 이때 저주파 성분의 행렬 값은 작은 상수로 나눈 뒤 반올림하지만, 고주파 성분의 행렬 값은 0의 값으로 만들기 위해 큰 상수로 나눈 뒤 반올림한다. 이는 인간의 눈이 저주파에 민감하고 고주파에는 덜 민감하다는 특성을 고려하여, 저주파 성분의 절댓값은 줄이고 고주파 성분은 제거해 데이터의 용량을 줄이기 위함이다.

마지막으로 부호화는 양자화를 거친 행렬 값을 이진수의 부호로 표현하는 것이다. 이 과정에서는 대표적으로 허프만 부호화가 사용된다. 허프만 부호화는 빈번하게 발생되는 데이터를 표현할 때는 적은 수의 비트를 할당하고, 드물게 발생되는 데이터를 표현할 때에는 더 많은 수의 비트를 할당한다. 그 결과 허프만 부호화 과정에서는 데이터를 손실시키지 않으면서도 디지털 이미지의 데이터 용량을 줄일 수 있다.

● **해상도** 텔레비전 화면이나 컴퓨터의 디스플레이 따위의 표시의 선명도.
● **이진수** 숫자 0과 1만을 사용하여, 둘씩 묶어서 윗자리로 올려 가는 표기법인 이진법으로 나타낸 수.

04 윗글을 이해한 내용으로 적절하지 않은 것은?

① 화소의 수가 많을수록 디지털 이미지의 데이터 용량이 커진다.

② 고주파 성분은 화소들 간의 정보 차이가 크다는 것을 나타낸다.

③ JPEG 형식의 디지털 이미지는 원본과 동일하게 되돌릴 수 있다.

④ 전처리 과정에서 샘플링은 색상 모델 변경을 거친 후에 진행된다.

⑤ 데이터의 용량은 화소의 정보를 주파수로 변환한 후 고주파 성분을 제거하는 방법으로 줄인다.

[05~06] 〈보기〉는 윗글을 읽고 학생들이 수행해야 할 학습지이다. 윗글을 참고하여 5번과 6번 물음에 답하시오.

┌─ 보기 ┐

1. 글의 핵심 내용 정리하기

• JPEG 형식의 압축 과정

① 전처리 과정	– 색상 모델 변경 → 샘플링
② DCT	– 샘플링한 화소의 정보들을 주파수로 변환함. – ⊙
③ 양자화	– DCT로 얻은 행렬 값을 미리 설정된 특정 상수로 나눈 뒤 반올림함. – ⊙
④ 부호화	– ⓒ

2. 도식화하여 '샘플링'의 개념 이해하기

●	●	○	○
○	○	●	○

→ ●는 추출된 화소, ○는 추출되지 않은 화소라고 할 때 가로 화소의 개수가 4개, 첫 번째 행에서 화소가 2개, 두 번째 행에서 1개가 추출되었다. 따라서 이 경우 4:2:1의 비율로 샘플링한 것이다.

Q1. 4:3:2 비율의 샘플링 도식화 만들기

●	○	●	ⓐ
○	ⓑ	●	●

Q2. ⓒ아래 샘플링의 비율은?

●	○	○
○	●	●

3. 'DCT' 결과로 도식화한 행렬 이해하기

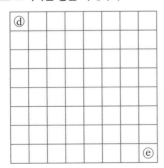

[DCT 결과]

Q3. 위의 도식에서 ⓓ와 ⓔ에 대해 설명해 보자.

: _____ [A]

---

05 윗글을 참고할 때, 〈보기〉의 ⊙~ⓒ에 들어갈 내용으로 적절하지 <u>않은</u> 것은?

① ⊙: 가로와 세로의 개수가 같게 블록화된 행렬을 기본 단위로 함.

② ⊙: 고주파 성분과 저주파 성분은 다른 크기의 상수로 나눔.

③ ⊙: 인간의 눈이 더 민감하게 느끼는 고주파 성분을 제거함.

④ ⓒ: 양자화를 거친 행렬 값을 이진수로 표현함.

⑤ ⓒ: 허프만 부호화를 사용하면 데이터를 손실시키지 않고 데이터 용량을 줄일 수 있음.

06 윗글을 읽고 〈보기〉를 추론한 내용으로 가장 적절한 것은?

① ⓐ와 ⓑ에는 모두 '●'이 들어가야겠군.

② ⓒ에 대한 답은 '3:2:1'이겠군.

③ [A]에 'ⓓ는 고주파 성분이다.'가 들어갈 수 있겠군.

④ [A]에 '양자화 과정에서는 ⓔ를 0의 값으로 만들기 위해 큰 상수로 나눈 뒤 반올림한다.'가 들어갈 수 있겠군.

⑤ [A]에 '화소의 밝기에 따라 ⓓ와 ⓔ로 구분한다.'가 들어갈 수 있겠군.

┌─ 💬도움말 ─┐

샘플링한 화소들의 ❶[   ]를 DCT 과정에서 어떤 방식으로 나타내는지 확인하고, 〈보기〉에 제시된 ❷[   ] 도식에 적용해 보자.

답 ❶ 정보 ❷ DCT

07~09 다음 글을 읽고 물음에 답하시오.

가 동아시아 사회에서 오랫동안 유지되었던 과거제는 세습적 권리와 무관하게 능력주의적인 시험을 통해 관료를 선발하는 제도라는 점에서 합리성을 갖추고 있었으며, 과거제가 도입되어 높은 지위를 얻기 위해서는 신분이나 추천보다 시험 성적이 더욱 중요해졌다. 또 과거제는 보다 많은 사람들에게 사회적 지위 획득의 기회를 줌으로써 개방성을 제고하여 사회적 유동성 역시 증대시켰다. 더불어 시험 과정에서 익명성의 확보를 위해 여러 가지 장치를 도입하여 공정성 강화를 위해 노력하였다.

과거제는 학습에 강력한 동기를 제공함으로써 교육의 확대와 지식의 보급에 크게 기여했다. 그 결과 통치에 참여할 능력을 갖춘 지식인 집단이 폭넓게 형성되었으며 시험에 필요한 고전과 유교 경전이 주가 되는 학습의 내용은 도덕적인 가치 기준에 대한 광범위한 공유를 이끌어 냈다.

동아시아에서 과거제가 천 년이 넘게 시행된 것은 과거제의 합리성이 사회적 안정에 기여했음을 보여 준다. 과거제는 왕조의 교체와 같은 변화에도 불구하고 동질적인 엘리트층의 연속성을 가져왔다. 그리고 이러한 연속성은 관료 선발 과정뿐 아니라 관료제에 기초한 통치의 안정성에도 기여했다.

과거제를 장기간 유지한 것은 세계적으로 드문 현상이었다. 과거제에 대한 정보는 선교사들을 통해 유럽에 전해져 많은 관심을 불러일으켰다. 일부 유럽 계몽 사상가들은 학자의 지식이 귀족의 세습적 지위보다 우위에 있는 체제를 정치적인 합리성을 갖춘 것으로 보았다. 이러한 관심은 실질적인 사회 제도에까지 영향을 미쳐서, 관료 선발에 시험을 통한 경쟁이 도입되기도 했다.

나 조선 후기의 대표적인 관료 선발 제도 개혁론인 유형원의 공거제 구상은 능력주의적, 결과주의적 인재 선발의 약점을 극복하려는 의도와 함께 신분적 세습의 문제점도 의식한 것이었다. 중국에서는 17세기 무렵 관료 선발에서 세습과 같은 봉건적인 요소를 부분적으로 재도입하려는 개혁론이 등장했다. 고염무는 관료제의 상층에는 능력주의적 제도를 유지하되, 지방관인 지현들은 세습의 길을 열어 놓는 방안을 제안

했다. 황종희는 지방의 관료가 자체적으로 관리를 추천하는 '벽소'와 같은 옛 제도로 과거제를 보완하자고 주장했다.

과거제를 시행했던 국가들에서는 수백 년에 걸쳐 과거제를 개선하라는 압력이 있었다. 시험 방식이 가져오는 부작용들이 과거제의 중요한 문제였다. 치열한 경쟁은 깊이 있는 학습이 아니라 합격만을 목적으로 하는 형식적 학습을 하게 만들었고, 학습 능력 이외의 인성이나 실무 능력을 평가할 수 없다는 이유로 시험의 익명성에 대한 회의도 있었다.

능력주의적 태도는 시험뿐 아니라 관리의 업무에 대한 평가에도 적용되었다. 세습적이지 않으면서 몇 년의 임기마다 다른 지역으로 이동하는 관리들은 승진을 위해서 빨리 성과를 낼 필요가 있었기에, 지역 사회를 위해 장기적인 전망을 가지고 정책을 추진하기보다 단기적인 결과만을 중시하였다. 또한, 과거제 출신의 관리들은 공동체에 대한 소속감이 낮고 출세 지향적이기 때문에 공동체 의식의 약화라는 부정적 결과를 낳기도 하였다.

과거제가 지속되는 동안 과거제 시행 이전에 대한 향수가 존재했던 것은 소속감과 충성심을 과거제로 확보하기 어렵다는 판단 때문이었다. 봉건적 요소를 도입하여 과거제를 보완하자는 주장은 단순히 복고적인 것이 아니라 합리적인 제도가 가져온 역설적 상황을 보완하고자 하는 시도였다.

● **세습적** 한집안의 재산이나 신분, 직업 따위를 자손들이 대대로 물려받는 것.
● **제고하다** 수준이나 정도 따위를 끌어올리다.
● **복고적** 과거의 사상이나 전통으로 되돌아가려는 것.

---

07 (가)와 (나)에 대한 설명으로 적절하지 <u>않은</u> 것은?

① (가)는 (나)와 달리 과거제에 대한 다른 나라들의 관심을 제시하고 있다.

② (가)는 (나)와 달리 과거제와 관련하여 구체적인 사상가들의 주장을 제시하고 있다.

③ (나)는 (가)와 달리 과거제에 대한 비판적 관점이 드러난다.

④ (나)는 (가)와 달리 공동체 의식과 관련하여 과거제의 영향을 설명하고 있다.

⑤ (가)와 (나)는 모두 과거제가 학습에 끼친 영향에 대하여 설명하고 있다.

[08~09] 〈보기〉는 학생들이 수행한 과제의 일부이다. 윗글을 참고 하여 8번과 9번 물음에 답하시오.

┌─ 보기 ┐

　아래는 학생이 '조선 시대 관리들의 토론 구성해 보기'라 는 한국사 수업의 과제를 받고 그것을 수행하는 과정 중 일 부를 제시한 것이다.

- **토론 주제**: 과거제를 지속해서 시행해야 하는가?
- **찬성 측 주장**: 관료 선발에 있어 능력주의적 시험인 과거제를 지속하여야 한다.
- **찬성 측 근거**:
  ㉠ 능력주의적인 시험으로 관료를 선발한다는 점에 서 과거제가 가장 합리적이다.
  ㉡ 세계적으로 드물게 천 년이 넘는 긴 시간 동안 유 지된 제도이다.
  ㉢ 익명성 강화 장치를 통해 공정성을 확보할 수 있다.
  ㉣ 학습에 대한 동기를 제공하여 교육의 확대, 지식 의 보급을 도모할 수 있다.
  ㉤ 과거제는 사회의 안정에도 기여할 수 있다.

　　찬성 측 주장과 근거에 대해 어떤 반론을 제시 할 수 있을까? 자료를 더 조사해 봐야겠어.

〈학생이 자료를 조사한 후 구성한 가상 토론〉

A: 저는 변변치 못한 출신이기에 기존의 제도 아 래에서는 관직을 얻는 것이 어려웠을 것입니 다. 하지만 과거제는 저와 같은 사람들의 불 만을 해결하여 사회적 갈등을 해소할 수 있게 합니다.

B: 과거제는 유교 경전을 공부하여 평가받는 시 험이라는 점에서 긍정적인 측면도 있지만, 과 거제를 통해 인성이나 실무 능력은 파악할 수 없어요.

C: 맞습니다. 그런 역설적인 상황이 발생할 수는 있어요. 오히려 저는 일부 관료 선발 과정에 서는 보완적인 방안이 필요하다고 봅니다.

---

08 〈보기〉의 학생이 윗글을 바탕으로 찬성 측 근거에 대해 반론 을 준비한다고 할 때, ㉠~㉤에 대한 설명으로 적절하지 않 은 것은?

① ㉠에 대해 학습 능력 이외의 인성이나 실무 능력을 평가할 수 없다는 점을 들어 반론할 수 있겠군.

② ㉡에 대해 과거제를 시행했던 국가들에서 수백 년에 걸쳐 과거제를 개선하라는 압력이 있었다고 반론할 수 있겠군.

③ ㉢에 대해 익명성 강화는 관리들의 공동체 의식 약 화라는 부정적 결과를 가져왔다고 반론할 수 있겠 군.

④ ㉣에 대해 과거제는 단순히 합격만을 목적으로 하는 형식적인 학습을 하게 만든다고 반론할 수 있겠군.

⑤ ㉤에 대해 과거제를 통해 선발된 관리들은 공동체에 대한 소속감이 낮고 출세 지향적이라서 오히려 사회 의 안정성에 해가 될 수 있다고 반론할 수 있겠군.

09 윗글을 바탕으로 할 때, 〈보기〉의 학생이 구성한 가상 토론 에 대한 설명으로 적절하지 않은 것은?

① A는 기존 관료 선발 제도의 문제점을 엘리트층의 연 속성 측면에서 밝히고 있다.

② A는 사람들에게 개방성을 제고하는 것이 사회적 유 동성을 증대시킬 수 있을 것이라고 본다.

③ B는 과거제의 학습 내용에 대해서는 긍정적이지만, 과거제의 문제점을 함께 언급하고 있다.

④ C는 합리적이라고 도입한 과거제가 여러 가지 문제 점을 발생시킬 수 있기에 부정적으로 본다.

⑤ C는 부분적으로 관리를 추천하는 제도나 세습의 길 을 열어 두는 방식으로 과거제를 보완해야 한다는 입 장이다.

●●●도움말

〈보기〉의 A~C가 ❶　　　　　에 대해 어떤 입장을 보이는지 확인 하고, 각 ❷　　　　과 관련된 지문의 내용을 대응하여 문제를 해결 해 보자.

답 ❶ 과거제 ❷ 입장

1·2등급 확보 전략

01~04 다음 글을 읽고 물음에 답하시오.

전기 자동차는 한 번 충전으로 운행할 수 있는 거리가 짧다는 단점이 있다. 이를 보완하는 장치 중 하나가 회생 제동 장치이다. 일반적으로 제동 장치는 자동차를 멈추거나 속력을 줄이는 기능을 하는데, 회생 제동 장치는 ˙제동의 기능을 하는 동시에 이 과정에서 버려지는 에너지를 자동차의 운행에 다시 사용할 수 있게 한다.

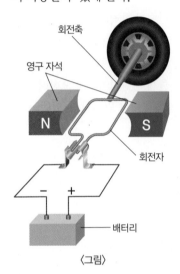
〈그림〉

회생 제동 장치의 이해를 위해서는 우선 전기 자동차에 장착된 전동기의 작동 원리를 알아야 한다. 〈그림〉과 같이 전동기는 영구 자석과 그 안쪽에서 회전할 수 있는 회전자로 구성이 되어 있는데, 영구 자석 사이에는 항상 ˙자기장이 형성되어 있다. 회전자는 배터리에서 나오는 전류가 흐를 수 있는 도선으로 감겨 있고 회전축과 연결되어 있다. 운전자가 가속 페달을 밟으면 배터리에서 전동기로 전류가 공급되어 회전자의 ˙도선에 전류가 흐른다. 도선에 전류가 흐르면 자기장이 생성되고 영구 자석 사이에 형성되어 있는 자기장과 상호 작용하여 전자기력이 발생된다. 이렇게 발생된 전자기력의 영향으로 도선이 힘을 받아 회전자가 회전하고, 회전축에 회전력이 전달되어 자동차가 움직인다. 결국 전동기는 전기 에너지를 역학적 에너지로 바꾸는 기능을 하는 것이다.

그런데 이 전동기는 운전자가 제동 페달을 밟으면 역학적 에너지를 전기 에너지로 바꾸는 발전기로 기능이 전환된다. 운전자가 제동 페달을 밟는 순간부터 배터리에서 전동기로 공급되는 전류가 차단되어 회전자의 도선에 전류가 흐르지 않게 되므로 회전자를 회전시키는 전자기력은 사라진다. 그러나 달리던 자동차의 ˙관성으로 인해 바퀴는 일정 시간 굴러가기에 바퀴가 회전자를 돌리는 상황이 된다. 바퀴가 회전자

를 돌리는 데에는 에너지가 소모되므로 바퀴의 운동 에너지가 감소하면서 제동 효과가 발생한다. 이때 도선으로 감긴 회전자가 영구 자석에 의해 형성된 자기장 속에서 회전하면서 전자기 유도 현상에 따라 전기 에너지가 만들어진다. 이는 제동하면서 줄어든 운동 에너지가 전기 에너지의 형태로 회생된 것이다. 이렇게 만들어진 전기 에너지가 배터리에 저장되면 회생 제동의 효과가 발생해서 주행 거리가 늘어난다.

한편 회생 제동 장치는 단독으로 ㉠쓰이는 경우 제동 효과를 충분히 발휘하기 어렵다. 예를 들어 급정지처럼 짧은 시간에 큰 제동력이 필요한 상황에서는 회생 제동 장치만으로는 필요한 제동력을 얻기 힘들고, 배터리가 완전히 충전된 상황에서는 생성된 전기 에너지를 저장할 수 없어 회생 제동 장치가 작동하지 않는다. 따라서 대부분의 전기 자동차에는 회생 제동 장치뿐만 아니라 마찰 제동 장치가 함께 장착되어 상호 보완적으로 작동한다.

운전자가 제동 페달을 밟으면 우선 페달에 있는 센서가 페달을 밟은 압력의 정도를 인식하여 전자 제어 장치로 전기적 신호를 보낸다. 전자 제어 장치는 이 신호를 바탕으로 페달을 밟은 압력의 정도에 따라 제동에 필요한 전체 제동력을 계산한다. 이와 동시에 회생 제동으로 얻을 수 있는 제동력과, 이를 전체 제동력에서 ˙뺀 나머지 제동력을 계산해 낸다. 그리고 이를 토대로 전자 제어 장치는 회생 제동 장치에 신호를 보내 이 신호가 배터리와 전동기의 연결을 차단하여 회생 제동이 발생하도록 하는 한편, 마찰 제동 장치에 신호를 보내 마찰 제동의 정도를 조절한다.

● **제동** 기계나 자동차 따위의 운동을 멈추게 함.
● **자기장** 자석의 주위, 전류의 주위, 지구의 표면 따위와 같이 자기의 작용이 미치는 공간.
● **도선** 전기의 양극을 이어 전류를 통하게 하는 쇠붙이나 줄.
● **관성** 물체가 밖의 힘을 받지 않는 한 정지 또는 등속도 운동의 상태를 지속하려는 성질.

01 윗글을 읽고 답할 수 있는 질문으로 가장 적절한 것은?

① 마찰 제동 장치의 제동 원리는 무엇인가?

② 전기 자동차에 사용되는 배터리의 용량은 어느 정도인가?

③ 전기 자동차가 한 번 충전으로 운행할 수 있는 거리는 얼마인가?

④ 전동기를 구성하는 회전자의 굵기는 자동차의 제동과 어떤 관련이 있는가?

⑤ 제동 페달을 밟아도 자동차가 일정 시간 동안 움직이는 이유는 무엇인가?

02 윗글을 읽고 추론할 수 있는 내용으로 적절하지 <u>않은</u> 것은?

① 전동기의 일부 공간에는 항상 자기장이 형성되어 있다.

② 전기 자동차를 운전할 때에는 마찰 제동 장치의 제동이 필요한 경우도 있다.

③ 회전자의 도선에 전류가 흐르지 않는 상황에서도 전자기 유도 현상이 발생할 수 있다.

④ 특정 순간에 필요한 마찰 제동 장치의 제동력과 회생 제동 장치 제동력의 합이 전체 제동력이다.

⑤ 회생 제동 효과는 전자기 유도 현상에 의해 전기 에너지가 만들어지면 전기 에너지의 배터리 저장 여부와 상관없이 바로 발생한다.

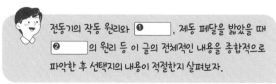

전동기의 작동 원리와 **❶**☐, 제동 페달을 밟았을 때 **❷**☐의 원리 등 이 글의 전체적인 내용을 종합적으로 파악한 후 선택지의 내용이 적절한지 살펴보자.

답 ❶ 구성 **❷** 제동

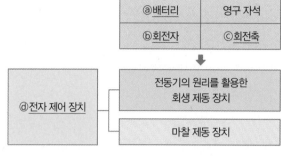
함정문제

03 다음은 전기 자동차의 장치를 도식화한 것이다. ⓐ~ⓓ에 대한 설명으로 적절하지 <u>않은</u> 것은?

ⓐ배터리	영구 자석
ⓑ회전자	ⓒ회전축

↓

ⓓ전자 제어 장치	전동기의 원리를 활용한 회생 제동 장치
	마찰 제동 장치

① ⓐ는 가속 페달을 밟을 때와 제동 페달을 밟을 때의 역할이 다르다.

② ⓑ가 움직이면 그 힘이 ⓒ에게 전달되어 자동차가 움직이게 된다.

③ ⓒ는 전동기가 발전기로 기능이 전환되었을 때는 아무런 움직임이 없다.

④ ⓓ는 제동 페달에 가해진 압력의 정도를 전기적 신호로 받아들이게 된다.

⑤ ⓓ는 전동기와 ⓐ의 연결을 차단하여 회생 제동이 발생하도록 하는 동시에 마찰 제동의 정도도 조절한다.

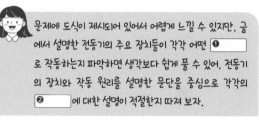

문제에 도식이 제시되어 있어서 어렵게 느낄 수 있지만, 글에서 설명한 전동기의 주요 장치들이 각각 어떤 **❶**☐로 작동하는지 파악하면 생각보다 쉽게 풀 수 있어. 전동기의 장치와 작동 원리를 설명한 문단을 중심으로 각각의 **❷**☐에 대한 설명이 적절한지 따져 보자.

답 ❶ 원리 **❷** 장치

04 ㉠과 문맥적 의미가 가장 유사한 것은?

① 그 자리에는 경험자가 <u>쓰여야</u> 한다.

② 집을 칠하는 데 페인트 다섯 통이 <u>쓰였다</u>.

③ 그에게 신경이 <u>쓰여</u> 일에 집중할 수 없다.

④ 신규 사업에 자금이 많이 <u>쓰여서</u> 걱정이다.

⑤ 젊은이들에게 널리 <u>쓰이는</u> 은어를 이해하기 어렵다.

05~08 다음 글을 읽고 물음에 답하시오.

고속도로 이용 요금을 납부하는 여러 가지 방법 중 하나인 '전자 요금 징수 시스템(ETC)'은 다음과 같은 과정을 거쳐 작동한다. 우선 차량이 요금소의 첫 번째 게이트를 통과할 때, 차량 단말기와 첫 번째 게이트에 설치된 제1 기지국 간에 통신이 일어난다. 제1 기지국은 차량 단말기로부터 전송받은 요금 징수 관련 데이터를 잃어버리지 않도록 임시 저장소에 보관하면서 거의 동시에 지역 요금소 ETC 서버로 전송한다. 지역 요금소 ETC 서버는 이 데이터를 분석한 후, 도로 공사 요금 정산

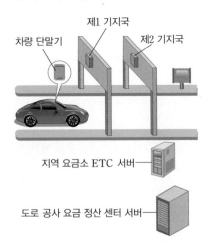

센터의 서버로 전송해서 도로 공사 요금 정산 센터의 서버가 징수할 요금에 관한 데이터를 찾도록 요청한다. 이렇게 찾아진 데이터는 다시 지역 요금소 ETC 서버를 거쳐 두 번째 게이트에 설치된 제2 기지국을 경유하여 차량 단말기로 전송된다. 이때 이 데이터가 수신되면 차량 단말기를 통해 요금이 징수되며, 그 후 요금 징수 결과가 안내 표시기를 통해 운전자에게 안내된다.

이러한 과정에서 차량 단말기와 기지국 간에는 무선으로 데이터 전송이 이루어진다. 이때 통신 규약에 따라 정해진 전자 요금 징수 시스템의 데이터 처리 방식은 시분할 방식이다. 이는 동일한 크기로 분할된 시간의 단위인 타임 슬롯을 차량 단말기에서 전송된 각각의 데이터에 할당하여 데이터를 처리하는 방식이다. 타임 슬롯은 차량이 진입하지 않아도 항상 만들어지는데, 차량이 지나가게 되면 규약으로 정해진 데이터 종류의 순서에 따라 데이터에 타임 슬롯이 할당된다. 차량 한 대가 지나가는 경우 데이터에 할당된 타임 슬롯들에 의해 하나의 집합체가 구성되는데 이를 프레임이라고 한다. 이때 타임 슬롯이 데이터에 할당되는 방식과 프레임이 구성되는 방식은 시분할 방식의 종류에 따라 동기식과 비동기식으로 나누어 볼 수 있다.

㉠동기식 시분할 방식은 통신 규약에 따라 타임 슬롯을 데이터 종류 각각에 지정해 놓는다. 그리고 데이터가 전송되면 그 데이터의 종류에 지정된 타임 슬롯이 해당 데이터에 할당된다. 하지만 데이터가 전송되지 않으면 타임 슬롯은 빈 채로 남아 있게 된다. 그래서 하나의 프레임에 포함된 타임 슬롯의 개수는 차량마다 동일하다. 결국 동기식 시분할 방식은 데이터를 처리하는 과정에서 오류가 발생할 가능성은 낮지만, 데이터에 할당되지 않은 타임 슬롯이 존재할 수 있다는 점에서 타임 슬롯이 일부 낭비된다.

㉡비동기식 시분할 방식은 전송되는 데이터가 없는 경우 타임 슬롯을 비워 두지 않고 다음 순서에 해당하는 데이터에 타임 슬롯이 할당된다. 그래서 하나의 프레임에 포함된 타임 슬롯의 개수는 차량에 따라 다를 수 있다. 그리고 데이터의 종류에 따라 정해진 타임 슬롯이 해당 종류의 데이터에 할당되지 않기 때문에 전송되는 모든 데이터마다 그 데이터의 종류를 확인할 수 있는 주소 필드를 포함시켜 프레임이 구성된다. 결국 비동기식 시분할 방식은 타임 슬롯이 낭비되지는 않지만, 데이터를 처리하는 과정에서 오류가 발생할 가능성이 상대적으로 높다. 최근 통신 기술의 발전과 교통 환경의 변화에 의해 새로운 장비가 도입되거나 통신 규약이 바뀌기도 하는 등 전자 요금 징수 시스템의 변화는 계속되고 있다.

● **단말기** 중앙에 있는 컴퓨터와 통신망으로 연결되어 데이터를 입력하거나 처리 결과를 출력하는 장치.
● **기지국** 전파를 주고받는 기능을 하는 작은 통신 기관.

05 윗글의 내용 전개 방식으로 가장 적절한 것은?
① 두 가지 대상을 비교하여 설명하고 있다.
② 특정 대상의 개념 변화를 순차적으로 제시하고 있다.
③ 특정 대상의 장점을 구체적인 예를 통해 보여 주고 있다.
④ 어떠한 대상이 발전해 온 과정을 차례대로 설명하고 있다.
⑤ 두 대상의 단점을 대조한 후 그에 대한 대안을 제시하고 있다.

06 윗글을 읽고 추론한 내용으로 가장 적절한 것은?

① ETC의 데이터 처리 방식은 자동차의 종류에 따라 정해진다.

② ETC는 고속도로의 이용 요금을 납부하는 유일한 방법이다.

③ 프레임에 포함된 타임 슬롯의 개수는 모든 차량이 동일하다.

④ 운전자는 첫 번째 게이트를 통과한 직후에는 요금 징수 결과를 알 수 없다.

⑤ 주소 필드는 동기식 시분할 방식의 문제점을 해결하기 위해 프레임 구성에 포함시킨다.

 함정문제

07 ㉠과 ㉡을 이해한 내용으로 가장 적절한 것은?

① ㉠은 ㉡에 비해 데이터 처리 과정의 정확성이 높다.

② ㉠은 모든 데이터마다 그 데이터의 종류를 확인할 수 있게 한다.

③ ㉡의 경우 타임 슬롯을 데이터에 할당하지 않는다.

④ ㉡은 ㉠보다 낭비되는 타임 슬롯이 많으며 데이터 처리의 효율성이 높다.

⑤ 기술의 발전에 따라 ㉡보다 ㉠이 주로 쓰이게 될 것이다.

2~4문단을 중심으로 ETC의 **❶**   를 처리하는 두 가지 방식의 특징과 이들의 **❷**   을 확인해 보자.

답 **❶** 데이터 **❷** 차이점

함정문제

08 '전자 요금 징수 시스템(ETC)'의 작동 과정을 다음과 같이 정리하였을 때, ⓐ~ⓔ에 대한 설명으로 적절하지 않은 것은?

> 차량이 첫 번째 게이트를 통과할 때, 차량 단말기와 ⓐ제1 기지국 간에 통신이 일어남.
>
> ⬇
>
> 제1 기지국이 ⓑ데이터를 지역 요금소 ETC 서버로 전송함.
>
> ⬇
>
> ⓒ지역 요금소 ETC 서버가 데이터를 분석하여 도로 공사 요금 정산 센터의 서버로 전송함.
>
> ⬇
>
> 도로 공사 요금 정산 센터의 서버가 찾은 ⓓ데이터가 다시 지역 요금소 ETC 서버를 거쳐 차량 단말기로 전송됨.
>
> ⬇
>
> ⓔ차량 단말기를 통해 요금이 징수됨.

① ⓐ는 첫 번째 게이트에 설치되어 있으며, 무선으로 통신이 일어난다.

② ⓑ는 차량 단말기로부터 전송받은 요금 징수 관련 데이터이다.

③ ⓒ는 데이터를 잃어버리지 않도록 보관하는 저장소의 역할도 수행한다.

④ ⓓ는 징수할 요금에 관한 데이터로 지역 요금소 ETC 서버의 요청이 전제되어야 한다.

⑤ ⓔ는 제2 기지국을 경유하여 차량 단말기로 전송된 데이터가 수신되면 일어난다.

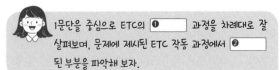

1문단을 중심으로 ETC의 **❶**   과정을 차례대로 잘 살펴보며, 문제에 제시된 ETC 작동 과정에서 **❷**   된 부분을 파악해 보자.

답 **❶** 작동 **❷** 생략

09~12 다음 글을 읽고 물음에 답하시오.

대부분의 사람들은 같은 음악에서 사용하는 소리라고 해도 피아노 소리가 심벌즈 소리보다 듣기 좋다고 생각한다. 이 중 전자를 고른음, 후자를 시끄러운음이라고 한다. 일반적으로 음악에서 '음'이라고 부르는 것은 고른음을 ⓐ지칭한다. 고른음은 동일한 파형이 주기적으로 반복된다. 이때 같은 파형이 1초에 몇 번 반복되는가를 진동수라고 한다. 진동수가 커지면 음높이 즉, 음고가 높아진다. 고른음 중에서 파형이 사인파인 음파를 단순음이라고 한다. 하지만 대체로 악기에서 나오는 음은 사인파보다 복잡한 파형을 갖는데 이런 파형은 진동수와 진폭이 다른 여러 개의 사인파가 ⓑ중첩된 것으로 볼 수 있다. 이런 소리를 복합음이라고 하고 복합음을 구성하는 단순음을 부분음이라고 한다. 부분음 중에서 가장 진동수가 작은 것을 기본음이라 하는데, 귀는 복합음 속의 부분음들 중에서 기본음의 진동수를 복합음의 진동수로 인식한다.

음색은 부분음들의 진동수와 상대적 세기에 의해 결정된다. 현악기나 관악기에서 발생하는 고른음은 기본음 진동수의 정수 배의 진동수를 갖는 부분음들로 이루어져 있지만, 타악기 소리는 부분음들의 진동수가 기본음 진동수의 정수 배를 ⓒ이루지 않는다. 이러한 소리의 특성을 시각적으로 보여 주는 소리 스펙트럼은 복합음을 구성하는 단순음 성분들의 세기를 진동수에 따라 그래프로 나타낸 것이다. 고른음의 소리 스펙트럼은 〈그림〉처럼 일정한 간격으로 늘어선 세로 막대들로 나타나는 반면에 시끄러운음의 소리 스펙트럼에서는 막대 사이 간격이 일정하지 않다.

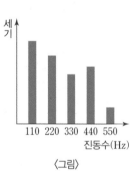

〈그림〉

두 음이 동시에 울리거나 연이어 울릴 때, 음의 어울림, 즉 협화도는 음정에 따라 달라진다. 여기에서 음정이란 두 음의 음고 간의 간격을 말하며 높은 음고의 진동수를 낮은 음고의 진동수로 나눈 값으로 표현된다. 가령 '도'와 '미' 사이처럼 장3도 음정은 5/4이고, '도'와 '솔' 사이처럼 완전 5도 음정은 3/2이다. 그러므로 장3도는 완전 5도보다 좁은 음정이다. 일반적으로 음정을 나타내는 분수를 약분했을 때 분자와 분모

에 들어가는 수가 커질수록 협화도는 작아진다고 본다. 가령, 음정이 2/1인 옥타브, 3/2인 완전 5도, 5/4인 장3도, 6/5인 단3도의 순서로 협화도가 작아진다. 서로 잘 어울리는 두 음의 음정을 협화 음정이라고 하고 그렇지 않은 음정을 불협화 음정이라고 하는데 16세기의 음악 이론가인 차를리노는 약분된 분수의 분자와 분모가 1, 2, 3, 4, 5, 6으로만 표현되는 음정은 협화 음정, 그 외의 음정은 불협화 음정으로 보았다.

아름다운 음악은 단순히 듣기 좋은 소리를 간격에 따라 ⓓ연이어 펼쳐 둔다 해서 만들어지지 않는다. 19세기 음악 평론가인 ㉠한슬리크에 따르면, 음악의 독자적인 아름다움은 음들이 '울리면서 움직이는 형식'에서 비롯되는데, 음악을 구성하는 음악적 재료들이 움직이며 만들어 내는 형식 그 자체를 말한다. 따라서 음악의 가치는 음악이 ⓔ환기하는 감정이나 정서에서 찾으려 해서는 안 된다는 것이다.

● **파형** 물결처럼 기복이 있는 음파나 전파 따위의 모양.
● **사인파** 주기적이며 연속적으로 진동하는 가장 간단한 파동.
● **진폭** 주기적인 진동이 있을 때 진동의 중심으로부터 최대로 움직인 거리 혹은 변위.
● **음색** 음을 만드는 구성 요소의 차이로 생기는, 소리의 감각적 특색. 소리의 높낮이, 크기가 같더라도 진동체나 발음체, 진동 방법에 따라 음이 갖는 감각적 성질에는 차이가 생긴다.

09 윗글의 내용과 일치하지 <u>않는</u> 것은?

① 장3도는 단3도보다 넓은 음정이다.

② 피아노 소리는 같은 파형이 주기적으로 반복된다.

③ 대체로 악기에서는 복잡한 파형의 복합음이 나온다.

④ 차를리노에 따르면 옥타브는 완전 5도와 달리 협화 음정이다.

⑤ 심벌즈 소리는 소리 스펙트럼에서 막대 사이의 간격이 일정하지 않다.

11 함정문제

윗글을 참고하여 〈보기〉를 이해한 내용으로 적절한 것은?

┌ 보기 ┐

〈악기 정보 검색 결과〉

• 악기 Ⓐ

: P음 발생 시 소리 스펙트럼에서 4개의 부분음을 확인할 수 있음. 이때 부분음들의 진동수는 각각 100Hz, 250Hz, 400Hz, 550Hz임.

• 악기 Ⓑ

: S음 발생 시 소리 스펙트럼에서 3개의 부분음을 확인할 수 있음. 이때 부분음들의 진동수는 각각 150Hz, 300Hz, 450Hz임.

음	S	T	U	V
기본음의 진동수(Hz)	㉮	400	500	600

① '악기 Ⓐ'의 P음은 소리 스펙트럼에서 막대 사이 간격이 일정할 것이다.

② '악기 Ⓑ'의 ㉮에는 300이 들어가야 한다.

③ S음의 부분음들로 보았을 때 '악기 Ⓑ'는 타악기일 것이다.

④ 차를리노에 따르면 '악기 Ⓑ'의 U와 V 사이 음정은 불협화 음정이다.

⑤ '악기 Ⓑ'의 T와 U 사이의 협화도보다 T와 V 사이의 협화도가 더 크다.

10 문맥상 ⓐ〜ⓔ와 바꾸어 쓰기에 적절하지 <u>않은</u> 것은?

① ⓐ: 가리킨다

② ⓑ: 겹쳐진

③ ⓒ: 달성하지

④ ⓓ: 연속하여

⑤ ⓔ: 불러일으키는

〈보기〉와 선택지를 이해하기 위한 단서가 지문의 어느 부분에 제시되어 있는지 확인하고 각 ❶　　　을 정리한 후 ❷　　　이 필요한 부분을 꼼꼼히 체크해 보자.

답 ❶ 개념 ❷ 계산

12 ㉠에 대한 학생들의 반응으로 적절하지 <u>않은</u> 것은?

민수: 진지한 관념이나 감정과 같은 예술가의 마음이 예술의 조건이고, 진정한 예술은 작품의 재료들이 만들어 내는 형식과 상관 없는 정신적인 대상이야.

민영: 예술은 그를 둘러싼 외부 세계나 작가의 내면이 중요한 것이 아니라 예술 작품 자체의 고유 형식이 중요해. 예술 작품은 '의미 있는 형식'을 통해 사람들에게 미적 정서를 유발해야 돼.

 ① 민수: 나는 ㉠과 달리 진정한 음악 작품이라면 음악적 재료의 구성이 중요하지 않다고 생각해.

 ② 민수: 나는 ㉠과 달리 음악의 가치는 형식이 아니라 감정과 같은 정신적인 것에서 찾아야 한다고 생각해.

 ③ 민영: 나는 ㉠과 달리 음악이 정서적인 가치를 지녀야 한다고 생각해.

 ④ 민영: 나는 ㉠과 마찬가지로 형식을 통해 미적 정서를 유발하는 것이 가치 있다고 생각해.

 ⑤ 민영: 나는 ㉠과 마찬가지로 음악에서 음들이 울리면서 움직이는 형식이 예술의 조건으로 중요하다고 생각해.

 민수, 민영이의 견해와 이 글에서 설명한 ❶ ⬜⬜⬜⬜ 견해의 핵심을 정리하고, 각 견해를 비교·❷ ⬜⬜ 한 결과를 바탕으로 답을 찾아보자.

🔑 답 ❶ 한슬리크 ❷ 대조

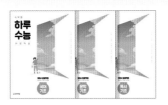

book.chunjae.co.kr

교재 내용 문의 ·························· 교재 홈페이지 ▶ 고등 ▶ 교재상담

교재 내용 외 문의 ···················· 교재 홈페이지 ▶ 고객센터 ▶ 1:1문의

발간 후 발견되는 오류 ············· 교재 홈페이지 ▶ 고등 ▶ 학습지원 ▶ 학습자료실

수능공략 필승학습!
단기간에 끝장내자!

BOOK 3

정답과 해설

실전에 강한
수능전략

국어
영역 독서

천재교육

수능전략

국·어·영·역

독서

BOOK 3

정답과 해설

DAY 1 개념 돌파 전략 ①　　　　　　　　　| 8~9쪽

01 추상적인　　**02** ②　　**03** ③　　**04** 연역법
05 (1) ○ (2) ○　　**06** (1) ⓑ (2) ⓐ

DAY 1 개념 돌파 전략 ②　　　　　　　　| 10~13쪽

01 ③　　**02** ②　　**03** 귀납법　　**04** ①
05 ③　　**06** ④　　**07** ③　　**08** ①

01 　철학적 인간학의 등장 배경

경험 과학의 한계	→	인간에 대한 총체적 이해의 필요성	→	'철학적 인간학'의 등장
개별적인 과학 지식으로 인간의 본질을 규명하는 것에 한계가 있음.				인간에 대한 총체적 이해를 추구하며, 다른 생명체와 차별화된 인간의 본질을 규명하고자 함.

01 어휘의 사전적 의미 파악

이 글에서 철학적 인간학은 개별적인 과학 지식만으로 인간의 본질을 이해하는 경험 과학에 한계를 느껴 등장하게 되었다고 하였다. 따라서 철학적 인간학은 경험 과학과 반대되는 연구 방법을 선택하였을 것이다. 이러한 맥락을 고려할 때 '총체적'은 '있는 것들을 모두 하나로 합치거나 묶은.'을 의미한다는 것을 알 수 있다.

오답 잡기
① 합리적, ② 주관적, ④ 분석적, ⑤ 미시적

02 　규범 윤리학과 메타 윤리학의 개념

규범 윤리학	구체적 행위에 대한 도덕적 판단 문제를 다룸.
메타 윤리학	규범 윤리학에서 사용하는 개념과 원칙에 대해 다룸.

02 중심 내용 파악

이 글은 인문 분야의 '윤리학'을 제재로 다루고 있다. 이와 같은 글을

읽을 때에는 글에 담긴 인간의 사유와 경험, 인문학적 세계관 등을 고려하여 인간의 삶의 문제를 어떤 관점에서 바라보고 있는지 이해하며 읽는 자세가 필요하다.

03 　귀납법의 의미와 특징

귀납법	의미	전제가 결론을 개연적으로 뒷받침하는 추론
	특징	지식 확장적 특성을 지님.

03 세부 내용 추론

추론 예시에서 '까마귀가 검다.'라는 수많은 사례들을 관찰한 후에 그것을 일반화하는 결론을 내리고 있다. 이는 개별적인 특수한 사실이나 원리로부터 일반적이고 보편적인 명제나 법칙을 유도하는 추리 방법으로, 귀납법에 해당한다.

04 　'기'에 대한 실학자 최한기의 세계관

• '기'는 모든 존재의 본성으로, 외부 세계와 소통하면서 선악이 나타남. • 인간의 윤리가 '기'의 운동과 변화에 합치되면 선하고 도덕적인 것임.	→	'기'를 바탕으로 도덕성이 실현되는 세계를 지향함.

04 유의어 파악

ⓐ는 '어떤 목표로 뜻이 쏠리어 향하다.'를 의미한다. 이 글에서 최한기는 '기'를 바탕으로 도덕성이 실현되는 공동체의 세계를 추구했음을 알 수 있다. 따라서 ⓐ는 '목적을 이룰 때까지 뒤쫓아 구하다.'라는 의미의 '추구하다'와 바꾸어 쓸 수 있다.

오답 잡기
② '공감하다'는 '남의 감정, 의견, 주장 따위에 대하여 자기도 그렇다고 느끼다.'를 의미하므로 ⓐ와 바꾸어 쓰기에 적절하지 않다.
③ '저항하다'는 '어떤 힘이나 조건에 굽히지 아니하고 거역하거나 버티다.'를 의미하므로 ⓐ와 바꾸어 쓰기에 적절하지 않다.
④ '외면하다'는 '마주치기를 꺼리어 피하거나 얼굴을 돌리다.'를 의미하므로 ⓐ와 바꾸어 쓰기에 적절하지 않다.
⑤ '요구하다'는 '받아야 할 것을 필요에 의하여 달라고 청하다.'를 의미하므로 ⓐ와 바꾸어 쓰기에 적절하지 않다.

05~06 　랑케의 역사관

역사적 사실은 그 자체로 완결된 고유의 가치를 지님.

↓

역사가의 역사 서술 태도	• 사료에 대한 고증과 확인을 통해 역사적 사실을 있는 그대로 기술해야 함. • 목적을 앞세워 역사를 왜곡하지 말아야 함.

05 중심 내용 파악

사실적 읽기는 글에 드러난 정보를 바탕으로 중심 내용, 주제, 글의 구조와 전개 방식 등을 파악하는 읽기 방법이다. 글에서 역사를 연구하는 태도에 대한 랑케의 입장과 관련하여 중심 내용이 무엇인지 살펴보는 것은 사실적 읽기 방법에 해당한다.

[오답 잡기]

① 비판적 읽기, ② 추론적 읽기, ④ 감상적 읽기, ⑤ 창의적 읽기 방법에 해당한다.

06 관점에 따른 비판적 이해

〈보기〉의 A는 '영토에 대한 지배권 회복 주장'이라는 자신의 목적을 앞세워 역사적 자료를 선별하는 과정을 거치고 있다. 이는 목적을 앞세워 역사를 왜곡하지 말아야 한다는 랑케의 입장과 상반된 태도를 보인 것이므로 ④와 같이 비판할 수 있다.

[오답 잡기]

① 〈보기〉에서 '역사가 A'는 목적에 따라 역사적 자료를 선별하는 과정을 거치고 있다. 따라서 역사가의 주관이 개입된 것으로 볼 수 있으므로 적절하지 않다.

② 역사적 사실들은 그 자체로 완결된 고유의 가치를 지녔으며 시간의 흐름을 초월해 존재한다고 믿었던 랑케의 입장에서 비판하는 내용으로 적절하지 않다.

③ 랑케는 역사적 사료에 대한 철저한 고증과 확인을 통해 역사를 인식해야 한다고 강조했을 뿐 최대한 많은 사료를 수집하여 분석하는 것이 객관적 연구라고 주장한 것은 아니다.

⑤ 랑케는 역사적 사료를 왜곡하거나 마음대로 해석하여 역사를 오염시키지 말아야 한다고 주장하였다. 자기만의 기준으로 사료를 검증하는 것은 '역사가 A'의 태도에 해당하기 때문에 랑케의 입장에서 '역사가 A'를 비판한 내용으로 적절하지 않다.

07~08	유비 논증의 개념과 유용성	
유비 논증	개념	두 대상이 몇 가지 점에서 유사하고, 어떤 대상이 추가적 특성을 갖고 있을 때 다른 대상도 그 추가적 특성을 가지고 있다고 추론하는 논증
	유용성	• 이미 알고 있는 전제에서 새로운 정보를 결론으로 도출할 수 있음. • 일상생활과 과학에서 흔히 사용되는 논증 방식임.

07 중심 내용 파악

이 글은 첫 문장에서 유비 논증의 개념을 소개하고 있다. 그리고 다음 문장에서는 이미 알고 있는 전제를 바탕으로 새로운 정보를 도출할 수 있는 유비 논증의 유용성을 설명하고 있다.

[오답 잡기]

①, ④, ⑤ 유비 논증의 유형, 한계점 및 대안, 상반된 견해는 이 글에 제시되지 않은 내용이다.

② 이 글에서 유비 논증의 유용성을 언급하였지만, 유비 논증의 단점은 제시하지 않았다.

08 세부 내용 추론

㉠은 동물 실험에 대해 긍정적으로 판단하는 입장이며, 〈보기〉는 인간과 포유류의 유사성을 통해 유비 논증의 개연성이 높다는 점을 설명하고 있다. 따라서 〈보기〉를 바탕으로 ㉠의 입장을 추론하면, 인간과 포유류의 유사성은 동물 실험 결과를 인간에게 적용하는 것이 안전하다는 근거가 된다고 추론할 수 있다.

[오답 잡기]

②, ⑤ 유비 논증이 동물 실험에 유효하게 작용할 수 있다는 입장과 관련이 없다.

③ 인간과 동물의 유사성을 부정하는 입장이므로 ㉠의 근거가 될 수 없다.

④ 유비 논증이 동물 실험의 유효성을 뒷받침해 주는 유일한 과학적 근거라고 주장한 내용은 이 글에서 확인할 수 없다.

● 문단 중심 내용

1문단	인간의 욕망에 대해 탐구했던 제자백가
2문단	맹자의 관점 – '과욕'과 '호연지기'를 통한 욕망 제어의 필요성
3문단	순자의 관점 – '예'를 통한 욕망 제어의 필요성
4문단	한비자의 관점 – 엄격한 법 적용을 통한 욕망 조절의 필요성

● 핵심 내용
– 욕망에 대한 관점의 비교

	인간의 본성에 대한 견해	욕망에 대한 견해	욕망 제어 방법
맹자	성선설	현실 문제의 근본 원인	과욕과 호연지기를 통한 제어
순자	성악설	인간의 본성에서 우러나오는 것	개인적 노력 + 나라에서 교육과 학문을 통해 예를 세움. → '예'를 통한 제어
한비자	성악설	동기 부여의 원천이자 부귀영화를 이루는 수단	엄격한 법 적용을 통한 조절

1 글의 전개 방식 이해

이 글은 인간의 욕망을 바라보는 맹자, 순자, 한비자의 입장을 소개하고 그 입장들의 공통점과 차이점을 비교하고 있다.

1-1 글의 세부 정보 파악

한비자는 욕망이 동기 부여의 원천이자 부국강병과 부귀영화를 이루는 수단이 된다며 욕망의 순기능을 인정했다. 반면에 순자는 사람들이 이기적인 욕망 때문에 한정된 재화를 두고 서로 다투게 된다며 욕망을 부정적으로 보고 '예'를 통해 욕망을 제어해야 한다고 주장했다. 따라서 순자가 욕망의 순기능을 인정했다는 내용은 적절하지 않다.

2 세부 내용 추론

맹자는 '과욕', '호연지기'와 같은 개인의 자발적인 마음의 수양을 통해 선한 본성을 확충할 필요가 있다고 하였다. 그러나 순자는 개인적인 노력뿐만 아니라 나라에서 교육과 학문을 통해 '예'를 세움으로써 외적 규범을 통한 욕망 제어의 필요성을 강조하였다. 이에 따라 순자의 주장이 맹자보다 한 단계 더 나아간 금욕주의라고 할 수 있다는 것이다.

오답 잡기

① 순자는 맹자와 달리 사람의 본성이 악하다고 보았다. 때문에 인위적으로 선을 발현시키기 위해 개인적인 노력과 '예'를 강조한 것일 뿐 '과욕'과 '호연지기'를 통해 인간의 타고난 선한 본성을 확충하기에 한계를 느끼고 인위적으로 '예'를 강조한 것은 아니다.

② 이 글에서 '예'가 '과욕'과 '호연지기'보다 실천하기 더 어려운 일인

지는 언급하지 않았다.

③ 순자는 인간의 욕망을 개인적인 것과 사회적인 것으로 구분하지 않고 인간의 욕망 자체를 부정적으로 보았다.

⑤ 맹자와 순자 모두 욕망의 불가피성을 인정하였고, 욕망을 조절할 필요성이 있다는 것에 공통적인 입장을 지녔다. 그렇지만 이것만으로는 순자가 맹자보다 한 단계 더 나아간 금욕주의라고 보기 어렵다.

2-1 세부 내용 추론

한비자는 인간의 욕망을 부정하지 않았지만, 사회적 욕망과 개인적 욕망 중 어떤 것이 더 중요하다고 언급하지 않았으므로 ④는 한비자의 입장에서 추론한 내용으로 적절하지 않다.

오답 잡기

① 맹자는 욕망을 제어하기 위해 개인의 도덕적 수양을 언급하였을 뿐 외적인 제재의 필요성에 대해서는 언급하지 않았다. 따라서 탐욕을 보이는 사람에게 외적인 제재를 가하지 않을 것임을 추론할 수 있다.

② 맹자는 인간의 본성을 선하게 보았지만, 살면서 욕망이 생겨나게 되고 이러한 욕망에서 벗어날 수 없다고 보았기 때문에 본성을 쉽게 회복할 수 있다고 보지 않았을 것이라고 추론할 수 있다.

③ 순자는 인간이 태생적으로 이기적이고 욕망에 사로잡혀 있다고 보았기 때문에 선하게 행동하는 인간에게도 남을 질투하고 시기하는 본성이 숨겨져 있다고 생각할 수 있다.

⑤ 4문단에서 한비자는 모든 인간관계가 이익에 의해 맺어져 있다고 보았음을 알 수 있다. 따라서 한비자의 입장에서는 사람들 간의 사귐에 있어서 순수한 동기가 내재되어 있지 않다고 생각했을 것이다.

DAY 2 필수 체크 전략 ②

|16~19쪽|

01 ③	**02** ⑤	**03** ④	**04** ②
05 ③	**06** ①	**07** ③	**08** ②

01~04 들뢰즈의 의미 이론

● 문단 중심 내용

1문단	새로운 차원으로 의미의 개념을 규정한 들뢰즈
2문단	다양한 의미 이론의 종류와 특징
3문단	들뢰즈의 의미 이론의 특징
4문단	들뢰즈의 의미 이론에 따른 해석

● 핵심 내용
– 의미 이론들의 특징

	지시 이론	현시 이론	기호 작용 이론
토대	실증주의	현상학	구조주의
특징	언어 기호가 특정 대상을 지시할 때 의미가 성립함.	언어를 표현하거나 수용하는 주체가 언어 기호의 지시 대상을 통해 주관적으로 뜻을 만듦.	언어 기호들의 구조 속에서 의미가 결정됨.
공통점	의미를 문화적 차원을 중심으로 설명함.		

VS

들뢰즈의 의미 이론
• 자연과 문화의 차원을 포괄하여 근원적인 차원에서 의미의 개념을 규정함. • 문화의 장: 정치·역사·예법 등 인간 삶에 이미 형성되어 있는 모든 것으로, 의미 규정의 기준이 됨. • '문화적 장'을 기준으로 한 의미 규정 사례 – 나폴레옹의 머리에 왕관이 얹혔다.

황제 즉위 예법	나폴레옹이 황제가 되었다.
유럽 정치	유럽의 정치적 질서가 재편되었다.

01 세부 내용 파악

2문단에서 기호 작용 이론은 언어 기호들의 구조 속에서 의미가 결정된다고 하였다. 즉 문법적 체계를 형성하는 요소들 사이의 관계에 의해서 의미가 규정되기 때문에 언어 기호를 사용하는 주체의 주관성을 중시한다는 설명은 적절하지 않다.

02 구체적 사례에 적용

〈보기〉는 문화적 장에 따라 언어 표현이 다양하게 해석될 수 있음을 설명하고 있다. 이는 들뢰즈의 관점과 일치하는 것으로 문화적 장에 따라 상대적으로 의미 규정이 이루어질 수 있다고 이해하는 것은 적절하다.

오답 잡기

①, ② 언어 기호의 문법적 체계의 중요성을 강조하고, 언어 기호들의 구조와 이를 형성하는 요소들 사이의 관계에 의해 의미가 규정된다고 본 것은 기호 작용 이론이다.

③ 의미 규정에서 의미 해석의 주체를 고려하는 것은 현시 이론이다.

④ 들뢰즈의 의미 이론은 자연과 문화의 차원을 포괄하여 의미의 개념을 규정한다. 그렇지만 〈보기〉에서 자연의 변화적 요소에 의존하는 모습을 확인할 수 없으므로 들뢰즈의 관점에서 〈보기〉를 이해한 내용으로 적절하지 않다.

03 구체적 상황에 적용 및 추론

3문단에서 들뢰즈는 사건을 의미라고 지칭하며, 이 '의미' 그 자체는 규정된 것이 아니라고 하였다. 또한 '사건'으로서의 규정되지 않은 '의미'는 '문화적 장'에 편입될 때 비로소 규정된 '의미'가 된다고 하였다. 따라서 코페르니쿠스의 지동설은 그 자체가 하나의 사건으로 이미 규정된 의미를 갖고 있는 것이 아니라, 문화적 장에 편입되어 해석되었을 때 의미가 규정된다고 이해할 수 있다.

오답 잡기

① 지시 이론은 언어 기호가 특정 대상을 지시할 때 의미가 성립된다고 하였으므로 적절하다.

② 현시 이론은 언어를 표현한 주체의 주관적 뜻을 의미라고 규정한다. 그러므로 현시 이론에 따르면 표현의 주체인 과학자가 코페르니쿠스의 업적을 높이 평가한다는 점이 의미를 규정할 때 중요하게 고려될 수 있다.

③ 기호 작용 이론은 언어 기호들의 문법적 체계를 고려하여 의미를 규정한다. 따라서 '우주관' 뒤에 붙은 목적격 조사 '을'로 인해 '우주관'은 서술의 대상이 되는 말로 의미가 규정된다.

⑤ 들뢰즈의 의미 이론에서 문화적 장은 의미 규정의 기준이 된다고 하였다. 따라서 들뢰즈의 의미 이론에 따르면 유럽 사회라는 문화적 장을 기준으로 코페르니쿠스의 지동설의 의미를 규정할 수 있다.

04 어휘의 사전적 의미 파악

ⓑ는 '내용이나 성격, 의미 따위를 밝혀 정하다.'를 의미한다. '한번 정한 대로 변경하지 아니하다.'는 '고정하다'의 의미이다.

● 문단 중심 내용

1문단	도덕적 갈등 문제를 보는 다양한 관점
2문단	도덕적 원칙주의자의 관점
3문단	도덕적 원칙주의의 의의와 한계
4문단	도덕적 자유주의자의 관점 및 의의와 한계
5문단	도덕적 다원주의자의 관점
6문단	도덕적 다원주의의 의의와 한계

● 핵심 내용

– 도덕적 갈등 문제에 대한 세 가지 관점

도덕적 원칙주의	갈등 해결 방법	주관적 욕구나 개인의 상황을 고려하지 말고 선험적인 도덕 법칙에 따라 행동해야 함.
	의의	인간의 합리적 이성을 신뢰하고 이를 통해 윤리적으로 올바른 삶을 규명하려 함.
	한계	어느 사회에나 보편적으로 적용되는 선험적인 도덕 법칙이 존재하지 않음.
도덕적 자유주의	갈등 해결 방법	법과 같은 현실적인 규범이나 지침에 따라 갈등을 해결해야 함.
	의의	인간의 자율성을 보장하면서 갈등을 해결하는 현실적인 방법을 만듦.
	한계	누구나 동의할 수 있는 규범과 지침을 마련하기 어려움.
도덕적 다원주의	갈등 해결 방법	중재를 통해 타협점을 모색해야 하며, 옳고 그름의 판단보다 인간관계를 훼손시키지 않는 것을 중시함.
	의의	도덕적 갈등을 바라보는 근본적인 인식을 바꿈.
	한계	도덕적 갈등을 해결할 수 있는 현실적인 지침을 제공하지 않음.

05 글의 전개 방식 파악

이 글은 도덕적 갈등 문제를 바라보는 다양한 관점들을 소개한 후 각각의 관점들이 제시한 갈등 해결 방식의 의의와 한계점을 밝히고 있다.

06 구체적 상황에 적용 및 추론

도덕적 원칙주의자는 갈등 상황에서 주관적 욕구나 개인이 처한 상황을 고려하지 말고 도덕 법칙에 따라 문제를 해결해야 한다는 입장이다. 따라서 개인의 의사 표현 욕구를 우선적으로 고려하여 문제를 해결할 것이라는 반응은 적절하지 않다.

오답 잡기

② 도덕적 자유주의자는 갈등 해결을 위한 장치로 법과 같은 현실 규범의 마련을 주장하였다.

③ 도덕적 자유주의자는 개인들이 합의를 통해 만든 규범이나 지침을 토대로 갈등을 해결해야 한다고 주장한다. 따라서 정부 단체와 시민들 사이의 의견 조율을 통해 만든 지침으로 문제를 해결하려 할 것이다.

④ 도덕적 다원주의자는 갈등을 해결하기 위해 중재를 통한 타협점 마련을 주장한다. 이들은 타협 과정에서 새로운 도덕적 가치를 생성할 수 있다고 보기 때문에 타협을 통해 새로운 해결책을 마련하려 할 것이다.

⑤ 도덕적 다원주의자는 갈등을 해결할 때 갈등 당사자 간의 인간관계가 훼손되는 것을 지양하기 때문에 정부와 시민들의 갈등 상황이 악화되는 것을 방지하는 데 중점을 둘 것이다.

07 세부 내용 추론

도덕적 자유주의자는 개인들의 합의를 통해 만든 법과 같은 현실적인 규범이나 지침을 바탕으로 도덕적 갈등을 해결해야 한다고 주장한다. 이때 공정한 절차에 따라 규범이 만들어져야 개인들의 합의가 이루어질 수 있으므로 ③이 가장 적절하다.

오답 잡기

①, ② 도덕적 자유주의자는 누구나 동의할 수 있는 규범을 마련하는 것을 중시하였다. 따라서 소수의 전문가나 특정 계층의 입장을 중심으로 규범을 마련해야 한다는 내용은 도덕적 자유주의자의 입장으로 적절하지 않다.

④ 도덕적 자유주의자는 누구나 동의할 수 있는 구체적인 규범과 지침을 마련하여 갈등을 해결해야 한다고 주장한다. 따라서 상황에 따라 적용할 수 있도록 예외 사항을 마련해야 한다는 입장과는 거리가 멀다.

⑤ 도덕적 자유주의자는 갈등 해결을 위해 현실적인 규범이 필요하다고 주장할 뿐, 도덕적 규칙을 지키지 않았을 경우 엄격한 사회적 제재를 가해야 한다고 주장한 것은 아니다.

08 어휘의 문맥적 의미 파악

ⓐ와 ②의 '따르다'는 '사실이나 기준 따위에 의거하다.'라는 의미로 쓰였다.

오답 잡기

① '일정한 선 따위를 그대로 밟아 움직이다.'라는 의미이다.

③ '앞선 것을 좇아 같은 수준에 이르다.'라는 의미이다.

④ '남이 하는 대로 같이 하다.'라는 의미이다.

⑤ '어떤 일이 다른 일과 더불어 일어나다.'라는 의미이다.

대표 유형 **3** 대표 유형 **4** 장자의 물아일체 사상

● 문단 중심 내용

1문단	장자의 '호접몽 이야기'에 나타난 물아일체 사상 소개
2문단	『장자』의 일화 ① – 맹목적 욕망에 빠진 이야기
3문단	『장자』의 일화 ② – 텅 빈 마음이 된 이야기
4문단	『장자』의 일화에서 참된 자아와 편협한 자아의 의미
5문단	'호접몽 이야기'에서 물아일체의 의미

● 핵심 내용
– 장자의 '물아일체'의 의미

| 편협한 자아를 잊음. | 상호 의존성 |
| 편견과 아집의 상태에서 벗어나 세계와 자유롭게 소통하는 합일의 경지에 도달함. | 자아와 타자가 서로의 존재를 온전히 전제할 때 자신들의 존재가 드러날 수 있음. |

⬇

장자는 끊임없이 타자를 위해 마음의 공간을 비워 두는 수행을 통해 세계의 모든 존재와 일체를 이루는 자아에 도달할 수 있다고 봄.

3 관점에 따른 비판적 이해

〈보기〉에서 순자는 인간이 만물의 변화에 주도적으로 참여해서 만물을 이끌고 길러 주어야 한다고 주장하며 자연보다 인간을 우위에 두었다. 만물의 상호 의존성을 강조한 것은 순자가 아니라 장자의 입장이다.

오답 잡기

① 〈보기〉에서 순자는 인간의 현실 문제를 해결하기 위해 인간과 세계에 대한 지속적인 학습을 강조했다. 따라서 장자가 강조한 '마음의 공간을 비우는 수행'은 현실 문제 해결에 도움이 되지 않는다고 비판할 수 있다.

② 〈보기〉에서 순자는 자연 세계와 온전하게 합일하는 것으로는 인간 사회의 제도적 질서를 세울 수 없다고 주장했다. 따라서 장자의 '물아일체' 사상으로는 인간 사회의 제도를 세울 수 없다고 비판할 수 있다.

④ 장자는 천지 만물을 있는 그대로 받아들여야 한다고 보았다. 하지만 순자는 자연과 인간을 구별하면서 인간 우위의 문명 건설에 중점을 두었다. 따라서 순자는 만물에 대한 분별 작용이 사라져야 천지 만물을 있는 그대로 받아들일 수 있다고 본 장자의 사상이 인간 우위의 문명 건설에 도움이 되지 않는다고 비판할 수 있다.

⑤ 순자는 인간과 인간을 둘러싼 세계에 대한 지속적인 학습을 강조하며, 인간이 만물의 변화에 주도적으로 참여하여 만물을 이끌고 길러 주어야 한다고 주장했다. 그러므로 장자의 주장처럼 세계의 존재와 일체를 이루는 자아에 도달하는 것만으로는 만물의 변화에 주도적으로 참여할 수 없다고 비판할 수 있다.

3-1 내용의 비판적 이해

장자는 만물의 상호 의존성이 성립되기 위해서는 끊임없이 타자를 위해 마음의 공간을 비워 두는 수행이 필요하다고 보았다. 그러나 모든 인간이 주체적으로 수양을 할 만큼 의지를 갖고 있지 않다는 점에서 ㉮는 현실적인 방법이라고 보기 어렵다는 점을 지적할 수 있다.

4 어휘의 문맥적 의미 파악

'출현하다'는 '나타나거나 또는 나타나서 보이다.'라는 의미로 새롭게 나타난다는 뜻이 강하다. 반면에 '드러나다'는 '가려 있거나 보이지 않던 것이 보이게 되다.'를 의미하므로 '출현하다'로 바꿔 쓰는 것은 적절하지 않다.

오답 잡기

① '미혹되다'는 '무엇에 홀려 정신이 차려지지 못하다.'를 의미하므로 ㉠과 바꿔 쓰기에 적절하다.

② '수용하다'는 '어떠한 것을 받아들이다.'를 의미하므로 ㉡과 바꿔 쓰기에 적절하다.

③ '탈피하다'는 '일정한 상태나 처지에서 완전히 벗어나다.'를 의미하므로 ㉢과 바꿔 쓰기에 적절하다.

⑤ '초월하다'는 '어떠한 한계나 표준을 뛰어넘다.'를 의미하므로 ㉤과 바꿔 쓰기에 적절하다.

4-1 어휘의 사전적 의미 파악

'분별'은 '서로 다른 일이나 사물을 구별하여 가름.'을 의미한다. '서로 나뉘어 떨어짐. 또는 그렇게 되게 함.'은 '분리'의 의미이다.

01 ③ **02** ② **03** ⑤ **04** ④
05 ③ **06** ③ **07** ⑤ **08** ②

01~04 에피쿠로스의 사상

● 문단 중심 내용

1문단	자연학을 바탕으로 사상을 전개한 에피쿠로스
2문단	에피쿠로스의 이신론적 관점
3문단	사후 세계에 대한 두려움에서 벗어나야 한다고 주장한 에피쿠로스
4문단	인간의 자유 의지의 단초가 된 에피쿠로스의 자연학
5문단	에피쿠로스 사상의 의의

● 핵심 내용
– 에피쿠로스의 사상

에피쿠로스의 사상

• 신은 인간사에 개입하지 않으며 인간의 행복은 인간 자신에 의해 완성된다는 이신론적 관점을 주장함.
• 우주는 우연의 산물이므로 우주와 인간의 세계에 신이 관여하지 않는다며 자연학을 주장함. → 인간의 자유 의지의 단초가 됨.

에피쿠로스의 사상은 인간이 신의 개입과 사후 세계에 대한
두려움에서 벗어나 자율적이고 주체적으로 살 수 있는 길을 열어 줌.

01 세부 내용 파악

에피쿠로스는 고대 그리스 시대 사람들의 결정론적 세계관에 반대하여 신은 인간사에 개입하지 않으며 인간의 행복은 자율적인 존재인 인간 자신에 의해 완성된다고 주장하였다. 즉 에피쿠로스는 인간이 느끼는 신의 개입과 우주의 필연성, 사후 세계에 대한 두려움에서 벗어나 자율적이고 주체적으로 살 수 있는 길을 열어 준 것이므로 고통을 직면해야 자율적인 삶을 살 수 있다고 보았다는 설명은 적절하지 않다.

02 내용의 비판적 이해

이 글에서 에피쿠로스는 신의 개입과 사후 세계에 대한 두려움에서 벗어나 자율적이고 주체적으로 사는 것을 행복이라고 보았다. 또한 〈보기〉에서 에피쿠로스는 욕망이 없는 고요한 상태를 최고의 쾌락으로 보았으며 고통이 제거된 상태에서 느끼는 쾌락을 추구해야 한다고 보았다. 그런데 이 글과 〈보기〉에서 에피쿠로스가 인간은 정신적 쾌락만을 추구해야 한다고 주장한 부분은 찾을 수 없으므로 ②는 비판 내용으로 적절하지 않다.

오답 잡기

① 〈보기〉에서 에피쿠로스는 어떠한 욕망도 없는 고요한 상태를 긍정적으로 본다. 따라서 에피쿠로스는 인간의 욕망이 갖는 순기능에 대해 간과할 수 있으므로 비판 내용으로 적절하다.
③ 〈보기〉에서 에피쿠로스는 고통이 없는 상태에서 얻어지는 쾌락을

추구하였다. 그런데 만약 고통이 수반되는 노력 끝에 인간이 행복감을 가질 수 있다면 그 고통은 가치 있는 대상으로 여길 수 있을 것이라고 비판적 입장을 가질 수 있다.
④ 〈보기〉에서 에피쿠로스는 은둔자적 삶을 강조했음을 알 수 있다. 따라서 공동체에 속한 개인이 사회적 활동을 거부하고 은둔자적으로 사는 삶을 쾌락이라고 본 것에 대해 비판할 수 있다.
⑤ 3문단에서 에피쿠로스는 사후 세계의 심판에 대한 두려움에서 벗어난다면 죽음에 대해서도 두려워할 근거가 사라진다고 보았다. 그러나 죽음 자체를 두려워한다면 죽음에 이르는 고통을 제거해야 하는데, 사후 세계에 대한 두려움을 제거하는 것만으로 고통을 제거했다고 볼 수 있는지 비판적 입장을 가질 수 있다.

03 세부 내용 추론

에피쿠로스는 이신론적 관점과 자연학을 통해 인간이 신의 개입과 사후 세계에 대한 두려움에서 벗어나 자유 의지를 갖고 행복을 실현할 수 있다고 보았다.

04 어휘의 문맥적 의미 파악

ⓐ와 ④의 '벗어나다'는 '어려운 일이나 처지에서 헤어나다.'라는 의미이다.

오답 잡기

① '공간적 범위나 경계 밖으로 빠져나오다.'라는 의미로 사용되었다.
② '이야기의 흐름이 빗나가다.'라는 의미로 사용되었다.
③ '구속이나 장애로부터 자유로워지다.'라는 의미로 사용되었다.
⑤ '규범이나 이치, 체계 따위에 어긋나다.'라는 의미로 사용되었다.

05~08 '노동'에 대한 철학자들의 관점

● 문단 중심 내용

1문단	인간의 노동에 철학적 의미를 부여한 철학자들
2문단	소유의 권리와 관련하여 노동을 바라본 로크
3문단	노동을 주객 통일의 과정으로 바라본 헤겔
4문단	노동을 자아실현의 과정으로 바라본 마르크스

● 핵심 내용
– 노동에 대한 철학자들의 관점과 특징
1) 로크

노동 = 공유물인 자연 + 본인만 배타적 권리를 가지는 인간의 신체

• 노동을 통해 소유권의 주체가 될 수 있음.
• 노동은 삶과 편의에 도움이 되도록 자연을 이용하는 것임. 단, 공유물을 인류에 손해가 되게 만들 경우 그 소유권을 인정받을 수 없음.

2) 헤겔

| 노동 | = | 주체와 객체가 통일되는 과정 | → | 자기 대상화 |

↓

- 노동은 주체와 객체가 통일되는 과정이며 인간이 자기의식과 자기 정체성을 확보하는 계기임.
- 주체는 자기 대상화의 정도만큼 자기의식을 확보함.
- 노동을 통한 주객 통일의 한계를 지적함.

3) 마르크스

| 노동 | = | 주객 통일의 방법이자 인간의 자아실현 과정 | → | 자기의식과 정체성 확보 |

↓

- 헤겔의 노동관을 수용하면서도 노동 자체가 한계를 지닌다는 주장에는 동의하지 않음.
- 노동을 통한 주객 통일의 한계가 사회 구조의 한계에서 비롯된다고 봄.
 → 사회 구조 변혁을 주장함.

05 중심 내용 파악

3문단에서 노동을 통해 자기 대상화가 이루어지는 과정을 설명하고 있지만, 자기 대상화를 위한 노동 환경의 조건에 대해서는 언급하지 않았다.

06 세부 내용 추론

3문단에서 객체는 인간의 노동에 의해 주체에 알맞게 변화된다고 하였다. 또한 주체는 노동 과정에서 객체에 내재된 질서나 법칙을 받아들이면서 자신의 욕구나 목적을 객체 속에서 실현한다고 하였다. 즉 노동을 주체와 객체가 통일되는 과정이라고 본 것이다. 따라서 ③은 적절하지 않다.

오답 잡기

① 2문단에서 로크는 개인이 신체를 사용하여 공유물을 인류의 삶에 손해가 되도록 만든 경우 소유권을 인정받을 수 없다고 하였다.
② 2문단에서 로크는 인간이 공유 상태인 어떤 사물에 신체 활동인 노동을 부여하는 것은 공유물에 배타적 소유권을 첨가하는 것이라고 하였다. 즉 개인은 노동을 통해 소유권의 주체가 될 수 있다고 하였으므로 공유물에 대한 개인의 배타적 권리를 타인이 점유할 수 없을 것이라고 추론할 수 있다.
④ 마르크스는 주객 통일의 어려움을 해결하기 위해 사회적 구조의 변혁이 필요함을 언급하였다. 반면 헤겔은 노동 산물 자체가 주체와 분리되어 있으며, 주체를 불완전하게 표현하기 때문에 주객 통일에 어려움이 있다고 보았다.
⑤ 로크와 헤겔, 마르크스는 모두 노동을 통해 인간의 삶에 도움이 될 수 있도록 자연을 이용할 수 있다고 보았다.

개념 더 보기

노동을 인간과 자연의 상호 작용으로 본 마르크스
마르크스는 노동을 인간과 자연 사이에 이루어지는 상호 작용의 활동이라고 보았다. 인간은 자신의 신체적 힘을 사용하여 외부 대상인 자연을 가공하고 변형한다. 그리고 노동을 통해 가공된 자연을 보면서 자신의 능력을 확인하고 나아가 이러한 노동 과정을 통해 자신의 능력을 더욱 개발하게 된다. 이

처럼 노동이란 인간과 자연을 매개하면서 이 양자 사이에 상호 작용이 이루어지도록 하는 계기가 된다.
 – 인간과 자연의 상호 작용으로서 노동 (마르크스 『자본론』 (해제), 2004, 손철성)

07 관점에 따른 비판적 이해

〈보기〉에서는 사람들이 노동을 통해 돈을 많이 벌어 성공하는 것보다 여가 생활을 통해 자아 정체성을 찾고 행복을 느낀다고 하였다. 이를 바탕으로 마르크스는 노동 자체를 삶의 목표로 삼지 않는 사람들이 다른 대상을 통해 자아실현을 할 수 있다는 것을 간과했다는 점을 지적할 수 있다.

🔍 보기 돋보기

● 노동과 자아실현

마르크스		〈보기〉
인간은 노동을 통해 자아실현을 함.	⟷	현대 직장인들은 노동이 아닌 여가 생활을 통해 자아실현을 함.

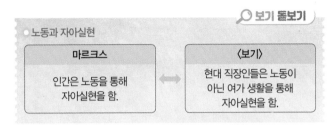

08 어휘의 문맥적 의미 파악

이 글에서 ⓑ는 '확실히 보증하거나 가지고 있다.'라는 의미로 사용되었다. '선포하다'는 '세상에 널리 알리다.'라는 의미이므로 ⓑ와 바꾸어 쓰기에 적절하지 않다.

오답 잡기

① ⓐ는 '이미 있는 것에 덧붙이거나 보태다.'를 의미하므로 '더하다'와 바꾸어 쓰기에 적절하다.
③ ⓒ는 '온전하게 보호하여 유지하다.'를 의미하므로 '유지하다'와 바꾸어 쓰기에 적절하다.
④ ⓓ는 '꿈, 기대 따위를 실제로 이루다.'를 의미하므로 '이루다'와 바꾸어 쓰기에 적절하다.
⑤ ⓔ는 '급격하게 바꾸어 아주 달라지게 하다.'를 의미하므로 '달라지게 하다'와 바꾸어 쓰기에 적절하다.

| 01 ③ | 02 ③ | 03 ② | 04 ④ |
| 05 ④ | 06 ⑤ | 07 ⑤ | 08 ② |

01~04 고전 논리학 명제의 표준 형식과 특징

● 문단 중심 내용

1문단	아리스토텔레스의 네 가지 기본 명제
2문단	기본 명제의 네 가지 표준 형식
3문단	논리적 의미가 모호한 일상 언어의 문장
4문단	고전 논리학 명제 형식의 한계점

● 핵심 내용
– 기본 명제의 표준 형식

	전체 긍정 명제	모든 ~는 ~이다.
표준 형식	전체 부정 명제	어느 ~도 ~가 아니다.
	부분 긍정 명제	어떤 ~는 ~이다.
	부분 부정 명제	어떤 ~는 ~가 아니다.

↓

| 표준 형식의 한계점 | 부분에 관한 명제들 중에서 그 양의 정도가 다른 것을 나타낼 수 있는 방법이 없음. |

01 글의 전개 방식 이해

이 글은 논리학의 네 가지 기본 명제 형식을 사례를 들어 소개하고 있다. 그리고 마지막 문단에서는 양의 정도를 구분하기 어려운 문장을 예로 들어 고전 논리학의 한계점을 밝히고 있다.

02 구체적 상황에 적용 및 추론

㉯는 '어떤 ~는 ~가 아니다'의 부분 부정 명제의 표준 형식이 적용된 문장이다. 따라서 ㉯는 일부 사람들은 SNS 사용에 호감을 느끼지만 그렇지 않은 사람도 있다는 것을 의미한다. 그런데 4문단에서 부분에 관한 명제들로 그 양의 정도가 다른 것을 나타낼 수 없다고 하였으므로 ㉯를 통해 SNS 사용에 관한 호불호의 비율을 짐작할 수 없다.

오답 잡기

① ㉮는 '모든 ~는 ~이다.'의 전체 긍정 명제의 표준 형식이 적용된 문장으로, 동아리 부스마다 예외 없이 사람들로 북적였다는 것을 의미한다.

② ㉯는 '어떤 ~는 ~가 아니다.'의 부분 부정 명제의 표준 형식이 적용된 문장이다. 따라서 ㉯를 통해 SNS 사용에 호감을 느끼지 않는 일부 사람들도 있음을 알 수 있다.

④ ㉰는 '어느 ~도 ~가 아니다.'의 전체 부정 명제의 표준 형식이 적용된 문장이다. 따라서 ㉰는 이벤트에 참여한 사람 중 행사에 만족한 사람이 한 명도 없음을 의미한다.

⑤ ㉰는 전체 부정 명제의 표준 형식이 적용된 문장이므로, 행사에 만족한다고 응답한 사람이 있다면 그는 이벤트에 참여하지 않은 사람일 것임을 추론할 수 있다.

03 세부 내용 추론

부분 긍정 명제의 표준 형식은 '어떤 ~는 ~이다.'이므로, ㉠은 '어떤 젊은이들은 현실 부정적이다.'로 바꾸는 것이 적절하다.

04 어휘의 문맥적 의미 파악

ⓐ와 ④의 '읽다'는 '어떤 글이나 말을 특정한 방식으로 풀이하다.'라는 의미로 사용되었다.

오답 잡기

① '컴퓨터의 프로그램이 디스크 따위에 든 정보를 가져와 그 내용을 파악하다.'라는 의미로 사용되었다.

② '글자를 보고 그 음대로 소리 내어 말로써 나타내다.'라는 의미로 사용되었다.

③ '사람의 표정이나 행위 따위를 보고 마음을 알아차리다.'라는 의미로 사용되었다.

⑤ '바둑이나 장기에서, 수를 생각하거나 상대편의 수를 헤아려 짐작하다.'라는 의미로 사용되었다.

05~08 의사 결정을 돕기 위한 편의법의 종류와 특징

● 문단 중심 내용

1문단	판단과 의사 결정의 연속인 삶
2문단	편의법의 개념과 종류
3문단	대표성 편의법의 개념과 한계
4문단	가용성 편의법의 개념과 한계
5문단	편의법의 장점과 유의 사항

● 핵심 내용
– 편의법의 종류와 특징

대표성 편의법	특징	• 한두 가지 대표되는 특성을 기준으로 삼음. • 사건이 속할 수 있는 전형적인 경우와 유사한 정도에 의해 판단함.
	한계	성급한 일반화의 오류
가용성 편의법	특징	• 기억에서 가장 쉽게 인출해 낼 수 있는 정보를 기준으로 함. • 기억에 의존하여 가장 쉽게 떠오르는 것을 가장 일반적인 것으로 판단함.
	한계	고정 관념, 편견

↓

| 의사 판단의 기준을 제공하여 해답을 빨리 찾을 수 있도록 하지만, 선택한 대안의 타당성을 신중하게 검토해야 함. |

05 세부 내용 파악

5문단에서 편의법을 활용하면 판단과 의사 결정에 필요한 해답을 빠르게 찾을 수 있다고 하였다. 그렇지만 이 글에서 가용성 편의법과 대표성 편의법 중 어느 것을 활용할 때 더 빠르게 의사 결정을 할 수 있는지는 설명하지 않았다.

06 구체적 상황에 적용

㉮는 ○○ 국가를 여행했던 경험을 바탕으로 ○○ 국가의 이미지를

판단하고 있으므로 가용성 편의법을 적용한 사례이다. 한편 ㉯는 '교복, 교실, 시험공부'를 학생들의 전형적인 특성으로 놓고 판단한 것으로 대표성 편의법을 적용한 사례이다. 3문단에서 대표성 편의법을 사용할 경우 성급한 일반화의 오류를 범하게 될 수 있다고 하였으므로 ㉯에서는 성급한 일반화의 오류가 나타날 수 있다.

오답 잡기

① ㉮는 경험을 근거로 판단하고 있지만 ㉯는 전형적인 범주 안에서 사례를 분석하고 있다. 또한 개인적인 경험을 근거로 하여 판단하는 경우 결과의 객관성이 확보된다고 보기 어렵다.

② ㉮는 가용성 편의법을 사용하여 기억에서 쉽게 인출할 수 있는 가설을 토대로 판단하였지만, ㉯는 전형적인 범주 안에서 사례를 판단하는 대표성 편의법을 사용하였다.

③ 대표성을 지닌 사례들을 수집하여 판단을 내린 것은 ㉯이다.

④ ㉯는 전형적인 범주 안에서 사례를 판단하고 있을 뿐, 실제 경험적 사례를 바탕으로 판단했는지 〈보기〉에서 확인할 수 없다.

07 세부 내용 추론

3문단에서 대표성 편의법은 한두 가지 대표되는 특성을 기준으로 삼아 판단을 내려 성급한 일반화의 오류가 발생할 수 있다고 하였다. 그러므로 문맥을 고려할 때 ㉠에는 '대표성만을 따지고 다른 정보들은 고려하지 않아' 성급한 일반화의 오류를 범하게 된다는 내용이 들어가는 것이 적절하다.

개념 더 보기

성급한 일반화의 오류
성급한 일반화의 오류는 논리적 오류 중의 하나로, 일부의 사례만을 제시하거나 대표성이 없는 불확실한 자료만을 가지고 바로 어떤 결론을 도출하는 데서 발생하는 오류를 의미한다. 즉, 결론을 뒷받침하는 적절한 자료들을 충분히 검토하지 않고 성급하게 일반화하여 발생하는 오류이다.

08 어휘의 사전적 의미 파악

ⓑ는 '어떤 부류의 특징을 가장 잘 나타내는 것.'을 의미한다. 대표성 편의법은 사건을 판단할 때 대표되는 특성을 기준으로 삼기 때문에 문맥을 고려해도 '어떤 부류의 대표적인 특징을 제외하는 것.'이라는 의미는 적절하지 않다.

창의·융합·코딩 전략 ① | 30~31쪽

01 ② 02 ④ 03 ④

01~03 공리주의의 종류 및 특징

● 문단 중심 내용

1문단	공리주의의 개념과 특징
2문단	쾌락적 공리주의의 개념과 한계
3문단	선호 공리주의의 개념과 한계
4문단	이상 공리주의의 개념과 한계

● 핵심 내용
– 공리주의의 종류와 특징

	특징	한계
쾌락주의적 공리주의	• 쾌락의 증진을 최선의 결과라고 봄. • 모든 인간들의 쾌락을 가장 많이 증진하는 것을 도덕적으로 옳은 행위라고 봄.	인간이 어떤 행위를 선택할 때 쾌락이 아닌 다른 것을 추구하기도 한다는 점을 설명하기 어려움.
선호 공리주의	• 모든 인간들 각자가 지닌 선호를 가장 많이 실현시키는 것을 도덕적으로 옳은 행위라고 봄. • 쾌락이 아닌 다른 것을 추구하기도 하는 인간의 선호를 반영하여 쾌락적 공리주의의 한계를 극복함.	모든 선호의 실현이 동일한 비중을 갖지 않는다는 점을 설명하기 어려움.
이상 공리주의	쾌락뿐만 아니라 진실, 정의, 자유 등의 이상들을 인간의 선호와 무관하게 실현되는 본래적 가치라고 봄.	본래적 가치에 해당하는 이상들이 갈등할 경우 우선 순위를 설명하기 어려움.

01 구체적 상황에 적용 및 추론

제시된 대화에서 학생들은 다수결의 원칙에 따라 학급 체험 활동 장소를 선정하고 있다. 이에 따라 소수가 선택한 △△천 환경 정화 활동 대신 ○○ 미술관을 관람하는 것으로 결정하고 있으므로 소수의 의견은 배제될 수밖에 없는 한계가 드러난다. 따라서 ②는 적절하지 않다.

오답 잡기

① 투표 결과 가장 많은 학생들이 선택한 곳을 학습 체험 활동 장소로 정하고 있으므로 다수결의 원리가 적용되었음을 알 수 있다. 공리주의에서는 최대 이익과 행복을 최선의 결과라고 보기 때문에 다수결의 원리에 따른 결정을 최선의 결과라고 볼 것이다.

③ 학생들의 대화에서 체험 활동 장소를 선택하는 동기에 대해서는 평가가 이루어지지 않았으므로 적절한 내용이다.

④ △△천 쓰레기 문제를 언급한 학생은 본인이 원하는 장소가 선택되지 않았음에도 많은 친구들이 선호하는 장소, 곧 다수의 이익과 행복을 가져다주는 결과에 수긍하는 입장을 보이고 있다.

⑤ 학생들은 자신이 선호하는 장소를 선택한 것이기 때문에 선호 공리주의의 관점과 관련이 있다.

02 구체적 상황에 적용 및 추론

〈보기〉는 개인의 자유와 생명 보호를 위한 규제 사이에서 이상적 가치가 충돌하고 있음을 보여 준다. 4문단에서 이상 공리주의는 자유와 생명 등의 이상을 인간의 선호와 무관하게 실현되어야 할 본래적 가치로 본다는 것을 알 수 있다. 1문단에서 본래적 가치는 그 자체로서 가치를 지니는 것으로 이는 다른 어떤 것을 위한 수단이 될 수 없다고 하였으므로 자유와 생명이라는 이상적 가치 중 그 어느 것도 도구적 가치가 될 수 없다는 ④가 적절하다.

오답 잡기

① 이상 공리주의의 관점에서 이상은 그 자체로서 가치를 지닌 본래적 가치이다. 따라서 생명과 자유 중 그 어느 것도 수단이 될 수 없다. 또한 〈보기〉에 제시된 정부의 정책은 생명을 보호하기 위한 정책 실현이 개인의 자유와 충돌하고 있으므로 적절하지 않다.

②, ⑤ 4문단에서 이상 공리주의 관점에서는 생명, 자유 등의 이상들이 갈등하는 경우 어떤 이상의 실현이 최선의 결과인지 설명하기 어렵다고 했으므로 둘 중 하나의 이상을 선택해야 한다는 내용은 적절하지 않다.

③ 4문단에서 자유와 생명과 같은 이상들은 인간의 선호와는 무관하게 실현되어야 할 가치라고 하였으므로 선호와 관련하여 실현되어야 할 것을 고려해야 한다는 내용은 적절하지 않다.

🔍 보기 돋보기

● 인문 영역 지문 + 사회 영역 〈보기〉 융합

지문의 핵심	〈보기〉의 핵심
이상 공리주의는 자유, 생명 등의 이상들을 본래적 가치라고 봄.	이상적 가치인 생명의 보호(정부의 정책)와 자유(시민들의 입장)의 갈등

↓

인문 영역의 지문과 사회 영역의 〈보기〉를 융합하여 이상 공리주의에서 논하는 본래적 가치에 해당하는 이상들이 실제 사회에서 어떻게 갈등을 일으키는지에 주목하고, 이를 토대로 이상 공리주의 관점에서 사회 현상을 이해할 수 있어야 함.

03 세부 내용 파악

ⓐ에는 선호 공리주의의 한계가 들어가야 하는데, 본래적 가치에 해당하는 이상들이 충돌할 경우 어떤 이상을 실현해야 하는지 설명하기 어려운 것은 이상 공리주의의 한계에 해당한다. 3문단에서 선호 공리주의는 보편적인 관점에서 볼 때 비정상적인 욕구에 기반을 둔 선호의 실현과 정상적인 욕구에 기반을 둔 선호의 실현이 동일한 비중을 갖지 않는다는 점을 설명하기 어렵다는 한계를 지닌다고 하였으므로 이와 관련한 내용이 들어가야 한다.

04~06　도덕적 운과 도덕적 평가

● 문단 중심 내용

1문단	도덕적 평가에 운이 개입되면 안 된다고 생각하는 입장
2문단	도덕적 운의 종류 ① - 태생적 운
3문단	도덕적 운의 종류 ② - 상황적 운
4문단	도덕적 운의 종류 ③ - 결과적 운
5문단	도덕적 운의 존재를 인정할 때의 문제점
6문단	도덕적 운의 존재를 부정하는 입장

● 핵심 내용
– '도덕적 운'에 관한 철학자들의 입장

'도덕적 운'의 존재를 인정하는 입장		
① 태생적 운	② 상황적 운	③ 결과적 운
태어날 때 이미 결정되는 성품처럼 인간이 통제할 수 없는 요인이 도덕적 평가에 개입됨.	똑같은 성품이라도 어떤 상황에 처하느냐에 따라 성품의 발현 여부가 달라짐.	인간이 통제할 수 없는 결과에 의해 도덕적 평가가 좌우됨.

→ 불공평한 평가만 할 수 있으므로 도덕적 평가 자체가 불가능해짐.

'도덕적 운'의 존재를 인정하지 않는 입장		
① 태생적 운	② 상황적 운	③ 결과적 운
행위는 성품과 별개의 것임.	나쁜 상황에서 나쁜 행위를 할 것이라는 추측만으로 어떤 사람을 폄하하는 것은 정당하지 않음.	결과의 성패와 상관없이 무책임함은 비난받아야 함.

→ '도덕적 운'은 존재하지 않으며, 강제나 무지에 의한 행위에 한해서만 도덕적 평가가 불가능하다고 봄.

04 세부 내용 파악

㉠은 도덕적 운의 존재를 인정하는 철학자들이다. 2문단에서 이들은 도덕적 운에 따라 도덕적 평가가 달라지는 일이 실제로 일어난다고 주장하였으므로 ⑤는 적절한 설명이다.

오답 잡기

① 1문단에서 운은 자신의 의지에 따라 통제할 수 없다고 하였다. ㉠은 이러한 운의 존재를 인정하는 입장이므로 인간이 운을 통제할 수 있다고 생각했다는 설명은 적절하지 않다.

② 상황적 운에 따르면 똑같은 성품이더라도 어떤 상황에 처하는지에 따라 다른 행위를 한다고 하였으므로 적절하지 않다.

③ ㉠이 도덕적 평가를 할 때 '상식'을 우선순위에 두어야 한다고 생각했다는 내용은 이 글에서 확인할 수 없다.

④ 4문단에서 예측할 수 없는 결과에 의해 도덕적 평가가 좌우되는 것은 불공평하다고 하였으므로 적절하지 않은 설명이다.

05 구체적 상황에 적용 및 추론

ⓒ은 강제나 무지와 같이 스스로 통제할 수 없는 요인에 의해 결정되는 것은 도덕적 평가가 불가능하다는 입장이다. ⓒ의 입장에 따르면 ㉮와 ㉱는 강제나 무지에 의해 행동한 것이 아니라, 개인의 성품과 신념에 따라 행동한 것이므로 도덕적 평가의 대상으로 볼 수 있다.

오답 잡기

㉯: 남에 의해 어쩔 수 없이 발을 밟는 행동을 하게 된 것은 통제할 수 없는 '강제'에 의한 행위에 해당하기 때문에 도덕적 평가 대상에 해당하지 않는다.

㉰: 글을 모르는 아이가 서류의 중요성을 모르고 행동한 것은 통제할 수 없는 '무지'에 의한 행위이므로 도덕적 평가 대상에 해당하지 않는다.

06 정보 간의 관계 이해

6문단에서 '도덕적 운'을 인정하지 않는 입장은, 실패한 결과를 더 비난하는 것은 실패했을 때보다 성공했을 때 무책임한 행위가 덜 부각되기 때문이라며 결과에 관계없이 무책임함에 대해서는 똑같이 비난받아야 한다고 주장하였다. 따라서 ⓒ에는 '어떤 행위로 인한 결과의 성패와 상관없이 무책임함은 비난받아야 함.'이 들어가야 한다.

전편

WEEK 2

사회 분야

DAY 1 개념 돌파 전략 ① 　　　　　36~37쪽

01 시사성	02 ③	03 ③	04 ①
05 (1) ⓒ (2) ⓑ (3) ⓐ		06 (1) ○ (2) ○	

DAY 1 개념 돌파 전략 ② 　　　　　38~41쪽

01 보험의 개념과 특징	02 ②	03 ③
04 ③	05 ②	06 ①	07 ④
08 ①		

01 보험의 개념과 특징

```
보험의 개념 ┐
보험의 효용성 ┼ 중심 화제
보험금 지급 기준 ┘  보험의 개념과 특징
```

01 중심 화제 파악

이 글은 보험 제도의 개념과 보험의 효용성, 보험금 지급 조건 등을 설명하고 있다. 따라서 이 글의 중심 화제는 '보험의 개념과 특징'이라고 할 수 있다.

02 물가 경직성에 따른 오버슈팅

```
오버슈팅의    ┌ 물가 경직성 ─┬ 단기 물가 조정  경직적
발생 원인    ┤            └ 단기 환율 조정  신축적
            └ 금융 시장 변동에 따른 불안 심리
```

02 세부 내용 파악

2문단에서 장기에는 물가와 환율 모두 신축적으로 조정된다고 하였으므로 ②는 적절하지 않다.

오답 잡기

① 2문단에서 경제에 충격이 발생할 때 물가나 환율은 충격을 흡수하는 조정 과정을 거치게 된다고 하였다.

③ 2문단에서 구매력 평가설에 의하면 장기의 환율은 자국 물가 수준을 외국 물가 수준으로 나눈 비율로 나타나며, 이를 균형 환율로 본다고 하였다.

④ 1문단에서 오버슈팅은 물가 경직성 또는 금융 시장 변동에 따른 불안 심리 등에 의해 촉발된다고 하였다.

⑤ 2문단에서 국내 통화량이 증가하여 유지될 경우 장기에서는 자국 물가도 높아져 장기의 환율이 상승한다고 했으므로 자국의 통화량 증가는 자국의 물가와 환율에 영향을 끼친다는 것을 알 수 있다.

03~04 외부성으로 인한 비효율성 문제

	외부성	
개념	경제 주체의 행위가 제3자에게 의도하지 않은 이익이나 손해를 주는 것	
문제점	사회 전체로 보면 이익이 극대화되지 않는 경제적 비효율성을 초래할 수 있음.	
해결 방안	전통적 경제학	보조금이나 벌금과 같은 정부의 개입을 통한 해결
	글쓴이	보조금이나 벌금뿐만 아니라 협상을 쉽게 해 주는 법과 규제가 필요함.

03 글의 전개 방식 이해

1문단에서 양봉업자와 과수원, 공장과 마을 주민을 예로 들어 외부성의 개념을 설명하고 있다. 또한 2문단에서는 전통적 경제학에서 제시한 비효율성 해결 방안과 그 한계점을 지적하고 있으므로 ③은 적절한 설명이다.

개념 더 보기

외부성(외부 효과)
어떤 개인이나 기업이 재화나 용역을 생산 · 소비 · 분배하는 과정에서, 대가를 주고받지 않은 채로 그 과정에 참여하지 않은 다른 개인이나 기업의 경제 활동이나 생활에 이익을 주거나 손해를 끼치는 것을 의미한다. 이때 이익을 주는 긍정적 효과를 외부 경제, 손해를 끼치는 부정적 효과를 외부 불경제라고 한다.

04 어휘의 문맥적 의미 파악

ⓒ는 '자신과 직접적인 관계가 없는 일에 끼어듦.'을 의미한다. ③은 '관망'의 의미이다.

05~06 국가 간의 동맹 결성

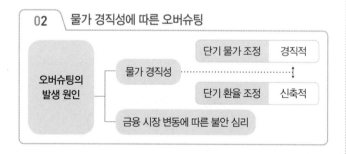

동맹	결성 이유	동맹을 통해 확보할 수 있는 이익이 있을 때 국가 간 동맹 관계가 결성됨.
	현실주의자의 견해	세력의 균형을 끊임없이 찾는 과정에서 동맹 관계가 변할 수 있음.

05 관점에 따른 비판

㉠은 국제 사회가 일종의 무정부 상태이므로 개별 국가는 힘의 논리로부터 스스로를 지켜야 한다고 보고, 패권 안정을 취하는 방향으로 각 나라의 동맹 관계가 변한다고 주장한다. 그런데 〈보기〉의 구성주의자는 국제 사회의 구성원들이 상호 작용을 하여 상호 간 역할과 가치를 형성하는 과정에서 동맹 관계가 변한다고 주장하고 있으므로 구성주의자의 입장에서 ㉠을 비판한 내용으로 적절하다.

[오답 잡기]

① 국제 사회에서 국가 간 동맹 관계가 변할 수 있다는 것은 ㉠과 〈보기〉의 공통된 주장 또는 전제이므로 구성주의자의 관점에서 ㉠을 비판한 내용으로 적절하지 않다.

③ 〈보기〉에서는 상대국에 대한 인식 변화에 따른 동맹 관계의 변화를 언급했을 뿐 이를 통해 무정부 상태와 같은 상황의 변화에 대해서는 언급하지 않았으므로 구성주의자의 관점에서 ㉠을 비판한 내용으로 적절하지 않다.

④, ⑤ 〈보기〉의 구성주의자는 국제 사회 구성원들의 상호 간 역할과 가치 형성을 전제로 동맹 관계를 설명하고 있다. 구성주의자들은 국제 사회의 구성원이 서로의 역할이 가치가 없다고 판단할 때 동맹 관계가 파기될 수 있다고 했지만, 이를 힘의 논리를 전제로 한 패권 안정성 또는 세력 균형과 연결하여 주장한 것은 아니므로 구성주의자의 입장에서 ㉠을 비판한 내용으로 적절하지 않다.

06 세부 내용 추론

2문단에서 '특정한 패권 국가가 출현하면 그 힘을 견제하기 위한 국가들 간의 동맹이 형성되기도 하고, 그 힘에 편승하는 동맹이 형성되기도 한다.'라고 하였다. 이를 통해 특정한 패권 국가의 등장으로 인한 상황 변화에 따라 ⓐ가 발생한다는 것을 알 수 있다.

07~08 공적 연금 제도

공적 연금 제도

소득이 있는 국민에게 보험료를 징수한 후 적립된 기금을 국가의 책임으로 운용하다가 가입자가 은퇴하면 연금으로 지급하는 방식

사회적 연대를 중시하는 입장	경제적 성과를 중시하는 입장
• 세대간 소득 재분배 수단으로 이용해야 함. • 연금 기금은 국민 전체가 사회 발전을 위해 조성한 투자 자금임. → 연금 기금을 사회 경제적 분야에 투자해서 보험료를 낼 소득자 집단을 확충해야 함.	• 소득 재분배는 연금의 실질 가치를 보장할 수 있을 때만 허용 • 연금 기금은 가입자들이 노후의 소득 보장을 위해 맡긴 신탁 기금임. → 연금 기금을 대기업에 투자하여 수익률을 극대화해야 함.

07 세부 내용 추론

2문단에서 '지금까지 연금 기금을 일종의 신탁 기금으로 규정해 온 관련 법률을 개정하여 일자리 창출에 연계된 경제적 분야에 투자하자는 주장이 힘을 얻고 있다.'라고 하였다. 따라서 기금의 성격을 신탁 기금으로 규정하는 것은 변화의 방향이 아닌 기존의 운영 방식이므로 ④는 적절하지 않다.

08 관점에 따른 비판

㉠은 자녀 세대의 보험료로 부모 세대의 연금을 충당하자는 입장이다. 한편 ㉡은 사회 구성원 일부에게 희생을 강요하는 소득 재분배는 연금의 실질 가치를 보장할 수 있을 때에만 허용해야 한다는 입장이다. 〈보기〉에서 노령화와 출산율 감소로 젊은 세대는 자신이 낸 보험 부담액보다 적은 금액을 연금으로 받게 될 것이라고 하였으므로 ㉡의 입장에서는 ㉠이 사회 구성원 일부에게 희생을 강요하는 것이라고 비판할 수 있다.

[오답 잡기]

② 연금을 세대 간 소득 재분배 수단으로 활용하자는 것은 ㉠의 주장이므로 ㉡의 입장에서 제기할 비판으로 적절하지 않다.

③ 2문단에서 ㉡은 물가 상승을 반영하여 연금의 실질 가치를 보장하는 것을 소득 재분배의 전제 조건으로 주장하였으므로 ㉡의 입장에서 비판할 내용으로 적절하지 않다.

④ 젊은 층의 연금으로 노령층의 연금을 충당하자는 의견은 ㉠의 입장과 유사하므로 ㉡의 입장에서 제기할 비판으로 적절하지 않다.

⑤ ㉡은 세대 간의 소득 격차의 증가를 비판하는 것이 아니라, 그로 인해 자녀 세대가 희생되는 것이 불합리함을 비판하고 있다. 또한 〈보기〉는 보험료를 낼 소득자 집단보다 연금 수급자가 증가하는 상황을 보여 주는 것이므로 연금 수급자가 감소한다는 설명도 적절하지 않다.

1 ③　　　**1-1** ⑤　　　**2** ②　　　**2-1** ④

대표 유형 1 대표 유형 2 현대 사회의 개체화 현상

● 문단 중심 내용

1문단	개체화 현상의 개념과 대표 학자인 벡과 바우만
2문단	개체화 현상의 가속화와 두 학자의 공통적 견해
3문단	현대의 위기와 개체화에 대한 벡의 견해
4문단	현대의 위기와 개체화에 대한 바우만의 견해

● 핵심 내용
– 개체화 현상에 대한 벡과 바우만의 견해

	벡	바우만
공통점	• 개체화 현상이 가속화됨. • 현대 사회는 예측 불가능한 위험 요인이 존재함.(위험 사회/액체 시대)	
현대의 위기와 관련한 차이점	개체화는 현대의 위기와 별개로 진행된 것이며, 개체화가 전 지구적 위험에 긍정적으로 작용할 것이라고 예측함.	개체화 현상 자체가 위험 요인이며 개체화로 인해 전 지구적 위험에 대처하는 것이 더 어려워졌다고 판단함.

1 정보 간의 관계 이해

㉠을 주장한 '벡'은 전 지구적 위험에 대응하기 위해 현대인들이 초계급적, 초국가적으로 연대할 가능성을 언급하였다. 한편 ㉡을 주장한 '바우만'은 대다수의 사람들이 무한 경쟁에 내몰리고 빈부 격차에 따라 생존 자체를 위협받는 등 잉여 인간으로 전락했으며 협력의 고리를 찾지 못하게 되어 개인 수준에서 위기에 대처한다고 설명했다. 따라서 인간관계의 유연한 확장 가능성에 대해 ㉠은 낙관적, ㉡은 비관적으로 보고 있으므로 ③은 적절하지 않다.

1-1 세부 내용 파악

3문단에서 '벡'은 개체화되어 있다는 그 조건 때문에 현대인들이 전 지구적 위험에 대응하기 위해 초계급적, 초국가적으로 연대할 가능성이 있다고 보았으므로 ⑤는 적절하지 않다.

2 세부 내용 추론

1문단에서 산업화에 따라 사회가 분화되고 개인이 공동체적 유대로부터 벗어나게 되는 현상을 개체화라고 하였다. 또한 2문단에서 개체화 현상이 과거와는 질적으로 달라진 양상을 보인다면서 개인에 대한 국가의 통제력이 현저하게 약화되고 있다고 하였다. 이를 통해 개인의 자율성은 강화되고 국가의 통제력은 약화되었음을 알 수 있으므로 ②는 적절하지 않다.

오답 잡기

① 2문단에서 '세계적인 노동 시장의 유연화 경향에 따라 다양한 형태로 분절화된 노동자들이 이제는 계급적 연대 속에서 이해관계를 공유하지 못하게 되었다.'라고 하였다. 이를 통해 노동자들이

다양한 형태로 개체화되면서 계급적 동질성을 갖기 어려워졌을 것으로 추론할 수 있다.

③ 2문단에서 '핵가족화 추세에 더하여 일인 가구가 급속도로 늘어나는 등 가족의 해체 현상도 많이 나타나고 있다.'라고 하였다. 일인 가구는 여러 가족이 함께 거주하던 곳을 벗어나 한 사람만 거주하는 공간을 새로 형성하는 것이므로, 가족 공동의 거주 공간에서 분리되는 추세라고 추론할 수 있다.

④ 3문단에서 '벡'은 '현대인들이 개체화되어 있다는 바로 그 조건'으로 인해 전 지구적 위험에 대해 '초계급적, 초국가적 연대' 가능성이 있다고 하였다. 이때 '초계급적, 초국가적 연대'는 개체화 현상 이전에는 없었던 '새로운 방식의 유대'라고 할 수 있으므로 적절한 추론이다.

⑤ 4문단에서는 '바우만'은 삶의 조건을 불확실하게 만드는 개체화 현상 자체를 위험 요인으로 보았으며, 이로 인해 협력의 고리를 찾지 못하게 된 현대인들이 개인 수준에서 위기에 대처한다고 하였으므로 적절한 추론이다.

2-1 세부 내용 추론

3문단에서 '벡'은 현대의 위기가 개체화와 별개로 진행된 현상이라고 보고, 현대인들이 개체화되어 있다는 바로 그 조건으로 인해 전 지구적 위험에 대해 초계급적, 초국가적으로 연대할 가능성이 있다고 하였다. 이는 개체화 현상이 전 지구적 위험에 긍정적으로 작용할 것이라고 본 것이므로 '벡'이 개체화 현상을 사회적 위험 요인에 포함된다고 전제했다는 추론은 적절하지 않다.

오답 잡기

① 3문단과 4문단에서 '벡'과 '바우만' 모두 핵 문제와 환경 문제를 '예측 불가능한 위험'이라고 규정하고 있으므로 적절한 추론이다.

② 3문단의 '위험 사회'는 예측 불가능한 위험이 체계적이고도 항시적으로 존재하게 된 현대 사회를 의미하고, 4문단의 '액체 시대'는 핵 확산이나 환경 재앙 등 예측 불가능한 전 지구적 위험 요인의 항시적 존재를 포함하고 있는 현대인의 삶과 사회 전체를 나타낸 용어이므로 적절한 추론이다.

③ 3문단에서 '벡'은 삶의 편의와 풍요를 위해 사회적 위험 문제를 방치함으로써 위험이 체계적이고 항시적으로 존재하게 되었다고 하였으므로 적절한 추론이다.

⑤ 4문단에서 '바우만'은 일상생활에서의 정치적 요구를 담은 실천 행위도 개체화의 흐름에 놓여 있기 때문에 현대의 위기에 대한 해결책이 될 수 없다고 하였으므로 적절한 추론이다.

| 01 ③ | 02 ③ | 03 ② | 04 ⑤ |
| 05 ① | 06 ④ | 07 ① | 08 ③ |

01~04   사회적 갈등을 관리하기 위한 의회의 역할

● 문단 중심 내용

1문단	사회적 합의 도출을 위한 의회의 역할
2문단	사전적 관리 기능
3문단	사후적 관리 기능
4문단	사회 통합을 위한 최적의 입법 과정 정립의 필요성

● 핵심 내용
– 의회의 역할

최적의 입법 과정

사전적 관리 기능
입법과 관련하여 발생 가능성이 있는 사회 갈등을 예방하기 위함.

사후적 관리 기능
현재 존재하는 사회적 갈등을 해결하기 위함.

- 평가 기관을 통한 갈등 영향 사전 분석
- 입법 커뮤니케이션 활성화

- 여론 조사 및 공청회 진행
- 참여 기구의 의견을 토대로 갈등 현안에 대한 입법적 조치, 예산상 조치 또는 갈등 당사자에게 중재안 제시

---

01 세부 내용 파악

1문단에서 최적의 입법 과정은 사전적 관리 기능과 사후적 관리 기능을 모두 담당할 수 있어야 한다고 하였다. 2~3문단에서 사전적 관리 기능과 사후적 관리 기능의 목적, 사회적 갈등 관리 방안 등을 설명하고 있지만, 이를 통해 사회적 갈등을 해결한 사례를 제시하지는 않았다. 따라서 ③은 이 글을 읽고 답할 수 있는 질문이 아니다.

02 세부 내용 파악

㉠은 갈등의 영향을 사전에 분석하고 평가하기 위해 구성된 중립성과 전문성을 갖춘 기관이다. 따라서 ㉠에 갈등 당사자가 포함될 경우 중립성이 훼손될 수 있다. 그렇지만 ㉢은 현재 존재하는 사회 갈등을 해결하기 위한 기구이므로 갈등의 당사자들이나 시민 대표단이 포함되어야 한다.

오답 잡기

① ㉡에는 정부 등의 공적 주체와 시민들의 참여가 필요하다고 하였지만, ㉠은 갈등의 영향을 사전 분석하고 평가하기 위한 기관이므로 적절하지 않은 설명이다.

② ㉠은 입법이나 정책으로 인해 발생할 수 있는 사회 갈등을 사전 예방하기 위한 기관이므로 미래의 갈등을 다룬다고 할 수 있고, ㉢은 현재 존재하는 사회 갈등을 해결하기 위한 기구이므로 현재의 갈등을 다룬다고 할 수 있다.

④ 3문단에서 ㉢은 '입법의 방향과 주요 내용, 쟁점 사항에 대한 의견을 의회에 제출해야 한다.'라고 하였다.

⑤ 2문단에서 ㉡에는 '정부의 공적 주체는 물론 시민의 활발한 참여와 관심이 수반되어야 한다.'라고 하였다.

03 구체적 상황에 적용 및 추론

〈보기〉에서 갈등으로 인해 발생하는 사회적 비용과 관련된 내용을 다루지 않았다. 또한 '사회 갈등 관리법'은 기존의 법을 개정한 것이 아니라, ○○당이 입법 준비 중인 법안이라고 하였으므로 ②는 적절하지 않다.

오답 잡기

① 〈보기〉에서 '사회 갈등 관리법'은 공공 기관의 갈등 예방과 해결에 관한 역할과 책무를 규정하는 법이라고 하였고, 이 글의 1문단에서 입법과 관련하여 발생할 수 있는 사회 갈등을 예방하기 위한 것이 의회의 사전적 관리 기능이라고 하였다. 이를 토대로 〈보기〉의 '사회 갈등 관리법'은 공공 기관의 사전적 관리 기능에 대한 책임과 의무를 규정하려는 것으로 볼 수 있다.

③ 〈보기〉에서 '사회 갈등 관리법'은 다양한 갈등의 예방에 관한 공공 기관의 책임을 규정한 것이라고 하였다. 한편 '감정 노동자 보호법'의 개정은 갈등 상황이 발생한 경우의 처벌 기준을 새롭게 포함한 것이므로 사후적 관리에 해당한다.

④ 〈보기〉의 감정 노동자 보호법 개정에 대한 공청회는 이 글의 3문단에서 언급한 사후적 관리 기능에 대한 설명 중 여론 수렴을 위한 여론 조사나 공청회 진행과 대응된다.

⑤ 3문단에서 의회는 사후적 관리 차원에서 참여 기구의 의견을 토대로 갈등 현안에 대한 조치를 내리게 되는데, 필요에 따라 입법적 조치를 취하거나 예산상의 조치, 갈등 당사자에게 중재안을 제시할 수 있다고 하였다. 〈보기〉의 '감정 노동자 보호법' 개정은 사후적 관리에 해당하므로 의회는 입법적 조치 대신 예산상의 조치를 취할 수도 있다.

04 어휘의 문맥적 의미 파악

ⓔ는 '뜻이 서로 통하여 오해가 없음.'의 의미로 사용되었지만, ⑤의 '소통'은 '교통의 흐름이나 이동 상황이 막히지 아니하고 잘 통함.'의 의미로 사용되었다.

오답 잡기

① 둘 다 '다른 것에 영향을 받아 어떤 현상이 나타나다.'를 의미한다.

② 둘 다 '깊이 생각하여 충분히 의논함.'을 의미한다.

③ 둘 다 '서로 다투는 중심이 되는 점.'을 의미한다.

④ 둘 다 '분쟁에 끼어들어 쌍방을 화해시킴.'을 의미한다.

05~08 경제 안정화 정책의 종류와 특징

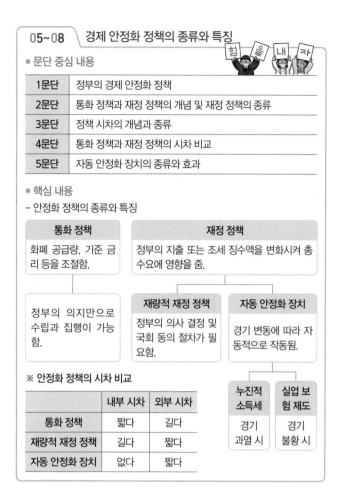

● 문단 중심 내용

1문단	정부의 경제 안정화 정책
2문단	통화 정책과 재정 정책의 개념 및 재정 정책의 종류
3문단	정책 시차의 개념과 종류
4문단	통화 정책과 재정 정책의 시차 비교
5문단	자동 안정화 장치의 종류와 효과

● 핵심 내용
– 안정화 정책의 종류와 특징

통화 정책	재정 정책
화폐 공급량, 기준 금리 등을 조절함.	정부의 지출 또는 조세 징수액을 변화시켜 총수요에 영향을 줌.

정부의 의지만으로 수립과 집행이 가능함.	재량적 재정 정책	자동 안정화 장치
	정부의 의사 결정 및 국회 동의 절차가 필요함.	경기 변동에 따라 자동적으로 작동됨.

자동 안정화 장치
- 누진적 소득세 : 경기 과열 시
- 실업 보험 제도 : 경기 불황 시

※ 안정화 정책의 시차 비교

	내부 시차	외부 시차
통화 정책	짧다	길다
재량적 재정 정책	길다	짧다
자동 안정화 장치	없다	짧다

05 중심 내용 파악

이 글은 경기 변동의 균형을 맞추기 위해 정부가 사용하는 여러 가지 안정화 정책을 설명한 글이다. 대표적인 안정화 정책으로 통화 정책과 재정 정책을 들고, 재정 정책 중 재량적 재정 정책과 자동 안정화 장치를 설명하고 있다. 따라서 이 글 전체의 내용을 대표하고 포괄할 수 있는 표제는 '안정화 정책의 종류와 특징'이라고 할 수 있다. 또한 정책 시차와 경기 변동 국면을 기준으로 다양한 안정화 정책을 비교하여 설명하고 있으므로 ①이 가장 적절하다.

06 세부 내용 파악

외부 시차는 시행된 정책이 경제에 영향을 끼쳐 그에 따른 효과가 나타나는 데까지 걸리는 시간을 의미한다. 4문단에서 통화 정책은 '소비 지출 및 투자 지출의 변화가 즉각적으로 나타나지 않기 때문에 외부 시차가 길다.'라고 하였으므로 ④는 적절하지 않다.

07 세부 내용 추론

〈보기〉는 경기 변동의 주기를 나타낸 경제 주기 곡선으로, '저점 1'과 '저점 2'는 경기가 불황에 빠진 시점을 의미하고 '고점 1'은 경기가 활성화된 시점을 의미한다. 1문단에서 '저점 1'과 같은 불황기에 정부가 화폐 공급량을 늘리면 '이자율이 낮아져 시중에 풍부한 자금이 공급되고 기업들의 투자 지출이 늘어나게 되어 경제가 활성화된다.'라고 하였다. 따라서 '저점 1'에서 화폐 공급량을 늘리면 기업의 투자 지출은 늘어나지만 이자율은 낮아지게 되므로 ①은 적절하지 않다.

② 5문단에서 경기가 지나치게 과열될 우려가 있는 경우, 누진적 소득세에 의해 높은 세율을 적용하면 소비 지출의 억제로 이어져 경기가 심하게 과열되지 않도록 진정하는 효과가 있다고 하였다.

③ 5문단에서 경기가 지나치게 과열될 우려가 있는 경우, 누진적 소득세에 의해 소득 수준이 높을수록 더 높은 세율을 적용받게 된다고 하였다.

④ 4문단에서 경기 불황에 의해 실업률이 급격하게 증가할 경우, 재량적 재정 정책에 의해 정부는 공공 근로 사업 등에 대한 지출을 늘려 일자리를 창출하고 이로 인해 총수요를 변화시킬 수 있다고 하였다.

⑤ 5문단에서 경기가 불황으로 실업 인구가 늘어나게 될 경우, 정부는 실업 수당을 지급하여 총수요가 줄어드는 것을 억제하고 경기를 자동으로 안정시키는 효과를 얻게 된다고 하였다.

08 어휘의 문맥적 의미 파악

ⓒ는 문맥상 '재량적 재정 정책'과 호응을 이루는 서술어이므로 '실제로 시행되다.'를 의미하는 '실시되다'로 바꾸거나 '법령이 공포된 뒤에 그 효력이 실제로 발생되다.'를 의미하는 '시행되다'로 바꾸어 쓰는 것이 적절하다.

① ⓐ는 문맥상 경제가 안정된 상태를 지속하려는 것을 의미하므로 '어떤 상태를 오래 계속하다.'라는 의미인 '지속하다'로 바꾸어 쓸 수 있다.

② ⓑ는 문맥상 화폐의 양을 많아지게 하는 것을 의미하므로 '이전보다 더 늘어나게 하거나 많아지게 하다.'라는 의미인 '증가시키다'로 바꾸어 쓸 수 있다.

④ ⓓ는 문맥상 정책의 효과가 나타나는 데에 시간이 필요하다는 의미이므로 '필요로 되거나 요구되다.'라는 의미인 '소요되다'로 바꾸어 쓸 수 있다.

⑤ ⓔ는 문맥상 경기 회복에 오랜 시간이 걸린다는 의미이므로 '무슨 일이 더디게 끌어져 시간이 늦추어지다.'라는 의미인 '지연되다'로 바꾸어 쓸 수 있다.

3 ④	**3-1** ③	**4** ④	**4-1** ③

대표 유형 ③ 대표 유형 ④ 가격 조정 속도에 관한 다양한 관점

● 문단 중심 내용

1문단	시장의 가격 조정 속도에 관한 다양한 관점
2문단	고전학파의 견해
3문단	케인즈의 견해
4문단	케인즈 학파의 견해
5문단	새 고전학파의 견해

● 핵심 내용
– 시장의 가격 조정에 관한 다양한 관점

고전학파
• 시장은 가격 조정을 통해 즉시 균형을 회복함.
• 보이지 않는 손에 의한 시장의 자기 조정 능력을 신뢰함.
• 경기 변동 현상이 나타나지 않는다고 봄.

케인즈
• 장기에는 가격이 신축적이지만 단기에는 경직적임.
• 가격 경직성이 심할수록 총수요 변동 시 극심한 경기 변동이 발생함.

⬇ 전제 유지

⬇ 발전

새 고전학파
• 거시 경제 변수 간의 관계를 임의로 가정하고 과거 자료만으로 변수들 간의 상관관계를 추정하려 했다는 점에서 케인즈 학파를 비판함.
• 경제 주체들은 새로운 정보를 바탕으로 합리적으로 기대를 형성하고 이에 따라 반응을 바꾸게 됨.
→ 경제 주체의 합리적 선택에 대한 미시적 분석을 바탕으로 거시 경제 현상을 분석해야 함.
→ 총수요 변동이 아닌 기술 변화가 지속적인 경기 변동을 유발함.

비판 ➡

케인즈 학파
• 가격 경직성으로 인해 시장 불균형 상태가 오래 지속될 수 있음.
→ 정부의 통화 및 재정 정책(보이는 손)에 의해 시장의 균형을 회복해야 함.
→ 경기 예측과 정책 효과 분석에 거시 계량 모형이 이용됨에 따라 정책을 통해 경기 변동을 제거할 수 있을 것이라고 기대함.

---

3 관점에 따른 비판적 이해

5문단에서 새 고전학파는 '새로운 정보가 전해지면 경제 주체들은 기존에 보유하고 있던 정보에 추가된 정보를 반영하여 합리적으로 기대를 형성하고 이에 따라 반응을 바꾸므로 방정식의 계수 혹은 방정식 자체가 바뀌어야 한다.'라고 주장했다. 이를 고려하면 새 고전학파는 K국 정부의 확장적 통화 정책 발표가 국민들의 합리적 기대에 영향을 미쳐 국민들의 반응이 달라질 수 있다고 판단하였을 것이다. 따라서 ㉡은 '경제학자 갑'이 K국 정부의 확장적 통화 정책의 효과 분석 역시 달라져야 한다는 점을 고려하지 않았다고 비판할 것이다.

오답 잡기
① 5문단에서 새 고전학파는 경기 변동의 원인이 총수요 변동이 아닌 기술 변화 때문이라고 판단하고 있으므로, K국 정부의 인위적인

통화량 조절로 총수요 변동이 유발되더라도 이것이 불황 등의 경기 변동을 유발하지는 않는다고 판단할 것이다.
② 5문단에서 새 고전학파는 새로운 정보가 전해지면 기존의 정보에 추가된 정보를 반영하여 합리적 기대를 형성한다고 하였다. 〈보기〉에서 2022년 이전의 자료는 기존의 정보에 해당하므로 이를 배제해야 한다고 주장하지 않을 것이다.
③ 〈보기〉에서 '경제학자 갑은 소득과 통화량이 늘어날수록 소비가 증가할 것이라고 가정했고, 통화량이 증가한 경우 다음 달의 소비를 증가시킨다는 결론을 도출했다. 따라서 경제학자 갑은 확장적 통화 정책을 시행할 경우 2022년 12월 30일 이전에도 K국 국민들의 소비가 증가할 것이라고 판단할 것이므로 ㉡이 제기할 비판으로 적절하지 않다.
⑤ 〈보기〉에 따르면 2021년의 통화량은 2021년 12월 31일에 발표되었을 것이고, 현재(2022년 3월12일)의 시점에서 2021년의 통화량은 과거의 정보이자 기존에 보유하고 있던 정보라고 할 수 있다. 따라서 확장적 통화 정책이 발표되었을 때, 2021년의 통화량은 K국 국민들의 합리적 기대 형성의 대상이 아니라 기존의 정보에 해당하므로 적절하지 않은 비판이다.

3-1 관점에 따른 비판적 이해

〈보기〉는 경제 주체들이 '정부의 팽창 정책'이라는 추가된 새로운 정보를 접한 후 이를 반영하여 합리적 기대를 형성할 수 있다는 내용이다. 이는 루카스의 관점에서 ㉠의 거시 계량 모형의 오류를 비판하는 데에 활용할 수 있는 논거이므로 케인즈 학파를 비판한 내용으로 적절하다.

4 어휘의 문맥적 의미 파악

2문단에서 알 수 있듯이 경기 변동은 호황이나 불황이 나타나는 것을 의미한다. 따라서 ⓓ는 '호황이나 불황의 발생 가능성을 제거할 수' 정도로 바꾸는 것이 가장 적절하다.

4-1 어휘의 문맥적 의미 파악

㉮와 ③의 '걸리다'는 '시간이 들다.'라는 의미로 사용되었다.

오답 잡기
① '병이 들다.'라는 의미이다.
② '돈 따위가 계약이나 내기의 담보로 삼아지다.'라는 의미이다.
④ '어떤 일을 하다가 도중에 들키다.'라는 의미이다.
⑤ '눈이나 마음 따위에 만족스럽지 않고 언짢다.'라는 의미이다.

01~04 공공 서비스의 민간 위탁

● 문단 중심 내용

1문단	공공 서비스의 개념과 특성
2문단	민간 위탁 제도의 개념과 도입 배경
3문단	민간 위탁의 운용 방식
4문단	민간 위탁 제도 도입 시 유의 사항

● 핵심 내용
– 민간 위탁 제도의 운영 방식

	경쟁 입찰	면허 발급	보조금 지급
개념	일정한 기준을 충족하는 업체 간의 경쟁 입찰을 통한 민간 위탁 운영	기술과 시설 기준을 충족하는 업체에게 면허 발급을 통한 민간 위탁 운영	해당 기관에 보조금 지급을 통한 민간 위탁 운영
사례	공원 등 공공 시설물 관리	자동차 운전면허 시험, 산업 폐기물 처리	종합 복지관
효과	서비스 생산 비용 절감 및 정부의 재정 부담 경감	서비스의 수요와 공급을 탄력적으로 조절 가능	안정적인 공공 서비스 제공

01 중심 내용 파악

이 글에서 공공 서비스와 관련된 정부의 조직이 늘어나고 행정 업무의 전문성과 효율성이 떨어지는 문제점을 해결하기 위한 방안으로 민간 위탁 제도를 운용한다고 하였으므로 ⑤는 적절하지 않다.

02 구체적 사례에 적용 및 추론

ⓐ는 상습적으로 교통 체증이 발생한다고 하였으므로 도로를 이용하는 차량이 많을수록 이를 이용하기 어려운 사람이 발생한다. 따라서 ⓐ는 경합성이 있다고 할 수 있지만, 대가를 지불하지 않는 무료 도로이므로 배제성이 없다. 한편 ⓑ는 만일의 사태를 대비하기 위해 설치하는 것이므로 특정인이 임의로 사용할 수 없다. 따라서 경합성이 없으며, 대가를 지불하지 않기 때문에 배제성도 없다.

03 관점에 따른 비판적 이해

〈보기〉의 '대리인 이론'에서 '주인'은 정부에, '대리인'은 정부로부터 공공 서비스의 생산을 위탁받은 민간 업체에 대응한다고 할 수 있다. 〈보기〉에 따르면 전문성이 요구되거나 위탁 업체의 경쟁 구도가 약할수록 대리인 비용이 증가한다고 하였으므로 전문성이 요구되는 공공 서비스 분야는 '대리인 비용'의 증가로 인해 오히려 재정 부담이 증가할 수도 있음을 추론할 수 있다. 따라서 ②는 〈보기〉의 관점에서 비판한 내용으로 적절하다.

① 〈보기〉에서 대리인이 되고자 하는 경쟁이 적을수록 대리인 비용이 증가한다고 하였다. 이때 대리인이 되고자 하는 경쟁이 적다는 것은 입찰에 참여하는 민간 업체가 적다는 것과 대응시켜 이해할 수 있다. 이로 인해 대리인 비용이 증가한다는 것은 공공의 이익 증가가 아닌 정부의 재정 부담을 증가시키는 요인이므로 적절하지 않은 비판이다.

③ 〈보기〉에서 주인과 대리인 간의 정보 불균형과 감시의 불완전성으로 대리인이 기회주의적 면모를 보일 수 있다고 하였다. 따라서 서비스의 관리 책임까지 민간 업체(대리인)에 위임한다면 〈보기〉에서 우려하는 민간 업체(대리인)의 사익 추구가 발생할 가능성이 높아질 것이므로 적절하지 않은 비판이다.

④ 4문단에서 평가와 개선이 지속적으로 이루어지지 않을 때 민간 위탁 제도가 공익을 저해할 수 있다고 하였으므로 〈보기〉의 관점에서 이 글을 비판하기에 적절하지 않다.

⑤ 이 글에서 민간 업체는 수익성을 중심으로 공공 서비스를 제공한다고 하였고, 〈보기〉에서 대리인(민간 위탁 업체)은 기회주의적으로 행동하여 계약을 위반할 가능성이 있다고 하였다. 또한 〈보기〉는 민간 업체의 수익 감소가 공공 서비스의 질적 저하와 관련이 없음을 주장하는 내용이 아니므로 〈보기〉의 관점에서 비판한 내용으로 적절하지 않다.

04 어휘의 문맥적 의미 파악

㉠과 ⑤는 '어떤 새로운 현상이나 사물이 발생하거나 생겨나다.'라는 의미로 사용되었다.

오답 잡기

①, ② '보이지 아니하던 어떤 대상의 모습이 드러나다.'라는 의미이다.

③ '생각이나 느낌 따위가 글, 그림, 음악 따위로 드러나다.'라는 의미이다.

④ '내면적인 심리 현상이 얼굴, 몸, 행동 따위로 드러나다.'라는 의미이다.

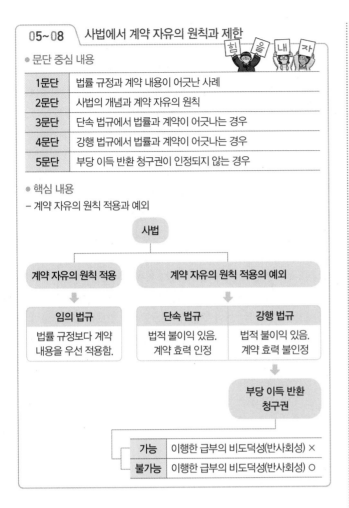

● 문단 중심 내용

1문단	법률 규정과 계약 내용이 어긋난 사례
2문단	사법의 개념과 계약 자유의 원칙
3문단	단속 법규에서 법률과 계약이 어긋나는 경우
4문단	강행 법규에서 법률과 계약이 어긋나는 경우
5문단	부당 이득 반환 청구권이 인정되지 않는 경우

● 핵심 내용
– 계약 자유의 원칙 적용과 예외

사법
├─ 계약 자유의 원칙 적용 → 임의 법규
│   법률 규정보다 계약 내용을 우선 적용함.
└─ 계약 자유의 원칙 적용의 예외
    ├─ 단속 법규
    │   법적 불이익 있음. 계약 효력 인정
    └─ 강행 법규
        법적 불이익 있음. 계약 효력 불인정
        → 부당 이득 반환 청구권
           | 가능 | 이행한 급부의 비도덕성(반사회성) × |
           | 불가능 | 이행한 급부의 비도덕성(반사회성) ○ |

05 글의 전개 방식 이해

이 글은 1, 2문단에서 세입자와 건물주의 사례를 통해 계약 자유의 원칙을 설명하고 있다. 3문단에서는 공인 중개사와 고객의 사례를 들어 단속 법규의 개념을 설명하고 있으며 4문단에서는 의사와 의사가 아닌 사람의 의료 기관 동업 사례를 통해 강행 법규를 설명하고 있으므로 ①이 적절하다.

06 중심 내용 파악

2문단에서 임의 법규의 개념을 설명하면서 당사자들이 사법에 속하는 법률의 규정과 어긋난 내용으로 계약을 체결한 경우 계약 내용이 우선 적용된다고 하였다. 따라서 ㉮에는 '인정'이 들어가야 한다. 3문단에서 단속 법규는 체결된 계약 내용이 법률에 정해진 내용과 어긋날 때 법적 불이익이 있지만 계약의 효력 자체는 그대로 둔다고 하였으므로 ㉯에는 '있음.'이 들어가야 한다. 또한 4, 5문단에서 강행 법규에 해당하는 경우 중 이미 급부를 이행하여 재산적 이익을 넘겨주었다면 이는 부당 이득에 해당하기 때문에 반환을 요구할 수 있다고 하였다. 즉 부당 이득 반환 청구권이 인정된다고 했으므로 ㉰에는 '인정'이 들어가야 한다.

07 중심 화제에 대한 비판적 이해

〈보기〉는 세 개의 통신사만 존재하는 상황이므로 '소비자 A 씨'는 약관의 내용이 자신에게 불리하더라도 세 개의 통신사 중 한 곳과 약관

을 매개로 계약을 체결할 수밖에 없다. 이는 계약의 당사자 중 '소비자 A 씨'가 통신사들에 비해 불리한 위치에 있음을 의미하므로 법률 규정 대신 ㉠을 우선 적용할 경우 한쪽이 불리한 상황에 있을 때 불공정한 계약을 체결할 수밖에 없다는 점을 비판할 수 있다.

오답 잡기
① ㉠을 적용하면 사적 계약에 국가가 개입할 여지가 줄어들게 되는 것이므로 적절하지 않은 비판이다.
② ㉠은 법률 규정보다 사적 계약을 우선하는 내용이므로 ㉠의 적용으로 인해 사적 계약에 제한이 발생한다는 것은 적절하지 않은 비판이다.
④, ⑤ 〈보기〉의 '소비자 A 씨'는 자신에게 유리한 계약 조건을 찾기 위해 다수의 통신사 약관을 검토했지만 자신에게 유리한 조건을 찾을 수 없었다. 통신사와의 계약서라고 할 수 있는 약관은 이미 통신사가 만들어 놓은 것이므로 'A 씨'가 이를 수정하거나 작성하는 데 직접 참여할 수 없다. 결국 'A 씨'는 불이익을 감수하면서 계약할 수밖에 없었으므로 'A 씨'는 통신사와의 계약에 ㉠을 고수하거나 ㉠만을 적용하는 것을 불합리하다고 생각할 것이다. 따라서 '소비자 A 씨'의 입장에서 비판할 내용으로 적절하지 않다.

08 어휘의 사전적 의미 파악

ⓓ는 '물건의 값으로 치르는 돈.'을 의미하므로, ④는 적절하지 않다.

01 ④ **02** ③ **03** ③ **04** ②
05 ⑤ **06** ② **07** ② **08** ⑤

01~04 공급 사슬망과 채찍 효과

● 문단 중심 내용

1문단	공급 사슬망의 개념
2문단	채찍 효과의 개념과 사례
3문단	채찍 효과의 발생 원인 ① – 수요의 왜곡
4문단	채찍 효과의 발생 원인 ② – 대량 주문 방식
5문단	채찍 효과의 발생 원인 ③ – 발주 실행 시차
6문단	채찍 효과의 문제점과 해결 방안

● 핵심 내용
– 채찍 효과의 발생 원인과 결과

수요의 왜곡	대량 주문 방식	발주 실행 시차
최종 소비자로부터 멀어질수록 수요가 왜곡됨.	최종 소비자로부터 멀어질수록 대량 주문 방식을 요하기 때문에 주문 단위가 커짐.	• 공급 사슬망의 각 주체마다 발주 실행 시간이 다름. • 최종 소비자로부터 멀어질수록 물류의 이동 시간이 증가함.

↓

채찍 효과 발생

↓

불필요한 재고 증가

01 중심 내용 파악
(라)는 공급 사슬망에서 최종 소비자로부터 멀어질수록 대량 주문 방식을 요구하기 때문에 기본 주문 단위가 커지고 이로 인해 채찍 효과가 발생한다고 하였다. 따라서 (라)의 중심 화제는 '대량 주문 방식에 의한 채찍 효과'라고 정리할 수 있다.

02 세부 내용 파악
(다)에서 제조업체는 물량이 한정되어 있을 때 한꺼번에 많은 양을 주문하는 도매 업체에게 우선권을 준다고 하였다. 따라서 주문량과 상관없이 영세한 업체가 제품을 먼저 구매할 수 있다는 내용은 적절하지 않다.

03 구체적 상황에 적용 및 추론
A사에서 새롭게 개발한 커피 기계를 사용하여 소비자가 직접 부품을 주문할 경우 유통 과정에서 중간 단계에 해당하는 소매점과 도매점을 거치지 않아도 되기 때문에 주문한 부품을 받는 데 걸리는 시간이 줄어들 것이다. 그런데 발주 실행 시차는 각 공급 사슬망 주체가 주문을 했을 때 받기까지 걸리는 시간이 저마다 다른 것을 의미하기 때문에 A사의 새 커피 기계를 사용하는 소비자가 늘어난다고 해서 발주

실행 시차가 커질 것이라고 예측하는 것은 적절하지 않다.

오답 잡기

① (마)에서 소매점이 도매점으로 주문을 했을 때 물건을 받기까지 걸리는 시간이 3~4일 정도라면, 도매점이 제조 업체에 주문을 했을 때 물건을 받기까지는 몇 주 정도가 걸릴 수도 있다고 하였다. 그런데 〈보기〉와 같이 소비자가 직접 제조 업체(A사)에 필터나 부품을 주문할 경우 소매점과 도매점을 거치지 않아도 되기 때문에 주문 처리 시간이 줄어들 것이다.

② 〈보기〉에서 A사는 소비자들의 커피 캡슐 사용량을 소매점에서 실시간으로 파악할 수 있게 한다고 하였다. 이에 따라 커피 캡슐의 수요를 비교적 정확하게 예측할 수 있게 되어 수요의 왜곡으로 인한 채찍 효과가 줄어들 것이다.

④ (바)에서 불필요한 재고를 줄이기 위해서는 공급 사슬망의 각 주체들이 수요와 공급 정보를 공유해야 한다고 하였다. 그러므로 소매점과 도매점이 커피 캡슐의 수요에 대한 정보를 공유한다면 실제 수요량을 근거로 주문량을 책정하여 이전보다 재고가 줄어들 것이다.

⑤ A사의 의도와 달리 커피 기계를 인터넷에 연결하지 않고 사용하는 소비자가 훨씬 많다면 커피 캡슐 사용량을 실시간으로 파악할 수 없기 때문에 수요 변동 폭이 확대되는 현상 즉, 채찍 효과를 줄이기 어려울 것이다.

04 어휘의 문맥적 의미 파악
㉠과 ②의 '붙이다'는 '이름이 생기게 하다.'라는 의미로 사용되었다.

오답 잡기

① '맞닿아 떨어지지 않게 하다.'라는 의미로 사용되었다.

③ '어떤 감정이나 감각을 생기게 하다.'라는 의미로 사용되었다.

④ '불을 일으켜 타게 하다.'라는 의미로 사용되었다.

⑤ '조건, 이유, 구실 따위를 딸리게 하다.'라는 의미로 사용되었다.

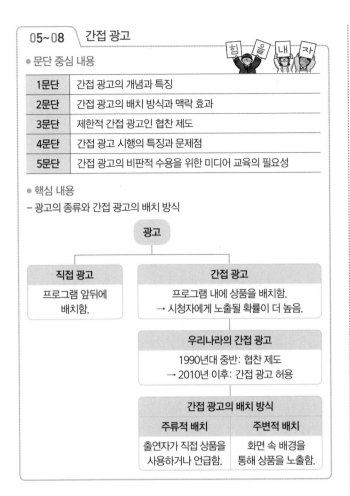

● 문단 중심 내용

1문단	간접 광고의 개념과 특징
2문단	간접 광고의 배치 방식과 맥락 효과
3문단	제한적 간접 광고인 협찬 제도
4문단	간접 광고 시행의 특징과 문제점
5문단	간접 광고의 비판적 수용을 위한 미디어 교육의 필요성

● 핵심 내용
– 광고의 종류와 간접 광고의 배치 방식

광고

직접 광고	간접 광고
프로그램 앞뒤에 배치함.	프로그램 내에 상품을 배치함. → 시청자에게 노출될 확률이 더 높음.

우리나라의 간접 광고

1990년대 중반: 협찬 제도
→ 2010년 이후: 간접 광고 허용

간접 광고의 배치 방식

주류적 배치	주변적 배치
출연자가 직접 상품을 사용하거나 언급함.	화면 속 배경을 통해 상품을 노출함.

05 글의 전개 방식 이해

4문단에서 간접 광고로 인해 광고 노출 시간이 길어지고 프로그램의 맥락과 동떨어진 억지스러운 상품 배치가 빈번해서 프로그램의 질이 떨어지는 것을 간접 광고의 문제점으로 지적하고 있다. 5문단에서는 이러한 간접 광고를 주체적으로 해석하고 비판적으로 수용해야 한다고 강조하고 있지만, 이는 간접 광고의 문제점을 개선하기 위한 구체적인 제도 마련을 촉구한 것이 아니므로 적절하지 않다.

오답 잡기

① 이 글은 주요 제재인 간접 광고, 맥락 효과, 협찬 제도 등의 개념을 설명하고 있다.

② 2문단에서 주류적 배치와 주변적 배치의 개념과 특징을 설명한 후 시청자들은 주변적 배치보다 주류적 배치에 더 주목한다고 하여 두 대상의 효율성을 비교하고 있다.

③ 3, 4문단에서 1990년대 중반부터 간접 광고만 허용하는 협찬 제도를 운영했지만, 2010년부터 방송법에 간접 광고 조항이 신설되어 간접 광고에 대한 규제가 완화되었음을 밝히고 있다.

④ 5문단에서 미디어 이론가들의 의견을 토대로 광고에 대한 주체적 해석의 필요성을 언급하고 있다.

06 세부 정보 파악

4문단에서 법적인 규제를 완화하여 프로그램 내에서 상품명이나 상호를 보여 주는 것이 허용되었지만, 시청권의 보호를 위해 구매와 이용을 권유하는 것은 금지되었다고 하였으므로 ②는 적절하지 않다.

07 관점에 따른 비판적 이해

〈보기〉는 생활 정보의 제공, 소비 생활과 시장 경제의 활성화, 문화 창조 등 경제 및 문화적 측면에서 광고의 순기능을 설명하고 있다. 한편 ㉠은 시청자들이 광고로부터 제공되는 정보를 주체적이고 능동적으로 분석할 수 있는 능력을 기르기 위한 미디어 교육의 필요성을 주장하고 있다. 따라서 ㉠은 〈보기〉의 내용처럼 광고의 순기능이 극대화되기 위해서는 시청자의 비판적 수용 능력이 선행되어야 한다고 비판할 수 있다.

08 구체적 상황에 적용 및 추론

〈보기〉에서 맥락 광고는 프로그램이 종료된 이후에 배치되는 광고라고 하였다. 따라서 프로그램 내에 상품을 배치하여 광고하는 간접 광고라고 보기 어렵다. 프로그램의 맥락과 무관한 상품 배치로 광고 노출 시간이 길어진다는 것은 간접 광고에 대한 비판 내용이므로 ⑤는 〈보기〉의 맥락 광고를 이해한 내용으로 적절하지 않다.

개념 더 보기

점화 효과
앞서 접한 정보가 다음에 접하는 정보의 해석과 이해에 영향을 주는 심리 현상을 말한다. 예를 들어 '엄마'란 단어를 먼저 보고 'ㅇ'으로 시작하는 단어를 말하라고 하면 '엄마'를 떠올릴 가능성이 높다. 이때 '점화'란 기억에 저장된 생각을 무의식적으로 활성화시키는 것을 비유한 말로, 특히 두 자극이 같은 종류이거나 의미에 유사성이나 연관성이 있을 때 점화 효과가 잘 나타난다.

01~03　불법 행위에 대한 책임 원칙

● 문단 중심 내용

1문단	불법 행위의 개념과 책임 원칙
2문단	주의 수준과 주의 기준의 개념
3문단	가해자의 책임 여부를 고려하는 책임 원칙
4문단	피해자의 책임 여부를 고려하는 책임 원칙

● 핵심 내용

– 불법 행위에 대한 책임 원칙의 종류

비책임 원칙	피해자의 손해에 대해 가해자가 배상 책임을 지지 않음.	가해자의 배상 책임을 판단할 때 가해자의 주의 수준을 고려하지 않음.
엄격 책임 원칙	피해자의 손해에 대해 가해자가 모든 배상 책임을 져야 함.	

과실 원칙	· 가해자의 과실 여부에 따라 가해자의 배상 책임 여부를 판단함. – 과실이 있으면 가해자가 모두 배상 책임을 지고, 과실이 없으면 책임지지 않음.	
	기여 과실	· 과실 원칙에 결합하는 경우 과실 원칙이 우선 적용됨. · 가해자가 손해 배상 책임에서 벗어나는 항변 수단으로 사용 가능함. → 피해자의 과실이 입증되면 피해자가 손해를 전적으로 부담하고, 가해자는 배상 책임에서 벗어남.
	비교 과실	기본적으로 과실 원칙을 적용하되, 피해자에게도 주의 기준을 부여함. → 과실 여부에 따라 가해자가 배상 책임을 지거나 과실 크기에 비례하여 피해자와 가해자가 배상 책임을 분담함.

01 중심 내용 파악

3문단에서 과실 원칙은 가해자에게만 주의 기준이 부여된다고 하였다. 그런데 ⓒ에 '가해자의 과실 여부를 고려하는가'가 들어갈 경우 제시된 도식에서는 과실 원칙이 이를 고려하지 않는 것이 되므로 ⓒ에 들어갈 내용으로 적절하지 않다. 한편 4문단에서 피해자의 책임 여부까지 고려하는 책임 원칙으로 기여 과실과 비교 과실을 설명하고 있는데, 과실 원칙은 피해자의 책임 여부를 고려하지 않으므로 ⓒ에는 '피해자의 책임 여부까지 고려하는가'가 들어가야 한다.

오답 잡기

① 3문단에서 비책임 원칙은 불법 행위가 발생했을 때 가해자가 피해자의 손해에 대해서 어떠한 배상 책임도 지지 않는다고 하였으므로 ⓐ에 들어갈 내용으로 적절하다.

② 3문단에서 엄격 책임 원칙은 피해자의 손해에 대해 가해자가 모든 배상 책임을 져야 하지만, 가해자의 배상 책임을 판단할 때 가해자의 주의 수준을 고려하지 않는다고 하였으므로 ⓑ에 들어갈 내용

으로 적절하다.

④, ⑤ 4문단에서 비교 과실과 기여 과실은 모두 피해자에게도 주의 기준을 부여한다는 공통점이 있으나, 비교 과실은 피해자와 가해자 모두에게 과실이 있는 경우에는 과실의 크기에 비례하여 손해에 대한 책임을 분담한다고 하였다. 따라서 ⓓ에는 '기여 과실', ⓔ에는 '비교 과실'이 들어가는 것이 적절하다.

02 구체적 사례에 적용 및 추론

2문단에서 주의 기준이란 '불법 행위로 인한 손해를 피해자와 가해자에게 배분하기 위해 법원이 정한 주의 수준'이라고 하였다. ㉮가 법정에서 자신의 위작 행위를 밝히지 않았다면, 그는 네덜란드의 국보급 그림을 침략국에 팔아넘긴 것에 대한 책임을 지게 될 것이다. 그런데 ㉮가 자신의 위작 행위를 밝힌 것은 자신이 침략국에 팔아넘긴 작품이 사실상 위작에 불과하므로 진실을 밝히기 이전보다는 불법 행위에 대한 책임이 경감될 것으로 판단했기 때문이다. 즉 ㉮는 진실을 밝히기 이전과 이후에 법원이 자신에게 적용할 주의 기준이 달라질 것을 기대한 것이므로 적절하다.

오답 잡기

① 2문단에서 주의 비용이란 '주의를 기울이는 데 드는 시간이나 노력'이라고 했는데, 이때 '주의'란 가해자 혹은 피해자가 불법 행위 억제를 위해 기울이는 것을 의미한다. 따라서 위작을 그리기 위해 캔버스와 유화 물감을 준비하는 데 드는 시간과 비용은 주의 비용이라고 할 수 없다.

② 〈보기〉의 상황에서 ㉮는 가해자, A 미술관은 피해자이다. 만약 위작에 대한 ㉮와 A 미술관의 거래에서 A 미술관이 과실로 인정될 만한 행동을 했고, 이를 ㉮가 항변 수단으로 삼았다면 이는 가해자의 항변이라고 할 수 있다. 그러나 피해자인 A 미술관이 위작을 판매하고 대금을 가져간 가해자 ㉮에게 배상을 요구하는 것은 가해자의 항변과는 무관하므로 적절하지 않다.

③ 2문단에서 '일반적으로 불법 행위 억제를 위한 주의 비용과 불법 행위로 인한 손해의 합이 최소화되는 지점이 사회적 효율성이 달성되는 최적의 주의 수준'이라고 하였다. 〈보기〉에 따르면 ㉮는 나치에게 그림을 팔기 이전부터 A 미술관을 비롯한 타인에게 위작을 팔아서 부를 축적한 상황이므로 이를 최적의 주의 수준이라고 보기 어렵다.

⑤ A 미술관은 ㉮로부터 구입한 그림이 위작인지 알지 못하는 상황이므로, 그림을 무상으로 다른 미술관에 대여한 것은 불법 행위라고 할 수 없다. 이는 4문단의 기여 과실이나 비교 과실에 해당되지 않으므로 ㉮는 A미술관에 대해 배상 책임을 벗어날 수 없다. 따라서 적절하지 않은 설명이다.

◎ 보기 돋보기

● 사회 영역 지문 + 예술 영역 〈보기〉 융합

지문의 핵심	〈보기〉의 핵심
불법 행위를 억제하기 위한 다양한 책임 원칙을 설명함.	위작을 만드는 행위와 위작을 진품으로 속여 매매함으로써 이익을 취한 예술가의 사례를 제시함.

03 구체적 사례에 적용 및 추론

〈보기〉의 사건에서 김○○ 씨는 버스에 부딪혀 중상을 입었으므로 피해자라고 할 수 있으며, 버스 운전사 박△△ 씨는 가해자라고 할 수 있다. 가해자는 관련 법규 ⓐ를 지키지 않았다는 책임이 있다. 그러나 피해자 역시 관련 법규 ⓑ를 지키지 않았으므로 피해자의 책임 여부까지 고려할 경우 일정 부분 책임이 있는 상황이다. 그런데 4문단에서 '과실 원칙에 기여 과실이 결합한 경우, 우선 과실 원칙이 적용되므로 가해자에게 과실이 있으면 가해자가 손해를 전적으로 배상해야 한다.'라고 하였다. 가해자의 항변에 앞서 가해자의 과실, 즉 과실 원칙이 우선 적용되므로 ④는 적절하지 않은 설명이다.

오답 잡기

① 3문단에서 비책임 원칙은 불법 행위가 발생했을 때 피해자의 손해에 대해서 가해자가 어떠한 배상 책임도 지지 않는 원칙이라고 했으므로 적절한 설명이다.

② 4문단에서 기여 과실은 법원이 피해자에게 주의 기준을 부여하고 피해자가 이를 지키지 않은 것을 피해자의 과실로 정의한다고 했으므로 적절한 설명이다.

③ 4문단에서 비교 과실은 피해자와 가해자 모두에게 과실이 있는 경우에 과실의 크기에 비례하여 손해에 대한 책임을 분담한다고 했으므로 적절한 설명이다.

⑤ 3문단에서 엄격 책임 원칙은 '가해자에게 손해 배상의 책임이 있는지 여부를 판단할 때 가해자의 주의 수준을 고려하지 않는다.'라고 하였다. 반면에 과실 원칙은 '가해자의 과실 여부에 따라 가해자의 배상 책임 여부를 판단하는 원칙이다. 이때 과실이란 법원이 부여한 주의 기준을 지키지 않은 것을 의미한다.'라고 했으므로 적절한 설명이다.

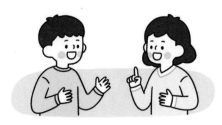

04 ③   **05** ④   **06** ⑤

04~06 디지털세의 도입 배경과 지식 재산 보호

● 문단 중심 내용

1문단	지식 재산에 해당하는 특허권과 영업 비밀
2문단	디지털세의 도입 배경
3문단	ICT 다국적 기업이 법인세를 회피하는 방식
4문단	지식 재산 보호에 대한 국가별 입장 차이

● 핵심 내용

– 디지털세와 법인세

디지털세	법인세
• ICT 다국적 기업이 거둔 수입에 대해 부과하는 세금 • 일부 국가에서 법인세 감소에 대한 우려로 도입함. • ICT 다국적 기업의 본사를 많이 보유한 국가들의 입장에서는 ICT 산업에서 주도권을 유지하기 위해 디지털세 도입에 방어적인 태도를 보임.	• 기업의 수입에서 제반 비용을 제외하고 남은 이윤에 대해 부과하는 세금 • ICT 다국적 기업은 법인세율이 낮은 국가에 자회사를 설립하고, 그곳에 이윤을 몰아주는 방식으로 법인세를 회피함.

– 지식 재산 보호의 최적 수준

지식 재산의 보호가 약할 때	지식 재산의 보호가 강할 때
유용한 지식 창출의 유인이 저해되어 지식의 진보가 정체됨.	해당 지식에 대한 접근을 막아 소수의 사람만이 혜택을 봄.
↓	↓
유인 비용이 발생함.	접근 비용이 발생함.

지식 재산 보호의 최적 수준
유인 비용과 접근 비용의 합이 최소가 될 때

04 세부 내용 파악

1문단에서 영업 비밀이 일정 조건을 갖추면 법으로 보호받을 수 있다는 점을 언급하고 있지만, 영업 비밀이 법적 보호 대상으로 인정받기 위한 절차에 대해서는 구체적으로 언급하지 않았다.

오답 잡기

① 4문단에서 '지식 재산 보호의 최적 수준은 유인 비용과 접근 비용의 합이 최소가 될 때일 것'이라고 하였다.

② 1문단에서 법으로 보호되는 특허권과 영업 비밀은 모두 지식 재산에 해당한다고 하였다.

④ 3문단에서 ICT 다국적 기업 Z사를 예로 들어 설명하고 있다. Z사는 법인세율이 매우 낮은 A국에 자회사를 세워 특허의 사용 권한을 부여하고, 법인세율이 A국보다 높은 B국에 설립된 Z사의 자회사에서 특허 사용으로 수입이 발생하면 B국의 자회사가 A국의 자회사에 특허 사용에 대한 수수료인 로열티를 지출하도록 한다고 하였다. 이를 통해 ICT 다국적 기업이 법인세를 줄이는 데 로열티를 이용하는 방식을 확인할 수 있다.

⑤ 2문단에서 법인세 감소에 대한 각국의 우려로 일부 국가에서 디지털세를 도입하게 되었음을 알 수 있다.

05 구체적 상황에 적용 및 추론

3문단에서 ICT 다국적 기업은 법인세율이 높은 국가의 자회사가 법인세율이 낮은 국가의 자회사에 로열티를 지출하도록 한다고 하였다. 이로 인해 법인세율이 높은 국가의 자회사는 로열티를 지출한 만큼 제반 비용이 늘어나고 반대로 이윤은 줄어들게 된다. 따라서 ICT 다국적 기업은 법인세율이 높은 국가의 자회사에서 수입에 비해 이윤을 줄이는 방식으로 법인세를 줄인다고 할 수 있다.

오답 잡기

① 문제에 제시된 가설에서 법인세율이 높은 국가일수록 ICT 다국적 기업 자회사들의 수입 대비 이윤의 비율이 낮다고 하였는데, 이 가설이 참이라고 해도 법인세율이 높은 국가에서 ICT 다국적 기업 자회사들의 수입이 많은지는 알 수 없다. 또한 이 글에서 법인세율이 높은 국가일수록 자회사의 수입이 많은지에 대해 설명하지 않았으므로 ㉮에 들어갈 내용으로 적절하지 않다.

② 3문단을 통해 ICT 다국적 기업은 법인세율이 높은 국가의 자회사가 법인세율이 낮은 국가의 자회사에 로열티를 지출한다는 것을 알 수 있으므로 ㉮에 들어갈 내용으로 적절하지 않다.

③, ⑤ 2문단에서 법인세는 재화나 서비스의 판매 등을 통해 거둔 수입에서 제반 비용을 제외하고 남은 이윤에 대해 부과하는 세금이라고 하였다. ICT 다국적 기업 자회사의 수입 대비 제반 비용의 비율은 법인세율이 높은 국가일수록 높다고 할 수 있고, 수입 대비 이윤의 비율은 법인세율이 낮은 국가일수록 높다고 할 수 있다.

06 정보 간의 관계 이해

이 글의 마지막 문단에서 '지식 재산 보호의 최적 수준은 유인 비용과 접근 비용의 합이 최소가 될 때일 것'이라고 하였다. 따라서 지식 재산 보호의 최적 수준을 도형으로 표현하면, 유인 비용과 접근 비용의 합이 최소 비용인 A에 해당할 것이므로 ⑤가 적절하다.

전편 마무리 전략

신유형·신경향 전략

64~69쪽

01 ⑤	02 ①	03 ③	04 ⑤	05 ⑤
06 ②	07 ②	08 ⑤	09 ②	

01~03 깊이 있는 탐구를 위한 독서

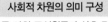

● 문단 중심 내용

1문단	특정 주제를 깊이 있게 탐구하기 위한 독서 방법
2문단	독서 과정에서 의미를 구성하는 방법
3문단	특정 주제를 깊이 있게 탐구하기 위한 독서에서 기록의 역할

● 핵심 내용
• 독자의 의미 구성 방법

개인적 차원의 의미 구성	⇨	사회적 차원의 의미 구성
배경지식과 새롭게 얻은 지식을 통합하여 의미를 구성함.		다른 사회 구성원들과 상호 작용을 거쳐 의미를 재구성함.

---

01 세부 내용 파악

1문단에서 ㉠의 읽기 방법을 설명하고 있지만, 정서적 반응과 관련된 내용이나 이를 기준으로 글의 가치를 평가하며 읽어야 한다는 내용은 확인할 수 없다.

02 구체적 상황에 적용 및 추론

〈보기〉에서 '정신이 새어 나가고 성의가 흩어져 버리는 것'은 망각을 의미하는 것이 아니라 연속적으로 학문을 하지 못하고 맥이 끊어질 때 생기는 현상을 말하는 것이다. 따라서 이에 대한 우려가 기록의 궁극적 목적이 망각의 방지에 있음을 보여 주는 것은 아니다.

오답 잡기
② '학문의 깊은 뜻을 꿰뚫어' 보는 것은 주제를 깊이 있게 탐구하려는 자세와 연결하여 이해할 수 있다.
③ '읽은 것을 얼굴을 마주하고 강론하는 것'은 벗끼리 모여 학문에 대해 이야기하는 것이므로 사회 구성원들과의 상호 작용이라고 볼 수 있다.
④, ⑤ 3문단에서 기록은 비판과 토론의 자료로 기능하며 사회적 차원의 의미 구성에 기여한다고 하였다. 따라서 강론이나 기록을 통해 마음속 생각이나 의문점을 공유하는 것은 사회적 차원의 의미 구성에 해당한다고 볼 수 있다.

03 구체적 상황에 적용

학생은 평소에 학교에서 보고서 작성을 위해 책을 읽고 친구들과 의논하던 자신의 학습 경험을 떠올리고, 이를 글의 내용과 연관 지어 독서 활동의 의미를 다시금 확인하고 있다.

04~06 의사 표시의 법적 효과

● 문단 중심 내용

1문단	'의사 표시'의 개념과 과정
2문단	의사 표시의 본질을 바라보는 관점
3문단	착오에 의한 의사 표시의 유형
4문단	착오에 의한 법률 행위 취소 조건

● 핵심 내용
• 의사 표시의 본질을 바라보는 관점

의사주의	• 의사 표시의 본질을 효과 의사로 파악함. • 의사 표시자의 의사는 보호할 수 있지만, 상대방의 신뢰는 보호하지 못함.
표시주의	의사 표시의 본질을 표시 행위로 파악함.
효력주의	• 의사와 표시를 이분법적으로 나누는 기존 인식을 거부함. → 의사와 표시 모두를 의사 표시의 요소로 파악하고자 함. • 표시 행위는 단순한 외부적 표시가 아니라, 법적 효력을 발생하게 하는 것이라고 봄.

---

04 세부 내용 파악

표시주의는 의사 표시의 본질을 표시 행위로 파악한다. 또한 의사 표시자의 의사를 보호하기 위한 것은 의사주의이므로 표시주의에 대한 이해로 적절하지 않다.

05 구체적 상황에 적용 및 추론

2문단에서 효력주의는 의사와 표시 모두를 의사 표시의 요소로 파악하는 견해라고 하였다. 따라서 새로운 오븐을 사려는 B의 의사와 계약서 작성이라는 표시 행위 모두 의사 표시의 요소라고 할 수 있다.

06 구체적 상황에 적용 및 추론

A의 경우 소화에 방해가 되는 성분이 M 업체의 과일즙에 들어 있다는 정보를 미리 알았다면 착오가 발생하지 않았을 것이고 해당 과일즙을 구매하지도 않았을 것이다. 이는 착오를 이유로 법률 행위를 취소하기 위한 세 가지 조건 중 법률 행위 내용의 중요 부분에 착오가 있어야 한다는 조건을 충족한다.

오답 잡기
① A의 동기는 '소화 불량 해결'이다. A는 소화 불량을 해결하기 위해 과일즙을 구매해야겠다고 마음먹는 과정에서 착오가 발생한 것이므로 효과 의사 결정 단계에서 착오가 발생한 것이다.
③, ④ B는 의사 표시자가 표시하고자 의도한 대로 표시 행위를 했지만, 표시 행위를 이해하는 단계에서 그 의미를 잘못 파악하여 '내용의 착오'를 겪은 것이다.
⑤ 4문단에서 의사 표시자에게 일반적으로 요구되는 주의가 결여되는 중대한 잘못이 없어야 법률 행위를 취소할 수 있다고 했다. 만약 계약서에 구매 금액이 원화가 아님을 확인하라는 설명이 있었다면, 이를 확인하는 것은 일반적으로 요구되는 주의에 해당하기 때문에 법률 행위 취소 조건을 갖춘다고 할 수 없다.

(가) A는 효과 의사 결정 단계에서 소화에 방해가 되는 성분이 과일즙에 들어있다는 것을 모르고 M 업체의 과일즙을 구매하였다. 이는 의미 있는 상황을 실제와 다르게 잘못 인식한 경우이므로 동기의 착오에 해당한다.

➡ **동기의 착오**

(나) B는 오븐을 구매할 때 계약서에 표기된 비용을 잘못 이해하여 착오가 발생한 것이므로 표시 행위의 이해 단계에서 착오가 발생하였다고 볼 수 있다. 따라서 내용의 착오에 해당한다.

➡ **내용의 착오**

③ ⓒ은 표정으로 보내는 비언어적 스트로크이다.

④ ⓒ은 ⓑ의 발화에 대한 반응이므로 조건적 스트로크이다.

09 구체적 상황에 적용 및 추론

〈상황 2〉의 첫 번째 발화에서 성희는 학생들이 지각했을 때 가장 현실적인 대책인 '학급 규칙'을 기준으로 문제를 해결하려고 하였다. 이처럼 규칙에 의한 판단은 객관적이며 합리적인 것이므로 A 자아 상태에 놓여 있다고 할 수 있다. 이후 성희의 두 번째 발화는 학생을 가르치고 통제하는 것이므로 CP 상태에 놓였다고 할 수 있다. 따라서 〈상황 2〉에서 성희의 자아 상태에 변화가 없다는 이해는 적절하지 않다.

07~09 자아 상태와 스트로크

힘 을 내 자

● 문단 중심 내용

1문단	자아 상태의 개념
2문단	A(어른) 자아 상태의 특징
3문단	P(어버이) 자아 상태의 특징과 종류
4문단	C(어린이) 자아 상태의 특징과 종류
5문단	스트로크의 개념과 종류

● 핵심 내용
• 세 가지 자아 상태: A(Adult), P(Parent), C(Child)

A 자아 상태	객관적이며 합리적인 자아 상태		
P 자아 상태	자신 또는 타인을 가르치려 들거나 보살피려 하는 자아 상태		
		CP	통제적(Controlling) 어버이
		NP	양육적(Nurturing) 어버이
C 자아 상태	어릴 때처럼 행동, 사고하거나 감정을 느끼는 자아 상태		
		AC	순응하는(Adapted) 어린이
		FC	자유로운(Free) 어린이

➡ 건강하고 균형 잡힌 성격이 되기 위해 세 가지 자아 상태가 모두 필요함.

07 세부 내용 파악

P 자아 상태는 어린 시절(과거)에 부모가 자신에게 했던 행동이나 태도, 사고를 내면화한 것이고, C 자아 상태는 어릴 때(과거)처럼 행동, 사고하거나 감정을 느끼는 것이므로 둘 다 과거의 경험과 연관이 깊다.

08 구체적 상황에 적용

ⓒ은 지각한 행위를 변명하는 학생의 말에 대한 반응이기 때문에 조건적 스트로크라고 할 수 있다.

오답 잡기

① ⊙은 따뜻하게 말하며 진수를 이해해 주는 반응이기 때문에 부정적 스트로크라고 할 수 없다.

② ⊙에서 확인할 수 있는 '따뜻한 말투'와 발화 내용은 모두 언어적 스트로크이다.

1·2등급 확보 전략

01 ③	02 ④	03 ⑤	04 ③	05 ⑤
06 ⑤	07 ②	08 ③	09 ③	10 ③

01~05 베르그송의 철학과 인상주의의 유사성

● 문단 중심 내용

1문단	근대 과학의 태도에 영향을 받은 데카르트의 이성론
2문단	근대 철학에 대한 베르그송의 비판과 직관
3문단	베르그송이 주장하는 시간의 특성
4문단	베르그송의 철학과 유사성을 가진 인상주의의 특징
5문단	인상주의와 베르그송 철학의 유사성

● 핵심 내용

• 베르그송 철학과 인상주의

데카르트
• 선험적인 직관을 통해 인식한 것들로 세계에 접근하려 함.
• 대상을 직관적으로 분절하여 단순 본성을 찾고, 단순 본성을 복합한 개념을 통해 세계에 대한 이해를 확장하려 함.

↔

베르그송 철학
• 이성이 세계를 분절시킨다고 봄.
• 세계의 사물들은 서로 경계가 모호한 채로 연속적인 전체를 이룬다고 봄.
• 직관은 공감적 경험이자 통합적 경험임.

유사함.

고전주의
• 인물화 속에 인물의 위대함, 교훈을 담으려 함.
• 풍경이 배경에 불과함.

↔

인상주의
• 서로 다른 색 각각의 이질성을 살리면서 색들의 경계를 흐리게 표현하여 감상자의 눈에 분절됨 없이 보이도록 표현함.
• 인물의 위대함이나 교훈보다는 대상의 인상을 표현하려 함.

01 글의 전개 방식 이해

이 글은 '베르그송의 철학'과 '인상주의'를 중심으로 설명하고 있다. 마지막 문단에서 이 둘의 유사성에 초점을 맞추어 그 특성을 설명하고 있지만 이를 장점이라고 할 수 없으며, 이 이론들의 전망을 제시하지도 않았으므로 적절하지 않다.

오답 잡기
① 도입 문단에서는 데카르트의 이성론을 소개하고 있다. 도입 문단 이후에 제시된 중심 화제 '베르그송의 철학'은 도입 문단의 내용과 상반된 견해를 드러내고 있으므로 적절한 내용이다.
② 2문단에서는 오랜지색에 공감하는 과정을 예로 들어 베르그송이 주장한 '직관'의 개념을 설명하였다. 또한 3문단에서 장미꽃의 변화를 예로 들어 베르그송이 주장한 시간의 특성을 드러내고 있다.
④ 1문단에서는 데카르트가 말하는 직관의 개념을 설명하고, 2문단에서는 베르그송이 말하는 직관의 개념을 설명하였다.
⑤ 4문단에서 인상주의의 특징을 고전주의와 대조하여 설명하였다.

02 세부 내용 파악

1문단에서 데카르트는 선험적으로 가지고 있다고 믿는 직관을 통해

인식한 것들로 세계에 접근하려 했음을 알 수 있다. 즉 데카르트는 경험에 앞서는 직관을 통해 인식한 대상으로 세계를 이해하려 한 것이므로 ④는 적절하지 않다.

03 관점에 따른 비판적 이해

인상주의 회화에서 빛이 연출하는 색채의 아름다운 변화를 연속적으로 느끼게 하는 것은 베르그송이 주장한 이질적인 것의 연속 안에서 공감을 통한 통합으로 전체성을 느끼는 것과 유사한 의미를 가지므로 적절한 내용이다.

오답 잡기
① ㉠은 직관을 통해 인식한 것들로 세계에 접근하려 하였다. 또한 대상을 직관으로 분절하여 더 나눌 수 없는 단순 본성을 찾고, 이를 복합하여 세계에 대한 이해를 넓히려 하였다. 그렇지만 ㉠이 직관을 통해 이질적인 것을 통합해야 한다고 주장한 것은 아니므로 ㉡에게 할 말로 적절하지 않다.
② ㉡은 세계에 대한 이해를 위해 공감적 경험의 중요성을 언급하였다. 그렇지만 경험의 수치화를 주장한 것은 아니므로 ㉡이 ㉠에게 할 말로 적절하지 않다.
③ 색들의 경계를 흐리게 하는 인상주의자들의 기법은 대상의 경계를 모호하게 하여 통합하는 ㉡의 철학과 유사하다고 할 수 있다. 따라서 ㉡은 색들의 경계를 흐리게 하는 인상주의자들의 기법을 비판적으로 보지 않을 것이다.
④ ㉢은 중간색을 해체하여 고유의 색으로 되돌린 후 빛이 연출하는 색채의 아름다운 변화를 연속적으로 느끼게 하는 것이 중요하다고 하였다. 이는 대상을 직관적으로 분절하여 단순 본성을 찾으려 한 ㉠의 입장과 상반된 견해라고 볼 수 있다.

함정문제 해결 전략

관점에 따른 비판하기 유형의 문제를 풀 때에는 먼저 어떤 관점에서 무엇을 비판하고 있는지를 파악해야 한다. 이 문제의 경우 글에 등장하는 두 명의 학자와 예술가들의 견해를 근거로 하여, 각 주체의 견해를 비판하게 하였다. 따라서 각 주체의 견해를 명확하게 파악하고 서로의 견해에 대해 어떤 반응을 보일 것인지, 그리고 왜 그렇게 판단할 것인지 추론할 수 있어야 한다.

04 구체적 상황에 적용 및 추론

4문단에서 인상주의 회화에서는 인간이 독점적인 지위 대신 배경의 일부로서 의미를 가지거나 사라지기도 한다고 하였다. 〈보기〉의 작품 속 인물은 빛을 그려 내기 위한 단순한 도구일 뿐이라고 하였으므로, 자연과 대비되는 독점적 지위를 가진다고 보기 어렵다.

오답 잡기
① 4문단에서 인상주의자들은 서로 다른 색 각각의 이질성을 살리면서 색들이 감상자에 의해 분절 없이 섞이도록 표현한다고 하였다. 이를 토대로 〈보기〉를 이해하면, 모네는 순수한 색깔들 각각의 이질성을 살리면서 이 색들을 병치시켰다고 볼 수 있다.
② 5문단에서 인상주의자들은 대상에게 받은 인상을 그대로 전달하려 노력했다는 것을 알 수 있다. 〈보기〉의 모네 역시 빛이 연출하는 대상에 초점을 둔 것으로 볼 수 있으므로 적절한 설명이다.

④ 4문단에서 인상주의자들은 서로 다른 색이 감상자의 눈에 의해 분절 없이 섞이도록 했다고 하였고, 〈보기〉에서 모네는 그러한 방법으로 시각적 혼합 방식을 사용했으므로 적절한 설명이다.

⑤ 4문단에서 인물의 위대함, 교훈 등을 담으려 했던 고전주의와 달리 인상주의는 대상의 인상을 표현했다고 하였다. 〈보기〉에서 모네 역시 인물을 빛을 그려 내기 위한 도구로 삼았다고 하였으므로 적절한 설명이다.

05 어휘의 문맥적 의미 파악

ⓐ와 ①~④의 '넓히다'는 '내용이나 범위 따위를 널리 미치게 하다.'라는 의미로 사용되었지만, ⑤의 '넓히다'는 '면이나 바닥 따위의 면적을 크게 하다.'라는 의미로 사용되었다.

06~10 율곡의 법제 개혁론

● 문단 중심 내용

1문단	유학의 이념을 적극 수용한 율곡
2문단	이기론을 바탕으로 한 수양론과 경세론
3문단	수양론의 기반인 이통기국의 개념
4문단	이기론과 관련한 율곡의 법제 개혁 주장
5문단	조선의 법 제정 과정
6문단	조종성헌과 율곡의 법제 개혁론

● 핵심 내용
· 율곡의 이기론

이(理)	기(氣)
· 형체가 없으며 시공간의 제약을 받지 않고 존재하는 만물의 원리 · 현실 세계에서 기와 더불어 실제로 존재함. · 만물은 하나의 동일한 '이'를 공유함.	· 시간적인 선후, 공간적인 시작과 끝을 가지면서 끊임없이 변화하는 물질적 요소 · 다양한 '기'의 성질로 인해 만물은 서로 다른 모습으로 나타날 수 있음.

↓

이통기국	· 만물은 동일한 '이'를 공유하지만, 다양한 '기'의 성질 때문에 서로 다른 모습으로 나타남. · 이통기국은 일반인도 기질을 정화하면 성인의 경지에 이를 수 있다는 기질 변화론으로 이어짐.

06 세부 내용 파악

5문단에서 어떤 사건이 매우 중대하다고 여겨지면 국왕은 조정의 회의를 열고 지침을 만들어 사건을 해결한다고 하였다. 따라서 왕이 단독으로 지침을 만들어 사건을 해결한다는 ⑤는 적절하지 않다.

오답 잡기

① 2문단에서 '이'는 '기'와 항상 더불어 실제로 존재한다고 하였으며, '기'는 물질적인 요소라고 했으므로 '이'는 물질적 요소와 함께 존

재한다.

② 2문단에서 수양론은 수기를 위한 것이라고 하였다. 1문단에서 수기는 앎을 투철히 하고 마음을 바르게 하여 자신을 닦는 일이라고 하였다.

③ 4문단에서 율곡은 때에 따라 변할 수 있는 것은 법제이며, 시대를 막론하고 변할 수 없는 것이 왕도라고 하였다.

④ 6문단에서 율곡의 법제 개혁론은 조종성헌을 변혁하자는 것이 아니라 폐단이 있는 법령을 거론한 것이라고 하였다. 이를 통해 폐단이 있는 법령은 조종성헌이 아니라는 것을 알 수 있다.

07 세부 내용 추론

3문단에서 만물은 하나의 동일한 '이'를 공유하지만, 다양한 '기'의 성질로 인해 서로 다른 모습으로 나타난다고 하였다. 따라서 사람들이 동일한 '기'를 공유하고 있다는 내용은 적절하지 않다. 또한 3문단에서 일반인이 기질상의 병폐를 제거하고 탁한 기질을 정화하면 '이'의 선한 본성이 회복되어 성인의 경지에 이를 수 있다고 하였으므로 '기'를 회복하여 ㉠에 이를 수 있다는 내용도 적절하지 않다.

오답 잡기

① 1문단에서 율곡은 유학의 이상 사회가 구현되기를 소망했다는 것을 알 수 있다. 이는 유학의 이념을 달성하는 것과 관련이 있는데, 1문단에서 유학은 수기치인을 통해 성인이 되기 위한 학문이라고 했다. 따라서 율곡이 말하는 유학의 이상 사회를 구현하려면 사회 구성원들이 성인의 경지에 이르러야 함을 알 수 있다.

③ 1문단에서 앎을 투철히 하고 마음을 바르게 하여 자신을 닦는 일을 '수기'라고 하며 집안을 바르게 하고 나라를 통치하고 세상을 평화롭게 하는 것을 '치인'이라고 한다고 하였다. 또한 수기치인을 통해 천도와 합일되는 경지에 도달한 사람이 '성인'이라고 하였으므로 앎을 투철히 하고 세상을 평화롭게 하는 수기치인을 통해 성인의 경지에 이를 수 있다는 내용은 적절하다.

④ 4문단에서 때에 따라 변할 수 있는 것은 법제이며, 시대를 막론하고 변할 수 없는 것이 왕도라고 하였으므로 율곡은 매번 바뀌고 변하는 법제는 ㉡ '왕도에 근접'할 리 없다고 하였을 것이다.

⑤ 5문단에서 선왕들이 심혈을 기울여 만들고 오랜 검증을 통해 영원토록 시행할 것으로 판정된 규범을 '조종성헌'이라 하였고 이는 왕도에 근접한 것으로 여겼다고 하였다. 또한 '대전'에 실린 규정은 조종성헌으로 받아들여진다고 하였으므로 '대전'에 실린 규정은 왕도에 근접한 것으로 보았을 것이다.

08 관점에 따른 비판적 이해

3문단에서 율곡의 이통기국은 기질을 정화하면 '이'의 선한 본성이 회복되어 성인의 경지에 이를 수 있다는 기질 변화론으로 이어진다고 하였다. 한편 〈보기〉에서 정시한은 율곡의 주장에서 '이'가 '기'를 통제할 수 없어 '이'에 진정한 권한을 부여하지 않았다며 '이'를 죽은 것으로 치부하였다는 점을 비판하였다. 즉 정시한은 기질의 정화까지 나아가는 율곡의 이통기국에는 '이'가 전혀 영향을 미치지 못하는 존재가 되었다고 비판한 것이므로 ③이 적절하다.

글에 드러난 주장과 〈보기〉에 제시된 주장을 대비하여 푸는 문제이다. 먼저 두 관점이 유사한 주장을 펼치는지, 상반된 주장을 펼치는지 확인해야 한다. 만약 서로 다른 관점을 보인다면 어떤 대상에 대해 어떤 입장 차이를 보이는지 파악해야 한다.

09 세부 내용 파악

5문단에서 법전에 수록된 규정 중 영구히 시행할 만한 것이라고 판정된 것이 '대전'에 실린다고 하였다. 6문단에서 '대전'에 실린 규정은 조종성헌으로 받아들여져 국왕도 어길 수 없었다고 하였으므로 적절한 설명이다.

10 어휘의 문맥적 의미 파악

ⓒ는 '두 사람 이상이 한 물건을 공동으로 소유하다.'를 의미한다. 반면에 '배격하다'는 '어떤 사상, 의견, 물건 따위를 물리치다.'를 의미한다. 따라서 ⓒ와 바꿔 쓰기에 적절하지 않다.

오답 잡기

① ⓐ는 '어떤 일을 바라다.'를 의미하고, '염원하다'는 '마음에 간절히 생각하고 기원하다.'를 의미한다. ⓐ와 '염원하다'는 어떤 일을 바란다는 공통적인 의미를 지녔기 때문에 바꿔 쓸 수 있다.
② ⓑ는 '기계 따위가 작용을 받아 움직이다.'를 의미하기 때문에 '움직이다'와 바꿔 쓸 수 있다.
④ ⓓ는 '가볍게 여길 수 없을 만큼 매우 중요하고 크다.'를 의미하기 때문에 '중요하다'와 바꿔 쓸 수 있다.
⑤ ⓔ는 '규칙, 명령, 약속, 시간 따위를 지키지 아니하고 거스르다.'를 의미하기 때문에 '거스르다'와 바꿔 쓸 수 있다.

후편

WEEK 1

과학·기술 분야

DAY 1 개념 돌파 전략 ①

| | | 6~9쪽 |

01 분석적 **02** 정보의 일치 여부 확인하기 **03** ②
04 ③ **05** (1) ○ (2) ✗ **06** (1) ⓑ (2) ⓐ
07 순서 **08** ① **09** ② **10** ②
11 (1) ✗ (2) ○ **12** (1) ⓐ (2) ⓑ

DAY 1 개념 돌파 전략 ②

| | | 10~13쪽 |

01 플레밍의 왼손 법칙 **02** ④ **03** ⑤
04 ④ **05** ⑤ **06** ⑤ **07** ①
08 ③

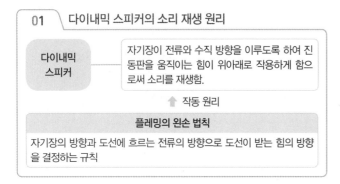

01 다이내믹 스피커의 소리 재생 원리

| 다이내믹 스피커 | 자기장이 전류와 수직 방향을 이루도록 하여 진동판을 움직이는 힘이 위아래로 작용하게 함으로써 소리를 재생함. |

↑ 작동 원리

플레밍의 왼손 법칙

자기장의 방향과 도선에 흐르는 전류의 방향으로 도선이 받는 힘의 방향을 결정하는 규칙

01 중심 내용 파악

이 글은 플레밍의 왼손 법칙을 토대로 다이내믹 스피커의 작동 원리를 설명하고 있다.

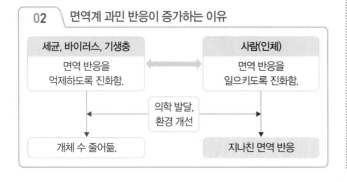

02 면역계 과민 반응이 증가하는 이유

세균, 바이러스, 기생충	↔	사람(인체)
면역 반응을 억제하도록 진화함.	의학 발달, 환경 개선	면역 반응을 일으키도록 진화함.
↓		↓
개체 수 줄어듦.		지나친 면역 반응

---

02 세부 내용 추론

가설은 '어떤 사실을 설명하거나 어떤 원리를 이끌어 내기 위하여 설정한 가정.'을 의미한다. 이 글은 현대 의학의 발달과 환경 개선으로 인한 바이러스 감소를 면역계 과민 반응이 발생한 이유로 가정하고 있으므로 ㉠에는 '가설'이 들어가는 것이 적절하다.

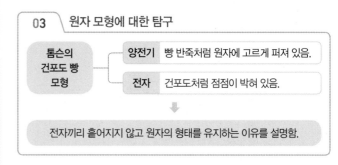

03 원자 모형에 대한 탐구

| 톰슨의 건포도 빵 모형 | 양전기 | 빵 반죽처럼 원자에 고르게 퍼져 있음. |
| | 전자 | 건포도처럼 점점이 박혀 있음. |

↓

전자끼리 흩어지지 않고 원자의 형태를 유지하는 이유를 설명함.

03 세부 내용 파악

톰슨은 '건포도 빵 모형'에서 양전기를 빵 반죽에 비유하고 전자를 건포도에 비유하였다. 또한 양전기는 원자에 고르게 퍼져 있는 반면에 전자는 건포도처럼 점점이 박혀 있다고 설명하였다. 따라서 빵 반죽에 비유하여 원자에 고르게 퍼져 있다고 설명한 것은 양전기이므로 ⑤는 적절하지 않다.

---

04 급성 감염과 지속 감염

	급성 감염	지속 감염
발생 기간	비교적 짧은 기간에 일어남.	급성 감염에 비해 오랜 기간 동안 일어남.
발생 과정	바이러스가 감염된 숙주 세포를 증식 과정에서 죽이고 또 다른 숙주 세포에서 증식하며 질병을 일으킴.	바이러스가 장기간 숙주 세포를 파괴하지 않으면서도 체내의 방어 체계를 회피하며 생존함.

04 정보 간의 관계 파악

바이러스가 감염된 숙주 세포를 증식 과정에서 죽이고 또 다른 숙주 세포에서 증식하며 질병을 일으키는 것은 ㉠의 특징이다. 이에 비해 ㉡에서는 바이러스가 장기간 숙주 세포를 파괴하지 않으면서 생존한다고 하였으므로 ④는 적절하지 않다.

오답 잡기

① ㉠에서는 체내의 방어 체계가 작동한 후에 바이러스가 체내에 남아 있지 않게 된다고 하였다. 반면에 ㉡에서는 바이러스가 체내의 방어 체계를 회피하며 생존한다고 하였으므로 적절한 설명이다.

② ㉡에서는 바이러스가 장기간 숙주 세포를 파괴하지 않으면서 체내에 생존한다고 하였다. 반면에 ㉠에서 바이러스는 감염된 숙주 세포를 증식 과정에서 죽인다고 하였다.

③ ㉡은 바이러스가 체내의 방어 체계를 회피하며 생존한다고 하였고, ㉠에 비해 오랜 기간 체내에 잔류한다고 하였다.

⑤ ⓛ은 발현 양상에 따라 잠복 감염, 만성 감염, 지연 감염으로 나뉜다고 하였다.

05 글의 전개 방식 이해

이 글에서는 등록된 지문과 조회하는 지문이 동일한지 판단하여 신원을 확인하는 생체 시스템이 지문 인식 시스템이라고 설명하고 있으며, 지문 입력 장치를 통한 지문 인식 원리를 설명하고 있다.

`오답 잡기`

① 지문 인식 시스템의 발전 과정에 대해서는 설명하지 않았다.

② 지문 인식 시스템이 사용된 전자 제품의 종류와 구성은 제시하지 않았다.

③ 이 글에서는 지문 인식 시스템의 원리를 설명하고 있을 뿐, 이 시스템에 적용된 특정한 과학 법칙을 예를 들어 설명하지 않았다.

④ 지문 인식 시스템의 개발 이유와 개발 과정에 대해서는 설명하지 않았다.

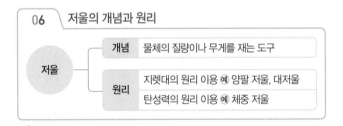

06 어휘의 문맥적 의미 파악

저울은 물체의 질량이나 무게를 재는 도구라고 하였으므로 ㉠에는 '일정한 양을 기준으로 하여 같은 종류의 다른 양의 크기를 잼.'이라는 의미를 가진 '측정'이 들어가야 한다.

`오답 잡기`

① '식별'은 '분별하여 알아봄.'을 의미한다.

② '감정'은 '사물의 특성이나 참과 거짓, 좋고 나쁨을 분별하여 판정함.'을 의미한다.

③ '판별'은 '옳고 그름이나 좋고 나쁨을 판단하여 구별함.'을 의미한다.

④ '제어'는 '기계나 설비 또는 화학 반응 따위가 목적에 알맞은 작용을 하도록 조절함.'을 의미한다.

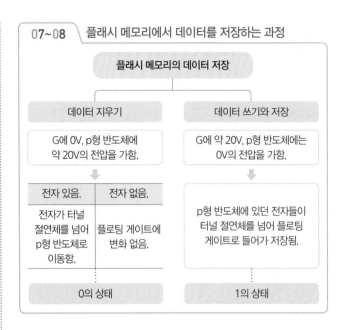

07 세부 내용 추론

이 글에서 일반 절연체는 전류 흐름을 항상 차단한다고 하였다. 따라서 터널 절연체 대신 일반 절연체를 사용할 경우 전류의 흐름이 차단되어 플로팅 게이트의 전자가 p형 반도체로 이동할 수 없으므로 데이터를 지울 수 없게 된다.

`오답 잡기`

② 이 글에서 일반 절연체는 전류의 흐름을 항상 차단한다고 하였다. 일정 이상의 전압이 가해졌을 때 전자를 통과시키는 것은 터널 절연체이다.

③, ④ p형 반도체에 (20V의) 양의 전압을 가하면 플로팅 게이트에 전자가 있는 경우, 그 전자는 p형 반도체로 이동한다.

⑤ 이 글에서 일반 절연체와 터널 절연체의 구분이 사라지는 경우를 언급하지 않았다.

08 어휘의 사전적 의미 파악

이 글에서 ㉠은 각 요소에 전압을 주는 행위를 한다는 의미로 사용된 것이다. 따라서 '어떤 행위를 하거나 영향을 끼치다.'라는 의미가 가장 적절하다.

`오답 잡기`

① '혼합하다'의 의미이다.

② '보태다'의 의미이다.

④ '보완하다'의 의미이다.

⑤ '감하다'의 의미이다.

| 1 ① | 1-1 ④ | 2 ② | 2-1 ① |
| 3 ⑤ | 3-1 ② | 4 ⑤ | 4-1 ④ |

대표 유형 ① **대표 유형 ②** 빛의 진행 과정에서 나타나는 현상

● 문단 중심 내용

1문단	물체가 색을 띠는 원리
2문단	투명체가 투명해 보이는 이유
3문단	매질의 밀도에 따른 빛의 속력 차이
4문단	빛의 굴절
5문단	빛의 굴절과 함께 나타나는 빛의 분산

● 핵심 내용
– 매질의 밀도에 따른 빛의 속력 차이

> 매질의 밀도가 높으면 빛의 속력이 낮아짐.
> ↓
> 유리의 밀도가 공기의 밀도보다 높음.
> ↓
> 유리에서 빛의 속력 < 공기 중에서 빛의 속력

– 빛의 굴절과 분산

| 굴절 | 빛이 다른 물질의 경계 면에 닿은 후 빛의 경로가 꺾이는 현상 |
| 분산 | 빛이 투명체를 지날 때 굴절되면서 진동수에 따라 다양한 광선으로 분리되는 현상 |

1 세부 내용 파악

2문단에서 적외선과 자외선은 유리에 대부분 흡수되어 열에너지의 형태로 남는다는 것을 알 수 있지만, 자외선이 유리에 흡수되는 이유는 설명하지 않았다.

1-1 세부 내용 파악

3문단에서 빛은 유리나 물과 같은 투명체를 통과할 때 속력이 느려지지만, 빛이 다시 공기 중으로 나오면 원래의 속력을 회복하게 된다고 하였다.

2 구체적 상황에 적용 및 추론

3문단에서 빛은 공기 중보다 유리나 물과 같은 투명체를 통과할 때 속력이 낮아진다고 하였다. 따라서 공기 중에 있는 ⓐ, ⓓ, ⓔ보다 ⓑ, ⓒ의 속력이 더 느리다는 것을 알 수 있다. 또한 5문단에서 진동수가 높은 보라색 광선은 진동수가 낮은 빨간색 광선보다 투명체 안에서 속력이 더 느려지기 때문에 더 많이 굴절된다고 하였다. 그러므로 ⓑ에 비해 더 많이 굴절된 ⓒ의 속력이 더 느리다는 것을 알 수 있다.

오답 잡기

① 빛의 속력은 투명체를 통과하면서 느려졌다가 다시 공기 중으로 나오면 원래의 속력을 회복한다고 하였으므로 ⓐ와 ⓓ의 속력은 같다.

③ ⓐ는 투명체를 통과하기 전의 빛이므로 자외선이 들어 있다. 한편 ⓔ는 투명체를 통과한 후의 빛인데, 2문단에서 자외선은 투명체인 유리에 대부분 흡수되어 열에너지의 형태로 남는다고 하였으므로 ⓔ에는 자외선이 거의 들어 있지 않을 것이다.

④ 5문단에서 진동수가 높은 광선이 투명체에서 더 많이 굴절된다는 것을 알 수 있다. 따라서 더 많이 굴절된 ⓒ의 진동수가 ⓑ보다 더 높다.

⑤ 이 글에서 빛의 색깔은 고유한 진동수를 가지고, 빛이 투명체를 지날 때에는 진동수에 따라 분리된 후 각기 다른 경로로 방출된다는 것을 알 수 있다. ⓑ와 ⓒ가 각각 다른 경로로 투명체를 지나고 방출되는 것으로 보아 ⓑ와 ⓒ도 서로 다른 진동수를 가진다는 것을 추론할 수 있다.

2-1 세부 내용 추론

3문단에서 매질의 밀도에 따라 빛의 속력이 달라진다고 하였다. 매질의 밀도에 따라 빛의 굴절 방향이 달라진다는 내용은 제시되어 있지 않으므로 ①은 이 글에서 추론할 수 없다.

오답 잡기

② 1문단에서 '보라색 광선보다 더 높은 진동수를 지닌 자외선이나, 빨간색 광선보다 더 낮은 진동수를 지닌 적외선'이라는 내용을 통해 적외선과 자외선도 특정한 진동수를 지니고 있음을 추론할 수 있다.

③ 2문단에서 빛이 투명체에 닿으면 적외선과 자외선은 흡수되고, 가시광선에 해당하는 대부분은 재방출된다고 하였으므로 적절한 추론이다.

④ 5문단에서 빛의 분산은 빛이 투명체를 지날 때 굴절되면서 진동수에 따라 다양한 광선으로 분리되는 현상이라고 설명하고 있다. 따라서 빛의 굴절이 없다면 분산도 없을 것이라고 추론할 수 있다.

⑤ 3문단에서 빛의 속력은 매질의 밀도와 반비례함을 확인할 수 있다. 따라서 매질의 밀도가 낮을수록 빛의 속력은 빨라질 것이라고 추론할 수 있다.

대표 유형 ③ **대표 유형 ④** 베타선 흡수법을 이용한 미세 먼지 측정기

● 문단 중심 내용

1문단	베타선 흡수법을 이용한 미세 먼지 측정기의 구성
2문단	분립 장치의 기능
3문단	여과지와 베타선 감지기의 기능
4문단	베타선을 광원으로 사용하는 이유
5문단	연산 장치의 기능

● 핵심 내용
– 베타선 흡수법을 이용한 미세 먼지 측정기의 작동 과정

| 분립 장치 | 여과지 | 베타선 감지기 | 연산 장치 |
| 10㎛보다 큰 입자만 포집하고 그보다 작은 것들은 통과시킴. | 일정 시간 동안 미세 먼지를 포집함. | 여과지를 통과한 베타선의 세기를 데이터 신호로 바꿈. | 데이터 신호를 수치로 환산한 후 미세 먼지의 질량을 구함. |

3 세부 정보 파악

미세 먼지 측정기는 대기 중 미세 먼지 농도를 측정할 뿐, 미세 먼지의 성분을 파악하는 것은 아니다.

3-1 중심 내용 파악

이 글은 미세 먼지 측정기의 구성 장치를 소개한 후, 각 장치의 기능과 원리를 중심으로 미세 먼지 측정기의 작동 과정을 설명하고 있다.

오답 잡기

① 이 글에 미세 먼지 측정기의 발전 과정과 미세 먼지에 대한 과학적 발견 관련 내용은 제시되어 있지 않다.

③ 1문단에서 미세 먼지의 개념과 미세 먼지의 위험성을 설명하고 있지만, 글 전체적으로는 미세 먼지 측정기의 구성과 작동 과정을 설명하는 데 주안점을 두고 있으므로 표제와 부제 모두 적절하지 않다.

④ 4문단에서 미세 먼지를 측정할 때 베타선을 이용하는 이유를 설명하고 있지만, 이것을 글 전체의 내용을 포괄하는 표제로 삼는 것은 적절하지 않다.

⑤ 이 글에서는 베타선이 우리 생활에서 어떻게 다양하게 이용되고 있는지에 대해 언급하지 않았다.

4 세부 내용 추론

5문단에서 미세 먼지의 질량은 시료 포집 시 흡입된 공기량을 감안하여 대기 중의 미세 먼지 농도로 나타나게 된다고 하였다. 이를 고려할 때, 시료 흡입부에서 일정한 양의 공기가 일정한 시간 동안 유입되도록 설정된 것은 미세 먼지의 질량을 농도로 나타낼 때 필요한 기준을 마련하기 위한 것임을 추론할 수 있다.

오답 잡기

① 짧은 시간에 미세 먼지를 많이 포집하려는 것이라면, 일정한 시간이 아니라 짧은 시간에 공기가 최대한 많이 들어올 수 있도록 설정할 것이다.

② ㉠은 미세 먼지 측정에 관한 내용일 뿐, 미세 먼지의 발생 원인 분석과는 관련이 없다.

③ ㉠은 시료 채취 과정으로, 베타선 광원이 사용되기 이전의 단계이다.

④ ㉠은 미세 먼지 측정에 관한 내용일 뿐, 호흡기 질환 유발 가능성을 진단하는 것과 관련이 없다.

4-1 세부 내용 추론

충돌판은 먼지 입자를 쪼개는 것이 아니라 $10\mu\text{m}$ 이상 크기의 먼지 입자를 걸러 내는 역할을 한다. 따라서 충돌판과 충돌한 이후 먼지 입자가 $10\mu\text{m}$ 이하 크기의 먼지 입자로 쪼개질 것이라는 추론은 적절하지 않다.

01~04 항미생물 화학제의 종류와 작용 원리

● 문단 중심 내용

1문단	질병을 유발하는 병원체의 종류와 특징
2문단	항미생물 화학제의 개념과 기능
3문단	항미생물 화학제의 종류와 기능
4문단	항미생물 화학제의 작용 기제와 원리 ① – 병원체의 표면을 손상시키는 방식
5문단	항미생물 화학제의 작용 기제와 원리 ② – 병원체 내부에서 대사 기능을 저해하는 방식

● 핵심 내용

– 항미생물 화학제의 종류

멸균제	포자를 포함한 모든 병원체를 파괴함.
감염 방지제	포자를 제외한 병원체를 사멸시킴.
소독제	독성이 약해 사람의 피부나 상처 소독에 사용할 수 있음.

– 항미생물 화학제의 작용 기제

병원체를 손상시키는 방식	알코올 화합물	지질을 용해시키고 단백질을 변성시키며 병원성 세균의 세포벽을 약화시킴.
	산화제	바이러스 표면의 캡시드를 손상시켜 바이러스를 파괴하거나 감염력을 잃게 함.
병원체 내부에서 대사 기능을 저해하는 방식	알킬화제	– 알킬 작용기를 단백질에 결합시키면 단백질을 변성시켜 기능을 상실하게 함. – 알킬 작용기를 핵산의 염기에 결합시키면 핵산을 비정상 구조로 변화시켜 유전자 복제와 발현을 교란함.
	산화제	병원체 내에서 불특정한 단백질들을 산화시켜 효소들의 기능을 비활성화하고 병원체를 사멸시킴.

01 세부 내용 파악

3문단에서 소독제는 감염 방지제 중 독성이 약해 사람의 피부나 상처 소독에 사용이 가능한 항미생물 화학제에 해당한다고 하였다. 그렇지만 사람의 세포막은 지질 성분으로 이루어져 있기 때문에 소독제라 하더라도 사람의 세포를 죽일 수 있어 사용 시 주의해야 한다고 하였다. 따라서 소독제가 독성이 약해 사람의 세포를 죽이지 않는다는 내용은 적절하지 않다.

02 세부 내용 추론

ⓑ는 알코올 화합물에 해당한다. 4문단에서 알코올 화합물은 지질 피막이 없는 바이러스보다 지질 피막이 있는 바이러스에서 방역 효과가 크다고 하였으므로 ④는 적절하지 않다.

오답 잡기

① ⓐ의 특징으로 보아 ⓐ는 하이포염소산 소듐 등의 산화제에 해당한다는 것을 알 수 있다. 4문단에서 산화제는 바이러스의 공통적

인 표면 구조를 이루는 캡시드를 손상시키는 기능이 있다고 하였으므로 적절하다.

② ⓐ는 하이포염소산 소듐 등의 산화제에 해당한다. 5문단에서 산화제인 하이포염소산 소듐은 병원체 내에서 불특정한 단백질들을 산화시켜 단백질로 이루어진 효소들의 기능을 비활성화한다고 하였으므로 적절하다.

③ ⓑ의 특징으로 보아 ⓑ는 알코올 화합물에 해당한다는 것을 알 수 있다. 4문단에서 알코올 화합물은 세포막의 기본 성분인 지질을 용해시킨다고 하였는데, 3문단에서 사람의 세포막도 지질 성분으로 이루어져 있다고 하였다. 따라서 사람의 세포막이 ⓑ에 닿으면 세포막의 지질이 용해될 것이므로 인체에 부정적 영향을 미칠 수 있다.

⑤ ⓒ의 특징으로 보아 ⓒ는 알킬화제라는 것을 알 수 있다. 5문단에서 알킬화제는 병원체의 내부로 침투하면 필수적인 물질대사를 정지시킨다고 하였다. 또한 알킬화제가 알킬 작용기를 단백질이나 핵산에 결합시켜 대사 기능을 방해한다고 하였으므로 ⓒ의 작용 기제는 '병원체 내부에서 대사 기능을 저해하는 방식'이다.

03 내용의 비판적 이해

2문단에서 항미생물 화학제는 다양한 병원체가 공통으로 갖는 성분들에 화학 작용을 일으키기 때문에 광범위한 살균 효과가 있지만, 병원체의 종류에 따라 구조가 다르기 때문에 병원체마다 살균 효과는 다를 수 있다고 하였다. 따라서 하나의 동일한 항미생물 화학제로는 병원체마다 살균 효과에 차이가 있어 완벽한 살균이 이루어지지 않을 수 있으므로 다양한 항미생물 화학제를 병원체의 종류에 맞게 살포해야 한다는 점을 들어 〈보기〉의 사례를 비판할 수 있다.

오답 잡기

① 이 글에서 알코올 화합물이 병원체에 대한 방역 효과가 가장 우수하다고 설명하지는 않았다.

② 2문단에서 병원체의 구조와 성분은 병원체의 종류에 따라 완전히 같지는 않으므로, 동일한 항미생물 화학제라도 그 살균 효과는 다를 수 있다고 하였다. 따라서 완벽하게 동일한 항미생물 화학제는 다양한 병원체를 막는 데 효과적이지 않으므로 비판 내용으로 적절하지 않다.

④ 멸균제가 인체에 대한 안전성이 높다는 내용은 이 글에 제시되지 않았다.

⑤ 4문단에서 항미생물 화학제의 작용 기제는 크게 병원체의 표면을 손상시키는 방식과 병원체 내부에서 대사 기능을 저해하는 방식으로 나눌 수 있는데, 대부분 두 기제가 함께 작용한다고 하였다. 두 가지 기제 중 어느 하나의 기제에 집중해서 방역하면, 나머지 기제를 통한 방역 효과를 얻기 어렵기 때문에 비판 내용으로 적절하지 않다.

04 어휘의 문맥적 의미 파악

㉠과 ⑤의 '나누다'는 '여러 가지가 섞인 것을 구분하여 분류하다.'라는 의미로 사용되었다.

오답 잡기

① '같은 핏줄을 타고나다.'라는 의미로 사용되었다.

② '하나를 둘 이상으로 가르다.'라는 의미로 사용되었다.

③ '말이나 이야기, 인사 따위를 주고받다.'라는 의미로 사용되었다.

④ '몫을 분배하다.'라는 의미로 사용되었다.

05~08 행선 예보 방식을 사용한 엘리베이터 군 관리 시스템

● 문단 중심 내용

1문단	엘리베이터 군 관리 시스템의 개념과 필요성
2문단	행선 예보 방식의 작동 원리
3문단	행선 예보 방식의 작동 사례 ① – 수송 시간을 고려함.
4문단	행선 예보 방식의 작동 사례 ② – 전력 소비량을 고려함.
5문단	행선 예보 방식의 작동 과정

● 핵심 내용
– 행성 예보 방식 시스템의 구성

행선 층 입력 장치	• 승객이 행선 층을 입력하게 함. • 승객이 타야 할 호기를 표시함.
주 군 제어기	입력된 호출에 대한 최적의 호기를 결정하고, 이를 행선 층 입력 장치에 전달함.
호기 제어기	주 군 제어기의 호출을 받아 엘리베이터가 호출된 층으로 이동할 수 있도록 함.
보조 군 제어기	주 군 제어기의 이상이 감지되면 즉시 주 군 제어기의 기능을 대신함.
원격 모니터 장치	주 군 제어기의 작동 정보를 분석하고 표시함.

05 세부 내용 파악

보조 군 제어기는 주 군 제어기에서 이상이 감지되면 주 군 제어기의 기능을 대신하는 역할을 한다. 주 군 제어기의 작동 정보를 분석하고 표시하는 것은 원격 모니터 장치의 기능이다.

06 정보 간의 관계 이해

㉠은 승객들의 선택이 다양할수록 엘리베이터를 이용하는 시간이 길어진다는 ㉡의 문제점에 대응하기 위해 만들어진 방식이다. 따라서 ㉡이 아닌 ㉠이 승객들의 엘리베이터 이용 시간을 줄일 가능성이 크다.

오답 잡기

① 1문단에서 ㉡의 경우 승객들의 선택이 다양할수록 엘리베이터를 이용하는 시간이 길어지는 문제가 발생하는데, 이에 효과적으로 대응할 수 있는 방법이 ㉠이라고 하였다.

② 1, 2문단에서 ㉡은 승객들이 엘리베이터를 탄 다음에 각자 자신이 원하는 행선 층의 버튼을 누른다고 하였다. 반면에 ㉠은 승객이 엘리베이터를 타기 전에 승강장에서 행선 층을 미리 입력한다고 하였다.

③ 2문단에서 ㉠은 승객들의 행선 층 정보를 바탕으로 승객의 대기 시간, 이동 시간, 각 층에 타고 내리는 승객 수 등을 계산하여 엘리베이터를 배정한다고 하였다.

④ 1문단에서 ○은 여러 엘리베이터 중에서 승객에게 가장 빨리 도착할 수 있는 엘리베이터가 호출이 들어온 승강장으로 이동한다고 하였다.

07 구체적 상황에 적용 및 추론
행선 예보 방식은 승객의 수송 시간과 전력 소비량을 고려하여 행선 층이 비슷한 승객을 같은 엘리베이터에 타도록 배정한다. 따라서 2층에 가고자 하는 A와 C에게는 1층에서 대기 중인 2호기를 배정하고, 9층에 가고자 하는 B에게는 7층에서 대기 중인 1호기를 배정하는 것이 가장 합리적이다.

08 어휘의 문맥적 의미 파악
행선 예보 방식에서는 승객의 대기 시간과 이동 시간, 각 층에 타고 내리는 승객 수 등을 고려하여 승객이 입력한 행선 층에 따라 승객이 타야 할 엘리베이터를 배정한다. 따라서 ⓐ는 '일정한 규칙에 따라 수치를 구하다.'라는 의미로 사용된 것으로 볼 수 있다.

대표 유형 ① 대표 유형 ② 장기 이식의 종류

● 문단 중심 내용

1문단	동종 이식과 우리 몸의 거부 반응
2문단	전자 기기 인공 장기의 단점
3문단	이종 이식의 문제점 ① – 심한 거부 반응
4문단	이종 이식의 문제점 ② – 내인성 레트로바이러스
5문단	이상적인 이식편 개발을 위한 연구

● 핵심 내용
– 장기 이식의 종류와 문제점

동종 이식	• 다른 사람의 이식편을 이용함. • 비용이 많이 들고, 동종 이식편의 수가 부족함.
전자 기기 인공 장기 이식	• 장기의 기능을 일시적으로 대체함. • 추가 전력 공급 및 정기적 부품 교체 등이 요구됨. • 인간의 장기를 완전히 대체할 만큼 정교한 단계에 이르지 못함.
이종 이식	• 사람의 조직 및 장기와 유사한 다른 동물의 이식편을 인간에게 이식함. • 동종 이식보다 거부 반응이 심함. • 이식편에 내인성 레트로바이러스가 있는 경우 다른 생명체의 세포에 들어가면 그 세포를 파괴함.

1 내용의 비판적 이해
2문단을 통해 추가 전력 공급과 정기적 부품 교체는 전자 기기 인공 장기의 단점이라는 것을 알 수 있다. 전자 기기 인공 장기는 동종 이식에 해당하지 않으므로 ①은 적절하지 않은 비판이다.

오답 잡기
② 1문단에서 동종 이식에서 유전적으로 동일하지 않은 이식편에 대해 항상 거부 반응을 일으킨다고 하였으므로 이 점을 지적할 수 있다.
③ 3문단에서 이종 이식은 초급성 거부 반응 및 급성 혈관성 거부 반응이 일어난다고 하였으므로 이 점을 지적할 수 있다.
④ 5문단에서 알 수 있듯이 내인성 레트로바이러스를 제거하는 기술은 아직 개발 중인 단계이므로 이 점을 지적할 수 있다.
⑤ 3문단에서 이종 이식의 경우 거부 반응을 일으키는 유전자를 제거한 형질 전환 미니 돼지에서 얻은 이식편을 이식하는 실험이 성공한 바가 있다고 하였는데, 이때 유전자 조작에 대한 문제를 제기할 수 있다.

1-1 내용의 비판적 이해
5문단에서 정자나 난자와 같은 생식 세포가 레트로바이러스에 감염되고도 살아남는 경우, 이 세포로부터 유래된 자손의 모든 세포가 내인성 레트로바이러스를 갖게 되는데, 해당 세포 안에서는 바이러스로 활동하지 않는다고 하였다. 하지만 내인성 레트로바이러스를 다른 종의 세포에 주입하게 되면 레트로바이러스로 변환되어 그 세포를 감염시킨다고 하였다. 따라서 내인성 레트로바이러스가 레트로바이러스로 변환된 후 세포 감염이 일어난다는 것을 알 수 있으므로 이상적인 이식편 개발을 위한 방안으로 ⑤를 제시할 수 있다.

2 어휘의 사전적 의미

이 글에서 ⓔ는 '흘러 들어가도록 부어 넣다.'의 의미로 사용되었다. '묻히거나 박힌 것을 파서 꺼내다.'는 '파내다'의 의미이다.

2-1 어휘의 문맥적 의미 파악

㉠과 ②의 '일어나다'는 '자연이나 인간 따위에게 어떤 현상이 발생하다.'라는 의미로 사용되었다.

오답 잡기

① '약하거나 희미하던 것이 성하여지다.'라는 의미로 사용되었다.
③ '어떤 마음이 생기다.'라는 의미로 사용되었다.
④ '누웠다가 앉거나 앉았다가 서다.'라는 의미로 사용되었다.
⑤ '소리가 나다.'라는 의미로 사용되었다.

대표 유형 3 대표 유형 4 **디지털 통신 시스템의 부호화 과정**

● 문단 중심 내용

1문단	디지털 통신 시스템의 정보량과 평균 정보량
2문단	소스 부호화의 과정
3문단	채널 부호화의 과정
4문단	선 부호화의 과정

● 핵심 내용
– 디지털 통신 시스템의 부호화

소스 부호화	데이터를 압축하기 위해 기호를 0과 1로 이루어진 부호로 변환하는 과정
채널 부호화	오류를 검출하고 정정하기 위해 부호에 잉여 정보를 추가하는 과정 예 삼중 반복 부호화
선 부호화	채널 부호화를 거친 부호들을 전기 신호로 변환하기 위해 0 또는 1에 해당하는 전기 신호의 전압을 결정하는 과정 예 차동 부호화

3 문제 상황 해결

〈보기〉는 차동 부호화를 이용하여 날씨의 부호를 전송하였는데, 기준 신호가 양의 전압일 때 '음, 양, 음'을 수신한 상황이다. 차동 부호화는 부호의 비트가 '0'이면 전압을 유지하고 '1'이면 전압을 변화시킨다고 하였으므로 기준 신호인 양의 전압에서 음의 전압을 수신할 때 부호는 '1'이고, 음의 전압에서 양의 전압을 수신할 때 부호도 '1'이다. 그리고 양의 전압에서 다시 음의 전압을 수신할 때 부호 역시 '1'이다. 따라서 '흐림'에 해당하는 부호는 '111'이다.

3-1 문제 상황 해결

3문단에서 삼중 반복 부호화는 '0'과 '1'을 각각 '000'과 '111'로 부호화하여 수신한 부호에 '0'이 과반수인 경우에는 '0'으로 판단하고, '1'이 과반수인 경우에는 '1'로 판단한다고 하였다. 문제에 제시된 '101010'

을 세 자리로 나누면 '101'과 '010'이 되는데, 전자는 '1'이 과반수이고 후자는 '0'이 과반수이므로 '101010'의 부호는 '10'으로 판단할 수 있다. 또한 '000110'은 '000'과 '110'으로 나눌 수 있는데, 이때 전자는 '0'이 과반수이고, 후자는 '1'이 과반수이므로 '000110'의 부호는 '01'이다.

4 동음이의어 파악

동음이의어는 '소리는 같지만 뜻이 다른 단어'를 말한다. ⓓ와 ④의 '복원'은 '변화된 것을 원래대로 회복함.'을 의미하기 때문에 소리와 뜻이 같은 단어이므로 동음이의어에 해당하지 않는다.

오답 잡기

① ⓐ의 '전송'은 '글이나 사진 따위를 전류나 전파를 이용하여 먼 곳에 보냄.'이라는 의미를 지닌다. ①의 '친구를 전송할'에서 '전송'은 '서운하여 잔치를 베풀고 보낸다는 뜻으로, 예를 갖추어 떠나보냄을 이르는 말.'이다.
② ⓑ의 '기호'는 '어떠한 뜻을 나타내기 위하여 쓰이는 부호, 문자, 표지 따위를 통틀어 이르는 말.'이다. ②의 '대중의 기호'에서 '기호'는 '즐기고 좋아함.'이라는 의미를 지닌다.
③ ⓒ의 '부호'는 '일정한 뜻을 전하기 위하여 따로 정하여 쓰는 기호.'를 의미한다. ③의 '귀족이나 부호'에서 '부호'는 '재산이 넉넉하고 세력이 있는 사람.'을 의미한다.
⑤ ⓔ의 '결정'은 '행동이나 태도를 분명하게 정함.'을 의미한다. ⑤의 '오랜 노력의 결정'에서 '결정'은 '애써 노력하여 보람 있는 결과를 이루는 것이나 그 결과를 비유적으로 이르는 말.'이다.

4-1 어휘의 문맥적 의미 파악

㉠은 '달라져서 바뀌다. 또는 다르게 하여 바꾸다.'를 의미하기 때문에 ㉠과 바꿔 쓰기에 가장 적절한 것은 '바꾸다'이다.

오답 잡기

② '변천하다'는 '세월이 흐름에 따라 바뀌고 변하다.'를 의미한다.
③ '동화하다'는 '성질, 양식, 사상 따위가 다르던 것이 서로 같아지다.'를 의미한다.
④ '부연하다'는 '이해하기 쉽도록 설명을 덧붙여 자세히 말하다.'를 의미한다.
⑤ '연산하다'는 '식이 나타낸 일정한 규칙에 따라 계산하다.'를 의미한다.

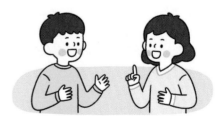

| 01 ⑤ | 02 ② | 03 ③ | 04 ⑤ |
| 05 ③ | 06 ③ | 07 ⑤ | 08 ③ |

01~04 달과 지구의 공전 궤도

● 문단 중심 내용

1문단	슈퍼문 현상의 원인
2문단	타원의 장축과 이심률의 개념
3문단	달의 공전 궤도와 슈퍼문
4문단	지구의 공전 궤도와 일식 현상
5문단	이심률에 따라 길이가 달라지는 근일점과 원일점

● 핵심 내용
– 달의 공전 궤도와 슈퍼문 현상

달의 공전 궤도

달은 지구를 한 초점으로 하여 이심률이 약 0.055인 타원 궤도를 돌고 있음.

| 원지점 | 근지점 |
| 달의 공전 궤도의 장축상 지구로부터 가장 먼 지점 | 달의 공전 궤도의 장축상 지구로부터 가장 가까운 지점 |

'태양 – 지구 – 달'의 순서로 배열될 때 보름달을 볼 수 있고, 보름달이 근지점이나 그 근처에 위치할 때 슈퍼문을 볼 수 있음.

– 일식 현상

일식 현상

'태양 – 달 – 지구'의 순서로 늘어서고, 달이 태양을 가릴 수 있는 특정한 위치에 있을 때 일어남.

| 개기 일식 | 금환 일식 |
| 달이 근지점이나 그 근처에 위치할 때 태양이 달에 의해 완전히 가려짐. | 달이 원지점이나 그 근처에 위치할 때 태양이 완전히 가려지지 않아 가장자리가 빛나는 고리처럼 보임. |

01 세부 내용 파악
2문단을 통해 타원의 두 초점이 가까울수록 타원이 원 모양에 가까워지고, 이심률은 작아진다는 것을 알 수 있다.

02 세부 내용 추론
3문단에서 보름달은 29.5일 주기로 볼 수 있다고 하였다. 그렇지만 슈퍼문은 보름달이 근지점이나 그 근처에 위치할 때 관측할 수 있으므로 슈퍼문을 29.5일 주기로 볼 수 있다는 내용은 적절하지 않다.

03 구체적 상황에 적용 및 추론
5문단을 통해 천체의 다른 조건들을 고려하지 않을 때 천체의 공전 궤도의 이심률이 커지면 근지점은 가까워지고 원지점은 멀어진다는

것을 알 수 있다. 원지점이 현재보다 멀어지게 되면 달이 태양 면을 완전히 가리지 못해 금환 일식이 나타날 것이고, 이로 인해 태양 면의 가장자리가 빛나는 고리처럼 보일 것이다.

오답 잡기
① 달이 근지점이나 그 근처에 위치할 때에는 개기 일식을 관측할 수 있다.
② 세 천체가 '태양 – 달 – 지구'의 순서로 늘어서야 일식 현상이 일어난다.
④ 달의 공전 궤도의 이심률에 따라 달의 공전 궤도상에 있는 근지점과 원지점은 달라지게 된다. 개기 일식과 금환 일식은 달이 근지점에 위치하는지, 원지점에 위치하는지에 따라 발생하는 현상이므로, 달의 공전 궤도의 이심률 변화는 일식 현상에 영향을 미친다. 따라서 이심률이 변화해도 일식 현상에 영향을 미치지 않는다는 내용은 적절하지 않다.
⑤ 달의 공전 궤도 이심률이 작아지면 원지점은 현재보다 가까워지고, 달의 각지름은 커진다. 이로 인해 달이 해를 완전히 가리는 현상이 발생할 수 있으므로 달의 공전 궤도 이심률이 작아져도 고리 모양을 그대로 발견할 수 있을 것이라는 내용은 적절하지 않다.

🔍 **보기 돋보기**

● 관찰된 일식 현상

| 관찰 기록 | |
| • 태양 면이 달에 의해 완전히 가려지지 않음.
• 태양 면의 가장자리가 고리처럼 보임. | → 금환 일식 |

04 어휘의 문맥적 의미 파악
ⓐ와 ①~④의 '다르다'는 '비교가 되는 두 대상이 서로 같지 아니하다.'를 의미하여 비교의 의미가 강하다. 반면에 ⑤의 '다르다'는 '보통의 것보다 두드러진 데가 있다.'라는 의미로 사용되었다.

05~08 영상 안정화 기술

● 문단 중심 내용

1문단	영상 안정화 기술의 개념
2문단	영상 안정화 기술 ① – 광학 영상 안정화(OIS) 기술
3문단	광학 영상 안정화(OIS) 기술 – 렌즈를 움직이는 방법과 이미지 센서를 움직이는 방법 활용
4문단	영상 안정화 기술 ② – 디지털 영상 안정화(DIS) 기술
5문단	디지털 영상 안정화(DIS) 기술 – 특징점을 이용하여 움직임을 추정하는 방법 활용

● 핵심 내용
– 영상 안정화 기술의 종류

| 광학 영상 안정화(OIS) 기술 | – 흔들림이 발생하면 렌즈를 이동시켜 영상을 안정화함.
– 보이스 코일 모터를 이용하여 렌즈를 움직이는 방법과 이미지 센서를 움직이는 방식이 이용됨.
– 렌즈의 이동 범위에 한계가 있어 보정 가능한 움직임의 폭이 좁다는 단점이 있음. |

디지털 영상 안정화(DIS) 기술	– 촬영 후에 소프트웨어를 사용하여 흔들림을 보정함. – 연속되는 프레임 사이에서 같은 특징점이 얼마나 이동하였는지 계산하여 영상의 움직임을 추정함. – 특징점의 수가 늘어날수록 연산이 오래 걸리고, 원래의 프레임 크기를 유지하려면 화질이 떨어진다는 단점이 있음.

05 글의 전개 방식 이해

이 글은 영상 안정화 기술인 광학 영상 안정화 기술과 디지털 영상 안정화 기술을 소개하고, 각각의 작동 원리를 구체적으로 설명하고 있다.

06 구체적 상황에 적용 및 추론

디지털 영상 안정화 기술에서 영상의 움직임은 두 프레임 사이에서 같은 특징점이 얼마나 이동하였는지 계산하여 추정한다. 하나의 프레임에서 선택한 특징점만 가지고는 영상의 움직임을 추정할 수 없다.

오답 잡기

① 4문단에서 특징점으로는 피사체의 모서리처럼 주위와 밝기가 뚜렷이 구별되며 영상이 이동하거나 회전해도 그 밝기 차이가 유지되는 부분이 선택된다고 하였다.

② 5문단에서 흔들림이 발생되는 곳으로 추정되는 프레임에서 위치 차이만큼 보정하여 흔들림의 영향을 줄이면 보정된 동영상은 움직임이 부드러워진다고 하였다.

④ 5문단에서 영상을 보정하는 과정에서 영상을 회전하면 프레임에서 비어 있는 공간이 나타나는데, 비어 있는 부분이 없도록 잘라 내면 프레임들의 크기가 작아진다고 하였다.

⑤ 5문단에서 두 개의 프레임 사이에서 같은 특징점이 얼마나 이동하였는지 계산하여 영상의 움직임을 추정하고, 흔들림이 발생한 곳으로 추정되는 프레임에서 위치 차이만큼 보정하여 흔들림의 영향을 줄인다고 하였다.

07 내용의 비판적 이해

㉠은 촬영 중에 카메라 렌즈나 이미지 센서가 움직이며 흔들림이 즉각적으로 보정되지만, ㉡은 촬영 후 각각의 프레임 사이에서 동일한 특징점이 얼마나 이동했는지 계산한 다음, 영상의 움직임을 추정해서 흔들림을 보정한다. 따라서 ㉠의 연구자 입장에서 ㉡은 촬영 중에 흔들림을 즉각적으로 보정할 수 없으며, 보정을 위한 별도의 연산 시간이 필요하다는 단점을 지적할 수 있다.

08 어휘의 사전적 의미 파악

'흔들림의 영향을 줄이면'에서 '흔들림의 영향'은 '힘이나 세력'에 포함되는 대상으로 볼 수 있다. 따라서 ⓐ는 '힘이나 세력 따위를 본디보다 약하게 하다.'의 의미로 사용되었다고 할 수 있다.

오답 잡기

①, ②, ④, ⑤ 모두 '줄이다'의 사전적 의미에 해당하지만, 문맥을 고려할 때 ⓐ의 의미로 적절하지 않다.

01 ④	02 ①	03 ②	04 ②
05 ⑤	06 ④	07 ④	08 ②

01~04 액상 과당의 특징

● 문단 중심 내용

1문단	설탕의 대체제로 등장한 액상 과당
2문단	액상 과당의 특징과 문제 제기
3문단	포도당과 과당의 대사 과정과 문제점
4문단	설탕과 액상 과당 비교
5문단	인공 감미료의 특징과 유해성 논란

● 핵심 내용
– 단맛을 내는 물질과 특징

설탕	– 사탕수수에서 추출함. – 과당과 포도당이 1:1로 결합한 구조임.
포도당	– 포만감을 느끼게 하는 호르몬인 렙틴이 분비되고 식욕을 촉진하는 호르몬인 그렐린의 분비가 억제됨.
액상 과당	– 포도당 중 일부가 과당으로 전환되며 만들어진 혼합액을 정제한 것임. – 과당과 포도당이 각자의 구조를 유지한 채 섞여 있는 혼합액임. – 설탕이나 포도당보다 더 단맛이 남.
인공 감미료	– 아주 적은 양으로 단맛을 낼 수 있음. – 아스파탐, 수크랄로스 등이 대표적 인공 감미료임. – 화학 처리 과정을 통해 만들어짐. → 천연 생성 물질이 아니기 때문에 유해성 논란이 있음.

01 글의 전개 방식 이해

이 글은 단맛을 내는 재료로 널리 쓰이는 액상 과당의 특징을 설탕과 비교하여 설명하고 있다. 또한 액상 과당의 대사 과정을 포도당의 대사 과정과 비교하여 설명하고 있다.

02 세부 내용 파악

3문단에서 과당은 인슐린과 렙틴의 분비를 촉진하지 않으며 이로 인해 그렐린의 분비량이 줄지 않는다고 하였다. 인슐린과 렙틴이 분비되도록 촉진하는 것은 포도당이다.

오답 잡기

② 3문단에서 렙틴이 분비되면 식욕을 촉진하는 호르몬인 그렐린의 분비가 억제된다고 하였다.

③ 3문단에서 그렐린의 분비량은 식사 전에는 증가했다가 식사를 하고 나면 렙틴이 분비되면서 자연스럽게 감소하게 된다고 하였으므로 식사를 전후로 하여 그렐린의 분비량이 달라짐을 알 수 있다.

④ 1문단에서 각종 당은 신체의 에너지원으로 쓰이는 탄수화물의 기초가 된다고 하였다.

⑤ 2문단에서 포도당이 주성분인 옥수수 시럽에 효소를 넣으면 포도당 중 일부가 과당으로 전환되는데, 이때 만들어진 혼합액을 정제한 것이 액상 과당이라고 하였다.

03 구체적 상황에 적용 및 추론

2문단과 5문단을 통해 감미료의 단맛 정도를 비교할 수 있다. 설탕의 단맛을 1이라고 할 때, 포도당은 0.6, 과당은 1.7이며, 아스파탐은 200, 수크랄로스는 600이다. 액상 과당은 과당과 포도당이 섞여 있는 혼합액인데 'HFCS55'는 과당의 비율이 55%라고 하였으므로 'HFCS55'가 포도당보다는 달고 아스파탐이나 수크랄로스보다는 달지 않음을 짐작할 수 있다.

04 어휘의 사전적 의미 파악

'추출'은 화학에서 '고체 또는 액체의 혼합물에 용매를 가하여 혼합물 속의 어떤 물질을 용매에 녹여 뽑아내는 일.'을 의미한다. ②는 '첨가'의 사전적 의미이다.

| 05~08 | 자동차 엔진과 연비 |

● 문단 중심 내용

1문단	엔진의 동력 조건에 따라 달라지는 연비
2문단	자동차 엔진의 동력 생산 과정
3문단	공기와 연료의 혼합비에 따라 달라지는 연비
4문단	실제 환경에서 자동차의 연비를 향상시키는 방법

● 핵심 내용
– 자동차 엔진의 동력 생산 과정

| 흡기 행정 | 흡기 밸브를 열고 피스톤을 하사점으로 이동시킴. → 실린더 내부로 공기가 유입됨. → 흡입되는 공기에 연료를 분사하여 공기와 연료를 섞어 넣음. |

↓

| 압축 행정 | 실린더를 밀폐시킴. → 피스톤을 상사점으로 밀어 공기와 연료의 혼합 기체를 압축함. |

↓

| 폭발 행정 | 점화 플러그에 불꽃을 일으켜 압축된 혼합 기체를 연소시킴. → 실린더 내부 압력이 급격히 높아짐. → 외부 대기압과 실린더 내부 압력 차이에 의해 피스톤이 하사점으로 밀리면서 동력이 발생함. |

↓

| 배기 행정 | 배기 밸브가 열림. → 남아 있는 압력에 의해 연소 가스가 외부로 빠져나감. → 피스톤이 상사점으로 이동함. → 대기압보다 내부 압력이 높아지면서 잔류 가스가 모두 배출됨. |

05 세부 내용 파악

흡입되는 공기에 연료를 분사하는 것은 흡기 행정에서 일어나는 일이다. 배기 행정에서는 배기 밸브가 열리고 남아 있는 압력에 의해 연소 가스가 외부로 빠져나가게 된다.

06 핵심 내용 적용

2문단을 통해 4행정에서 피스톤의 움직임을 확인할 수 있다. 우선 흡기 행정에서는 흡기 밸브를 열고 피스톤을 상사점에서 하사점으로 이동시킨다. 그리고 압축 행정에서는 피스톤을 다시 상사점으로 밀어 혼합 기체를 압축한다. 폭발 행정에서는 압축된 혼합 기체가 연소되

면서 피스톤이 하사점으로 밀리게 된다. 마지막으로 배기 행정에서는 연소 가스가 외부로 빠져나가면서 피스톤이 다시 상사점으로 움직인다.

07 어휘의 문맥적 의미 파악

ⓐ와 ④의 '배출되다'는 '안에서 밖으로 밀려 내보내지다.'라는 의미로 사용되었다. 반면에 ①, ②, ③, ⑤의 '배출되다'는 '인재(人材)가 계속하여 나오다.'라는 의미로 사용되었다.

08 내용의 비판적 이해

3문단에서 최대 출력을 얻을 수 있는 공기와 연료의 적정한 혼합비는 이론적으로 일정하다고 하였다. 그런데 4문단에서 이론과 달리 실제 환경에서는 상황에 따라 적정 혼합비가 조금씩 달라지기 때문에 자동차의 연비를 향상시키기 위해서는 엔진의 운행 상태를 실시간으로 감지하여 혼합비를 제어해야 한다고 하였다. 따라서 〈보기〉처럼 이론에 입각하여 분사되는 연료량을 고정시키는 것은 실제 환경에서 연비를 향상시키는 방법으로 바람직하지 않다는 점을 지적할 수 있다.

오답 잡기

① 〈보기〉에서 최대 출력을 얻을 수 있는 공기와 연료의 적정한 혼합비를 고려한 것은 동일한 연료량에서 최대 출력을 얻을 수 있는 방법에 대해 고민한 것이라 할 수 있으므로 비판 내용으로 적절하지 않다.

③ 공기와 연료의 혼합비가 적절하지 않을 때 가스의 배출량이 늘어난다. 실린더 안으로 흡입되는 공기의 부피에 맞추어 연료를 투입하는 것은 연료의 혼합비를 맞추기 위한 것이므로 가스 배출량이 늘어날 수 있음을 비판하는 것은 적절하지 않다.

④ 기체와 연료의 적정 혼합비보다 연료의 비율을 높이면 엔진의 에너지 효율을 낮아지게 된다. 따라서 비판 내용으로 적절하지 않다.

⑤ 이 글에서 피스톤의 견고함과 자연스러운 작동에 대해 언급하지 않았으므로 제시된 글을 바탕으로 한 비판으로 적절하지 않다.

01~03　에틸렌과 돌연변이체

● 문단 중심 내용

1문단	에틸렌의 기능 ① – 과일의 성숙을 유도함.
2문단	에틸렌의 기능 ② – 삼중 반응을 일으킴.
3문단	애기장대를 통해 발견한 세 가지 유형의 돌연변이체
4문단	돌연변이체 연구 성과

● 핵심 내용

– 에틸렌의 기능

에틸렌의 기능	– 과일의 성숙을 유도함. – 삼중 반응을 일으킴.	
	삼중 반응	① 줄기의 신장 속도 감소 ② 줄기의 측면 비대 성장 ③ 줄기의 휘어짐.

– 돌연변이체의 세 가지 유형

첫째 유형	– 에틸렌 수용체를 지니고 있지 않아 에틸렌에 반응하지 않고, 삼중 반응이 일어나지 않음.
둘째 유형	– 물리적 자극이 없는 공기 중에 노출되어 있을 때에도 삼중 반응을 보임. – 정상적인 경우보다 20배 많은 에틸렌을 합성하는데, 에틸렌 합성 억제제를 처리하면 정상적인 형태로 돌아감.
셋째 유형	– 항상 삼중 반응을 보임. – 에틸렌 신호 전달 경로에 이상이 생겨서 에틸렌이 없어도 신호가 전달됨. – 에틸렌 합성 억제제에 반응하지 않음.

01　구체적 사례에 적용 및 추론

〈보기〉에서 김 씨는 타인의 헌혈을 받고 살아났기 때문에 원인은 '헌혈', 결과는 '살아난 것'이라고 정리할 수 있다. 이후 김 씨는 헌혈을 통해 다른 생명을 살리기 위해 노력하고 있으므로 원인에 의해 나타난 결과가 다시 그 원인에 작용하여 결과를 촉진하는 ⓒ의 상황과 유사하다고 볼 수 있다.

🔍 보기 돋보기

● 과학 영역 지문 + 사회 영역 〈보기〉 융합

〈보기〉의 핵심

타인의 헌혈로 도움을 받은 김 씨가 많은 헌혈을 통해 다른 사람들을 도움.

⬇

어떤 원인에 의해 나타난 결과가 다시 그 원인에 작용해 결과를 촉진한다는 글의 내용을 〈보기〉의 일화에 적용할 수 있어야 함.

02　중심 내용 파악

문제에 제시된 실험에서 ㉯는 에틸렌에 반응하지 않기 때문에 에틸렌을 처리해도 삼중 반응이 일어나지 않으므로 ⓐ에 해당한다. 그리고 ㉰는 공기 중에 노출되어 있을 때에도 삼중 반응을 보이지만 에틸렌

합성 억제제를 처리하면 정상적인 형태로 돌아가기 때문에 ⓑ에 해당한다. 마지막으로 ㉱는 에틸렌 합성 억제제에 반응하지 않으며 항상 삼중 반응을 보이고 있으므로 ⓒ에 해당한다.

03　정보 간의 관계 이해

3문단에서 둘째 유형은 물리적인 자극이 없는 공기 중에 노출되어 있을 때에도 삼중 반응을 보이는 돌연변이체로, 이 유형은 에틸렌 합성 억제제를 처리하면 정상적인 형태로 돌아간다고 하였다. 항상 삼중 반응을 보이는 돌연변이체는 셋째 유형에 해당한다.

오답 잡기

① 1문단에서 에틸렌은 식물 호르몬으로, 공기보다 가벼운 기체이며 쉽게 산화하는 성질을 가지고 있다고 하였다.

② 1, 2문단에서 에틸렌은 과일의 성숙을 유도하는 한편, 줄기가 물리적 자극에 반응하도록 유도하는 기능을 수행한다고 하였다.

③ 줄기가 물리적 자극에 반응하도록 유도하는 에틸렌의 기능과 관련된 개념은 삼중 반응이다.

④ 2문단에서 에틸렌 관련 돌연변이체의 첫째 유형은 에틸렌에 반응하지 않는 돌연변이체라고 하였다.

04~06　진공 증착 기술을 사용한 박막 형성 과정

● 문단 중심 내용

1문단	박막의 역할과 진공 증착 기술의 원리
2문단	진공 증착 기술의 과정 ① – 용기 내 진공화
3문단	진공 증착 기술의 과정 ② – 증발 금속의 분자가 증발함.
4문단	진공 증착 기술의 과정 ③ – 흡착과 증착을 통한 박막 형성
5문단	진공 증착 기술의 단점과 해결 방법

● 핵심 내용
– 진공 증착 기술을 사용한 박막 형성 과정

> 진공 펌프로 용기 내의 공기를 용기 밖으로 배출함.
>
> ↓
>
> 증발 금속을 전기적 저항이나 전자 빔으로 가열함.
>
> ↓
>
> 증발 금속의 분자가 기체 분자가 되어 진공 공간으로 튀어 나감.
>
> ↓
>
> 기체 분자가 기판 표면에 흡착됨.
>
> ↓
>
> 흡착된 분자들이 고체화되는 증착을 통해 박막이 형성됨.

04 핵심 내용 파악

2~4문단에서 진공 증착 기술을 활용한 박막 형성 과정을 설명하고 있다. 먼저 용기 안을 진공화한 후 증발 금속을 가열하여 증발 금속의 분자를 기체화한다. 이후 기체 분자가 기판에 흡착되면, 흡착된 분자들이 고체화되는 증착을 통해 기판에 박막이 형성된다. 따라서 ㉣에는 '흡착'이 들어가야 한다. '탈착'은 흡착된 물질이 표면에서 떨어지는 현상을 의미하므로 ㉣에 들어갈 내용으로 적절하지 않다.

05 세부 내용 파악

5문단에서 증발된 기체 분자는 직진으로 날아가기 때문에 입체적 모양을 가진 기판의 구석이나 뒷면에는 증착되지 않는다고 하였다. 그리고 이러한 문제를 해결하기 위한 방안으로 ⓐ를 회전시키거나 ⓒ의 위치를 조절하는 방안을 제시하였다. 따라서 ⓒ를 회전시킨다고 해도 ⓓ를 ⓐ의 뒷면에 증착시킬 수 없으므로 ②는 적절하지 않은 내용이다.

오답 잡기

① 4문단에서 기판의 온도가 기체 분자의 온도보다 높으면 흡착된 기체 분자들의 운동 에너지가 기판 표면의 원자들이 안정화하려는 힘보다 커져 기판 표면에서 쉽게 탈착하게 된다고 하였다.

③ 2문단에서 용기를 진공 상태로 만드는 이유는 금속이 증발할 때 용기 내 공기에 있는 다른 물질들과 충돌하면 증발된 기체 분자가

박막을 형성할 기판 표면에 도달하지 못하기 때문이라고 하였다.

④ 3문단에서 증발 금속을 가열하면 증발 분자가 되어 진공 공간으로 튀어 나가게 된다고 하였다.

⑤ 3문단에서 증발 금속을 가열하는 온도가 높으면 증발하는 기체가 많아져서 증착 속도를 높일 수 있다고 하였다.

06 세부 내용 파악

3문단에서 물질마다 증발하는 기체 분자량이 최대로 측정되는 가열 온도가 다르기 때문에 이를 고려하여 물질에 따른 증착 속도를 조절해야 한다고 하였다. 따라서 모든 물질은 동일한 가열 온도에서 증발하는 기체 분자량이 최대로 측정된다고 설명하는 것은 적절하지 않다.

오답 잡기

① 1문단에서 박막이 눈의 보호, 지문 방지, 반사 방지 등의 중요한 역할을 수행한다고 하였다.

② 2~4문단에서 진공 증착 기술을 활용하여 박막을 형성하는 과정을 순서대로 설명하고 있다.

④ 4문단에서 기판 내부에 들어 있는 원자는 안정된 상태이지만, 기판 표면에 있는 원자는 아래쪽에 결합할 원자가 없는 불안정한 상태이므로 기체 분자와 결합하여 안정화하려고 한다고 설명하였다. 이 과정에서 기판 표면에 기체 분자가 달라붙는 현상인 흡착이 이루어지게 된다고 하여 증발 분자들이 기판 표면에 흡착되는 이유를 설명하고 있다.

⑤ 5문단에서 박막을 입힐 기판이 입체적 모양을 가지고 있을 때, 기판을 회전시키거나 증발 금속의 위치를 다양하게 조절하여 기체 분자가 기판의 구석이나 뒷면에 증착될 수 있도록 하는 증착 방식을 설명하고 있다.

후편

WEEK

2
예술 분야

DAY 1 개념 돌파 전략 ① |40~41쪽

01 다양한 **02** ② **03** ③ **04** 제재
05 (1) X (2) ○ **06** (1) ○ (2) X

DAY 1 개념 돌파 전략 ② |42~45쪽

01 고전주의와 낭만주의 **02** ⑤ **03** ②
04 ③ **05** ④ **06** ② **07** ④
08 ④

01 고전주의와 낭만주의

01 중심 화제 파악

이 글은 고전주의와 낭만주의의 공통점을 소개한 후, 각 사조의 모방 대상을 중심으로 고전주의와 낭만주의의 차이점을 설명하고 있다. 따라서 이 글의 중심 화제는 '고전주의와 낭만주의'라고 할 수 있다.

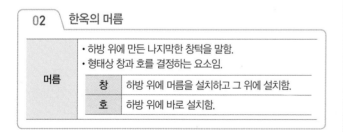

02 한옥의 머름

머름	• 하방 위에 만든 나지막한 창턱을 말함. • 형태상 창과 호를 결정하는 요소임.	
	창	하방 위에 머름을 설치하고 그 위에 설치함.
	호	하방 위에 바로 설치함.

02 세부 내용 파악

한옥에서 '머름'의 높이는 1.5~1.8자 정도에 설치하는데, 바닥에 앉은 사람이 팔걸이를 하고 기대기에 적합한 높이와 관련이 있다고 하였다. 입식 생활을 할 경우에는 팔걸이를 하고 기대기에 적합한 높이가 더 높아질 것이므로 머름의 높이가 1.8자보다 낮을 것이라는 내용은

적절하지 않다.

오답 잡기

① 이 글에서 '머름'이라고 부르는 창턱을 하방 위에 설치한다고 하였다.

② 호는 머름이라는 창턱 없이 하방 위에 바로 설치된다고 하였다.

③ 창은 하방 위에 머름을 설치하고 그 위에 설치한다고 하였다.

④ 좌식 생활은 방과 마루의 바닥에 앉아서 일을 하거나 지내는 생활을 의미하는데, 이 글에서 머름의 높이는 바닥에 앉은 사람이 팔걸이를 하고 기대기에 적합한 높이와 관계가 있다고 하였다.

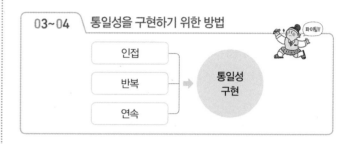

03~04 통일성을 구현하기 위한 방법

03 글의 전개 방식 이해

이 글은 통일성을 구현하기 위해 사용되는 세 가지 방법으로 '인접', '반복', '연속'을 소개하고, 각각의 구체적인 내용을 자세하게 설명하고 있다.

오답 잡기

① 통일성을 구현하기 위한 세 가지 방법을 설명하고 있을 뿐, 이들의 장단점을 비교하고 있지 않다.

③ 통일성을 구현하는 데 방해가 되는 요소를 제시하지 않았다.

④ 통일성을 구현하는 세 가지 방법을 나열하고 있을 뿐, 적용 순서를 소개하지 않았다.

⑤ 통일성을 구현하는 방법을 고안하게 된 배경을 설명하지 않았다.

04 구체적 상황에 적용

〈보기〉에서 A 작가가 전시한 모든 작품들은 꽃 모양이라고 하였다. 따라서 A 작가의 작품은 꽃 모양을 반복하여 전체에 통일성을 구현한 것이라고 이해할 수 있다.

오답 잡기

① A 작가는 꽃 모양의 작품들을 서로 다른 다양한 질감으로 표현했다고 하였으므로 질감의 반복으로 통일성을 구현했다는 내용은 적절하지 않다.

② A 작가는 한지의 콜라주 기법을 모든 작품에 적용했다고 하였다. 이는 콜라주 기법으로 통일성을 구현한 것이므로 통일성에서 벗어났다는 내용은 적절하지 않다.

④ A 작가는 작품을 다양한 색채로 표현했으므로, 유사한 색깔의 꽃을 인접하여 통일성을 구현했다는 내용은 적절하지 않다.

⑤ A 작가가 전시한 30점의 작품은 모두 꽃 모양이며, 이 꽃들은 모두 봄꽃이라고 하였으므로 연관성 있는 작품들을 전시했다는 것을 알 수 있다.

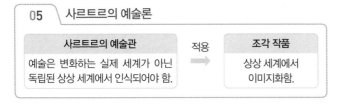

05 사르트르의 예술론

사르트르의 예술관	적용	조각 작품
예술은 변화하는 실제 세계가 아닌 독립된 상상 세계에서 인식되어야 함.	→	상상 세계에서 이미지화함.

05 어휘의 사전적 의미 파악

'재현'은 '다시 나타남. 또는 다시 나타냄.'을 의미한다. '연극이나 영화 따위를 다시 상연하거나 상영함.'은 '재연'의 사전적 의미이다.

06 베토벤의 교향곡

빈의 청중과 독일의 음악 평론가들 → 순수 기악을 옹호함. → 베토벤 교향곡을 극찬함.

06 글의 내용 재구성

두 번째 문장을 통해 당시 청중은 언어(제목이나 가사 등)와 같은 음악 외적인 단서를 원하지 않았음을 알 수 있다. 또한 음악을 앎의 방식으로 이해하기를 원했던 것은 당시 음악 비평가들의 입장이므로 ②는 글을 재구성하기 위해 떠올린 내용으로 적절하지 않다.

오답 잡기

① '빈의 청중의 귀는 유럽의 다른 지역 청중과는 달리 순수 기악을 향해 열려 있었다.'라고 하였으므로, 이 글을 재구성하는 과정에서 떠올릴 수 있는 내용이다.
③ 호프만은 베토벤의 교향곡이 '보편적 진리를 향한 문'이라고 주장했으므로, 이 글을 재구성하는 과정에서 떠올릴 수 있는 내용이다.
④ 독일의 음악 비평가들은 베토벤의 교향곡이 독일 민족의 보편적 가치를 실현해 주는 순수 기악의 정수라고 여겼으므로, 이 글을 재구성하는 과정에서 떠올릴 수 있는 내용이다.
⑤ 빈의 청중과 독일의 음악 비평가들은 베토벤의 교향곡이 음악의 독립적 가치를 극대화했다고 여겼으므로, 이 글을 재구성하는 과정에서 떠올릴 수 있는 내용이다.

07~08 볼탕스키의 사진

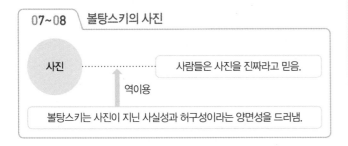

사진 ········· 사람들은 사진을 진짜라고 믿음.

↑ 역이용

볼탕스키는 사진이 지닌 사실성과 허구성이라는 양면성을 드러냄.

07 세부 내용 파악

2문단에서 볼탕스키는 사진을 진짜라고 믿는 사람들의 마음을 역이용하여 사진이 갖는 사실성과 허구성이라는 양면성을 드러내고자 했음을 알 수 있다.

오답 잡기

① 볼탕스키는 사람들이 사진을 진짜라고 믿는다고 생각했다.
② 볼탕스키는 아마추어 사진을 오브제로 활용하였다. 또한 아마추어 사진을 재촬영하거나 재배열하는 방식으로 자신의 예술적 메시지를 전달하였다.
③ 볼탕스키는 일상적인 가족사진인 아마추어 사진을 작품의 오브제로 활용하였으며, 아마추어 사진이 지닌 일상성을 통해 감상자가 사회적 규범 체제나 공동체의 특징과 같은 문화적 코드를 읽게 하였으므로 이를 부정적으로 평가했다는 설명은 적절하지 않다.
⑤ 볼탕스키는 감상자로 하여금 작품 해석에 능동적으로 참여할 수 있게 한 작가이다.

08 관점에 따른 추론

이 글과 〈보기〉에서 두 작가의 예술 작품이 당시의 사회적 규범에 저항하는 기능으로 활용되었다는 내용은 확인할 수 없다.

오답 잡기

① 1문단에서 ㉠은 감상자가 특정 가족의 삶의 모습에서 연상되는 자신의 과거나 동시대 가족의 모습을 떠올리며 아마추어 사진을 능동적으로 감상할 수 있다고 하였으므로 적절하다.
② 〈보기〉에서 Ⓐ는 일상의 사물에 미적 개념을 부여하여 예술 작품으로 만들었다고 하였으므로 적절하다.
③ Ⓐ가 기존의 물건을 그대로 전시 공간으로 가져오는 방식을 사용한 것과 달리, ㉠은 아마추어 사진을 재촬영하여 사진의 일부를 흐리게 하거나 사진을 재배열하는 등 오브제를 재구성하는 과정을 거쳤으므로 적절하다.
⑤ ㉠은 아마추어 사진을 오브제로 활용하여 작품을 만들었고, Ⓐ는 일상의 사물에 미적 개념을 부여하여 기존의 물건을 그대로 전시함으로써 예술의 영역으로 가져왔다고 볼 수 있다.

1 ①	**1-1** ④	**2** ④	**2-1** ②

대표 유형 **1** 대표 유형 **2** 스타이컨의 회화주의 사진

- **문단 중심 내용**

1문단	사진에 대한 인식 변화와 회화주의 사진
2문단	스타이컨 사진 작품의 특징과 기법
3문단	로댕과 예술적으로 교류한 스타이컨
4문단	스타이컨 사진의 구도적 특징과 메시지
5문단	스타이컨 사진의 표현 기법과 표현 의도

- **핵심 내용**
– 스타이컨의 사진 작품에 활용된 기법과 구도

기법	구도
• 로댕의 작품인 〈생각하는 사람〉과 〈빅토르 위고〉를 작가의 의도에 따라 합성함. • 피사체의 질감을 억제하는 감광액을 사용함.	근경에는 로댕이 자신의 작품 〈생각하는 사람〉과 마주 보고, 원경에는 〈빅토르 위고〉가 이들을 내려다보도록 배치함.

⬇

> 사진이 회화와 같은 방식으로 창작되고 표현될 수 있는 예술임을 보여 줌.

1 세부 내용 파악

3문단에서 스타이컨은 사진이나 조각이 문학 작품과 마찬가지로 해석의 대상이 될 수 있다고 생각했는데, 로댕도 스타이컨의 의견에 동감했음을 언급하고 있다.

오답 잡기

② 2문단을 통해 〈빅토르 위고〉는 로댕이 만든 조각 작품임을 알 수 있다. 또한 3문단에서 사진과 조각을 모두 해석의 대상이라고 생각한 것은 스타이컨과 로댕임을 알 수 있다. 빅토르 위고의 생각은 이 글에서 확인할 수 없다.

③ 3문단에서 로댕은 사물의 외형만을 재현하려는 당시 예술계의 경향을 벗어나 생명력과 표현성을 강조하는 조각을 했고, 스타이컨이 이를 높이 평가했다고 하였다. 따라서 로댕과 스타이컨은 조각이 사물의 형상을 충실히 재현하는 것에서 벗어나야 한다고 생각했음을 알 수 있다.

④ 스타이컨은 회화주의 사진은 현실 재현의 수단을 넘어 빛의 처리, 원판의 합성 등의 기법으로 예술성을 추구한 사진이다. 따라서 대상을 그대로 보여 주는 것을 회화주의 사진으로 보는 것은 적절하지 않다.

⑤ 질감의 변화는 인화 과정에서 특수한 감광액을 사용하여 구현한 것이므로 피사체의 대립 구도로 질감의 변화를 실현했다는 설명은 적절하지 않다.

1-1 세부 내용 파악

스타이컨은 로댕을 대리석상 〈빅토르 위고〉 앞에 두고 찍은 사진과

청동상 〈생각하는 사람〉을 찍은 사진의 피사체들이 하나의 프레임 속에서 자리 잡을 수 있도록 합성 사진 기법을 동원하였다. 또한 사진을 인화하는 과정에서 피사체의 질감이 억제되는 감광액을 사용하여 사진의 예술성을 표현하였다.

오답 잡기

① 〈빅토르 위고〉와 〈생각하는 사람〉은 로댕의 조각 작품이다. 이를 피사체로 활용한 스타이컨의 〈빅토르 위고와 생각하는 사람과 함께 있는 로댕〉이 회화주의 사진의 대표작이다.

② 1문단에서 19세기 초까지 사진은 근대 문명이 만들어 낸 기술적 도구이자 현실 재현의 수단으로 인식되었다고 하였다.

③ 5문단에서 스타이컨은 사진이 회화와 같은 방식으로 창작되고 표현될 수 있는 예술이라는 것을 보여 주고자 했음을 알 수 있다.

⑤ 3문단에서 로댕은 사물의 외형만을 재현하려는 당시 예술계의 경향에서 벗어나 생명력과 표현을 강조하는 조각을 하려 했음을 알 수 있다.

2 세부 내용 추론

2문단에서 스타이컨은 로댕을 대리석상 〈빅토르 위고〉 앞에 두고 찍은 사진과 청동상 〈생각하는 사람〉을 찍은 사진을 합성하여 하나의 사진 작품으로 만들었다고 하였다. 이를 통해 원경의 대상인 대리석상 〈빅토르 위고〉를 인물인 로댕과 함께 찍고, 근경의 대상인 〈생각하는 사람〉을 따로 찍었음을 추론할 수 있다.

오답 잡기

① 2문단에서 스타이컨은 로댕을 〈빅토르 위고〉 앞에 두고 찍은 사진과, 〈생각하는 사람〉을 찍은 사진의 피사체들이 하나의 프레임에 자리 잡을 수 있도록 하기 위해 고난도의 합성 사진 기법을 동원했음을 알 수 있다.

② 4문단에서 스타이컨이 원경이 밝게 보이도록 한 것은 〈빅토르 위고〉와 로댕 간의 명암 대비 효과를 내기 위한 것이었음을 알 수 있다.

③ 4문단에서 로댕은 〈생각하는 사람〉과 마주하여 같은 자세로 묵상하는 모습을 취하고 있는데, 이를 통해 스타이컨이 창작에 대한 예술가의 고뇌를 드러내려 했음을 알 수 있다.

⑤ 4문단에서 피사체들의 질감이 뚜렷이 살지 않게 처리한 것은 모든 피사체들이 사람인 듯한 느낌을 주기 위함이라고 하였다.

2-1 세부 내용 추론

ⓛ은 2문단에 로댕과 〈빅토르 위고〉를 함께 찍은 사진과 청동상 〈생각하는 사람〉을 찍은 사진을 합성하여 만든 사진이다. 따라서 ⓛ은 총 두 장의 사진을 합성하여 하나의 사진으로 만든 것이다.

01 ③   02 ②   03 ③   04 ⑤
05 ④   06 ④   07 ④   08 ⑤

01~04 푸생의 예술관

● 문단 중심 내용

1문단	고대 그리스·로마의 고전성을 추구한 푸생
2문단	푸생이 그림에서 대상을 표현한 방식
3문단	푸생이 풍경화에 사용한 표현 방법
4문단	감상자들이 푸생의 작품에서 느끼는 미적 즐거움

● 핵심 내용
– 푸생의 예술관

> 영원불변하는 본질과 이상적 아름다움을 형상화하고자 함.

⬇

소재	표현	인물	구성
신화, 역사, 성서 속 이야기들을 그림의 소재로 삼음.	절제되고 압축된 표현을 활용함.	고대 조각상 중에서 가장 이상적으로 생각하는 상을 선택함.	기하학적 공간 구성의 원리를 적용함.

⬇

> 푸생의 작품을 감상할 때 지적이고 정신적인 즐거움을 느끼게 됨.

01 세부 내용 파악

3문단에서 푸생은 풍경에 엄격한 질서와 조화를 부여할 수 있는 방법을 통해 인간이 추구해야 할 보편적인 삶의 본질을 나타내고자 했음을 알 수 있다.

02 세부 내용 추론

푸생은 고대 그리스·로마의 예술이 이성에 바탕을 둔 것이므로 모든 시대에 적용될 수 있는 보편적 원리를 제공해 줄 수 있다고 믿었다. 그렇기 때문에 고대 예술의 주된 대상인 신화나 역사 혹은 성서 속 이야기들을 그림의 소재로 삼은 것이다.

03 구체적 상황에 적용 및 추론

푸생은 바로크 미술이 작가의 즉흥적인 감정을 형상화했다는 점에서 지적인 사고가 결여된 예술 활동이라며 부정적으로 평가했다. 따라서 푸생이 그림을 통해 자신의 즉흥적인 감정을 표현했다는 반응은 적절하지 않다.

오답 잡기

① 2문단에서 고대 예술의 주된 대상은 신화나 역사 혹은 성서 속 이야기라고 하였는데, 〈보기〉의 그림은 성서 속의 유명한 이야기인 '솔로몬의 심판'을 그린 것이므로 적절하다.
② 왕과 아기를 두고 싸우는 여인들이 삼각형의 구도를 이루는 것은 2문단에서 설명한 선이나 도형 등을 활용한 기하학적 공간 구성의

원리에 해당한다.
④ 솔로몬 왕의 양쪽에 있는 대리석 기둥을 대칭으로 배치한 것은 기하학적 공간 구성의 원리를 적용하여 안정적인 구도를 갖추기 위한 것이다.
⑤ 2문단에서 푸생은 감상자의 시선을 흐트러뜨릴 가능성이 있는 요소를 철저히 배제했다고 하였다. 따라서 솔로몬의 명석한 두뇌를 강조하기 위해 흰색 머리띠만 두르게 하고 왕홀이나 왕관처럼 감상자의 시선을 빼앗을 수 있는 요소를 배제했다고 볼 수 있다.

04 어휘의 문맥적 의미 파악

ⓐ와 ⑤의 '보다'는 '대상을 평가하다.'라는 의미로 사용되었다.

오답 잡기

① '물건을 팔거나 사다.'라는 의미로 사용되었다.
② '눈으로 대상을 즐기거나 감상하다.'라는 의미로 사용되었다.
③ '상대편의 형편 따위를 헤아리다.'라는 의미로 사용되었다.
④ '의사가 환자를 진찰하다.'라는 의미로 사용되었다.

05~08 우연성 음악과 대표적 음악가들

● 문단 중심 내용

1문단	우연성 음악의 개념과 등장 배경
2문단	케이지의 우연성 음악의 특징
3문단	우연적 방법을 사용한 케이지의 대표작
4문단	슈토크하우젠의 우연성 음악의 특징
5문단	슈토크하우젠의 〈피아노 소품 XI〉을 연주하는 방법
6문단	우연성 음악의 의의

● 핵심 내용
– 우연성 음악의 대표적 음악가

음악가	대표작	우연적 방법
케이지	〈피아노를 위한 변화의 음악〉	세 개의 동전을 던져 음의 고저, 장단, 음가를 결정함.
	〈4분 33초〉	연주를 하지 않고 피아노 앞에 가만히 앉아 있음.
슈토크하우젠	〈피아노 소품 XI〉	19개의 단편적 악구로 구성되어 있고, 연주자가 악구를 선택하여 임의로 연주함.

05 글의 전개 방식 이해

이 글은 우연성 음악을 추구한 대표적인 음악가들의 작품을 예로 들어 우연성 음악의 개념과 특징을 설명하고 있다.

06 관점에 따른 비판적 이해

㉠은 작곡이나 연주 과정에 우연성을 도입하여 불확정성을 추구하는 음악을 말한다. 따라서 ㉠의 입장에서 볼 때, 음악적 요소를 수학적으로 통제하는 총렬주의 음악은 연주자에 의해 다양하게 연주될 수 있는 가능성을 줄어들게 한다고 지적할 수 있다.

오답 잡기

① 1문단에서 ㉠은 정밀하게 구성된 음만을 추구하는 현대 음악을 부정적으로 보았음을 알 수 있다.

② ㉠은 작곡이나 연주 과정에서 우연성을 도입하여 불확정성을 추구하는 음악으로, 곡을 통제하는 것에 반대하는 경향을 보인다.

③ ㉠은 고정된 악보보다는 우연성에 따른 음악을 추구한다. 따라서 ㉠의 입장에서는 음악 요소를 도표로 체계화하여 제시하는 것을 부정적으로 볼 것이다.

⑤ ㉠은 작곡가의 의도보다는 연주자의 다양한 음악적 표현을 중요하게 여긴다. 따라서 ㉠의 입장에서는 작곡가의 의도를 정확하게 전달하려는 태도를 부정적으로 볼 것이다.

07 구체적 사례에 적용 및 추론

[가]에서 각 악구의 뒷부분에 다음 악구를 연주하는 방식이 지시되어 있기 때문에 다음 악구는 바로 직전 악구의 지시어대로 연주해야 한다고 하였다. 따라서 '악구 A'에 '한 옥타브로 높게'라는 지시어가 있더라도 '악구 A'의 바로 직전 악구인 '악구 B'의 지시어대로 연주해야 한다.

오답 잡기

① [가]에서 연주자는 악구를 하나 선택하여 자신이 생각한 박자로 연주를 시작한다고 하였으므로 3/4박자로 연주하지 않아도 된다.

② [가]에서 어느 한 악구를 세 번째로 연주하게 되면 연주가 끝난다고 하였다. 따라서 A를 연주하기 전에 두 번씩 연주한 B, C, D 중 어떤 것을 선택해도 연주가 끝나게 된다.

③ [가]에서 동일한 악구를 두 번째로 다시 연주할 때에는 해당 악구의 앞부분의 괄호 안에 적힌 옥타브 변경 지시에 따라 연주해야 한다고 하였다. 따라서 두 번째로 연주하는 '악구 D'는 해당 악구의 앞부분의 괄호에 적힌 옥타브 변경 지시를 따라야 한다.

⑤ [가]에서 각 악구의 뒷부분에 다음 악구를 연주하는 방법이 제시되어 있기 때문에, 그다음 악구는 바로 직전 악구의 지시어대로 연주해야 한다고 하였다. 따라서 '악구 C' 다음에 오는 '악구 D'는 '악구 C'의 뒷부분에 적힌 지시어대로 느리게 연주해야 한다.

08 어휘의 문맥적 의미 파악

'확립하다'는 '체계나 견해, 조직 따위 굳게 서다'라는 의미이다. 문맥을 고려할 때 ⓔ는 '범위, 규모, 세력 따위를 늘려서 넓히다.'라는 의미를 지닌 '확장하다'로 바꾸어 쓰는 것이 적절하다.

오답 잡기

① '유래되다'는 '사물이나 일이 생겨나게 되다.'라는 의미이므로 ⓐ와 바꿔 쓰기에 적절하다.

② '제거하다'는 '없애 버리다.'라는 의미이이므로 ⓑ와 바꿔 쓰기에 적절하다.

③ '발생하다'는 '어떤 일이나 사물이 생겨나다.'라는 의미이므로 ⓒ와 바꿔 쓰기에 적절하다.

④ '간주하다'는 '상태, 모양, 성질 따위가 그와 같다고 보거나 그렇다고 여기다.'라는 의미이므로 ⓓ와 바꿔 쓰기에 적절하다.

---

3 ④	**3**-1 ④	**4** ⑤	**4**-1 ②

대표 유형 3 대표 유형 4 공공 미술의 변화 과정

● 문단 중심 내용

1문단	공공 미술의 개념
2문단	1960년대 후반~1980년대까지의 공공 미술의 특징 – 장소 중심
3문단	1990년대 이후 공공 미술의 특징 – 참여 중심
4문단	공공 미술가가 지향해야 할 창작 태도

● 핵심 내용
– 공공 미술의 변화 과정

1960년대 후반 ~1980년대	• '장소' 중심의 공공 미술 • 결과 중심의 수동적인 미술 • 공공건물이나 공원, 광장과 같은 공공장소에 설치함. • 주변 공간과 어울리지 않거나 대중이 미술가의 미학적 입장을 수용하지 못하는 일이 발생함. → 주변의 삶과 조화를 이루는 방향으로 발전함.
1990년대 이후	• '참여' 중심의 공공 미술 • 과정 중심의 능동적인 미술 • 대중이 직접 작품 제작에 참여하거나 작품을 보고 만지며 체험하는 활동 속에서 작품의 의미를 완성하도록 함. → 미술가와 대중, 작품과 대중 사이의 소통을 강화함.

3 관점에 따른 비판적 이해

〈보기〉는 예술의 공공성을 위해 예술의 자율성을 포기할 수 있어야 한다는 관점을 드러내고 있다. 반면 [A]에서는 공공 미술에서 예술의 자율성은 소통의 가능성과 대립하지 않는다고 하였으므로, 공공 미술가의 미학적 입장을 포기하지 않아도 대중과 소통할 수 있음을 강조할 것이다.

오답 잡기

① [A]는 공공 미술가의 작품들이 대중과의 소통을 통해 예술로 받아들여질 수 있다는 입장이다.

②, ③ [A]에서 대중과의 소통을 위해 누구나 쉽게 다가가 감상할 수 있는 작품을 만들어야 하기 때문에 미술가는 자신의 미학적 입장을 포기해야 한다는 생각은 대중의 미적 감상 능력을 무시하는 편협한 시각이라고 지적하였다.

⑤ [A]에서 추상적이고 난해한 작품이라도 대중과의 소통 가능성은 늘 존재한다고 하였다.

개념 더 보기

공공 미술

일반적으로 대중에게 공개된 장소에 설치·전시되는 작품을 지칭하는데, 지정된 장소의 설치 미술이나 장소 자체를 위한 디자인 등을 포함한다. 도시의 공원에 있는 환경 조각이나 벽화 등이 해당된다. 우리나라에서는 '문화 예술 진흥법 제9조'와 같은 법에 따라 건축물 미술 장식 제도가 의무화되면서 본격화되었다.

3-1 내용의 비판적 이해

㉮는 공공 미술의 자율성이 대중과의 소통 기능성과 대립하지 않는다는 입장이다. 그러나 대중의 요구로 인해 작품의 본래 디자인이 지나치게 변경된다면 예술의 자율성이 침해받을 수 있다는 점을 지적할 수 있다.

4 어휘의 사전적 의미 파악

'난해하다'는 '뜻을 이해하기 어렵다.'를 의미한다. '사정이 몹시 딱하고 어렵다.'는 '곤란하다'의 사전적 의미이다.

4-1 어휘의 문맥적 의미 파악

ⓐ와 ②의 '걸치다'는 '일정한 횟수나 시간, 공간을 거쳐 이어지다.'라는 의미로 사용되었다.

오답 잡기

① '지는 해나 달이 산이나 고개 따위에 얹히다.'라는 의미로 사용되었다.
③ '가로질러 걸리다.'라는 의미로 사용되었다.
④ '어떤 물체를 다른 물체에 얹어 놓다.'라는 의미로 사용되었다.
⑤ '옷이나 착용구 또는 이불 따위를 아무렇게나 입거나 덮다.'라는 의미로 사용되었다.

| 01 ⑤ | 02 ② | 03 ④ | 04 ③ |
| 05 ⑤ | 06 ⑤ | 07 ⑤ | 08 ④ |

01~04　하이퍼리얼리즘의 특징과 기법

● 문단 중심 내용

1문단	하이퍼리얼리즘의 개념
2문단	하이퍼리얼리즘과 팝 아트의 특징 비교
3문단	〈쇼핑 카트를 밀고 가는 여자〉에 담긴 의미
4문단	〈쇼핑 카트를 밀고 가는 여자〉의 제작 기법
5문단	리얼리즘 미술의 목적과 표현 방법

● 핵심 내용
– 하이퍼리얼리즘과 팝 아트 비교

	공통점	차이점
하이퍼리얼리즘	자본주의 사회의 일상의 모습을 대상으로 삼음.	• 대상을 정확하게 재현하려 함. • 대상의 현실성과 표현의 사실성을 추구함. • 새로운 재료나 기계적 방식을 사용함.
팝 아트		• 대상의 현실성을 추구하지만 대상을 정확한 재현보다는 함축적으로 변형함. • 대중과 쉽게 소통할 수 있는 인쇄 매체를 활용함.

01 세부 내용 파악

핸슨이 팝 아트보다 하이퍼리얼리즘을 선호한 이유는 이 글에 제시되지 않았다. 따라서 ⑤는 이 글을 읽고 답할 수 있는 질문이 아니다.

02 세부 내용 파악

2문단에서 하이퍼리얼리즘은 트롱프뢰유의 흐름을 이어 표현의 사실성을 추구한다고 하였다. 트롱프뢰유는 감상자가 실물처럼 착각할 정도로 정밀하게 재현하는 것을 의미하므로 ②가 적절한 설명이다.

03 관점에 따른 비판적 이해

〈보기〉에서 헤겔은 예술이 모방에 그치게 되면 정신을 표현하는 데 한계가 생긴다고 지적하였다. 따라서 헤겔의 입장에서 하이퍼리얼리즘은 실체가 없는 꿈이나 정신을 그려 내지 못한다는 점을 비판할 수 있다.

오답 잡기

① 〈보기〉에서 헤겔은 대상의 외형에 대한 정확한 모사를 중시하면 예술의 본질을 완전히 표현할 수 없다고 하였다.
② 하이퍼리얼리즘은 대상을 실재와 똑같이 표현하는 사실성을 추구하였으므로 개성적 표현을 담은 모더니즘 예술과 거리가 멀다.
③ 〈보기〉에는 실제가 아닌 것을 실제인 것처럼 표현한 것을 헤겔이 거짓과 다름없다고 판단할 만한 근거가 제시되어 있지 않다.

⑤ 하이퍼리얼리즘은 우리 주변에서 흔히 볼 수 있는 것을 대상으로 하여 실제 모습과 똑같이 표현하기 때문에 대중들이 작품을 쉽게 이해할 수 있다.

04 어휘의 문맥적 의미 파악
㉠과 ⑤의 '높다'는 '품질, 수준, 능력, 가치 따위가 보통보다 위에 있다.'라는 의미로 사용되었다.

오답 잡기
① '아래에서 위까지의 길이가 길다.'라는 의미로 사용되었다.
② '소리의 강도가 세다.'라는 의미로 사용되었다.
④ '수치로 나타낼 수 있는 온도, 습도, 압력 따위가 기준치보다 위에 있다.'라는 의미로 사용되었다.
⑤ '지위나 신분 따위가 보통보다 위에 있다.'라는 의미로 사용되었다.

05~08 피아노의 장치와 기능

● 문단 중심 내용

1문단	건반으로 연주하는 현악기인 피아노
2문단	피아노의 핵심 장치인 액션의 기능
3문단	현과 음향판, 향봉의 기능
4문단	페달의 세 가지 종류와 기능

● 핵심 내용
– 피아노의 여러 가지 장치

장치		특징
액션		• 해머가 현을 때리도록 하는 지렛대 역할 • 댐퍼를 현에 붙이거나 떨어지게 함.
현		건반 하나에 같은 음높이로 조율된 여러 개의 현들이 대응함.
음향판		현의 진동을 전달받아 음량을 증폭시킴.
향봉		음이 음향판 전체에 고루 퍼지도록 함.
페달	댐퍼 페달	음향을 풍부하게 하고, 음과 음을 부드럽게 연결함.
	소프트 페달	음량을 감소시킴.
	소스테누토 페달	음색에 변화를 줌.

05 세부 내용 파악
3문단에서 '건반 하나에는 같은 음높이로 조율된 여러 개의 현들이 대응하도록 제작되어 있다.'라고 하였다. 따라서 서로 다른 높이로 조율된 현이 대응되어 있다는 설명은 적절하지 않다.

06 세부 내용 파악
3문단에서 '음향판은 현의 진동을 전달받아 공기와의 접촉면을 넓혀 음량을 증폭하는 역할을 하게 한다.'라고 하였다.

오답 잡기
① 해머가 현을 때리도록 하는 지렛대 역할을 하는 것은 액션의 기능이다.
② 한 번에 여러 개의 현을 때리는 것은 해머의 기능이다.
③ 하나의 현이 진동할 때 다른 현이 진동하지 못하도록 하는 것은 액

션의 기능이다.
④ 연주된 음을 지속적으로 울리게 하거나 음량을 감소시키는 것은 페달의 기능이다.

07 구체적 상황에 적용 및 추론
ⓒ는 댐퍼 페달이다. 3문단에서 댐퍼 페달을 밟고 건반을 누르면 현의 진동이 건반을 누르지 않은 다른 현에도 공명을 일으킨다고 하였다. 따라서 ⑤는 적절하지 않다.

오답 잡기
① ⒶⒶ는 소프트 페달로, 해머가 때리는 현의 수를 3현은 2현으로, 2현은 1현으로 감소시킨다.
② ⒶⒶ는 소프트 페달로, 해머의 위치를 한쪽으로 조금씩 움직여서 음량을 감소시킬 수 있다.
③ ⒷⒷ는 소스테누토 페달로, Ⓑ를 밟고 건반을 누르면 해머가 때린 현의 댐퍼만이 현에서 떨어지게 되어 음색을 변화시킬 수 있다.
④ ⒸⒸ는 댐퍼 페달로, 연주된 음을 지속적으로 울리게 하여 음향을 풍부하게 한다.

08 어휘의 사전적 의미 파악
ⓓ는 '어떤 두 대상이 주어진 어떤 관계에 의하여 서로 짝이 되는 일.'을 의미한다. '처지, 속성 따위가 서로 반대되거나 모순됨.'은 '대립'의 사전적 의미이다.

01 ③	02 ②	03 ④	04 ④
05 ④	06 ②	07 ②	08 ⑤

01~04 작가주의 비평의 개념과 의의

● 문단 중심 내용

1문단	작가주의 비평의 개념과 등장 배경
2문단	작가주의 비평의 기본 관점
3문단	작가주의 비평가들에 의한 할리우드 영화의 재발견
4문단	히치콕 감독이 작가주의 비평가에 의해 재평가된 이유
5문단	작가주의 비평의 의의

● 핵심 내용
– 작가주의 비평의 영향과 의의

할리우드 영화 재평가	히치콕 감독 재평가
• 할리우드 상업 영화에서도 감독 고유의 표지를 찾아낼 수 있다고 봄. • 할리우드의 제한적인 제작 여건이 감독의 도전 의식과 창의성을 끌어낸 사례에 주목함.	히치콕을 제작 시스템과 장르의 제약 속에서도 일관된 주제 의식과 스타일을 관철한 감독으로 평가함.

⬇

작가주의로 인해 '좋은' 영화와 '위대한' 감독들이 선정되었고, 이들이 지금도 영화 교육 현장에서 활용되고 있음.

01 세부 내용 파악

1문단에서 작가주의는 유명한 문학 작품을 영화화하거나 인기 연극 배우에 의존하는 제작 관행에 대한 반발에서 시작되었다고 하였다. 또한 2문단에서 작가주의는 작품을 관통하는 감독의 세계관이나 주제 의식, 표현 기법과 같은 일관된 문체상의 특징을 중요시했음을 알 수 있으므로 ③은 적절하지 않다.

02 구체적 상황에 적용 및 추론

3문단을 통해 할리우드 영화에서 감독은 제작자의 생각을 화면에 구현하는 역할에 머물렀음을 알 수 있다. 그러나 4문단에서 히치콕 감독은 제작 시스템과 장르의 제약 속에서도 일관된 주제 의식과 스타일을 관철한 감독으로 평가받는다고 하였다. 특히 히치콕 감독은 맥거핀 기법을 활용하여 자신만의 이야기 법칙을 만들었다고 하였으므로, 제작자의 생각을 구현하기 위해 맥거핀 기법을 활용했다는 내용은 적절하지 않다.

오답 잡기

① 영화 〈사이코〉에서 주인공이 돈을 횡령한 일은 중요한 사건으로 인식되어 관객의 오인을 일으킨다는 점에서 맥거핀에 해당하는 소재이다.

③, ④ 텔레비전 프로그램이나 영화의 예고편에서 실제로 등장하지 않은 인물이나 내용을 담는 것은 관객의 오인을 일으키는 맥거핀 기법에 해당한다. 이로 인해 관객은 자신의 기대와 다른 내용을 보

고 허망함을 느낄 수 있다.

⑤ 실제 기사 내용에 맞지 않는 제목을 내세워 클릭을 유도하는 것도 맥거핀 기법을 사용한 것으로 볼 수 있다.

03 세부 내용 추론

3문단에서 ㉠은 '계량화가 불가능한 창작자의 재능, 관객의 변덕스런 기호 등의 변수로 야기될 수 있는 흥행의 불안정성을 최소화하여 일정한 품질의 영화를 생산하기 위한 것'임을 알 수 있다. 이때 '흥행의 불안정성을 최소화'한다는 것은 영화를 상업적으로 성공시킨다는 의미로 해석할 수 있으므로 ④가 가장 적절하다.

오답 잡기

① ㉠과 같은 제한적인 제작 여건은 창작자의 재능 등의 변수로 인한 흥행의 불안정성을 최소화하기 위한 것이다.

② 3문단에서 ㉠에 따라 제작자가 감독의 작업 과정에 관여하게 되었음을 알 수 있다.

③, ⑤ 3문단에서 표준화·분업화한 방식으로 인해 감독은 제작자의 생각을 화면에 구현하는 역할에 머무르게 되었다고 하였다. 따라서 감독이 자신의 생각을 영화에 구현하거나 개성적인 작품 세계를 펼치기 어려웠음을 알 수 있다.

04 어휘의 사전적 의미 파악

ⓓ는 '어려움을 뚫고 나아가 목적을 기어이 이루다.'라는 의미로 사용되었다. '타협하다'는 '어떤 일을 서로 양보하여 협의하다.'라는 의미이므로 ⓓ와 바꾸어 쓰기에 적절하지 않다.

오답 잡기

① ⓐ는 '어떤 세력이나 현상이 새롭게 나타나게 되다.'라는 의미로 사용되었으므로, '등장하다'와 바꾸어 쓸 수 있다.

② ⓑ는 '전염병이나 나쁜 현상이 널리 퍼지다.'라는 의미로 사용되었으므로, '퍼지다'와 바꾸어 쓸 수 있다.

③ ⓒ는 '꿰뚫어서 통하다.'라는 의미로 사용되었으므로, '꿰뚫다'와 바꾸어 쓸 수 있다.

⑤ ⓔ는 '어떤 사실을 자세히 따져서 바로 밝히다.'라는 의미로 사용되었으므로, '밝히다'와 바꾸어 쓸 수 있다.

05~08 선암사 승선교에 담긴 미의식

● 문단 중심 내용

1문단	승선교에 대한 소개와 유래
2문단	홍예를 세우는 과정과 특징
3문단	승선교의 석축과 장식 돌
4문단	승선교와 주변 경관의 조화로움
5문단	승선교에 반영된 미의식

● 핵심 내용
- 승선교의 아름다움

홍예석	석축	주변 경관과의 조화
반원형의 구조물이 부드러운 곡선미를 형성함.	홍예석과 대비되어 변화감 있는 조화미를 이룸.	홍예의 반원과 물 위에 비친 홍예 그림자가 원 모양을 이루고, 주변 경관과 합일을 이룸.

⬇

> 주변 경관과의 조화를 중시하는
> 옛사람들의 자연스러운 미의식이 반영된 승선교

05 세부 내용 파악

4문단에서 강선루에 대해 언급하고 있지만, 강선루의 건축 방법이나 그 특징에 대해서는 설명하지 않았다.

오답 잡기

① 1문단에서 승선교가 세워지게 된 유래를 설명하고 있다.

② 2문단에서 홍예를 세우는 구체적인 과정을 설명하고 있다.

③ 3문단을 통해 승선교에 있는 용머리 모양의 장식 돌은 용이 다리를 건너는 사람들이 물로부터 화를 입는 것을 방지한다고 여겨 만들어졌음을 알 수 있다.

⑤ 5문단에서 승선교에는 주변 경관과의 조화를 중시한 옛사람들의 미의식이 반영되어 있음을 설명하고 있다.

06 세부 내용 추론

2문단에서 홍예는 무지개 모양의 구조물로, 위로부터 받는 하중을 좌우의 아래쪽으로 효과적으로 분산시켜 구조적 안정성을 얻는다고 하였다. 〈보기〉에서 아치 형태의 구조물은 아치를 이루는 조각들이 단단하게 고정되고, 위에서 누르는 힘이 아치의 방향으로 분산되어 무게를 지탱할 수 있다고 하였으므로 ②는 적절한 설명이다.

오답 잡기

① 2문단에서 홍예는 위로부터 받는 하중을 좌우의 아래쪽으로 분산시킨다고 하였다. 〈보기〉에서도 위에서 누르는 힘을 아치의 방향으로 분산한다고 하였다.

③ 2문단에서 홍예석들이 서로를 단단하게 지지해 주기 때문에 접착 물질 없이도 홍예가 단단하게 고정된다는 것을 알 수 있다. 또한 〈보기〉에서 아치를 이루는 조각들은 서로를 밀어 주는 압축력을 받아 단단하게 고정된다고 하였다.

④ 아치 형태로 질서 있게 쌓아 올린 것은 홍예이다. 2문단에서 석축은 층의 구분이 없이 무질서하게 쌓은 듯이 보인다고 하였다.

⑤ 하나의 평형 상태가 새로운 평형 상태로 옮겨 가는 아칭 효과가 나타나는 것은 홍예의 특징이다.

● 예술 영역 지문 + 기술 영역 〈보기〉 융합

지문의 핵심	〈보기〉의 핵심
승선교는 홍예를 세우고 그 좌우로 석축을 쌓아 올린 홍예다리임.	아치를 이루는 조각들이 서로를 밀어 주는 압축력을 받아 고정되며, 위에서 누르는 힘을 아치 방향으로 분산하는 것을 아칭 효과라고 함.

> 예술 영역의 지문과 기술 영역의 〈보기〉가 융합되었다는 것에 주목하여 홍예의 건축 원리에 대해 이해해야 함.

07 구체적 상황에 적용 및 추론

Ⓐ는 '홍예'이다. 2문단에서 홍예석들은 서로를 단단하게 지지해 주기 때문에 특별한 접착 물질로 돌과 돌을 이어 붙이지 않아도 홍예가 견고하게 서 있다고 하였다.

오답 잡기

① Ⓐ '홍예'는 홍예 모양의 목조로 된 가설 틀을 세워 만든다.

③ Ⓑ는 홍예 천장에 있는 '용머리 모양의 장식 돌'로, 용이 다리를 건너는 사람들이 물로부터 화를 입는 것을 방지한다고 여겨 만든 것이다.

④, ⑤ Ⓒ는 '석축'으로, 층의 구분 없이 무질서하게 쌓여 있으며, 사람이 다닐 수 있는 길의 일부가 된다.

08 어휘의 문맥적 의미 파악

ⓐ와 ① ~ ④의 '입다'는 '(도움, 손해 따위와 같은 말을 목적어로 하여) 받거나 당하다.'라는 의미로 사용되었지만, ⑤의 '입다'는 '옷을 몸에 꿰거나 두르다.'라는 의미로 쓰였다.

01~03　한국의 줄타기의 특징과 연행 구조

● 문단 중심 내용

1문단	한국 줄타기의 특징
2문단	한국 줄타기의 발전 과정
3문단	긴장과 이완의 반복 구조를 지닌 줄타기
4문단	줄타기의 각 부분에서 나타나는 긴장과 이완의 반복 구조
5문단	예술로서 줄타기의 가치

● 핵심 내용
– 줄타기에 등장하는 인물

줄광대	줄 위에서 기예를 보여 주거나 줄 아래에 있는 사람들과 재담을 주고받음.
어릿광대	지상에서 줄광대와 재담을 나눔.
악공	줄 아래에서 삼현 육각을 연주함.

01 구체적 상황에 적용 및 추론

1문단에서 어릿광대는 줄광대가 줄을 탈 때 지상에서 뛰어놀거나 줄광대와 재담을 주고받는 역할을 한다고 하였다. 따라서 그림 속 인물 중 줄 아래에서 부채를 들고 있는 사람은 어릿광대임을 추론할 수 있다.

오답 잡기

① 줄 아래에서 왼쪽에 있는 사람들은 악기를 연주하고 있고, 가운데에 있는 사람은 부채를 들고 춤을 추는 듯한 모습을 보이는 반면에 오른쪽에서 있는 세 사람은 줄타기 연행 모습을 바라만 보고 있으므로 관중이라고 추론할 수 있다.

③ 1문단에서 어릿광대는 지상에서 뛰어놀거나 줄광대와 재담을 주고받는다고 하였다.

④ 왼쪽 아래에 앉아 있는 여섯 명의 사람들은 악기를 연주하고 있으므로 삼현 육각을 연주하는 악공들임을 추론할 수 있다.

⑤ 줄 위에서 기예를 보여 주는 사람은 줄광대이다. 1문단에서 줄광대는 지상의 어릿광대나 악공, 관중과 재담을 주고받는다고 하였으므로 줄 아래에 있는 모든 사람들과 재담을 주고받을 수 있다.

02 세부 내용 파악

기예 Ⅱ에서 기술과 기술 사이에 배치한 인물의 외양과 행동에 대한 의도적인 왜곡과 모방은 시청각을 자극하는 흥미 요소들을 통해 관객의 긴장감을 이완시키기 위한 것이다.

오답 잡기

① 줄고사 다음에 아슬아슬한 묘기를 선보이며 관중의 긴장감을 유발하는 것은 '기예 Ⅰ'에 해당된다.

②, ③ 파계승을 풍자하는 '중놀이'와 다양한 계층을 희화화하는 '왈짜놀이' 등은 극적 흥미를 제공하면서 '기예 Ⅰ'에서 조성된 긴장을 이완시킨다.

④ '기예 Ⅱ'에서 외발만 딛고 뛰며 걷는 '앵금뛰기'와 같은 고난도 기술은 관중의 긴장감을 고조시킨다.

03 구체적 상황에 적용 및 추론

〈보기〉에서 한국 줄타기의 재담의 유형을 '기예의 내용을 설명하기', '앞으로 전개될 기예 예고하기', '이미 완성된 기예에 대해 반응하기'로 나누어 설명하였다. ⓒ는 완성된 기예에 반응하는 재담일 뿐, 앞으로 전개될 기예를 예고하는 내용은 제시되지 않았다.

🔍 보기 돋보기

● 예술 영역 지문 + 인문 영역 〈보기〉 융합

지문의 핵심	〈보기〉의 핵심
줄타기의 연행 방식과 구조	줄타기의 다양한 재담 유형과 기능

⬇

예술 영역의 지문과 인문 영역의 〈보기〉가 융합되었다는 것에 주목하여 줄타기의 연행 방식과 재담 유형을 관련지어 이해해야 함.

개념 더 보기

재담
재치 있는 문답을 주고받아 흥미를 유발하는 이야기를 말한다. 줄타기와 같은 놀이에서는 광대가 재주를 부리는 중간에 관객들에게 들려주는 재미나는 이야기가 이에 해당한다.

04~06　신라 종의 조형 양식과 시대에 따른 변화 양상

● 문단 중심 내용

1문단	우리나라 범종의 전형적인 조형 양식을 완성한 신라 종
2문단	신라 종의 조형 양식 ①
3문단	신라 종의 조형 양식 ②
4문단	고려 시대 종의 조형 양식 변화
5문단	조선 시대 종의 조형 양식 변화

● 핵심 내용
– 시대의 흐름에 따른 종의 조형 양식 변화

신라	• 몸체: 가운데가 불룩하게 튀어나온 모습 • 정상부: 한 마리 용의 용뉴와 음통이 있음. • 상대와 하대: 덩굴무늬나 연꽃무늬 등 불교적 상징물이 장식되어 있음. • 유곽이 있고, 연꽃 봉우리 형상의 유두가 9개씩 있음. • 정점부 당좌 사이에 천인상이 장식되어 있음.

↓

고려 시대	전기	• 견대가 추가되고 유곽과 당좌의 위치가 달라짐. • 천인상만 부조되어 있던 자리에 삼존불 등이 함께 나타남.
	후기	• 견대가 연꽃을 세운 모양으로 변함. • 라마교의 영향으로 범 자 문양 장식이 나타남.
	특징	범종의 소형화로 인해 신라 종의 조형 양식을 지닌 대형 종의 주조 공법이 사라짐.

↓

조선 시대	초기	• 왕실 주도로 대형 종을 주조함. • 중국 종의 주조 공법을 도입하여 종의 조형 양식에 큰 변화가 생김.
	16세기	사찰 주도로 소형 종이 주조되어 신라 종의 조형 양식이 다시 나타남.

04 세부 내용 파악

4문단에서 고려 시대에 원나라의 침입 이후 라마교의 영향으로 범 자 문양 등의 장식이 나타나게 되었음을 알 수 있다. 따라서 고려 시대까지 우리나라의 범종이 외국의 영향을 받지 않았다는 내용은 적절하지 않다.

오답 잡기

① 1문단을 통해 신라에서는 독창적이고 섬세한 조형 양식을 지닌 대형 종을 주조하였는데, 이는 중국이나 일본의 주조 공법으로는 만들기 어려운 것이었음을 알 수 있다.

② 3문단과 5문단을 통해 신라 종의 정점부에는 타종 부위인 당좌가 있었지만 조선 초기에 중국 종의 주조 공법을 도입하면서 당좌가 사라졌음을 알 수 있다.

③ 1문단을 통해 범종은 불교가 중국에 유입되면서 나타나기 시작하여 우리나라와 일본의 사찰로 퍼져 나갔음을 알 수 있다.

④ 3문단에서 신라 종의 상부와 하부에는 각각 상대와 하대라고 부르

는 동일한 크기의 문양 띠가 있는데, 여기에는 덩굴무늬나 연꽃무늬 등의 불교적 상징물이 장식되어 있다고 하였다.

05 구체적 상황에 적용 및 추론

3문단을 통해 신라 종은 당좌 사이에 천인상이 장식되어 있는 반면에 일본 종은 가로세로의 띠만 있을 뿐 천인상이 없다는 것을 알 수 있다. ㉣은 천인상을 가리키므로 일본 종에서 ㉣ 주변에 가로세로의 띠가 있다는 설명은 적절하지 않다.

오답 잡기

① 2문단에서 용뉴 뒤에 있는 음통은 우리나라 범종에서만 특징적으로 존재하는 것이라고 하였다.

② 2문단을 통해 중국 종이나 일본 종의 용뉴는 쌍용 형태이지만, 신라 종의 용뉴는 한 마리 용의 모습이라는 것을 알 수 있다.

③ 3문단에서 중국 종에는 유두와 유곽이 없고, 일본 종에는 단순한 꼭지 형상이 유두만 있는 반면에, 신라 종은 상대 바로 아래 네 방향에 사다리꼴의 유곽이 있으며 그 안에 연꽃 봉오리 형상이 장식된 유두가 9개씩 있다고 하였다.

⑤ 2문단에서 중국 종은 몸체의 하부가 팔(八) 자로 벌어져 있고 일본 종은 수직 원통형으로 되어 있는데, 신라 종의 몸체는 항아리를 거꾸로 세워 놓은 것과 비슷하게 가운데가 볼록하게 튀어나온 모습이라고 하였다. 따라서 몸체의 하부가 팔 자로 벌어진 중국 종이나 수직 원통형인 일본 종과 달리 신라 종에서는 가장 볼록하게 튀어나온 종의 정점부가 ㉤ '하대'보다 튀어나왔다고 볼 수 있다.

06 세부 내용 파악

4문단에서 고려 후기에는 원나라의 침입 이후 전래된 라마교의 영향으로 범 자 문양 등의 장식이 나타난다고 하였다. 따라서 고려 전기에 라마교의 영향으로 이와 같은 장식이 나타났다는 ①은 적절하지 않다.

후편 마무리 전략

신유형·신경향 전략

68~73쪽

01 ②	02 ③	03 ⑤	04 ③	05 ③
06 ④	07 ②	08 ③	09 ①	

01~03 미적 대상에 대한 스톨니츠와 비어즐리의 입장

● 문단 중심 내용

가 스톨니츠의 미적 대상

1문단	스톨니츠가 말하는 미적 태도와 미적 대상의 관계
2문단	스톨니츠가 말하는 미적 태도에서 '무관심적'의 의미
3문단	스톨니츠가 말하는 미적 태도에서 '공감적'의 의미
4문단	스톨니츠가 말하는 '관조'의 의미와 '식별력'을 기르는 방법

나 비어즐리의 미적 대상

1문단	비어즐리가 말하는 미적 대상의 의미
2문단	비어즐리가 제시한 구분의 원리
3문단	비어즐리가 제시한 지각 가능성의 원리
4문단	미적 대상에 대한 비어즐리의 주장

● 핵심 내용
• 미적 대상에 대한 스톨니츠와 비어즐리의 입장

스톨니츠	무관심적이면서 공감적으로 관조하는 태도로 지각하는 모든 대상이 미적 대상임.	
	무관심적	이해관계를 떠나 보이고 느껴지는 대로 관심을 가지고 보는 것
	공감적	감상자가 대상에 반응할 때 대상 자체의 조건에 의해 대상을 받아들이는 방식
	관조	감상자가 대상에 적극적으로 주목하는 것

비어즐리	• 예술 작품의 속성 중 올바르게 감상되고 비평될 수 있는 것이 미적 대상임. • 구분의 원리와 지각 가능성의 원리를 통해 예술 작품에서 미적 대상이 될 수 없는 것들을 배제해야 한다고 봄.	
	구분의 원리	예술 작품의 속성이 미적 대상이 되려면 그 예술 작품과 구분되어서는 안 된다는 것을 전제함.
	지각 가능성의 원리	예술 작품의 어떤 속성이 직접적으로 지각될 수 있어야만 미적 대상이 될 수 있음.

---

01 관점에 따른 추론

ⓛ은 예술 작품의 의미를 해석할 때 작품 그 자체의 속성만을 고려해야 한다는 비어즐리의 주장이다. 이를 토대로 ⓛ의 관점에서 ㉠을 이해하면 예술가의 의도는 작품과 '구분'되기 때문에 '객관적'이지 않다고 볼 것이며, 결과적으로 작품 외적인 예술가의 의도는 예술 작품 감

상을 위한 속성으로 볼 수 없다고 할 것이다. 따라서 ⓐ는 '객관적', ⓑ는 '구분', ⓒ는 '없어요'가 들어가야 한다.

02 중심 내용 파악

(가)의 1문단에서 '미적 태도로 지각하는 모든 대상은 미적 대상이 된다'라고 하였으며, (나)의 3문단에서 '예술 작품의 어떤 속성이 직접적으로 지각될 수 있어야만 미적 대상이 될 수 있다.'라고 하였으므로 적절한 설명이다.

오답 잡기

① (가)에서 스톨니츠는 감상자가 무관심적이면서 공감적으로 관조하는 태도로 지각하는 모든 대상이 미적 태도가 된다고 하였다. 그렇지만 (가)에서 예술가의 의도에 의해 규정되는 미적 대상을 비판한 부분은 찾을 수 없다. 또한 (나)의 2문단으로 볼 때 비어즐리는 예술가의 의도를 예술 작품의 미적 대상으로 생각하는 입장에 반대했음을 알 수 있다.

② (가)와 (나) 모두 예술 작품의 유용성을 평가하기 위한 절차를 설명하지 않았다.

④ (가)의 2문단에서 스톨니츠가 말하는 '무관심적'은 대상에 대해 관심이 없는 것이 아니라, 대상에 대해 어떤 이해관계를 떠나 보이고 느껴지는 대로 관심을 가지고 보는 것이라고 하였다. 따라서 감상자가 관심을 가지지 않고 감상해야 미적 대상이 될 수 있다고 보았다는 내용은 적절하지 않다. 또한 (나)에는 감상자가 관심을 가지지 않고 감상해야 한다는 내용이 제시되어 있지 않다.

⑤ (가)와 (나) 모두 감상자와 예술가의 상호 작용을 언급하지 않았다.

03 구체적 상황에 적용

(가)의 4문단에서 대상의 독특한 가치를 맛보기 위해 복잡하고 섬세한 부분까지 주의 깊게 살피며 민감하게 인지하는 것을 식별력이라고 하였다. 곡의 섬세한 부분에 얽매이지 않는 태도는 대상의 독특한 가치들을 주의 깊게 살피는 것에 해당하지 않으므로 적절하지 않다.

● 문단 중심 내용

1문단	디지털 이미지 압축 기술
2문단	JPEG 형식 압축에서 전처리 과정
3문단	JPEG 형식 압축에서 DCT
4문단	JPEG 형식 압축에서 양자화
5문단	JPEG 형식 압축에서 부호화

● 핵심 내용
• JPEG 형식 압축의 과정

전처리	① 색상 모델 변경 – 디지털 이미지의 색상 모델을 RGB에서 YCbCr로 바꿈. ② 샘플링 – 밝기 정보(Y)와 색상 정보(Cb, Cr)를 나타내는 화소를 J:a:b 비율로 추출함.	
DCT	• 샘플링한 화소의 정보들을 주파수로 변환하여 주파수 영역에 따라 분리된 데이터로 나타냄. • 기본 단위: 가로 8개, 세로 8개의 화소로 블록화된 행렬	
	저주파 성분	– 인접한 화소들 간의 정보 차이가 작다는 것을 나타냄. – 행렬 왼쪽 위에 모임.
	고주파 성분	– 인접한 화소들 간의 정보 차이가 크다는 것을 나타냄. – 행렬의 오른쪽 아래로 모임.
양자화	데이터 용량을 줄이기 위해 저주파 성분의 행렬 값은 작은 상수로 나누고 반올림하며, 고주파 성분의 행렬 값은 큰 상수로 나누고 반올림함.	
부호화	양자화를 거친 행렬 값을 이진수의 부호로 표현함. – 허프만 부호화가 사용됨.	

04 세부 내용 파악

JPEG는 손실 압축 기술이 적용된 디지털 이미지 파일 형식이다. 1문단에서 손실 압축 기술의 경우 원본과 동일한 이미지로 복원하기 어렵다고 했으므로 적절하지 않은 내용이다.

05 세부 내용 파악

4문단에서 인간의 눈이 저주파에는 민감하지만 고주파에는 덜 민감하다는 특성을 고려하여 저주파 성분의 절댓값을 줄이고 고주파 성분을 제거하는 방식으로 데이터의 용량을 줄인다고 하였다.

오답 잡기

① 3문단에서 DCT는 효율성을 고려하여 가로 8개, 세로 8개의 화소로 블록화된 행렬을 기본 단위로 진행된다고 하였다.
② 양자화 과정에서 저주파 성분의 행렬 값은 작은 상수, 고주파 성분의 행렬 값은 큰 상수로 나눈 뒤 반올림한다는 것을 4문단에서 확인할 수 있다.
④ 5문단에서 부호화는 양자화를 거친 행렬 값을 이진수의 부호로 표현하는 것이라고 하였다.

⑤ 5문단에서 허프만 부호화는 데이터를 손실시키지 않으면서도 디지털 이미지의 데이터 용량을 줄일 수 있다고 하였다.

06 구체적 사례에 적용 및 추론

〈보기〉의 DCT 결과로 도식화한 행렬에서 왼쪽 위에 위치한 ⓓ는 저주파 성분, 오른쪽 아래에 위치한 ⓔ는 고주파 성분이다. 4문단에서 양자화 과정에서는 고주파 성분의 행렬 값을 0의 값으로 만들기 위해 큰 상수로 나눈 뒤 반올림한다고 하였으므로 [A]에 들어갈 내용으로 적절하다.

오답 잡기

① 4:3:2 비율의 샘플링은 첫 번째 행에서 3개, 두 번째 행에서 2개의 화소가 추출되어야 한다. 따라서 ⓐ는 ●, ⓑ는 ○이 들어가야 한다.
② 제시된 샘플링에서 화소 블록의 가로 화소 개수는 3개, 첫 번째 행에서 추출된 화소는 1개, 두 번째 행에서 추출된 화소는 2개이므로 3:1:2의 비율이다.
③ 3문단에서 행렬의 왼쪽 위에 모이는 것은 저주파 성분이라고 하였다. 따라서 ⓓ는 저주파 성분이다.
⑤ 행렬의 왼쪽 위에 위치한 ⓓ는 저주파 성분이고, 행렬의 오른쪽 아래에 위치한 ⓔ는 고주파 성분이다. 3문단에서 저주파 성분은 인접한 화소들 간의 정보 차이가 작다는 것을 나타낸다고 하였고 고주파 성분은 인접한 화소들 간의 차이가 크다는 것을 나타낸다고 하였다. 즉 ⓓ와 ⓔ는 인접한 화소들 간의 정보 차이에 따라 구분되는 것이므로, 화소의 밝기에 따라 ⓓ와 ⓔ가 구분된다는 것은 적절하지 않다.

● 문단 중심 내용

가 과거제의 긍정적 측면

1문단	과거제의 특징과 긍정적 측면
2문단	학습에 영향을 준 과거제
3문단	사회적 안정에 기여한 과거제
4문단	다른 나라의 사회 제도에 영향을 준 과거제

나 과거제의 부정적 측면

1문단	과거제 개혁을 주장한 학자들
2문단	과거제의 부정적 측면
3문단	공동체 의식과 관련된 과거제의 부정적 측면
4문단	과거제의 보완을 주장한 이유

● 핵심 내용

• 과거제의 긍정적 측면과 부정적 측면

과거제의 긍정적 측면	• 많은 사람들에게 사회적 지위 획득의 기회를 줌. • 학습에 강력한 동기를 제공하여 교육의 확대와 지식 보급에 기여함. • 도덕적 가치 기준에 대한 광범위한 공유를 이끎. • 통치의 안정성에 기여함.

과거제의 부정적 측면	• 합격만을 목적으로 하는 형식적인 학습을 하게 됨. • 인성이나 실무 능력을 평가할 수 없음. • 관리들이 단기적인 결과만을 중시하게 됨. • 관리들의 소속감이 낮아 공동체 의식이 약화됨.

07 세부 내용 파악

(나)에서는 관료 선발 제도 개혁론을 주장한 유형원과 세습의 길을 열어 놓을 것을 주장한 고염무, '벽소'와 같은 옛 제도로 과거제를 보완하자는 황종희의 주장을 제시하고 있다. 그렇지만 (가)에서 과거제와 관련된 구체적인 사상가들의 주장을 제시하지 않았으므로 ②는 적절하지 않다.

08 관점에 따른 비판적 이해

(나)의 3문단의 내용으로 볼 때 공동체 의식 약화는 익명성 강화로 인한 결과가 아니라, 승진을 위해 빨리 성과를 내려 한 과거제 출신 관리들의 능력주의적 태도로 인한 결과이다. 또한 (나)의 2문단에서 학습 능력 이외의 인성, 실무 능력 등을 평가할 수 없다는 점에서 과거제의 익명성에 대한 회의가 있었다고 하였다. 따라서 공동체 의식 약화를 ⓒ에 대한 반론으로 제시하는 것은 적절하지 않다.

오답 잡기

① (나)의 2문단에서 학습 능력 이외의 인성이나 실무 능력을 평가할 수 없다는 점을 과거제의 부정적 측면으로 제시하고 있다. 따라서 과거제는 능력주의적인 시험으로 관료를 선발하기 때문에 합리적이라는 ㉠에 대해 학습 능력 이외의 다른 능력을 평가하지 못한다는 한계점을 지적할 수 있다.

② (나)의 2문단을 통해 과거제를 실시했던 국가들에서 수백 년에 걸쳐 과거제를 개선하라는 압력이 있었음을 알 수 있다. 따라서 세계

적으로 오랜 시간 동안 유지된 제도라는 점에서 과거제를 찬성한다는 ㉡에 대한 반론으로 적절하다.

④ (나)의 2문단에서 과거제의 치열한 경쟁이 합격만을 목적으로 하는 형식적인 학습을 하게 만든다고 하였으므로 ㉣에 대한 반론으로 적절하다.

⑤ (나)의 3, 4문단에서 과거제가 실제 사회에 미치는 부정적 영향을 설명하고 있는데, 과거제를 통해 선발된 관리들은 공동체에 대한 소속감이 낮고 출세 지향적이기 때문에 공동체 의식 약화라는 부정적 결과를 낳기도 한다는 것을 알 수 있다. 공동체 의식이 약화되면 사회가 불안정해질 수 있으므로 ㉤에 대한 반론으로 적절하다.

09 세부 내용 추론

A는 변변치 못한 출신이기에 기존의 제도 아래에서는 관직을 얻는 것이 어려웠을 것이라며 기존의 관료 선발 제도를 비판하고 있다. 즉 능력이 아닌 세습적 권리로 관료를 선발하는 방식의 문제점을 지적한 것이다. 또한 (가)에서 동질적인 엘리트층의 연속성을 가져온 것은 능력주의적인 시험을 통해 관료를 선발하는 과거제임을 알 수 있으므로 ①은 적절하지 않은 설명이다.

01 ⑤	02 ⑤	03 ③	04 ②	05 ①
06 ④	07 ①	08 ③	09 ④	10 ③
11 ⑤	12 ④			

01~04 회생 제동 장치의 특징과 작동 원리

● 문단 중심 내용

1문단	전기 자동차의 단점을 보완하는 회생 제동 장치
2문단	가속 페달을 밟았을 때 전동기의 작동 원리
3문단	제동 페달을 밟았을 때 전동기의 작동 원리
4문단	회생 제동 장치의 한계점과 보완 방법
5문단	전기 자동차의 제동 과정

● 핵심 내용
• 전동기의 작동 원리

가속 시	제동 시
가속 페달을 밟음.	배터리에서 전동기로 공급되는 전류가 차단됨.
회전자의 도선에 전류가 흐름.	회전자의 도선에 전류가 흐르지 않게 됨.
자기장이 생성됨.	관성에 의해 굴러가는 바퀴가 회전자를 돌리면서 운동 에너지가 소모되고 제동 효과가 발생함.
영구 자석 사이에 형성된 자기장과 상호 작용하여 전자기력이 발생함.	회전자가 회전하면서 전자기 유도 현상에 의해 전기 에너지가 만들어짐.
회전자가 회전하고, 회전축에 회전력이 전달되어 자동차가 움직임.	전기 에너지가 배터리에 저장되면 회생 제동 효과가 발생함.

01 세부 내용 파악

3문단에서 운전자가 제동 페달을 밟으면 회전자를 회전시키는 전자기력은 사라지지만, 달리던 자동차의 관성으로 인해 바퀴가 일정 시간 굴러간다고 하였다.

02 세부 내용 추론

3문단에서 제동하면서 줄어든 운동 에너지가 전기 에너지의 형태로 전환된 후, 이렇게 만들어진 전기 에너지가 배터리에 저장되면 회생 제동의 효과가 발생한다고 하였다. 그런데 4문단에서 배터리가 완전히 충전된 상황에서는 전자기 유도 현상에 의해 생성된 전기 에너지를 배터리에 저장할 수 없어서 회생 제동 장치가 작동하지 않는다고 하였다. 따라서 ⑤는 적절하지 않은 추론이다.

오답 잡기

① 2문단에서 전동기는 영구 자석과 회전자로 구성되어 있는데, 영구

자석 사이에는 항상 자기장이 형성되어 있다고 하였다.

② 4문단에서 회생 제동 장치가 단독으로 쓰일 경우 제동 효과를 충분히 발휘하기 어렵다고 하였다. 그렇기 때문에 대부분의 전기 자동차에는 회생 제동 장치뿐만 아니라 마찰 제동 장치가 함께 장착되어 상호 보완적으로 작동한다고 하였다.

③ 3문단에서 운전자가 제동 페달을 밟는 순간부터 배터리에서 전동기로 공급되는 전류가 차단되어 회전자의 도선에 전류가 흐르지 않게 된다고 하였다. 그런데 도선으로 감긴 회전자가 영구 자석에 의해 형성된 자기장 속에서 회전하면서 전자기 유도 현상에 따라 전기 에너지가 만들어진다고 하였다. 이를 통해 회전자의 도선에 전류가 흐르지 않는 상황에서도 전자기 유도 현상이 발생될 수 있음을 추론할 수 있다.

④ 5문단에서 전체 제동력에서 회생 제동으로 얻을 수 있는 제동력을 뺀 값이 마찰 제동 장치의 제동력이라는 것을 알 수 있다. 따라서 마찰 제동 장치와 회생 제동 장치의 제동력의 합이 전체 제동력이라고 할 수 있다.

03 정보 간의 관계 이해

3문단에서 운전자가 제동 페달을 밟으면 전동기는 발전기로 기능이 전환되지만, 달리던 자동차의 관성으로 인해 바퀴가 일정 시간 굴러가게 되고 이로 인해 회전자가 돌아간다고 하였다. 바퀴가 굴러가면 회전축이 움직이고 이로 인해 회전자가 돌아가는 것이므로 전동기가 발전기로 전환되었을 때 바퀴가 굴러가는 일정 시간 동안에는 ⓒ(회전축)가 움직일 것이다.

> **함정문제 해결 전략**
>
> 이 문제는 지문에서 설명한 대상의 핵심 요소들을 도식으로 제시하고 있다. 따라서 각 장치의 개념과 작동 원리, 다른 장치와의 관계, 특정 상황에서 작동 방식의 변화 등을 중심으로 글의 내용을 정확하게 이해하고 정리해야 한다. 더불어 각 장치의 작동 과정과 순서도 세심하게 살펴봐야 한다.

04 어휘의 문맥적 의미 파악

⊙과 ②의 '쓰이다'는 '어떤 일을 하는 데에 재료나 도구, 수단이 이용되다.'라는 의미로 사용되었다.

오답 잡기

① '사람이 일정한 돈을 받고 어떤 일을 하도록 부려지다.'라는 의미로 사용되었다.

③ '어떤 일에 마음이나 관심이 기울여지다.'라는 의미로 사용되었다.

④ '어떤 일을 하는 데 시간이나 돈이 들게 되다.'라는 의미로 사용되었다.

⑤ '어떤 말이나 언어가 사용되다.'라는 의미로 사용되었다.

● 문단 중심 내용

1문단	전자 요금 징수 시스템(ETC)의 작동 과정
2문단	전자 요금 징수 시스템(ETC)의 데이터 처리 방식
3문단	동기식 시분할 방식의 특징
4문단	비동기식 시분할 방식의 특징

● 핵심 내용
• 동기식 시분할 방식 VS 비동기식 시분할 방식

동기식 시분할 방식	특징	타임 슬롯을 데이터 종류 각각에 지정함.
	장점	하나의 프레임에 포함된 타임 슬롯의 개수가 차량마다 동일하여 오류가 발생할 가능성이 낮음.
	단점	데이터가 전송되지 않으면 타임 슬롯이 비어 낭비되는 경우가 생김.
비동기식 시분할 방식	특징	• 전송되는 데이터가 없는 경우 타임 슬롯을 비우지 않고, 다음 순서에 해당하는 데이터에 할당함. • 차량에 따라 하나의 프레임에 포함된 타임 슬롯의 개수가 다를 수 있음.
	장점	타임 슬롯이 낭비되지 않음.
	단점	데이터 처리 과정에서 오류가 발생할 가능성이 높음.

05 글의 전개 방식 이해

이 글은 1~2문단에서 전자 요금 징수 시스템의 작동 과정과 데이터 처리 방식을 설명하고 있다. 또한 3~4문단에서 '동기식 시분할 방식'과 '비동기식 시분할 방식'의 특징과 장단점을 비교하여 설명하고 있다.

06 세부 내용 추론

1문단에서 징수할 요금에 관한 데이터는 지역 요금소 ETC 서버를 거쳐 두 번째 게이트에 설치된 제2 기지국을 경유하여 차량 단말기로 전송된다고 하였다. 운전자는 차량 단말기에서 요금이 징수된 후 안내 표시기를 통해 요금 징수 결과를 알 수 있다. 따라서 첫 번째 게이트를 통과한 직후에는 운전자가 요금 징수 결과를 알 수 없을 것으로 추론할 수 있다.

오답 잡기

① 2문단에서 ETC의 데이터 처리 방식은 통신 규약에 따라 시분할 방식으로 정해졌다고 하였다.

② 1문단에서 고속도로 이용 요금을 납부하는 여러 가지 방법 중 한 가지로 ETC를 소개하고 있다.

③ 3~4문단에서 동기식 시분할 방식을 사용하는 경우 차량마다 타임 슬롯의 개수가 동일하지만, 비동기식 시분할 방식은 하나의 프레임에 포함된 타임 슬롯의 개수가 차량에 따라 다를 수 있다고 하였다.

⑤ 4문단에서 비동기식 시분할 방식은 정해진 타임 슬롯이 해당 종류의 데이터에 할당되지 않기 때문에 전송되는 모든 데이터마다 그 데이터의 종류를 확인하기 위한 목적으로 주소 필드를 포함시켜 프레임을 구성한다고 하였다. 따라서 주소 필드는 동기식 시분할

방식이 아니라, 비동기식 시분할 방식의 문제점을 해결하기 위한 방법이다.

07 정보 간의 관계 이해

3문단에서 ㉠의 장점으로 데이터를 처리하는 과정에서 오류가 발생할 가능성이 낮다는 점을 들고 있다. 반면에 4문단에서 ㉡의 단점으로 데이터를 처리하는 과정에서 오류가 발생할 가능성이 상대적으로 높다고 하였다. 따라서 ㉠은 ㉡에 비해 데이터 처리 과정의 정확성이 높다고 이해할 수 있다.

오답 잡기

② 4문단에서 주소 필드를 포함시키면 모든 데이터마다 그 데이터의 종류를 확인할 수 있다고 하였다. 주소 필드를 포함하여 프레임을 구성하는 것은 ㉡이므로 적절하지 않다.

③ 2문단에서 시분할 방식은 타임 슬롯을 각각의 데이터에 할당한다고 하였다. 따라서 시분할 방식의 하위 범주인 ㉡도 타임 슬롯을 데이터에 할당한다고 추론할 수 있다. 또한 4문단에서 ㉡은 데이터가 없는 경우에 타임 슬롯을 비워 두지 않고 다음 순서에 해당하는 데이터에 타임 슬롯을 할당한다고 하였으므로 ㉡이 타임 슬롯을 데이터에 할당하지 않는다는 설명은 적절하지 않다.

④ 3~4문단에서 ㉠은 데이터가 할당되지 않은 타임 슬롯이 존재할 수 있기 때문에 타임 슬롯이 일부 낭비된다고 하였다. 반면에 ㉡은 타임 슬롯이 낭비되지 않는다고 하였으므로 ㉡이 ㉠보다 낭비되는 타임 슬롯이 많다는 설명은 적절하지 않다.

⑤ 4문단에서 기술의 발전과 교통 환경의 변화로 전자 요금 징수 시스템이 변화하고 있다고 설명하고 있지만, 특정 방식이 주로 쓰이게 될 것이라고 언급하지 않았다.

▶ 함정문제 해결 전략

이 문제는 글에서 비교하여 설명한 두 대상의 특징과 장단점을 파악하고 있어야 풀 수 있다. 글을 읽으면서 비교 기준에 따른 ㉠과 ㉡의 장단점을 정리하고, 선택지의 내용을 확인해야 한다.

08 세부 내용 파악

1문단에서 제1 기지국은 차량 단말기로부터 전송받은 요금 징수 관련 데이터를 잃어버리지 않도록 임시 저장소에 보관한다고 하였다. 지역 요금소 ETC 서버는 전송된 데이터를 분석한 후, 도로 공사 요금 정산 센터의 서버로 전송하는 역할을 한다.

오답 잡기

① 1문단에서 제1 기지국이 첫 번째 게이트에 설치되어 있음을 알 수 있다. 또한 2문단에서 차량 단말기와 기지국 간에는 무선으로 데이터 전송이 이루어진다고 하였다.

② 1문단에서 제1 기지국은 차량 단말기로부터 전송받은 요금 징수 관련 데이터를 지역 요금소 ETC 서버로 전송한다고 하였다.

④ 1문단에서 지역 요금소 ETC 서버는 요금 징수 관련 데이터를 분석한 후 도로공사 요금 정산 센터의 서버로 전송하여 도로공사 요금 정산 센터의 서버가 '징수할 요금에 관한 데이터'를 찾도록 요청한다고 하였다. 따라서 도로공사 요금 정산 센터가 찾은 데이터

는 징수할 요금에 관한 데이터이며, 이는 지역 요금소 ETC 서버의 요청이 전제된 것이라 할 수 있다.

⑤ 1문단에서 징수할 요금에 관한 데이터는 제2 기지국을 경유하여 차량 단말기로 전송되고, 이 데이터가 수신되면 차량 단말기를 통해 요금이 징수된다고 하였다.

09~12 소리에 대한 과학적 분석과 음악의 아름다움

● 문단 중심 내용

1문단	과학적 분석에 따른 고른음의 개념
2문단	음색을 결정하는 요소와 소리 스펙트럼
3문단	협화도의 개념과 협화 음정
4문단	음악에 대한 한슬리크의 입장

● 핵심 내용
• 소리의 과학적 분석

고른음	일반적으로 음악에서 '음'이라고 부르는 것으로, 동일한 파형이 주기적으로 반복됨.
진동수	• 같은 파형이 1초에 몇 번 반복되는지를 나타낸 값 • 음높이(음고)와 비례함.
복합음	• 진동수와 진폭이 다른 여러 개의 사인파가 중첩된 것 → 단순음과 달리 복잡한 파형을 가짐. • 복합음을 구성하는 단순음을 부분음이라고 하며, 그중 가장 진동수가 작은 것이 기본음임.
음정	• 두 음의 음고 간의 간격을 말함. • 높은 음의 진동수를 낮은 음의 진동수로 나눈 값으로 표현함.
협화도	• 두 음이 동시에 울리거나 연이어 울릴 때, 음의 어울림을 말함. • 음정을 나타내는 분수를 약분했을 때 분자와 분모에 들어가는 수가 커질수록 협화도가 작아짐.

09 세부 내용 파악

차를리노는 약분된 분수의 분자와 분모가 1~6으로만 표현되는 음정을 협화 음정으로 보았다. 옥타브의 음정은 2/1이고, 완전 5도의 음정은 3/2이므로 차를리노의 견해에 따르면 둘 다 협화 음정에 해당한다.

10 어휘의 문맥적 의미 파악

ⓒ '이루다'는 '몇 가지 부분이나 요소들을 모아 일정한 성질이나 모양을 가진 존재가 되게 하다.'라는 의미로 사용되었다. 그런데 '달성하다'는 '목적한 것을 이루다.'를 의미하므로 ⓒ와 바꿔 쓰기에 적절하지 않다.

① '지칭하다'는 '어떤 대상을 가리켜 이르다.'라는 의미로 사용되었다. 따라서 '가리키다'와 바꾸어 쓰기에 적절하다.

② '중첩되다'는 '거듭 겹쳐지거나 포개어지다.'라는 의미로 사용되었다. 따라서 '겹쳐지다'와 바꾸어 쓰기에 적절하다.

④ ⓓ의 기본형인 '연잇다'는 '어떤 일이나 상태가 끊어지지 않게 계속하다.'라는 의미로 사용되었다. 따라서 '끊이지 아니하고 죽 이어지거나 지속하다.'를 의미하는 '연속하다'와 바꾸어 쓰기에 적절하다.

⑤ '환기하다'는 '주의나 여론, 생각 따위를 불러일으키다.'라는 의미로 사용되었다. 따라서 '불러일으키다'와 바꾸어 쓰기에 적절하다.

11 구체적 사례에 적용 및 추론

'악기 Ⓑ'의 T와 U 사이의 음정은 '5/4'이고, T와 V 사이의 음정은 6/4인데 약분하면 '3/2'이다. 3문단에서 음정을 나타내는 분수를 약분했을 때 분자와 분모에 들어가는 수가 커질수록 협화도가 작아진다고 하였다. 따라서 T와 U 사이 협화도보다 T와 V 사이의 협화도가 상대적으로 더 크다.

① '악기 Ⓐ'의 P음은 부분음들이 정수비를 이루지 않으므로 시끄러운음에 해당할 것이다. 2문단에서 시끄러운음은 소리 스펙트럼에서 막대 사이 간격이 일정하지 않다고 했으므로 '악기 Ⓐ'의 P음은 소리 스펙트럼에서 막대 사이의 간격이 일정하지 않을 것이다.

② 1문단에서 복합음을 구성하는 부분음 중 진동수가 가장 작은 것을 기본음이라고 하였다. '악기 Ⓑ'의 S음은 3개의 부분음을 가지고 있는데, 그중 가장 작은 진동수는 150Hz이므로 ㉮에는 150이 들어가야 한다.

③ 2문단에서 타악기 소리는 부분음들의 진동수가 기본음의 정수 배를 이루지 않는다고 하였다. 그런데 S음은 기본음의 진동수(150Hz)와 다른 부분음의 진동수가 정수의 비율을 가지기 때문에 '악기 Ⓑ'는 타악기라고 볼 수 없다.

④ 3문단에서 차를리노는 약분된 분수의 분자와 분모가 1~6으로만 표현되는 음정을 협화 음정이라고 본다고 하였다. U와 V 사이의 음정은 6/5이므로 차를리노에 따르면 협화 음정에 해당한다.

12 관점에 따른 비판적 이해

민영이는 예술 작품 자체의 고유 형식이 중요하다고 하였다. 이는 음악의 독자적인 아름다움이 음악적 재료, 형식 그 자체에서 비롯된다고 본 ㉠의 견해와 유사하다. 하지만 예술의 의미 있는 형식을 통해 미적 정서를 유발하는 것을 긍정한 민영이와 달리, ㉠은 음악의 가치를 음악이 환기하는 감정에서 찾으면 안 된다고 하였다. 따라서 ④는 적절하지 않다.

① 음악적 재료들이 만들어 내는 형식 그 자체를 중시한 ㉠과 달리, 민수는 예술 작품의 형식보다 관념이나 감정이 중요하다고 말하고 있다. 따라서 민수는 ㉠과 달리 진정한 음악 작품(예술 작품)이라면 음악적 재료(형식)의 구성이 중요하지 않다고 생각할 것이다.

② 이 글에서 ㉠은 음악적 가치를 음악이 환기하는 감정이나 정서에서 찾으면 안 된다고 하였다. 반면에 민수는 진지한 관념이나 감정과 같은 예술가의 마음이 예술의 조건이라고 하였으며, 진정한 예술은 정신적 대상이라고 하였다. 따라서 민수는 음악의 가치를 정신적인 것에서 찾아야 한다고 생각할 것이다.

③ ㉠이 음악의 가치를 감정이나 정서에서 찾으면 안 된다고 한 것과 달리 민영이는 예술 작품이 사람들에게 미적 정서를 유발해야 한다고 하였다. 따라서 민영이는 ㉠과 달리 음악이 정서적인 가치를 지녀야 한다고 생각할 것이다.

⑤ 민영이는 예술 작품 자체의 고유한 형식이 중요하다고 보았으며, ㉠ 역시 음악적 재료들이 움직이며 만들어 내는 형식 그 자체를 중요하게 생각하였으므로 적절하다.

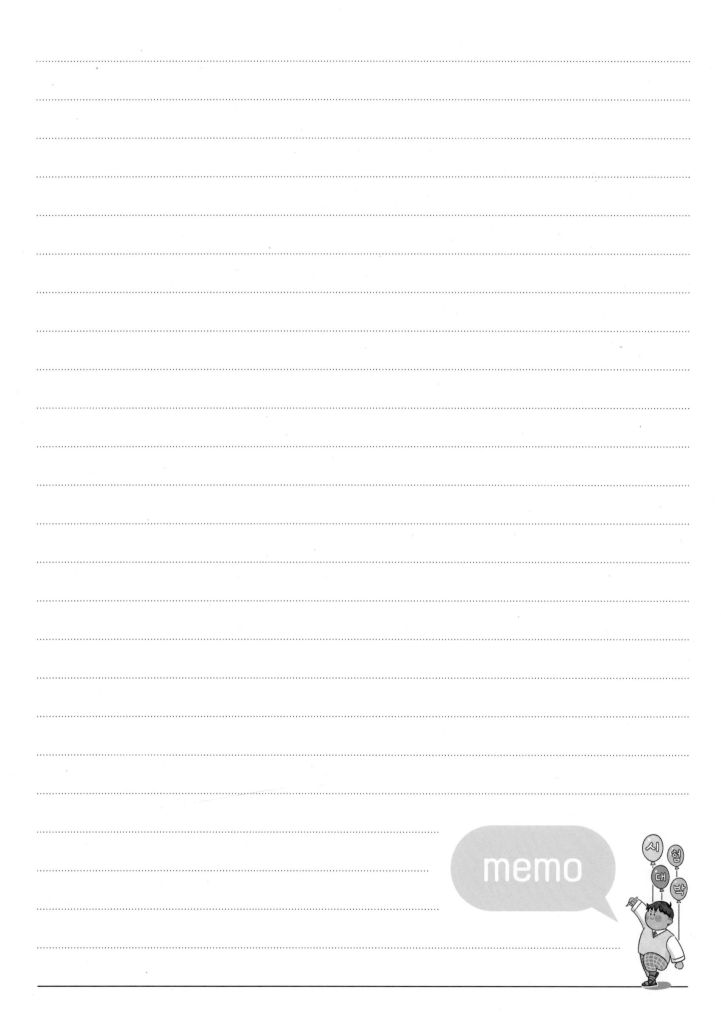

memo

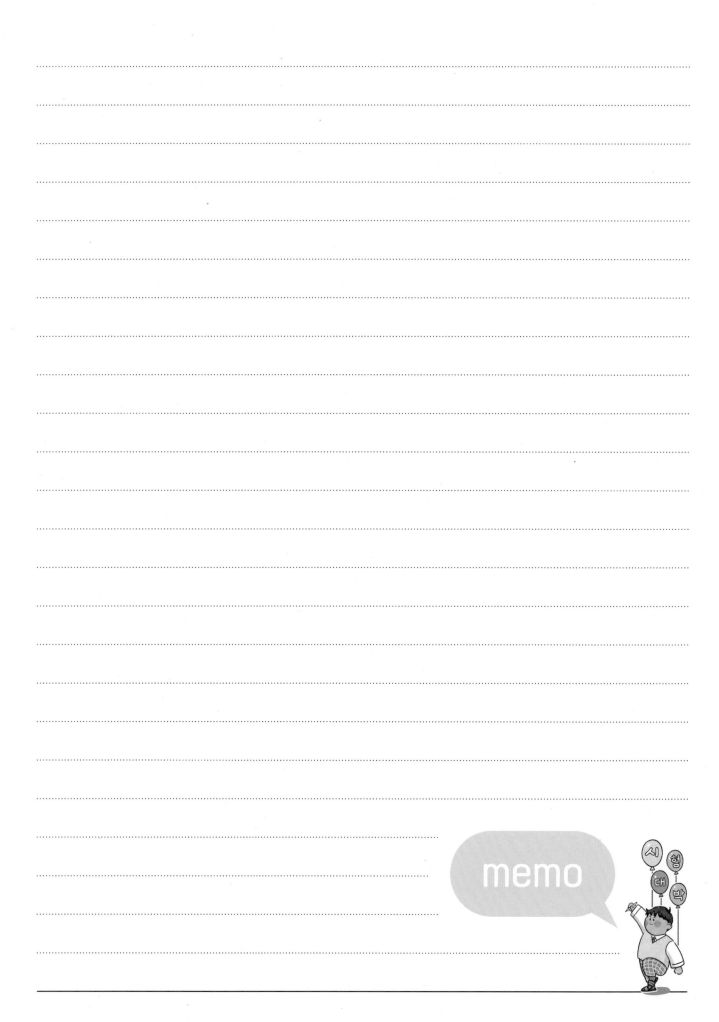

memo

정답은
이안에
있어!